DISTEL
VERLAG

Aus der Geschichte lernen

Brot ist Freiheit, Freiheit Brot

Dokumente zur Geschichte der Arbeiterbewegung in Südbaden 1832 - 1952

Zweiter Band: 1933 - 1952

Herausgegeben von der
Industriegewerkschaft Metall
Verwaltungsstelle Offenburg

Bearbeitet von
Anna Merklin

DISTEL VERLAG

Sonnengasse 11, 7100 Heilbronn.

Satz (Times New Roman): Fotosatzservice Feldhoffer GmbH, Heilbronn.
Druck und Bindung: Wilhelm Röck GmbH, Weinsberg.
Umschlagentwurf: Jürgen Knauer, Heilbronn.
ISBN 3-923208-28-6

Inhalt

Kapitel IV

Die faschistische Diktatur

30. Januar 1933 – April 1945

Als am 30. Januar 1933 Hitler zum Reichskanzler ernannt wurde, war die Machtübertragung an den Faschismus erfolgt. Damit war die Zerschlagung der organisierten Arbeiterbewegung absehbar. Doch selbst in dieser Situation waren die Führungen der großen Arbeiterorganisationen nicht in der Lage, eine gemeinsame Abwehrstrategie zu entwickeln (Dok. 90).

Die Aufforderung der KPD zum Generalstreik lehnte die Führung der SPD ab. Sie wollte immer noch nicht den Boden der Legalität verlassen und setzte ihre Hoffnungen auf die von Hitler für den 5. März 1933 angekündigten Neuwahlen zum Reichstag. Der Antrag einzelner SPD-Ortsvereine zur Bildung einer Einheitsfront aller Organisationen der Arbeiterbewegung gegen den Faschismus auf dem außerordentlichen Landesparteitag der badischen SPD am 12. Februar 1933 in Offenburg wurde abgelehnt.

Zwar kam es in fast allen größeren Städten nach der Ernennung Hitlers zum Reichskanzler zu spontanen Protestdemonstrationen und zu vereinzelten örtlichen Einheitsfrontbestrebungen, so auch in Lörrach, Singen und Mannheim. Diese konnten jedoch, unkoordiniert wie sie waren, nichts mehr bewirken. Die Organisationen der deutschen Arbeiterbewegung, mitgliederstark und durchorganisiert wie in keinem anderen Land der Welt, räumten letztendlich dem Faschismus kampflos das Feld.

Die Verfolgung und Zerschlagung der Arbeiterbewegung

Seine eigentliche politische und propagandistische Stoßkraft richtete der Faschismus auch in Südbaden von Anfang an gegen die Arbeiterbewegung. Als Fanal für die seit dem 30. Januar 1933 in Gang gekommene großangelegte Verfolgung von Kommunisten, Sozialdemokraten und Gewerkschaftern diente den Nazis der Brand des Reichstagsgebäudes am 27. Februar 1933. Als »rechtliche« Grundlage für ihr terroristisches Vorgehen gegen ihre politischen Gegner zogen sie am 28. Februar die »Verordnung des Reichspräsidenten zum Schutz von Volk und Staat« (Dok. 91) aus der Schublade. Mit dieser Verordnung waren die wichtigsten Grundrechte außer Kraft gesetzt.

Trotz der scheinbar »legalen«, den Spielregeln der parlamentarischen Demokratie entsprechenden Neuwahlen des Reichstags am 5. März 1933 machten die Nazis es den Arbeiterparteien nahezu unmöglich, einen Wahlkampf zu führen. Die Regierung mit ihrem Verwaltungs- und Polizeiapparat traf zahlreiche Unterdrückungsmaßnahmen wie Verbot und Auflösung von Wahlversammlungen, Unterdrückung von Kritik an der Regierung,

Presseverbote, willkürliche Verhaftungen und Mißhandlungen auf offener Straße und Wohnungsplünderungen.

Auch in Südbaden wurden unzählige Wohnungen durchsucht, Kommunisten verhaftet und in sogenannte Schutzhaft genommen und der sozialdemokratische »Volksfreund« für mehrere Tage verboten. Diese Verhaftungen und andere Maßnahmen wurden noch von der parlamentarisch geführten badischen Regierung aus Zentrum, Deutscher Volkspartei und Wirtschaftspartei unter dem Innenminister Umhauer (DVP) durchgeführt.

Aber selbst unter diesen Voraussetzungen erhielten die Faschisten in der Reichstagswahl am 5. März nicht die erhoffte absolute Mehrheit. In Baden erreichte die NSDAP insgesamt 45,4 Prozent, reichsweit 43,9 Prozent der Stimmen. Die SPD mit 11,9 und die KPD mit 9,8 Prozent lagen mit ihrem Stimmenanteil in Baden deutlich unter ihren im Reich erzielten Ergebnissen von 18,3 bzw. 12,3 Prozent. In dieser Märzwahl zeigte sich, wenn auch nicht mehr so ausgeprägt wie in den Jahren zuvor, ein deutlicher Zusammenhang zwischen überwiegend protestantischer Bevölkerung und hohen NSDAP-Erfolgen einerseits und hohem katholischen Bevölkerungsanteil und sehr schlechten Wahlergebnissen für die Nationalsozialisten andererseits wie in den Verwaltungsbezirken Waldkirch oder Offenburg.

Am Tag nach der Wahl hißten die Nazis in fast allen kleineren und größeren Städten zum Zeichen ihrer Machtergreifung die Hakenkreuzfahne (Dok. 92 b), führten verstärkt Haussuchungen durch und nahmen Verhaftungen von SPD- und KPD-Funktionären vor.

Doch selbst mit den Stimmen der koalitionsbereiten Deutschnationalen Volkspartei konnte die NSDAP die Regierung nicht ordnungsgemäß übernehmen. Nun verstärkte sich der Druck der Nazis, vor allem der SA, auf die Kommunen und die noch nicht von der NSDAP regierten Länder und bereitete so die »Gleichschaltung der Länder mit dem Reich« vor. In Baden forderte der stellvertretende badische Gauleiter Köhler am 7. März 1933 das badische Staatsministerium zum sofortigen Rücktritt und zur Bildung einer neuen badischen Staatsregierung unter nationalsozialistischer Führung auf. Schon am darauffolgenden Tag wurde der bisherige Gauleiter Robert Wagner durch den Reichsinnenminister Wilhelm Frick zum Reichskommissar für das Polizeiwesen in Baden ernannt. Damit war auch in Baden die Exekutive unmittelbar der Reichsgewalt unterstellt und der entscheidende Schritt zur Ausschaltung der badischen Länderhoheit getan. Am 11. März 1933 zwang Reichskommissar Wagner nach Mobilisierung aller Polizeikräfte in Karlsruhe den badischen Staatspräsidenten Dr. Josef Schmitt (Zentrum) zum Rücktritt. Am 13. März 1933 übernahm Wagner selbst die Regierung, womit die Ablösung der liberalen Demokratie durch ein diktatorisches Regime auch in Baden vollzogen war.

Bereits vier Tage nach der Reichstagswahl, am 9. März, ließen die Nazis in Freiburg unter dem Vorwand von Waffenfunden das Gewerkschaftshaus polizeilich schließen (Dok. 94 b).

Ein weiteres bezeichnendes Beispiel dafür, wie sie immer neue Vorwände benutzten, um die Ausschaltung der Arbeiterbewegung zu »legitimieren« und voranzutreiben, ist das Beispiel des Freiburger sozialdemokratischen Landtagsabgeordneten Daniel Nußbaum. Auf Anordnung des nationalsozialistischen Reichskommissars in Baden, Robert Wagner, sollte er am 16. März verhaftet werden. Dabei erschoß der psychisch erkrankte Parlamentarier zwei Beamte, die sich mit Gewalt Zutritt zu der Wohnung verschafft hatten. Diese Tat diente der badischen Kommissariatsregierung zum Vorwand, die Zerschlagung der Arbeiterbewegung in Freiburg und in ganz Baden einzuleiten (Dok. 94 c). Sie ordnete, die Entwicklung im Reich vorwegnehmend, das Verbot von KPD und SPD sowie ihrer sämtlichen Nebenorganisationen in Freiburg und die Verhaftung sämtlicher führenden Funktionäre dieser beiden Parteien in Baden an.

An der Reichstagssitzung am 23. März konnten die 81 KPD-Abgeordneten nicht mehr teilnehmen; ihre Mandate waren annulliert worden. In dieser Sitzung wurde mit den Stimmen der NSDAP und der bürgerlichen Parteien das sogenannte »Ermächtigungsgesetz« (Dok. 93) verabschiedet. Bei der Abstimmung war die sozialdemokratische Fraktion die einzige, die Würde zu wahren verstand und die Demokratie durch die Rede von Otto Wels zu verteidigen den Mut hatte. Mit dem Ermächtigungsgesetz war die Weimarer Verfassung, die schon mit der Brüningschen Notverordnungspolitik ausgehöhlt worden war, endgültig außer Kraft gesetzt.

Mit der Verordnung des badischen Reichskommissars vom 30. März (Dok. 94 e) wurde das gegen Ende der Weimarer Republik sehr vielfältige Spektrum der Arbeiterkultur und ihrer sämtlichen Vereinigungen in Baden zerschlagen. Dazu gehörten zum Beispiel Arbeitersport- und -turnvereine, Arbeitergesangvereine und -chöre, Schachklubs und Wandergruppen, Freidenker und Arbeitersamariterbund, Arbeiterwohlfahrt und Internationale Arbeiterhilfe, Rote Hilfe, Eiserne Front, Reichsbanner und Roter Frontkämpferbund. Mit dem Verbot dieser Organisationen ging auch deren gesamtes Vermögen entschädigungslos an den badischen Staat (Dok. 94 g) über.

Die Untersuchungsgefängnisse und die Keller der SA-Häuser waren bald überfüllt. Deshalb richteten die Nazis wie in ganz Deutschland auch in Baden Konzentrationslager ein. Im April 1933 eröffneten sie in Nordbaden das KZ Kislau bei Mingolsheim, in dem bis zu seiner Schließung im April 1939 jährlich 100 bis 150 Häftlinge eingesperrt waren. Im Mai wurde das staatliche Hofgut Ankenbuck bei Villingen als KZ eingerichtet, wo bis zu seiner Auflösung im März 1934 etwa 125 Häftlinge festgehalten wurden. Außerdem wurden viele politische Gefangene in das württembergische KZ Heuberg bei Stetten am Kalten Markt überführt. Die Frauen wurden in das für den süddeutschen Raum zentrale Frauenlager Gotteszell bei Schwäbisch Gmünd eingeliefert. Erst ab 1935 kam der überwiegende Teil der badischen Gefangenen nach Dachau.

Konzentrationslager in Baden und Württemberg, 1933 - 1945

Quelle: Julius Schätzle: Stationen zur Hölle. Konzentrationslager in Baden-Württemberg 1933 - 1945, Frankfurt 1974, S. 81.

Die Beseitigung der Vertretungsrechte

Nach der Verabschiedung des Ermächtigungsgesetzes, das ohne Reaktion der Gewerkschaftsführungen über die Bühne gegangen war, trieben die vom Großkapital eingesetzten Faschisten die Zerschlagung der Arbeiterbewegung voran. Sie bauten alle von der deutschen Arbeiterbewegung erreichten Vertretungsrechte und -möglichkeiten der Arbeitnehmer nun Schlag auf Schlag ab. Mit dem »Gesetz über Betriebsvertretungen und wirtschaftliche Vereinigungen« (Dok. 98 a) schufen sie Anfang April 1933 eine »rechtliche« Grundlage, um politische Gegner in den Betriebsratsgremien durch Nationalsozialisten zu ersetzen.

Bereits Ende März richtete der Vorsitzende des ADGB Briefe an Hitler, in denen er die Entpolitisierung der Gewerkschaften und die Zusammenarbeit mit den Unternehmern im neuen Staat antrug. Am 9. April bot der ADGB-Bundesvorstand auch der neuen Regierung seine Mitarbeit an. Mit diesem Verhalten erhofften sich die Gewerkschaftsführer, wenigstens den organisatorischen Überbau der Gewerkschaften retten zu können. Mitte April schließlich rief der ADGB-Bundesvorstand seine Mitglieder zur Beteiligung an den NS-Maifeiern auf und begrüßte es, daß die Hitler-Regierung den 1. Mai zum »Feiertag der nationalen Arbeit« erklärte. Doch alles Anpassen und Zurückweichen änderte nicht das Ziel der Faschisten, die Arbeiterbewegung zu vernichten. Der letzte Schlag gegen die Gewerkschaften erfolgte am 2. Mai 1933, als in fast allen größeren Städten die Gewerkschaftshäuser von SA besetzt wurden. Die Gewerkschaftsvermögen wurden beschlagnahmt und die Gewerkschaftssekretäre verhaftet oder zumindest ihrer Funktion enthoben.

Als scheinbarer Ersatz für die Gewerkschaften wurde wenige Tage später die »Deutsche Arbeits-Front« (DAF) unter Führung von Robert Ley errichtet. Sie übernahm das Vermögen der alten Gewerkschaften, ließ viele untere Gewerkschaftsfunktionäre zunächst weiter für sich arbeiten und täuschte die Verwirklichung der schon vor 1933 diskutierten Einheit aller Arbeitnehmerorganisationen vor. In der DAF konnten auch Unternehmer Mitglied werden. Sie hatte keinerlei Befugnisse in Tarifangelegenheiten, arbeitsrechtlichen, sozial- oder wirtschaftspolitischen Fragen. So wie die NSDAP und alle ihre Nebenorganisationen war auch die DAF streng hierarchisch nach dem »Führer- und Gefolgschaftsprinzip« aufgebaut.

Neben der DAF war die Nationalsozialistische Betriebszellen-Organisation (NSBO) eine zweite Organisation in den Betrieben. Sie war maßgeblich am 2. Mai an der Zerschlagung der freien Gewerkschaften beteiligt. Schon lange vor 1933 gegründet, war die NSBO die Kampftruppe der Nationalsozialisten in den Betrieben und bestand nur aus Parteimitgliedern. Allerdings spielte die NSBO nur in der schwierigen Konsolidierungs-

22 Der erste faschistische »Tag der nationalen Arbeit« in Freiburg, 1. Mai 1933

23 Der faschistische »Tag der nationalen Arbeit« in Offenburg, geprägt von den Uniformen der SA, 1. Mai 1934

24 Werbeumzug der faschistischen Organisationen in Offenburg anläßlich des »Tags der nationalen Arbeit«, 1. Mai 1934

phase des faschistischen Regimes eine Rolle. Spätestens nach dem »Röhm-Putsch« im Sommer 1934 fand sie ihr politisches Ende.

Am 19. Mai 1933 wurden Tarifautonomie, Streikrecht und das bisherige Schlichtungswesen beiseitegeräumt. Das »Gesetz über die Treuhänder der Arbeit« unterwarf die Regelung von Lohn- und Arbeitsbedingungen den sogenannten »Treuhändern der Arbeit«, vom Staat eingesetzten Beamten. Personell rekrutierten sich diese durchweg aus den Reihen ehemaliger juristischer Berater der Arbeitgeberverbände.

Den Endpunkt des radikalen Abbaus sämtlicher Vertretungsrechte der Arbeitnehmer setzte das »Gesetz zur Ordnung der nationalen Arbeit« vom 20. Januar 1934 (Dok. 98 b). Es sollte den Arbeitnehmern das Weiterbestehen betrieblicher Interessenvertretungen vorspiegeln (»Vertrauensräte« statt Betriebsräte), faktisch jedoch der Partei und den Unternehmern gemeinsam die absolute Kontrolle über die Beschäftigten verschaffen; das Vehikel hierfür war die Durchsetzung des »Führer-Gefolgschaftsprinzips« nun auch für die innerbetrieblichen Verhältnisse. Durch diese Maßnahmen waren die Unternehmer nun von jedem Druck einer organisierten Gegenmacht befreit, was sich alsbald in verschärften Arbeits- und Lebensbedingungen der Arbeitnehmer niederschlug.

Der Widerstand der Arbeiterbewegung

Viele Sozialdemokraten waren bereit, gegen den Faschismus zu kämpfen. Sie waren allerdings durch die Hinhaltetaktik ihrer Führung und deren These, daß der Faschismus von alleine abwirtschaften werde, auf einen Kampf in der Illegalität nicht vorbereitet. Denn die Mehrheit des Parteivorstandes der SPD in Berlin hielt trotz des nationalsozialistischen Terrors gegen Sozialdemokraten am Kurs der »legalen« Opposition gegenüber der Hitlerregierung, auch nach den Wahlen am 5. März 1933, fest. Die Parteiführung versuchte, durch Anpassung die Nationalsozialisten zu einer gemäßigteren Haltung gegenüber der SPD zu veranlassen. Eine direkte Kontaktaufnahme des Parteivorstandsmitglieds Paul Löbe mit dem preußischen Ministerpräsidenten Hermann Göring sollte die Wiederzulassung sozialdemokratischer Publikationsorgane erreichen. Otto Wels legte sein Mandat als Mitglied des Büros der Sozialistischen Arbeiter-Internationale (SAI) nieder, um diese zu einer zurückhaltenderen Berichterstattung über die nationalsozialistische Terrorpolitik zu bewegen. Auch die Zustimmung der SPD-Fraktion zu einer außenpolitischen Erklärung Hitlers am 17. Mai im Reichstag und der von Paul Löbe betriebene Ausschluß jüdischer Mitglieder aus dem Parteivorstand änderten nichts am Ziel der neuen Machthaber, die Arbeiterbewegung zu zerschlagen. Am 22. Juni 1933 wurde die Partei endgültig verboten und ihre Mandate gestrichen.

In fast allen sozialdemokratischen Gruppen fanden heftige Strategiediskussionen statt. Diese Diskussionen führten schließlich zur Abkehr von der passiven und einheitsfeindlichen Politik des Parteivorstandes. Im Anfang des illegalen Kampfes gegen Hitler, der nun von zahlreichen Gruppen aus der Mitgliedschaft aufgenommen wurde, spielte der zunächst nach Prag emigrierte Parteivorstand keine nennenswerte Rolle. Der Kampf begann fast überall mit einer Rückbesinnung auf die marxistischen Wurzeln der Bewegung und einer scharfen Kritik der Politik der Partei in der Weimarer Republik. Diese Akzente griff der Parteivorstand der Sozialdemokratischen Partei Deutschlands im Exil (SOPADE) dann auch in seinem im Januar 1934 herausgegebenen »Prager Manifest« (Dok. 100 b) auf. Dieses Kampfprogramm gegen den Faschismus war auch ein Versuch des Parteivorstands, seine Autorität bei den illegalen Gruppen in Deutschland wiederherzustellen.

In Südbaden begann die sozialdemokratische Widerstandsarbeit zunächst mit Einzelaktionen. Erst allmählich bildeten sich Widerstandsorganisationen heraus. Die Widerstandsgruppen hatten über frühere Funktionäre, denen die Flucht gelungen war, Verbindung zu den Auslandsleitungen ihrer Partei. Diese Verbindungen waren von großer Bedeutung für den inneren Widerstand und für die Mobilisierung der Weltöffentlichkeit gegen den deutschen Faschismus. Bis zum Dezember 1933 war es den Sozialdemokraten gelungen, ein Netz von Grenzstellen und Kurieren aufzubauen. Diese berichteten über die Entwicklung im Reich nach Prag. Transporteure brachten wiederum die in Prag hergestellten illegalen Druckschriften in risikoreichen Grenzaktionen zurück nach Deutschland. Das für unsere Region zuständige »Grenzsekretariat Südwest« wurde vom damaligen Landesvorsitzenden der badischen SPD, Georg Reinbold, betreut. Reinbold ließ sich zunächst als »Grenzsekretär Südwest« in Straßburg nieder. Außer Reinbold arbeiteten zwei weitere Mitarbeiter der SOPADE in der südwestdeutschen Ecke: der nach Basel emigrierte Georg Dietrich, Mitglied des Parteivorstandes der SOPADE, und Erwin Schoettle, dessen Verbindungen von der Ostschweiz nach Württemberg reichten. Im Gegensatz zur KPD verzichtete die Sozialdemokratie auf eine formelle Organisation und das Weiterbestehen von Parteimitgliedschaften, um das Risiko einer massenhaften Gefährdung ihrer Mitglieder zu vermeiden.

In Freiburg bildete sich sehr bald die Widerstandsgruppe »Roter Schutz-Bund Brigade Karl Liebknecht«, die zuweilen auch den Namen »Neuaufbau« führte. Sie organisierte am 12. November 1933 in Freiburg eine geheime Versammlung, an der neben Sozialdemokraten und Gewerkschaftern auch Kommunisten teilnahmen. Das Ergebnis dieser Versammlung war der Beschluß eines politischen Programms. Dieses »Freiburger Programm« beinhaltete eine grundlegende Rückbesinnung auf marxistische Positionen. Der »Rote Schutz-Bund« nahm in diesem Programm die Positionen des zwei Monate später herausgegebenen »Prager Manifests« vorweg. Im Unterschied zum Exilvorstand der SOPADE unternahm der »Rote Schutz-Bund« in Freiburg konkrete Schritte zur Herstellung einer Einheitsfront von Sozialdemokraten, Kommunisten und Linkssozialisten. An der Spitze des »Roten Schutz-Bund« standen Emil Dietsche, früherer Stadtverordneter der SPD in Freiburg, Rupert Reindl, Sägewerks- und Bauhilfsarbeiter, und Hans Schönberger, ehemaliger Gewerkschaftssekretär. Er bestand aus Fünfer-Gruppen, die unabhängig voneinander arbeiteten und die jeweils nur über ihre Gruppenleiter Kontakt zur Spitze der Organisation hatten. Auch die Mitglieder der jeweiligen Fünfer-Gruppe kannten einander nicht, um die Gefährdung des einzelnen bei einer Entdeckung so gering wie möglich zu halten. Die Aufgaben der Gruppen bestanden darin, Zeitungen, Zeit- und Flugschriften, die über Kuriere aus der Schweiz eingeschleust wurden, zu verteilen. Die Einfuhr der Druckschriften organisierte der ehemalige Freiburger Parteisekretär Peter Meier. Ihm war es gelungen, sich vor seiner bevorstehenden Verhaftung am 17. März 1933 nach Basel zu retten. Der Freiburger »Rote Schutz-Bund« organisierte die Verteilung des illegalen Informationsmaterials bis in die Offenburger Gegend, während eine Lörracher Gruppe die Verteilung der Schriften im Lörracher Raum übernahm. Der »Rote Schutz-Bund« unterhielt Kontakte zu politischen Freunden im Elsaß und zu sozialdemokratischen Widerstandsgruppen in Mannheim und Stuttgart. Bis Anfang 1936 konnte er unentdeckt arbeiten. Dann allerdings fiel er einem Verrat zum Opfer, dem eine große Verhaftungswelle auch über die badischen Grenzen hinaus folgte. Anfang 1936 wurden allein im Raum Freiburg 52 Sozialdemokraten verhaftet. Mit diesen Verhaftungen endete im wesentlichen der sozialdemokratische Widerstand im südbadischen Raum.

Im Gegensatz zu den Sozialdemokraten waren die Kommunisten auf den Widerstand in der Illegalität nicht gänzlich unvorbereitet. Aufgrund der vor 1933 erlebten vielfachen Einschränkungen und Verbote hatten sie schon Erfahrungen in konspirativer Arbeit gewonnen. In Südbaden war die KPD zwar nur im oberbadischen Industriegebiet um Lörrach, Schopfheim und Weil a. Rh. wirklich verankert. Dennoch kam dem illegalen Kampf der KPD in Südbaden gegen den Faschismus einige Bedeutung zu. Dies hat seinen Grund in der Grenzlage, durch die Südbaden zum Schauplatz vielfältiger illegaler Aktivitäten wurde.

Zunächst baute die Mitte 1933 in Paris eingerichtete Auslandsleitung der KPD um Deutschland Grenzstellen auf, von denen aus ein Netz von Kurier- und Nachrichtenlinien und Grenzpassierstellen hergestellt wurde. Über dieses Netz konnten illegale Druckschriften nach Deutschland, Informationen und Personen ins Ausland gebracht werden. Gerade das selbst für Einheimische oft schwer überschaubare Dreiländereck bei Basel und der Hochrhein bis hinunter zum Bodensee eigneten sich sehr gut für solche Aktivitäten.

Die KPD überführte im Frühjahr 1933 ihre Organisationsstruktur in die Illegalität und hielt sie unter großen Opfern noch zwei Jahre aufrecht. Sie finanzierte sich durch den Verkauf von illegaler Literatur, durch Mitgliedsbeiträge und Spenden. In dieser Phase der Illegalität verfolgte die KPD, entsprechend ihrem Glauben an den baldigen Zusammenbruch der faschistischen Diktatur, ein offensives politisches Konzept. Es strebte unter Mobilisierung aller Kräfte die Organisierung einer Massenbasis zum Sturz des Regimes an. Das Schwergewicht der Widerstandsarbeit der KPD lag zunächst in Deutschland. Nach der Flucht der Parteiführung nach Paris im Mai 1933 wurde die Arbeit vom Berliner Inlandsbüro angleitet. Sogenannte Bezirksleitungen organisierten den Kontakt zur Basis. Diese hierarchische Organisationsstruktur erwies sich jedoch als sehr anfällig für den Zugriff der Gestapo und für das Einschleusen von Spitzeln. Große Verhaftungswellen dezimierten bis 1935 die Reihen der Kommunisten, und die von der Gestapo zerschlagenen Verbindungen konnten nicht mehr reorganisiert werden.

Erst 1935 auf der »Brüsseler Konferenz« zog die KPD daraus Konsequenzen und nahm auch Abstand von der am Ende der Weimarer Republik verfolgten »Sozialfaschismustheorie«. An die Stelle der bisherigen Bezirksleitungen traten nun im Ausland befindliche Abschnittsleitungen, die die Organisation der Widerstandsarbeit übernahmen. Die für Südbaden zuständige Abschnittsleitung befand sich in der Schweiz. In ihrer Verantwortung lag die Arbeit der Grenzstellen in Basel und Zürich sowie der

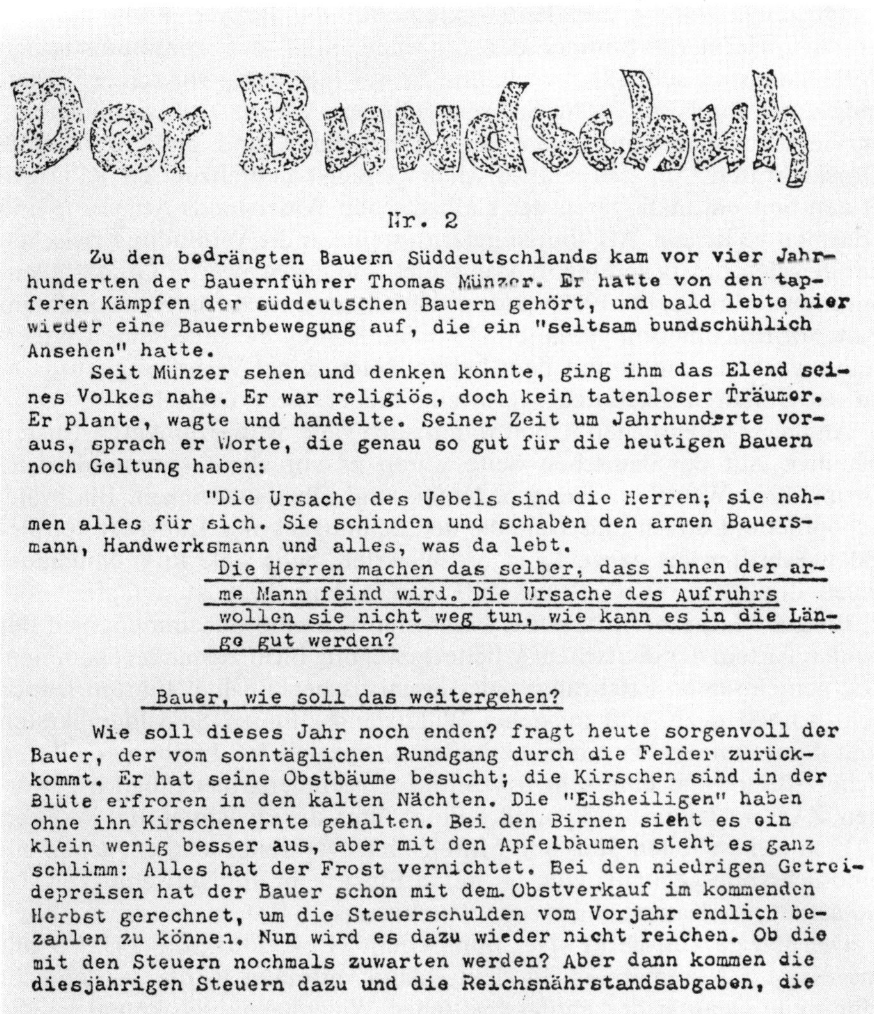

Der Bundschuh

Nr. 2

Zu den bedrängten Bauern Süddeutschlands kam vor vier Jahrhunderten der Bauernführer Thomas Münzer. Er hatte von den tapferen Kämpfen der süddeutschen Bauern gehört, und bald lebte hier wieder eine Bauernbewegung auf, die ein "seltsam bundschühlich Ansehen" hatte.

Seit Münzer sehen und denken konnte, ging ihm das Elend seines Volkes nahe. Er war religiös, doch kein tatenloser Träumer. Er plante, wagte und handelte. Seiner Zeit um Jahrhunderte voraus, sprach er Worte, die genau so gut für die heutigen Bauern noch Geltung haben:

"Die Ursache des Uebels sind die Herren; sie nehmen alles für sich. Sie schinden und schaben den armen Bauersmann, Handwerksmann und alles, was da lebt.

Die Herren machen das selber, dass ihnen der arme Mann feind wird. Die Ursache des Aufruhrs wollen sie nicht weg tun, wie kann es in die Länge gut werden?

Bauer, wie soll das weitergehen?

Wie soll dieses Jahr noch enden? fragt heute sorgenvoll der Bauer, der vom sonntäglichen Rundgang durch die Felder zurückkommt. Er hat seine Obstbäume besucht; die Kirschen sind in der Blüte erfroren in den kalten Nächten. Die "Eisheiligen" haben ohne ihn Kirschenernte gehalten. Bei den Birnen sieht es ein klein wenig besser aus, aber mit den Apfelbäumen steht es ganz schlimm: Alles hat der Frost vernichtet. Bei den niedrigen Getreidepreisen hat der Bauer schon mit dem Obstverkauf im kommenden Herbst gerechnet, um die Steuerschulden vom Vorjahr endlich bezahlen zu können. Nun wird es dazu wieder nicht reichen. Ob die mit den Steuern nochmals zuwarten werden? Aber dann kommen die diesjährigen Steuern dazu und die Reichsnährstandsabgaben, die

25 Aufruf der illegalen Zeitschrift »Der Bundschuh« an die süddeutschen Bauern zum gemeinsamen Kampf mit den Arbeitern und Handwerkern gegen den Faschismus, 1938.

Einsatz der Instrukteure, die den Kontakt zu den Parteigruppen in Deutschland hielten und von dort Informationen über die politische Situation mitbrachten. Sie stellten Druckschriften her und koordinierten die Kuriereinsätze an die süddeutschen Anlaufadressen und die Absicherung der Transporte. Die in Deutschland verbliebenen illegalen Gruppen arbeiteten nun verstärkt unabhängig von den Abschnittsleitungen.

In der ersten Phase der Illegalität war der ehemalige kommunistische

Landtagsabgeordnete und Parteisekretär für die Bezirke Karlsruhe und Lörrach, Hermann Böning, der führende Kopf des kommunistischen Widerstands im südbadischen Raum. Er war rechtzeitig vor seiner Verhaftung durch die Nazis in die Schweiz geflohen. Von Basel aus organisierte er vierzehntägige Sendungen der »Roten Post« und anderer illegaler Druckschriften. Auf den südbadischen Gebietskonferenzen der KPD gab er den Spitzenfunktionären des südbadischen Widerstands Anleitung und konspirative Regeln. Als Tourist getarnt, stellte er die Verbindung zwischen der illegalen Bezirksleitung in Mannheim und der Schweizer Grenzstellenleitung her. Im August 1933 wurde er bei einer seiner Kurierreisen auf dem Bahnhof Bruchhausen verhaftet. Hermann Böning bezahlte seinen Widerstand wie viele andere mit dem Leben: Nach seiner Verhaftung wurde er zu sechs Jahren Zuchthaus verurteilt, die er nicht überlebte.

An dieser gefährlichen Arbeit waren auch viele Schweizer Antifaschisten beteiligt. Auf der badischen Seite waren es vor allem kommunistische Gruppen in Waldshut, Tiengen, Unter- und Oberlauchringen, Blasiwald, Schopfheim, Lörrach und Weil, die den Schmuggel und Transport der illegalen Schriften ins ganze Land organisierten. Sehr viele ihrer Mitglieder fielen der großen Verhaftungswelle von Anfang 1936 zum Opfer.

Bis zur Machtübernahme der Faschisten war eine Zusammenarbeit der beiden Partein der deutschen Arbeiterbewegung nicht zustandegekommen. Die gemeinsamen Erfahrungen der faschistischen Realität führten jedoch sehr schnell dazu, daß in vielen Widerstandsgruppen Sozialdemokraten und Kommunisten zusammenarbeiteten. Speziell im Freiburger »Roten Schutz-Bund« war eine sehr frühzeitige Zusammenarbeit möglich geworden. Zwei im Januar 1935 verfaßte Flugblätter, die im Januar und im März 1935 in weiten Teilen Süd- und Mittelbadens verbreitet wurden, geben ein eindrucksvolles Zeugnis von der tiefen Einsicht in die Notwendigkeit der Soldarität im Kampf gegen den Faschismus.

Die illegale Zeitschrift »Der Bundschuh« (Dok. 100 i), die 1938/39 mit insgesamt 5 Nummern in Süddeutschland verbreitet wurde, verdeutlicht eine neue Qualität des antifaschistischen Widerstands. Sie knüpft an die süddeutschen Traditionen aus dem Bauernkrieg an und versucht, auch nicht der Arbeiterklasse angehörende soziale Schichten für den antifaschistischen Kampf zu gewinnen.

Mit dem Beginn des Zweiten Weltkrieges fand der Widerstand unter noch härteren Bedingungen seine Fortsetzung. Auch in Südbaden waren es vor allem die Kommunisten, die der Widerstandsbewegung unter Lebensgefahr immer wieder neue Impulse gaben.

Vorbild des antifaschistischen Widerstands: der deutsche Bauernkrieg, 1524 - 1526

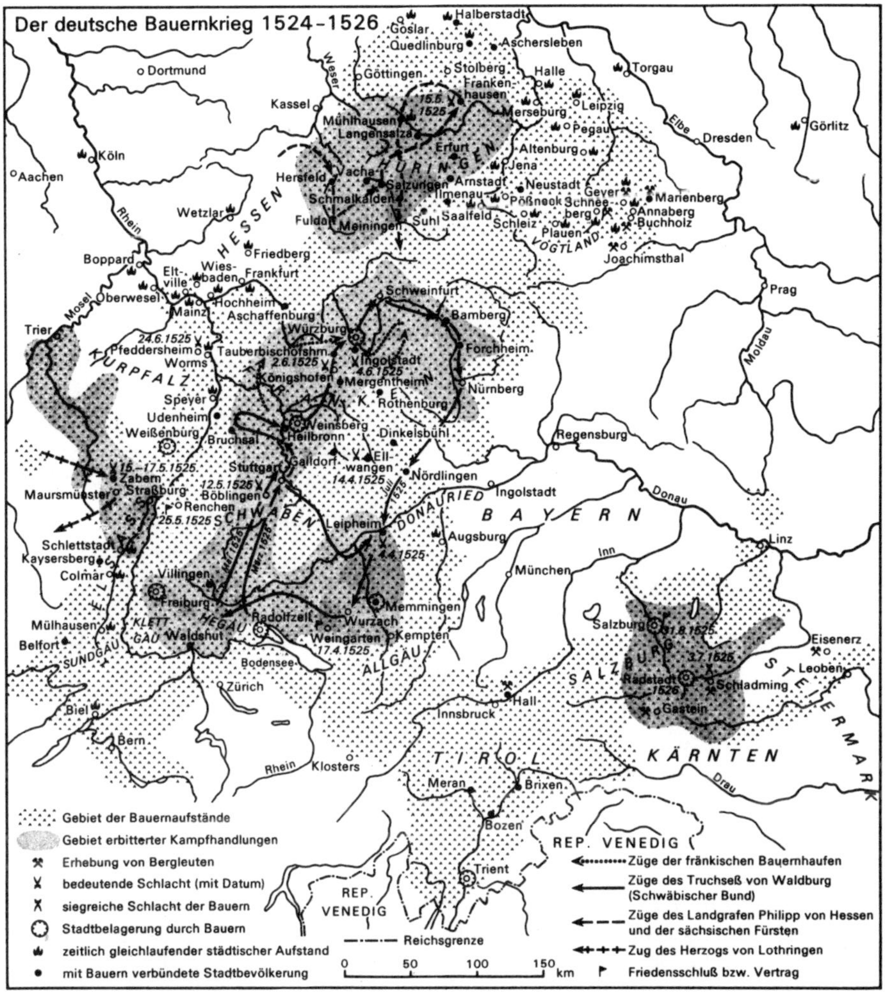

Quelle: Deutsche Geschichte in zwölf Bänden, hrsg. von Horst Bartel u. a., Köln 1983, Bd. 3, S. 150.

Wirtschaftliche und soziale Entwicklung

Der deutsche Faschismus ließ keinen Zweifel daran, daß er gigantische Eroberungs- und Versklavungsprogramme durchzuführen beabsichtigte. Deshalb war die Wirtschaftspolitik der faschistischen Regierung von Anfang an auf die Durchführung eines Krieges ausgerichtet. Der geplante Krieg sollte die im Ersten Weltkrieg gescheiterten imperialistischen Pläne des deutschen Kapitals endlich verwirklichen. Besondere Bedeutung kam dabei neben der Chemie- und Schwerindustrie auch der verstärkten Motorisierung Deutschlands zu. Der Bau der Reichsautobahn war eine notwendige Voraussetzung für die schnelle Beförderung von Truppen und Militärgütern.

Rigorose Aufrüstungspolitik und zahlreiche Programme öffentlicher Arbeiten drückten seit 1933 die Arbeitslosigkeit und halfen Hitler, sein Versprechen, den Arbeitslosen einen Arbeitsplatz zu verschaffen, einzulösen. Außerdem verschwanden durch Maßnahmen wie den Arbeitsdienst, die Landhilfe, Notstands- und Fürsorgearbeiten bis 1934 etwa 1,3 Millionen Erwerbslose aus den Arbeitslosenstatistiken. Der Rückgang der Arbeitslosigkeit wurde von den Nazis propagandistisch hochstilisiert, verschwiegen wurde, daß die Arbeitsmaßnahmen nur mit einem Taschengeld bezahlt wurden, das noch unter den Hungerlöhnen während des Ersten Weltkrieges lag.

Im Juni 1935 wurde im Zusammenhang mit der Einführung der allgemeinen Wehrpflicht durch Gesetz der »Reichsarbeitsdienst« eingerichtet. Diesem Gesetz zufolge hatte jeder männliche Jungendliche zwischen 18 und 25 Jahren vor der Einziehung zur Wehrmacht einen sechsmonatigen Arbeitsdienst abzuleisten. Der Lohn dieser sogenannten »Arbeitsmänner« betrug neben Verpflegung und primitiver Unterkunft ganze 25 Pfennig am Tag. Zu diesem Zeitpunkt lag reichsweit der durchschnittliche tarifliche Facharbeiterstundenlohn bei 78,3 Pfennig und in den Gasthäusern zahlte man für ein Glas Bier 10 Pfennig. Außerdem trugen die Aufstockung der Reichswehr sowie die massenweise Inhaftierung unliebsamer Personen und aus politischen Gründen entlassene Arbeiter zur Senkung der Arbeitslosigkeit bei. Auch sollten die Frauen ab 1933 aus dem Erwerbsleben verdrängt und aus den Fabriken entlassen werden, um den Männern die Arbeitsplätze zu überlassen. Dem kurzfristigen Rückgang der Frauenarbeit in Industrie und Handwerk folgte mit der starken Rüstungskonjunktur seit Mitte der 30er Jahre die zwangsläufige Gegenbewegung. Bis 1939 steigerte sich die absolute Zahl der im Gewerbe beschäftigten Frauen in Baden um etwa 30 Prozent. Sie bildeten allerdings immer noch die Schlußlichter in der nominalen und realen Lohnentwicklung. Nur um etwa 17 Prozent erhöhten sich die durchschnittlichen Wochenverdienste der Facharbeiterinnen und angelernten Arbeiterinnen sämtlicher Industrien von 1936 bis

26 *Freiburger Notstandsarbeiter, abgestellt zu Erdbewegungsarbeiten, März 1933*

1943. Die Löhne der männlichen Kollegen steigerten sich dagegen im selben Zeitraum um durchschnittlich 55 Prozent. Dies lag ganz im Sinne der frauenfeindlichen NS-Ideologie, die die einzige Existenzberechtigung der Frau im Kindergebären sah.

Da die Tarifautonomie abgeschafft war, übernahm der Staatsapparat sämtliche ehemaligen Aufgaben der Tarifparteien. Mit der Verschärfung der Lohnstopp-Politik seit 1938 erhielten die Reichstreuhänder der Arbeit die Vollmacht, alle Maßnahmen zu treffen, um den Lohnstopp rigoros durchzusetzen. Staat und DAF versuchten die Arbeiterschaft durch nationale Appelle, propagandistische Verbrämungen, betriebliche Wettbewerbe, verliehene Auszeichnungen und Versprechungen für die Zukunft zur Mehrleistung zu motivieren. Schlagwörter wie »Schönheit der Arbeit« sollten die Belastungen des Arbeitsalltags vertuschen und die aus den Arbeitern herausgepreßten Leistungen mit Lebensglück identifizieren.

Trotz der geringen Preissteigerungen von 1933 bis 1939 hatten nur die Beschäftigten der von der Rüstungskonjunktur begünstigten Branchen reale Lohnsteigerungen zu verzeichnen, in anderen Produktions- und vor allem in Dienstleistungsbereichen sank das Realeinkommen der Arbeiterschaft und ließ sich nur durch Mehr- und Nebenarbeit aufbessern.

Nachdem der deutsche Faschismus am 1. September 1939 mit dem Überfall auf Polen den Zweiten Weltkrieg begonnen hatte, wurde die gesamte Wirtschaft nach und nach auf Kriegsproduktion umgestellt, und der nominale Anstieg der Löhne erhöhte die tatsächliche Kaufkraft überhaupt nicht mehr. Sie hielt sich mit den Einschränkungen des zivilen Konsums wegen der Lebensmittelrationierung und des Sinkens der Verbrauchsgüterproduktion nicht mehr lange auf dem Vorkriegsstand und näherte sich gegen Ende des Krieges dem Existenzminimum.

Frauen wurden überdies zu männlicher Schwer- und Schichtarbeit in Fabriken herangezogen, ohne jedoch im Lohn und der Lebensmittelzuteilung den Männern gleichgestellt zu werden. Daher regte sich bei den Frauen immer mehr Unzufriedenheit und viele versuchten, sich dem Ar-

Beschäftigte in der Wirtschaft von Baden und Elsaß, im zivilen und im Rüstungssektor, Juli 1942 bis Juli 1944

Monat	Rüstungssektor	ziviler Sektor	Gesamtwirtschaft
7/1942	68 635		
9/1942	72 768		
1/1943	149 848		
6/1943	162 000	780 000	942 000
9/1943	169 000	790 000	959 000
12/1943	172 500	769 000	941 500
7/1944	208 000		

Quellen: KTB der RüIn ORh: BA/MA RW 20-5/11 bis 18. – Wo keine Zahlen angegeben sind, konnten von der Bearbeiterin keine ermittelt werden.

Beschäftigte in der badischen Wirtschaft, im zivilen und im Rüstungssektor, Juni bis Dezember 1943

Monat	Rüstungssektor	ziviler Sektor	Gesamtwirtschaft
6/1943	111000	542000	653000
9/1943	113000	551000	664000
12/1943	113700	530000	643700

Quellen: KTB der Rüln ORh: BA/MA RW 20-5/11 bis 18.

beitseinsatz zu entziehen. Die für Baden zuständige Rüstungsinspektion V berichtete im November 1941, daß die Zahl von Krankmeldungen und der Ausfall durch unentschuldigtes Fernbleiben von der Arbeit so hoch sei, daß manche Betriebe mit Arbeitsverlust bis zu 20 Prozent und mehr zu rechnen hätten. Trotzdem wurde vom Sommer 1938 bis zum Sommer 1940 der Anteil der Frauen an der Gesamtzahl der lohnabhängig Beschäftigten im Landesarbeitsamtsbezirk Südwestdeutschland von 34,9 auf 42,4 Prozent gesteigert. Seitdem ließ sich die Anzahl der weiblichen Beschäftigten nicht mehr wesentlich heben, ihr prozentualer Anteil an den Erwerbstätigen stieg aber, da kriegsbedingt die Zahl der männlichen Beschäftigten sank.

In den von der Wehrmacht betreuten Rüstungsbetrieben Badens betrug Ende Mai 1943 der Frauenanteil an der Gesamtbeschäftigung 37,9 Prozent, der der Ausländer 21,2 Prozent. Für die Gesamtwirtschaft Badens wurde Mitte Mai 1944 eine Frauenbeschäftigung von etwas über 50 Prozent ermittelt, aber absolut arbeiteten 221 000 Frauen weniger als im Mai 1939. Für Hitlers »Endsieg« zu arbeiten, waren offenbar immer weniger Frauen bereit.

Im faschistischen Staat war allgemein der Zehnstundentag amtlich als Maximalarbeitszeit festgelegt worden. Überstunden wurden immer großzügig genehmigt und waren mit einem Zuschlag von 25 Prozent zu vergüten. Die Industrie strebte gegen Druck von Partei und Vierjahresplan zunächst den Achtstundentag an, da sie bis 1937/38 nicht stark genug ausgelastet war, um mehr als acht Stunden arbeiten zu lassen. Seit 1938 drängte sie wegen der Rüstungskonjunktur und des Arbeitskräftemangels auf den Übergang zur 60-Stunden-Woche und auf Steigerung der Arbeitsintensität. Die so immer schärfer werdende Ausbeutung der Arbeitskraft schlug sich auf Arbeitnehmerseite nieder in einer deutlichen Zunahme der Arbeitsunfälle. Den Unternehmern, vor allem den Rüstungsfirmen, sicherte sie enorme Profite. Selbst Lazarettkranke (am 15.10.1943: 35200 belegte Lazarettbetten im Wehrkreis V) wurden eingesetzt, die im dritten Quartal 1944 allein 1477705 Arbeitsstunden leisteten.

Kriegsgefangene, Zwangsarbeiterinnen und Zwangsarbeiter

Mit zunehmender Kriegsdauer wurden immer mehr deutsche Arbeiter zum Kriegsdienst eingezogen und in den Fabriken durch Kriegsgefangene sowie Zwangsarbeiterinnen und Zwangsarbeiter ersetzt.

Im Bereich des für Südbaden zuständigen Rüstungskommandos Villingen hatte die Mobilisierung bis Ende 1939 bei den Rüstungsbetrieben einen etwa 10prozentigen Personalabgang gebracht, der zunächst ohne größere Schwierigkeiten hatte bewältigt werden können. Die nicht in die Rüstungsproduktion einbezogenen Firmen waren von der Mobilisierung viel empfindlicher getroffen worden. Aber schon Anfang März 1941 lagen bei den Arbeitsämtern im Bereich des Rüstungskommandos Villingen Anforderungen für etwa 3500 Arbeitskäfte vor, die nicht gedeckt werden konnten. Zu diesem Zeitpunkt waren in Südbaden schon über 20 Prozent der männlichen Bevölkerung zur Wehrmacht eingezogen. Seit dem Spätsommer 1940 wurde daher in der badischen Industrie immer mehr zur Beschäftigung von »angeworbenen« zivilen ausländischen Arbeitskräften und von Kriegsgefangenen übergegangen.

Göring hatte bereits im November 1939 die Entscheidung getroffen, polnische Zivilisten zur Arbeit, vorwiegend in der Landwirtschaft, in Deutschland zu verpflichten und ebenso den Aufbau von Kriegsgefangenenstammlagern in sämtlichen Wehrkreisen voranzutreiben. Dadurch sollte es den Arbeitseinsatzbehörden möglich werden, die Kriegsgefangenen gezielt und unter Vermeidung größerer Entfernungen an die ihnen zugewiesenen Arbeitsplätze zu bringen.

Die »Anwerbung« der ausländischen zivilen Arbeitskräfte ging folgendermaßen vor sich: die deutsche Arbeitseinsatzverwaltung rückte unmittel-

Anteil ausländischer Arbeitskräfte in den Rüstungsbetrieben der Wehrbezirke Offenburg, Freiburg und Lörrach, Januar 1943 bis Juni 1944

Monat	Beschäftigte insgesamt	davon Ausländer			
		Zivil-arbeiter	Kriegs-gefangene	Ausländer gesamt	in %
1/1943	149848	18804	5818	24622	16,4
3/1943	155959	20865	5731	26596	17,1
6/1943	162000	23162	5290	28452	17,6
9/1943	169000	26767	4668	31435	18,6
10/1943	171555	26277	7895	34172	19,9

Quellen: Zusammengestellt nach den Beschäftigtenmeldungen der W-Betriebe im Bereich der RüIn ORh: Freiburg: BA/MA RW 20-5/13 bis 16, BA/MA RW 20-5/36, BA/MA RW 20-5/39.

Anteil ausländischer Arbeitskräfte in den Rüstungsbetrieben der Wehrbezirke Offenburg, Freiburg und Lörrach, Januar 1943 bis Juni 1944

Monat	Beschäftigte insgesamt	davon Ausländer			
		Zivil-arbeiter	Kriegs-gefangene	Ausländer gesamt	in %
1/1943	31 013	5 263	1 537	6 800	21,9
3/1943	32 432	5 995	1 509	7 504	23,1
6/1943	33 594	6 234	1 379	7 613	22,7
9/1943	35 545			7 536*	21,2
12/1943	37 099			9 944	26,8
3/1944	37 694			10 376	27,5
6/1944	48 453			13 205	27,6
9/1944	50 100			14 100	28,1

* Von Juli 1943 an werden keine Kriegsgefangenen mehr angeführt.

Quellen: Zusammengestellt nach den Beschäftigtenmeldungen der A-Betriebe im Bereich des RüKdo Freiburg: BA/MA RW 20-5/13 bis 18, BA/MA RW 20-5/36, BA(MA RW 20-5/39, BA/MA RW 20-5/56.

bar hinter den kämpfenden Truppen in Polen ein. Zunächst auf der Basis von Freiwilligkeit und Versprechungen, bald jedoch unter Anwendung von Drohung und Gewalt requirierte sie polnische Arbeitskräfte und deportierte sie nach Deutschland. Zunächst fanden die polnischen Zwangsarbeiter in der Landwirtschaft Verwendung, mit zunehmendem Arbeitskräftemangel auch in Betrieben mit ziviler und militärischer Produktion. Mitte 1941 waren nach Angaben des Gauleiters Wagner in Baden über 20 000 ausländische Zwangsarbeiter im Einsatz. Auch in Südbaden wurde die Anzahl der in der Industrie beschäftigten Zwangsarbeiter immer höher. Mitte 1943 waren in südbadischen Rüstungsbetrieben rund 7650, ein Jahr später über 13 000 Ausländerinnen und Ausländer zwangsbeschäftigt.

Die Angehörigen östlicher Staaten wurden von den Nazis als rassisch minderwertig eingestuft und unterlagen einer besonders unmenschlichen Behandlung (Dok. 105). Allgemein galt der Grundsatz der strikten Trennung von der deutschen Bevölkerung. Vor allem die östlichen Zwangsarbeiter wurden in geschlossenen Lagern untergebracht und verpflegt. Es war ihnen ebenso untersagt, öffentliche Verkehrsmittel zu benützen, wie Theater, Kino, Tanzveranstaltungen, Gaststätten und Gottesdienste zu besuchen. Das Verlassen des Aufenthaltsortes war ihnen streng verboten und auf Arbeitsniederlegung, »Aufhetzen« anderer Arbeiter, Nachlässigkeit und Sabotage stand Arbeits- oder Konzentrationslager. Geschlechtlicher Verkehr mit Deutschen wurde mit dem Tode bestraft. Im Oktober 1941 wurde die Geltung des NS-Arbeitsrechts für polnische Zwangsarbeiter ausdrücklich ausgeschlossen. Im Gegensatz zu den westlichen Zwangsarbeitern hatte die Entlohnung polnischer Arbeiter grundsätzlich niedriger zu sein als die der deutschen Arbeiter. Zu der prinzipiellen Schlechterstellung in der Entlohnung, der Arbeitszeit und im Kündigungsrecht kamen auch höhere Steuern und Abgaben wie die mit dem in Polen niedrigeren Lebensstandard begründete »Sozialausgleichsabgabe«. In das Arbeitsrecht wurden verschärfte Bestimmungen aufgenommen, und die gesamte Lebensregelung der Fremdarbeiter wurde dem unmittelbaren Zugriff der Sicherheitspolizei und der Gestapo geöffnet. Auf »freiwilliger« Grundlage hatten in Polen längst nicht genügend Arbeiter angeworben werden können, so daß seit 1942 auch in Frankreich, Belgien und den Niederlanden trotz »Artverwandtschaft« Zwangsverpflichtungen vorgenommen wurden (Dok. 105 h). Vor allem aber bot der Krieg mit der Sowjetunion den faschistischen Arbeitsstrategen die Chance eines Rückgriffs auf gleichsam unerschöpfliche Bevölkerungsmassen. Gleich nach dem Einmarsch der deutschen Truppen in die Sowjetunion im Sommer 1941 wurde ihre Bevölkerung genauso unterworfen wie zuvor die polnische.

Das Beispiel des »Russenlagers« in Freiburg (Dok. 105 e) zeigt deutlich, wie unmenschlich die Zwangsarbeiter und -arbeiterinnen behandelt wurden und wie menschenunwürdig sie zusammengepfercht in ihren Lagern untergebracht waren. Die Bilanz der Todesopfer unter den ausländischen Zwangsarbeitern ergibt, daß weniger als die Hälfte ihr Arbeitssklavendasein im faschistischen Deutschland überlebt haben.

Das Kriegsgefangenenstammlager in Offenburg

Im Wehrkreis V, der Baden und Württemberg umfaßte, existierte zunächst nur ein Kriegsgefangendurchgangslager auf dem Heuberg, das am 6. November 1939 zum Stammlager (Stalag) umgeändert wurde. Weitere Stammlager im Wehrkreis V wurden in Wildberg bei Calw, Villingen und Ludwigsburg eingerichtet. Im März 1942 wurde das Stammlager VC in Wildberg nach mehreren Standortwechseln nach Offenburg verlegt.

Doch schon vor der Verlegung des Stalag VC nach Offenburg gab es in Offenburg wie auch in anderen südbadischen Städten eine ganze Anzahl kleinerer Lager für Kriegsgefangenenkommandos. Für diese Außenlager waren die Stammlager nur die Erfassungs- und Verteilungsstelle. Sie wurden jeweils eingerichtet, nachdem der Antrag einer Firma auf Kriegsgefangene geprüft und genehmigt worden war. Ebenso konnten Gemeinden, Gemeindeverbände, Ortsbauernschaften usw. Kriegsgefangene anfordern und einsetzen (Dok. 105 b). Die Stammlager durften Kriegsgefangene nur als Kommandos von mindestens 10 Mann an die Landwirtschaft bzw. 20

Mann an Gewerbe und Industrie abgeben. Kleinere Betriebe, die weniger Gefangene benötigten, konnten sich zu losen Gemeinschaften zusammenschließen und gemeinsam Kriegsgefangene beantragen. Diese konnten dann von der gemeinsamen Unterkunft aus an die Betriebe tagsüber einzeln abgegeben oder in den Einzelbetrieben nacheinander in Form von fliegenden Kolonnen zum Einsatz gebracht werden. Entsprechend seiner klein- und mittelständischen Wirtschaftsstruktur bildete sich in Südbaden besonders dieses System der Gemeinschaftslager aus. Dem Stalag VC in Offenburg dürften etwa 500 solcher Arbeitskommandos unterstanden haben.

Zunächst waren die Kriegsgefangenen vorwiegend Franzosen. Von den 16300 Franzosen, die Ende 1942 im Offenburger Stammlager registriert waren, waren nur 920 im Stalag selbst interniert, die anderen waren einzeln oder gemeinsam in kleinen Lagern im ganzen südbadischen Raum untergebracht.

Im November 1941 wurde die erste Kolonne sowjetischer Kriegsgefangener in Südbaden eingesetzt. Völlig ausgehungert und entkräftet, wurden sie genauso wie die zivilen Zwangsarbeiter unter den entwürdigendsten und miserabelsten Bedingungen zur Arbeit gezwungen.

Je deutlicher sich die militärische Niederlage Deutschlands abzeichnete und je miserabler sich die Verhältnisse vor allem in den Ostarbeiterlagern gestalteten, Hunger, Angst und Krankheit sich ausbreiteten, desto mehr wuchsen Arbeitsunlust und der passive Widerstand unter den ausländischen Arbeitskräften. Flucht aus Elend und Angst standen zunehmend auf der Tagesordnung. Gerade in Südbaden gab es eine ausgeprägte Fluchtbewegung in die Schweiz.

Anfang 1943 gründeten sowjetische Offiziere die Organisation »Brüderliche Zusammenarbeit der Kriegsgefangenen« (BSW) mit dem Ziel, die militärische und wirtschaftliche Basis des Faschismus zu erschüttern und zu untergraben. Die BSW soll Verbindungen auch nach Rastatt, Baden-Baden, Villingen und Freiburg unterhalten haben. Für einen Aufstand oder auch nur einen effektiven Widerstand ließ die Perfektion des NS-Bespitzelungs- und Verfolgungsapparates jedoch keinerlei Spielraum. Die BSW wurde Mitte 1944 weitgehend zerschlagen.

Die Vernichtung der Juden

Die Arbeiterbewegung mußte der deutsche Faschismus - wie jeder Faschismus - ausschalten, damit das Kapital ungehindert seine ausbeuterische, rassistische und expansionistische Politik betreiben konnte. Die Ideologie des Antikommunismus war sozusagen sein »Scheinargument« für die Zerschlagung der Arbeiterbewegung. Der Antisemitismus diente den Nazis dazu, alles Negative einem Sündenbock, dem Judentum, in die Schuhe zu schieben. Die Schaffung eines Sündenbocks hatte den Nutzen, die Bevölkerung von den wirklichen Ursachen der schlechten Lebensbedingungen und den Nutznießern des Systems abzulenken. Außerdem führten die Nazis mit dem an den Juden verübten Terror deutlich vor Augen, wozu sie fähig waren.

Seitdem Hitler als Reichskanzler eingesetzt war, nahmen die Nationalsozialisten mit steigender Intensität einen erbarmungslosen Kampf gegen die jüdische Bevölkerung auf. Bereits im April 1933 wurde auf sogenanntem gesetzlichen Wege ein großer Teil der jüdischen Beamten, Richter und Universitätsprofessoren von ihren Ämtern entfernt. Theater und Presse wurden »entjudet«. Mit den »Nürnberger Gesetzen«, die am 15. September 1935 auf dem »Reichsparteitag« der NSDAP in Nürnberg verkündet wurden, verloren die Juden alle bürgerlichen Ehrenrechte und wurden als deutsche Staatsangehörige unter eine Art Fremdenrecht gestellt. Diese Gesetze boten die Handhabe, alle noch in ihren Stellungen belassenen jüdischen Beamten und Hochschullehrer in den Ruhestand zu versetzen.

Ab 1937 verstärkte das nationalsozialistische Regime den Druck auf die den Juden verbliebenen Positionen in der Wirtschaft. Es ließ keinen Zweifel mehr daran, daß es sie auch aus ihrer letzten Bastion verdrängen würde.

Einen Höhepunkt erreichten die Verfolgungen in dem von Goebbels inszenierten Judenpogrom, der sogenannten Reichskristallnacht am 9. November 1938. Mitglieder nationalsozialistischer Formationen steckten Hunderte von Synagogen in Brand oder zerstörten sie, demolierten jüdische Wohnungen und mißhandelten jüdische Bürger. Tausende jüdische Männer wurden wochen- und monatelang in Konzentrationslagern und Gefängnissen festgehalten. Die jüdischen Industrieunternehmungen, Handwerksbetriebe und Einzelhandelsgeschäfte wurden »arisiert«, d. h. auf arische Deutsche übertragen, oder aufgelöst. Juden durften keine Kinos oder Theater mehr besuchen und sie hatten ihre Führerscheine zurückzugeben. Arbeit fanden sie nur noch als Hilfskräfte in der Industrie, Landwirtschaft und im Handwerk.

Die Juden, die noch in Baden lebten, wurden in einer unter strenger Geheimhaltung vorbereiteten Aktion im Oktober 1940 nach Frankreich

27 *Einschüchterung der jüdischen Bevölkerung. SA-Mann vor dem Haus des jüdischen Rechtsanwaltes Max Hecht in Offenburg, 1933.*

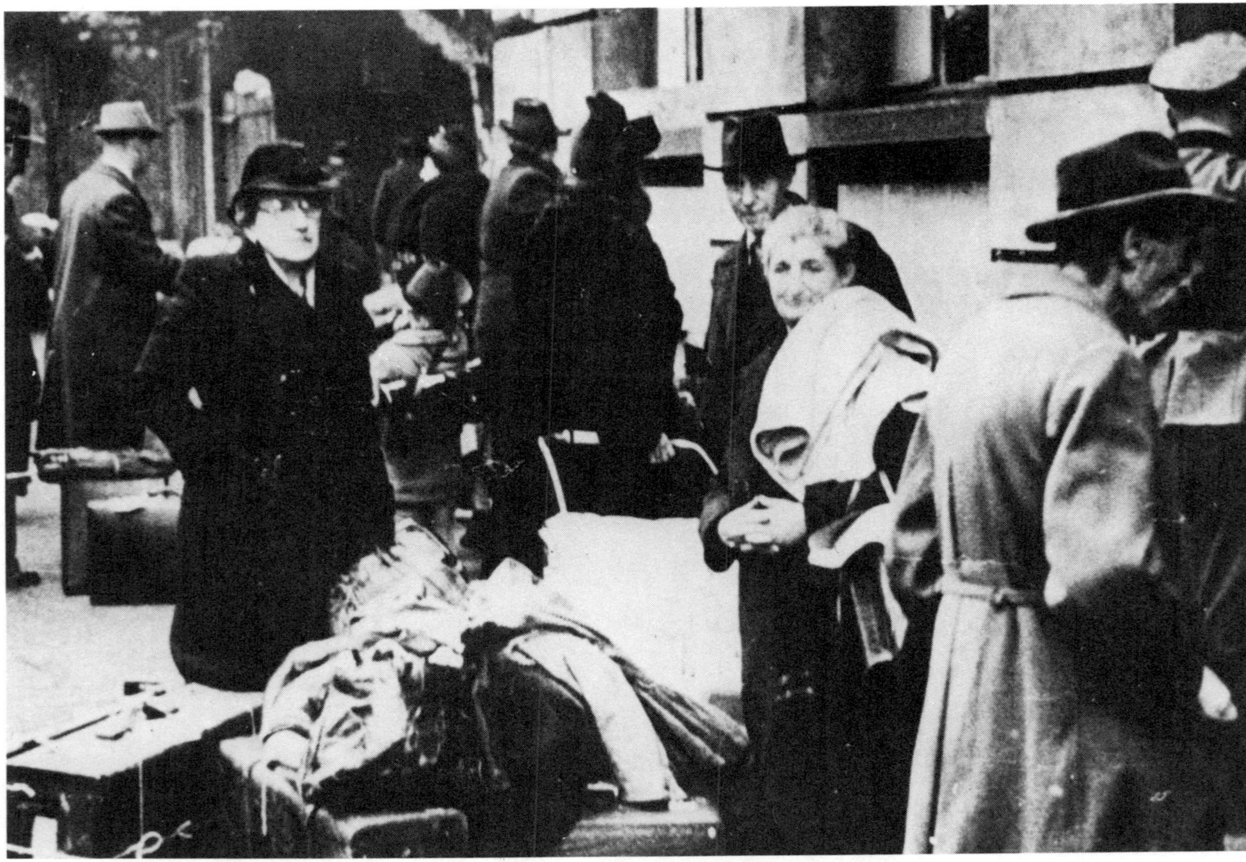

28 Offenburger Juden – zur Deportation zusammengetrieben, Oktober 1940.

deportiert. (Dok. 103 d). Die in dieser Aktion rund 6500 aus Baden, der Pfalz und dem Saarland abgeschobenen Juden wurden nach einigem Hin und Her in dem Internierungslager Gurs an der Pyrenäengrenze unter menschenunwürdigsten Bedingungen untergebracht. Die meisten der badischen Juden verloren entweder in Gurs durch Hunger und Krankheit ihr Leben, oder sie wurden ab Oktober 1942 in eines der in den besetzten Ostgebieten errichteten Ermordungslager weiterdeportiert und starben dort. Denn im Juli 1941 wurde mit dem auf der sogenannten Wannsee-Konferenz gefaßten Beschluß über die »Endlösung« der Judenfrage die systematische Ermordung von Millionen von Juden eingeleitet.

Nur die militärische Überlegenheit der Alliierten Kriegsmächte England, Frankreich, Sowjetunion und USA konnte dem deutschen Terrorregime Einhalt gebieten. In Süd- und Mittelbaden marschierten die Franzosen bereits ab Mitte April 1945 ein. Jedoch erst am 8. Mai 1945, mit der bedingungslosen Kapitulation der faschistischen deutschen Machthaber, war Deutschland vom Faschismus befreit.

Die Reaktion der Arbeiterparteien auf die Ernennung Adolf Hitlers zum Reichskanzler

a) Aufruf des Vorstandes und der Reichstagsfraktion der SPD, 30. Januar 1933

Vorwärts vom 31. Januar 1933 (Morgenausgabe).

Arbeitendes Volk! Republikaner!

Im Kabinett Hitler-Papen-Hugenberg ist die Harzburger Front wieder auferstanden. Die Feinde der Arbeiterklasse, die einander bis vor wenigen Tagen auf das heftigste befehdeten, haben sich zusammengeschlossen zum gemeinsamen Kampf gegen die Arbeiterklasse zu einer reaktionären großkapitalistischen und großagrarischen Konzentration. Die Stunde fordert die Einigkeit des ganzen arbeitenden Volkes zum Kampf gegen die vereinigten Gegner. Sie fordert Bereitschaft zum Einsatz der letzten und äußersten Kräfte.

Wir führen unseren Kampf auf dem Boden der Verfassung. Die politischen und sozialen Rechte des Volkes, die in Verfassung und Gesetz verankert sind, werden wir gegen jeden Angriff mit allen Mitteln verteidigen. Jeder Versuch der Regierung, ihre Macht gegen die Verfassung anzuwenden oder zu behaupten, wird auf den äußersten Widerstand der Arbeiterklasse und aller freiheitlich gesinnten Volkskreise stoßen; zu diesem entscheidenden Kampf sind alle Kräfte bereitzuhalten!

Undiszipliniertes Vorgehen einzelner Organisationen oder Gruppen auf eigene Faust würde der gesamten Arbeiterklasse zum schwersten Schaden gereichen.

Darum her zur Eisernen Front! Nur ihrer Parole ist Folge zu leisten! Kaltblütigkeit, Entschlossenheit, Disziplin, Einigkeit und nochmals Einigkeit ist das Gebot der Stunde!

b) Gemeinsamer Aufruf der freien, der christlichen und der Hirsch-Dunckerschen Gewerkschaftsverbände zur Verteidigung der Demokratie, 30. Januar 1933

Volksfreund vom 31. Januar 1933.

Gewerkschafter! Die politische Lage hat sich in entscheidender Weise geändert. Das Schwergewicht der neuen Regierung liegt bei den Parteien und Gruppen, die bisher offiziell für die soziale Entrechtung der Arbeiter und Angestellten, für Zerschlagung der Demokratie und für die Ausschaltung des Parlaments eingetreten sind. Die Gefahr liegt nahe, daß sie jetzt ihre Pläne zu verwirklichen trachten.

Gewerkschaftsmitglieder! Die Lebensinteressen der gesamten Arbeitnehmerschaft stehen auf dem Spiele! Um Angriffe gegen Verfassung und Volksrechte im Ernstfall wirksam abzuwehren, ist kühles Blut und Besonnenheit erstes Gebot. Laßt euch nicht zu voreiligen und darum schädlichen Einzelaktionen verleiten!

Berlin, den 30 Januar 1933

Allgemeiner Deutscher Gewerkschaftsbund;
Allgemeiner freier Angestelltenbund;
Gesamtverband der christlichen Gewerkschaften;
Gewerkschaftsring deutscher Arbeiter-, Angestellten- und Beamten-Verbände.

c) Aufruf der KPD Baden-Pfalz zum Generalstreik gegen die faschistische Diktatur, 30./31. Januar 1933

VVN-BdA Ludwigshafen/Frankenthal (Hrsg.): Auch in Ludwigshafen gab es Widerstand gegen den Faschismus, Ludwigshafen 1981, Dokument 6.

Hitler Kanzler, Papen Preußenkommissar, Hugenberg Wirtschaftsminister, Frick und Göring an der Spitze der Polizeigewalt, Seldte Arbeitsminister – diese Regierung der offenen faschistischen Diktatur ist die unerhörte Kriegserklärung an die deutsche Arbeiterklasse sowie das gesamte werktätige Volk.

Die Betrugsmanöver des »sozialen« Generals sind zu Ende, die Zuspitzung der Krise, der machtvolle revolutionäre Aufschwung der Arbeiterklasse zwingt die Bourgeoisie, das nackte Gesicht ihrer Diktatur mit äußerster Brutalität zu zeigen. An die Stelle der sozialen Phrasen treten die Bajonette der Reichswehr und die Revolver der Mordkolonnen der SA und SS.

Schamloser Raub der Löhne, schrankenloser Terror der braunen Mörder, Raub der letzten schwachen Überreste der Rechte der Arbeiterklasse, hemmungsloser Kurs auf den imperalistischen Krieg - dieses Los steht unmittelbar der Arbeiterklasse bevor.

Die Partei der deutschen Arbeiter, die Partei gegen Lohnraub, die Partei der Verteidigung der Interessen aller Werktätigen, die Partei des Kampfes für die Freiheit der Arbeiterklasse und für den Sozialismus, die Kommunistische Partei will man verbieten.

Die Kampforganisation der proletarischen Jugend, der KJVD, die Massenkampforganisation, die den Kampf gegen Lohnraub und Unternehmerterror führt, die RGO, sollen gleichfalls verboten werden. Diese faschistischen Anschläge sollen den Kurs auf die Zerschlagung aller Arbeiterorganisationen von Deutschland einleiten.

Das blutige barbarische Terrorregime, der Faschismus, wird über Deutschland aufgerichtet. Werktätige Massen, laßt nicht zu, daß die Todfeinde der Arbeiter und armen Bauern, der Werktätigen in Stadt und Land ihr Verbrechen durchführen. Setzt euch zur Wehr gegen den Anschlag und den Terror der Konterrevolution. Stellt euch gegen die schrankenlose, sozialfaschistische Reaktion der faschistischen Diktatur.

Heraus auf die Straße, legt die Betriebe still! Antwortet auf den Anschlag der faschistischen Bluthunde mit dem Streik.

Arbeiter, Arbeiterinnen, Jungarbeiter! Nehmt in allen Betrieben, in allen Gewerkschaften, in allen Arbeiterorganisationen, auf allen Stempelstellen Stellung für den Generalstreik gegen die faschistische Diktatur! Beschließt die Arbeitsniederlegung. Beschließt Massendemonstrationen! Wählt Arbeiterkomitees und Streikleitungen! Kämpft gemeinsam mit euren kommunistischen Klassengenossen in allen Betrieben und Arbeiterwohnungen!

Helft den Kommunisten, ihr übrigen werktätigen Massen, ihr armen Bauern auf dem Lande, ihr Mittelschichten, ihr Intellektuellen, zur Unterstützung des Kampfes für die Freiheit der Arbeiterklasse. Schart euch um die bedrohte Kommunistische Partei und den KJVD, um die RGO.

Die faschistische Diktatur ist ein Schlag gegen das revolutionäre Proletariat, ist ein Schlag gegen das ganze deutsche arbeitende Volk.

Die Kommunistische Partei wendet sich vor der gesamten politischen Öffentlichkeit zugleich an den ADGB, AfA-Bund, an den ZdA, an die gesamten Gewerkschaften mit der Aufforderung, mit den Kommunisten den Generalstreik gegen die faschistische Diktatur Hitler-Hugenberg-Papen, gegen die Zerschlagung der Arbeiterorganisation, für die Freiheit der Arbeiterklasse durchzuführen. Die Kommunistische Partei appelliert an sozialdemokratischen Arbeiter, an die Reichsbannerarbeiter, an die christlichen Arbeiter in Stadt und Land.

Es lebe die proletarische Einheitsfront gegen die faschistische Hitler-Diktatur! Fort mit Hitler, Papen, Hugenberg! Es lebe der Generalstreik, es lebe der Kampf für die Freiheit der Arbeiterklasse! Es lebe der Kampf für die Arbeiter- und Bauernrepublik!

d) Bericht eines Freiburger Antifaschisten über die Reaktionen der Freiburger Bevölkerung auf die Ernennung Adolf Hitlers zum Reichskanzler

VVN-BdA Freiburg (Hrsg.): Verfolgung, Widerstand, Neubeginn in Freiburg 1933–1945, Freiburg 1981, S. 27.

Als im Verlaufe des Tages der Rundfunk die Nachricht verbreitete, Reichspräsident Hindenburg habe Hitler zum Reichskanzler ernannt, bestätigte sich die Warnung der Kommunisten vor der Reichspräsidentenwahl: »Wer Hindenburg wählt, wählt Hitler, und dies bedeutet Krieg!«

Die Meldung war insofern auch keine Überraschung, da bekannt war, daß sich Hitler einige Tage zuvor mit den Vertretern der deutschen Schwer- und Rüstungsindustrie getroffen hatte und deren wirtschaftliche und politische Forderungen von ihm angenommen wurden.

Überall in der Stadt bildeten sich Gruppen, die über dieses Ereignis diskutierten. Man war gespannt auf die Reaktionen der Bevölkerung, auf den für den Abend angekündigten Fackelzug der SA. Nach eingebrochener Dunkelheit bewegte sich sodann ein jämmerlicher Zug von etwa 350 SA-Leuten durch die Kaiserstraße. Die Zufahrten waren von der Polizei mit »Gewehr bei Fuß« besetzt. Die »Sieg-Heil-Rufe« aus der zuschauenden Bevölkerung waren nicht besonders laut. Im Gegenteil, die SA-Leute wurden durch die Zuschauer von beiden Seiten so bedrängt, daß sie aus dem Gleichschritt kamen. Auf dem Karlsplatz fand dann die Siegesfeier mit der Ansprache eines Naziführers ihr Ende. Viele der Zuschauenden folgten dem Zug auf den Platz und mengten sich dort unter die SA-Leute. Während die Nazis das Deutschland- und Horst-Wessel-Lied grölten, sangen die Hitlergegner Kampflieder der deutschen Arbeiterklasse und die Internationale. Die Faschisten machten keinen Versuch, dies zu verhindern, denn sie wären die Unterlegenen gewesen. Zu bedauern war, daß starke Kampfverbände des Reichsbanners und der Eisernen Front an dieser Anti-Hitler-Demonstration nicht teilnahmen; sie waren zum Schutze des Gewerkschaftshauses dort im Einsatz. Nach Abschluß der Nazikundgebung lösten sich die SA-Trupps auf.

Sechs junge Kommunisten, die der Naziveranstaltung beigewohnt hatten, formierten sich, stimmten aus Protest die Internationale an und zogen singend zur Kaiserstraße. In wenigen Minuten bildete sich hinter ihnen spontan ein Demonstrationszug, der sich in der ganzen Breite der Straße fortbewegte. Zwei Stunden lang zog der Zug, von der Polizei nicht behindert, durch die Innenstadt und vor das Gefängnis, wo einige Antifaschisten inhaftiert waren.

Zum Abschluß dieser spontanen antifaschistischen Demonstration sprach der kommunistische Reichstagsabgeordnete Kamenz aus Königsberg, der sich in diesen Tagen als Bauernexperte auf einer Redetournee durch den Schwarzwald und Kaiserstuhl befand, vor dem Gewerkschaftshaus zu den Demonstranten und forderte sie auf, zum Kampf gegen den Faschismus.

91 **28. Februar 1933**

Verordnung des Reichspräsidenten zum Schutz von Volk und Staat

Reichsgesetzblatt 1933 Teil I, S. 83.

Aufgrund des Artikels 48 Abs. 2 der Reichsverfassung wird zur Abwehr kommunistischer staatsgefährdender Gewaltakte folgendes verordnet:

§ 1 Die Artikel 114, 115, 117, 118, 123, 124 und 153 der Verfassung des Deutschen Reichs werden bis auf weiteres außer Kraft gesetzt. Es sind daher Beschränkungen der persönlichen Freiheit, des Rechts der freien Meinungsäußerung, einschließlich der Pressefreiheit, des Vereins- und Versammlungsrechts, Eingriffe in das Brief-, Post-, Telegraphen- und Fernsprechgeheimnis, Anordnungen von Haussuchungen und von Beschlagnahmen sowie Beschränkungen des Eigentums auch außerhalb der sonst hierfür bestimmten gesetzlichen Grenzen zulässig.

§ 2 Werden in einem Lande die zur Wiederherstellung der öffentlichen Sicherheit und Ordnung nötigen Maßnahmen nicht getroffen, so kann die Reichsregierung insoweit die Befugnisse der obersten Landesbehörde vorübergehend wahrnehmen.

§ 3 Die Behörden der Länder und Gemeinden (Gemeindeverbände) haben den aufgrund des § 2 erlassenen Anordnungen der Reichsregierung im Rahmen ihrer Zuständigkeit Folge zu leisten.

§ 4 Wer den von den obersten Landesbehörden oder den ihnen nachgeordneten Behörden zur Durchführung dieser Verordnung erlassenen

Anordnungen oder den von der Reichsregierung gemäß § 2 erlassenen Anordnungen zuwiderhandelt oder wer zu solcher Zuwiderhandlung auffordert oder anreizt, wird, soweit nicht die Tat nach anderen Vorschriften mit einer schwereren Strafe bedroht ist, mit Gefängnis nicht unter einem Monat oder mit Geldstrafe von 150 bis zu 15 000 Reichsmark bestraft.

Wer durch Zuwiderhandlung nach Abs. 1 eine gemeine Gefahr für Menschenleben herbeiführt, wird mit Zuchthaus, bei mildernden Umständen mit Gefängnis nicht unter sechs Monaten und, wenn die Zuwiderhandlung den Tod eines Menschen verursacht, mit dem Tode, bei mildernden Umständen mit Zuchthaus nicht unter zwei Jahren bestraft. Daneben kann auf Vermögenseinziehung erkannt werden.

Wer zu einer gemeingefährlichen Zuwiderhandlung (Abs. 2) auffordert oder anreizt, wird mit Zuchthaus, bei mildernden Umständen mit Gefängnis nicht unter drei Monaten bestraft.

§ 5 Mit dem Tode sind die Verbrechen zu bestrafen, die das Strafgesetzbuch in den §§ 81 (Hochverrat), 229 (Giftbeibringung), 307 (Brandstiftung), 311 (Explosion), 312 (Überschwemmung), 315 Abs. 2 (Beschädigung von Eisenbahnanlagen), 324 (gemeingefährliche Vergiftung) mit lebenslangem Zuchthaus bedroht.

Mit dem Tode oder, soweit nicht bisher eine schwerere Strafe angedroht ist, mit lebenslangem Zuchthaus oder mit Zuchthaus bis zu 15 Jahren wird bestraft:

1. Wer es unternimmt, den Reichspräsidenten oder ein Mitglied oder einen Kommissar der Reichsregierung oder einer Landesregierung zu töten oder wer zu einer solchen Tötung auffordert, sich erbietet, ein solches Erbieten annimmt oder eine solche Tötung mit einem anderen verabredet;

2. wer in den Fällen des § 115 Abs. 2 des Strafgesetzbuchs (schwerer Aufruhr) oder des § 125 Abs. 2 des Strafgesetzbuchs (schwerer Landfriedensbruch) die Tat mit Waffen oder in bewußtem und gewolltem Zusammenwirken mit einem Bewaffneten begeht;

3. wer eine Freiheitsberaubung (§ 239 des Strafgesetzbuchs) in der Absicht begeht, sich des der Freiheit Beraubten als Geisel im politischen Kampfe zu bedienen.

Die Reichstagswahlen

a) Bericht der »Volkswacht« über eine Kundgebung der Eisernen Front in Freiburg, 3. März 1933

Volkswacht (Freiburg) vom 4. März 1933.

Letzter Wahlappell der Freiburger SPD

Machtvolle Kundgebung der Eisernen Front - Glänzendes Referat des Reichstagsabgeordneten Marum - Zum äußersten Kampfe gegen den Faschismus bereit

Der letzte große Wahlappell der Freiburger Sozialdemokratie gestaltet sich zu einem grandiosen Bekenntnis für die Menschheitsideale des Sozialismus, den Glauben an soziale Gerechtigkeit, Freiheit und Demokratie, Ideale, die keine Macht der Welt, geschweige denn der Nationalsozialismus, der Arbeiterklasse aus dem Herzen reißen kann. Eine geistige Bewegung, die so tief im rein Menschlichen, Ethischen, Sozialen, Wirtschaftlichen, Politischen und Kulturellen verwurzelt ist, wie der Sozialismus, kann wohl vorübergehend von Schergen des Kapitalismus brutal unterdrückt, aber niemals ausgerottet werden, am wenigsten von Menschen, die sich die Aufgabe gestellt haben, dem absterbenden kapitalistischen Wirtschaftssystem mit nationalistischem Fanfarengeschmetter neuen Auftrieb zu verschaffen. Auch hier gilt das alte Sprichwort: »Ihr hemmt uns, aber ihr zwingt uns nicht!« Das war der eine große, unbesiegbare Gedanke, der die gestrige Massenversammlung der SPD in der Festhalle beseelte, einte und zu einer Schicksalsverbundenheit zusammenschweißte. Mögen unsere Gegner uns verleumden, knechten, selbst mit dem Tode bedrohen - wir bleiben, was wir waren: Pioniere einer neuen Wirtschafts- und Gesellschaftsordnung, die nicht mit dem Rüstzeug der Barbaren, sondern mit den lauteren Waffen des Geistes und des Rechtes für ihre Ideale zu kämpfen wissen. Das war der Tenor dieser Massenkundgebung, die allen Teilnehmern den Ernst der politischen Lage eindringlich zum Bewußtsein brachte.

Trotz des Verbots des Demonstrationsaufmarsches auf Wunsch des Reichsinnenministers Dr. Frick, das erst im Laufe des Nachmittags bekannt wurde und den Versammlungsteilnehmern erst auf dem Friedrich-Ebert-Platz zur Kenntnis gebracht werden konnte, trotz des strömenden Regens fanden sich Tausende proletarischer Freiheitskämpfer und Republikaner in der Festhalle ein, so daß Saal und Galerien dicht besetzt waren. Die musikalischen und gesanglichen Darbietungen des Trommler- und Pfeiferkorps des Reichsbanners und der Freien Turnerschaft sowie der Arbeitermusik und des Arbeitersängerkartells gaben der imposanten Kundgebung jenen stimmungsvollen Rahmen, in den die nachfolgende Rede des Genossen Reichstagsabgeordneten Marum so richtig hineinpaßte. Der Versammlungsleiter, Genosse Stadtrat Peter Mayer, hieß die Erschienenen und den Referenten herzlich willkommen, machte auf den Ausnahmezustand und die Knechtung der Arbeiterschaft in Deutschland aufmerksam und wies insbesondere auf die Umstände hin, die zum Verbot des Demonstrationsaufmarsches führten. Mit stürmischem Beifall quittierte die Versammlung seine Bemerkung, daß es Hitler ebensowenig gelingen werde, den Marxismus zu vernichten, wie seinerzeit dem eisernen Kanzler Bismarck.

Genosse Marum bemerkt eingangs seiner geistvollen Ausführungen, die immer wieder von stürmischem Beifall unterbrochen wurden, wer nach den Ereignissen der letzten Wochen noch nicht weiß, wie er am Sonntag zu wählen hat, bei dem ist Hopfen und Malz verloren. Dann glossiert er die seltsame Brandstiftung im Reichstagsgebäude und weist auf die Widersprüche hin, die hierüber in den Pressemeldungen enthalten sind. Glücklicherweise kann man trotz Versammlungs- und Zeitungsverboten 13 Millionen Marxisten nicht verbieten, am Sonntag zu wählen. Mit Gewaltmaßnahmen wird man das Gegenteil erreichen. Das Programm der Regierung zerpflückt der Redner nach allen Regeln juristischer Dialektik und betont, das Volk habe Anspruch darauf, zu wissen, was gespielt wird. Er verbreitete sich dann eingehend über die wirklichen Ursachen der Arbeitslosigkeit: das kapitalistische Wirtschaftssystem, die Rationalisierung und die Weltwirtschaftskrise. Auch nach vier Jahren wird in Deutschland noch eine große industrielle Reservearmee vorhanden sein. Wir werden ja nach zehn Jahren sehen, ob der Marxismus oder der Nationalismus vernichtet ist. Wilhelm II. hat uns einst eine Rotte von Menschen genannt, die den deutschen Staub von den Füßen schütteln sollte – wir aber sind in Deutschland geblieben. Wehe, wenn die Hunderttausende von Arbeitern, die sich deshalb zur NSDAP geschlagen haben, weil sie von ihr das Paradies erwarten, einmal als Enttäuschte erwachen! Wir fragen die Naziproleten, ob sie glauben, daß ihr Führer den Sozialismus Arm in Arm mit Hugenberg verwirklichen kann. Die Nationalsozialisten haben sich als die Schutztruppe des Kapitalismus erwiesen. Die Arbeiterschaft muß Provokationen vermeiden; sie darf sich auch nicht zu Einzelaktionen hinreißen lassen. Der erfolgreiche Kampf um die Freiheit erfordert Geduld und Disziplin. Auch unsere Zeit kommt wieder. Jeder überzeugte Sozialdemokrat hat heute die Pflicht, alles daran zu setzen, den Bürgerkrieg abzuwenden. Wir müssen uns in dem zähen Ringen um die Freiheit aber auch der Goetheworte erinnern: »Nur der verdient sich Freiheit wie das Leben, der täglich sie erobern muß.«

Die deutsche Arbeiterklasse wäre heute eine unüberwindliche Macht, wenn sie einig wäre. Wir halten die Politik der Kommunisten für falsch, sind aber doch der Meinung, daß der Bruderkrieg bei der heutigen politischen Lage beendet werden sollte. Erst wenn der Faschismus niedergerungen ist, können sich SPD und KPD wieder den Luxus erlauben, Meinungsverschiedenheiten auszutragen. Überall in Deutschland ist die Arbeiterschaft aufgewacht. Sie hat allen Grund, sich besonders an eine Stelle unseres Kampfliedes »Brüder zur Sonne, zur Freiheit« zu erinnern, die da lautet: »Brüder in eins nun die Hände, Brüder, das Sterben verlacht!«

Mit dem von der Versammlung begeistert aufgenommenen dreimaligen Rufe »Freiheit!« schloß Genosse Marum seine eindrucksvolle Rede.

Der Vorsitzende, Genosse Peter Mayer, ersuchte die Versammlungsteilnehmer ebenfalls eindringlich, sich vor Provokationen zu hüten und von der Straße wegzubleiben, wenn die SA demonstriert.

Das Arbeiter-Sängerkartell brachte um 10 Uhr die ohne jede Störung verlaufene Kundgebung mit dem ewigjungen Freiheitslied »Ich warte Dein« zu einem würdigen Abschluß.

b) Erklärung des Offenburger Bürgermeisters, Walter Blumenstock (SPD), nach der Hissung der Hakenkreuzfahne auf dem Offenburger Rathaus, 6. März 1933

Offenburger Tageblatt vom 7. März 1933.

In der gestrigen Sitzung des Offenburger Stadtrats stellte die nationalsozialistische Fraktion den Antrag, das Rathaus mit der Hakenkreuzfahne zu beflaggen. Nachdem festgestellt war, daß irgendeine für die Stadt verbindliche Anordnung der Reichsregierung in dieser Richtung nicht ergangen ist, wurde der Antrag vom Stadtrat gegen vier Stimmen abgelehnt.

Kurz darauf wurde in der Sitzung bekannt, daß die gewaltsame und rechtswidrige Hissung der Flagge durch nationalsozialistische Parteianhänger vorbereitet werde und daß die Polizei nichts dagegen unternehmen werde. Ich habe daraufhin sofort folgende Erklärung im Stadtrat abgegeben:

»Die Fahne, die jetzt auf dem Offenburger Rathaus gewaltsam gehißt werden soll, ist das Kampfsymbol einer politischen Partei, die die schärfste politische Gegnerin der politischen Ideen ist, denen ich mit dem Verstande und mit dem Herzen anhänge und denen ich gerade in dieser Stunde treu bleibe. Sie ist auch das Symbol der Partei, die meinen politischen Freunden immer wieder in einer für uns beleidigenden Weise eine nationale Gesinnung absprechen will. Ich glaube, daß auch unsere politischen Gegner Verständnis dafür haben werden, daß ich in diesem Hause nicht arbeiten kann, bis dieser rechtswidrige Akt entweder legalisiert oder rückgängig gemacht worden ist. Ich bitte, mich solange zu beurlauben.«

Ich habe daraufhin die Sitzung und das Rathaus verlassen.

c) Kommentar im »Volksfreund« zum Ergebnis der Reichstagswahl (Auszug), 6. März 1933

Volksfreund vom 6. März 1933.

Wenn die Zahlen stimmen sollten, die in der Stunde vorliegen, in der diese Betrachtung der gestrigen Reichstagswahlen geschrieben werden muß, dann hat Herr Hitler und die schwarz-weiß-rote Front eine, wenn auch nur geringe, aber immerhin eine Mehrheit im neuen Reichstag. Wohlgemerkt: eine Mehrheit durch die Wählerstimmen. Eine Mehrheit im Reichstag werden die Herren Hitler und Papen schon dadurch haben, weil die kommunistische Fraktion weder vollzählig noch vielleicht auch nur durch einen einzigen Abgeordneten bei der Eröffnung des Reichstags und auch bei den weiteren Sitzungen anwesend sein wird, die dem neuen Reichstag abzuhalten, gnädigst gestattet werden wird. Wie die sozialdemokratische Fraktion sich zum Zusammentritt und zur Inbetriebsetzung eines Reichsparlaments verhalten wird, das unter Inszenierung des rücksichtslosesten Terrors und der Fesselung der Wahlpropaganda für die Linksparteien zustande gekommen ist, das ist die Frage, die die Reichstagsfraktion in Verbindung mit den Parteiinstanzen zu entscheiden haben wird.

Wir stellen noch einmal fest: In ausschlaggebenden Bezirken des Deutschen Reiches ist die Sozialdemokratie durch die Maßnahmen der preußischen Regierung und durch die Maßnahmen der Regierungen einzelner Länder in der Wahlagitation auf das allerschwerste gehemmt und gehindert worden. Von einer freien Willenskundgebung des deutschen Volkes kann bei den gestern vollzogenen Wahlen in keiner Weise die Rede sein. Wir erklären ganz frei und offen: Diese am 5. März vollzogenen Wahlen sind keine freie Meinungsäußerung des deutschen Volkes, sondern sie sind zustandegekommen unter politischen Verhältnissen, wie sie sonst nur die Balkanstaaten kennen. Die Vorgänge, die auf innerpolitischem Gebiet in den letzten Wochen in Deutschland sich abgespielt haben, sind, das muß rücksichtslos und offen ausgesprochen werden, eines Kulturvolkes unwürdig und sie werden in der ganzen Welt dementsprechend auch eingeschätzt werden.

Das deutsche Volk hat gestern in der Weltgeltung mehr verloren, als, wie wir fürchten, im nächsten Jahrzehnt bei anstrengendster Arbeit wieder gut zu machen ist. Wer in den letzten 14 Tagen Gelegenheit hatte, die Auslandspresse auch nur einigermaßen zu verfolgen, der hat mit täglich wachsendem Entsetzen wahrgenommen und konstatieren müssen, wie geradezu rapid das Ansehen Deutschlands, das doch in den letzten Jahren wieder emporgestiegen ist, gesunken ist. Das bedeutet für ein Volk, wenn es nicht den Lebensstandard in seinen breiten Massen als Armenhäusler fristen will, eine Zukunft, die auch den mutigsten erschrecken läßt.

Das deutsche Volk ist der nationalistischen Phraseologie erlegen. Die nationalistische Ideologie ist in einen rasenden Taumel ausgeartet, und diesem Taumel ist ein großer Teil des deutschen Volkes unterlegen. Wer in den letzten 14 Tagen, von früheren Zeiten gar nicht zu reden, die Reden der Herren Hitler, Göring und Genossen angehört und gelesen hat, wer sich dabei ein ruhiges politisches Urteil bewahrt hat, der mußte mit wachsendem Entsetzen wahrnehmen, daß eine solche Volksbeeinflussung zu katastrophalen Ergebnissen führen muß.

Wir wagen es, heute in aller Offenheit zu prophezeien: Die wirtschaftlichen Nackenschläge für den Wahlausfall des 5. März werden rasch und in unerbittlicher Konsequenz folgen. Der Ausfall einer solchen Wahl kann weder das deutsche Volk und erst recht nicht das gesamte Europa ertragen.

Das erwachende Deutschland! Das ist das Aufgebot der 20- bis 25jährigen: sagen wir es doch ganz offen, das Aufgebot der politisch Unreifen, der politisch Unvermögenden und der Wählerkreise des deutschen Volkes, die bisher indifferent, also gleichgültig, feige und politisch erbärmlich, den Geschehnissen im deutschen Vaterlande gegenübergestanden haben. Nur mit diesem Aufgebot konnten Dank der theatralischen und jahrmarktmäßigen Stimmungsmache die Nationalsozialisten ihren, das ist gerne zugegeben, geradezu phänomenalen Stimmenerfolg erzielen.

Die Volkskreise, die sich politisch um die Zentrumspartei und um die Bayerische Volkspartei gruppieren, haben ihre traditionelle Treue auch am gestrigen Tage wieder bewiesen. Auch die Deutschnationalen, die sich, wie nicht anders zu erwarten war, schwarz-weiß-rot drapiert hatten, haben mit Ach und Krach leidlich abgeschnitten. Es muß aber schon betont werden, daß die Hoffnungen der Herren von Papen, Seldte und Hugenberg wirklich nicht in Erfüllung gegangen sind. Ihnen gegenüber ist, das wegzuleugnen wäre Verblendung, Herr Adolf Hitler der Triumphator. Er wird seine Bedingungen stellen, und wie sich Herr von Hindenburg und wie sich die Generale der Reichswehr damit abfinden werden, das muß abgewartet werden.

Das deutsche Bürgertum ist durch die Hitlerbewegung in einer Weise zerrieben und vernichtet worden, wie es politisch wohl bisher in keinem anderen Lande der Welt möglich war. Ein Beweis dafür, wie erbärmlich in politischer Beziehung das deutsche Bürgertum sich präsentiert. Darüber wird in den nächsten Tagen noch mehr zu sagen sein, sofern der sozialdemokratischen Presse das Erscheinen in der nächsten Zukunft überhaupt noch ermöglicht wird.

In den Freudenwein des Sieges fallen aber für Hitler und seine Paladine bittere Wermutstropfen: Der von ihnen mit allem Stimmenaufwand geführte Kampf gegen den Bolschewismus galt ja im Grund genommen der Sozialdemokratie. Daß man den Kommunisten eine Niederlage bereiten konnte, das war unter den gegebenen Verhältnissen kein besonderes Kunststück. Aber der Sozialdemokratie eine Niederlage zu bereiten, das war das Ziel, und das war die Aufgabe. Und dieses Ziel ist nicht erreicht worden.

Die Sozialdemokratie hat unter den furchtbarsten und schwersten Verhältnissen sich glatt behauptet, ihre Reihen konnten weder zurückgedrängt noch durchstoßen werden. Stolze Freude muß die Brust aller Männer und Frauen erfüllen, die der Sozialdemokratie auch gestern wieder die auf siegesfrohe Zuversicht gegründete Treue bekundet haben, daß auch der brutalste Terror, die krankhafteste und wahnsinnigste Lüge, ihre Front nicht zu erschüttern vermag. Und damit muß sich Herr Hitler und damit müssen sich alle ihm mehr oder minder Verbündeten reaktionären Kräfte abfinden. Die Sozialdemokratie steht: Sie hat in den letzten Jahren das Ungeheuerste an Verantwortung und Duldung ertragen.

Wie würde die Front der deutschen Proletarier in diesem Kampf dastehen, wenn er überhaupt dann hätte eintreten können, wenn die Kommunisten nicht seit einem Jahrzehnt ihr erbärmliches Treiben, ihre schamlose Schindluderpolitik gegen die deutsche Arbeiterschaft betrieben hätten? Wir hätten keinen Hitler als Reichskanzler, wir hätten die ganzen Sorgen und die ganzen politischen Katastrophen der letzten Jahre nicht zu erleben brauchen, wenn die deutsche Arbeiterklasse politisch in einer Front marschierte. Die deutschen Kommunisten, sie sind die wirksamsten Helfershelfer des am gestrigen Tage wie auch früher siegreichen Faschismus gewesen. Sie haben den Boden vorbereitet, auf dem die Giftpflanze wachsen konnte, die den deutschen Boden überwuchert und damit das deutsche Volk und das deutsche Land in ein katastrophales Unglück zu stürzen droht. Der volle Zorn und die gerechte Empörung der deutschen Arbeiter, die unter Opfern und Mühen für das deutsche Proletariat und seine ökonomische und politische Geltung jahrzehntelang gewirkt haben, muß sich gegen die Kommunisten richten, die die Hauptschuldigen an dem politischen Unglück für die deutsche Arbeiterklasse sind. Da gibt es keine Kompromisse mehr und kein Vertuschen: Die gestrigen Wahlen haben zur Genüge bewiesen, daß die Zerstörungsarbeit der Kommunisten die erfolgreichste Helferin der faschistischen Diktatur ist.

Unsäglich betrübend ist, daß auch Süddeutschland, besonders Württemberg und Baden, nicht in dem Maße sich gegen das Ostelbiertum und gegen die Faschisten so ausgesprochen haben, wie es der demokratischen und freiheitlichen Tradition Süddeutschlands entspricht. Das ist politisch deshalb besonders gefährlich, weil die gestrigen Wahlergebnisse, speziell in Württemberg und Baden, sowohl dem Ostelbiertum wie dem Faschismus neuen Ansporn und Mut zum diktatorischen Vorgehen in Deutschland geben. Das Versagen Süddeutschlands, besonders aber das Versagen der badischen Bevölkerung, kann sich sehr schwer am gesamten deutschen Volke und im besonderen an Süddeutschland selbst rächen. ...

93 **24. März 1933**

Das Ermächtigungsgesetz

a) Die Rede des Abgeordneten Otto Wels (SPD) vor dem Reichstag (Auszug)

Verhandlungen des Reichstages, Bd. 457, S. 32ff.

Der außenpolitischen Forderung deutscher Gleichberechtigung, die der Herr Reichskanzler erhoben hat, stimmen wir Sozialdemokraten um so nachdrücklicher zu, als wir sie bereits von jeher grundsätzlich verfochten haben. Ich darf mir wohl in diesem Zusammenhang die persönliche Bemerkung gestatten, daß ich als erster Deutscher vor einem internationalen Forum, auf der Berner Konferenz am 3. Februar des Jahres 1919, der Unwahrheit von der Schuld Deutschlands am Ausbruch des Weltkrieges entgegengetreten bin. Nicht hat uns irgendein Grundsatz unserer Partei daran hindern können oder gehindert, die gerechten Forderungen der deutschen Nation gegenüber den anderen Völkern der Welt zu vertreten.

Der Herr Reichskanzler hat auch vorgestern in Potsdam einen Satz gesprochen, den wir unterschreiben. Er lautet: »Aus dem Aberwitz der Theorie von ewigen Siegern und Besiegten kam der Wahnwitz der Reparationen und in der Folge die Katastrophe der Weltwirtschaft.« Dieser Satz gilt für die Außenpolitik; für die Innenpolitik gilt er nicht minder. Auch hier ist die Theorie von den ewigen Siegern und Besiegten, wie der Herr Reichskanzler sagte, ein Aberwitz. Das Wort des Herrn Reichskanzlers erinnert uns aber auch an ein anderes, das am 23. Juli 1919 in der Nationalversammlung gesprochen wurde. Da wurde gesagt: »Wir sind wehrlos, wehrlos ist aber nicht ehrlos. Gewiß, die Gegner wollen uns an die Ehre, daran ist kein Zweifel. Aber daß dieser Versuch der Ehrabschneidung einmal auf die Urheber selbst zurückfallen wird, da es nicht unsere Ehre ist, die bei dieser Welttragödie zugrunde geht, das ist unser Glaube bis zum letzten Atemzug.« (Zuruf von den Nationalsozialisten: Wer hat das gesagt?) Das steht in einer Erklärung, die eine sozialdemokratisch geführte Regierung damals im Namen des deutschen Volkes vor der ganzen Welt abgegeben hat, vier

Stunden bevor der Waffenstillstand abgelaufen war, um den Weitervormarsch der Feinde zu verhindern. – Zu dem Ausspruch des Herrn Reichskanzlers bildet jene Erklärung eine wertvolle Ergänzung.

Aus einem Gewaltfrieden kommt kein Segen: im Innern erst recht nicht. Eine wirkliche Volksgemeinschaft läßt sich auf ihn nicht gründen. Ihre erste Voraussetzung ist gleiches Recht. Mag sich die Regierung gegen rohe Ausschreitungen der Polemik schützen, mag sie Aufforderungen zu Gewalttaten und Gewalttaten selbst mit Strenge verhindern. Das mag geschehen, wenn es nach allen Seiten gleichmäßig und unparteiisch geschieht, und wenn man es unterläßt, besiegte Gegner zu behandeln, als seien sie vogelfrei. Freiheit und Leben kann man uns nehmen, die Ehre nicht.

Nach den Verfolgungen, die die Sozialdemokratische Partei in der letzten Zeit erfahren hat, wird billigerweise niemand von ihr verlangen oder erwarten können, daß sie für das hier eingebrachte Ermächtigungsgesetz stimmt. Die Wahlen vom 5. März haben den Regierungsparteien die Mehrheit gebracht und damit die Möglichkeit gegeben, streng nach Wortlaut und Sinn der Verfassung zu reagieren. Wo diese Möglichkeit besteht, besteht auch die Pflicht. Kritik ist heilsam und notwendig. Noch niemals, seit es einen Deutschen Reichstag gibt, ist die Kontrolle der öffentlichen Angelegenheiten durch die gewählten Vertreter des Volkes in solchem Maße ausgeschaltet worden, wie es jetzt geschieht, und wie es durch das neue Ermächtigungsgesetz noch mehr geschehen soll. Eine solche Allmacht der Regierung muß sich um so schwerer auswirken, als auch die Presse jeder Bewegungsfreiheit entbehrt.

Die Zustände, die heute in Deutschland herrschen, werden vielfach in krassen Farben geschildert. Wie immer in solchen Fällen fehlt es auch nicht an Übertreibungen. Was meine Partei betrifft, so erkläre ich hier: Wir haben weder in Paris um Intervention gebeten, noch Millionen nach Prag verschoben, noch übertreibende Nachrichten ins Ausland gebracht. Solchen Übertreibungen entgegenzutreten, wäre leichter, wenn im Inlande eine Berichterstattung möglich wäre, die Wahres vom Falschen unterscheidet. Noch besser wäre es, wenn wir mit gutem Gewissen bezeugen könnten, daß die volle Rechtssicherheit für alle wiederhergestellt sei. Das, meine Herren, liegt bei Ihnen.

Die Herren von der Nationalsozialistischen Partei nennen die von ihnen entfesselte Bewegung eine nationale Revolution, nicht eine nationalsozialistische. Das Verhältnis ihrer Revolution zum Sozialismus beschränkt sich bisher auf den Versuch, die sozialdemokratische Bewegung zu vernichten, die seit mehr als zwei Menschenaltern die Trägerin sozialistischen Gedankengutes gewesen ist und auch bleiben wird. Wollten die Herren von der Nationalsozialistischen Partei sozialistische Taten verrichten, sie brauchten kein Ermächtigungsgesetz. Eine erdrückende Mehrheit wäre Ihnen in diesem Hause gewiß. Jeder von Ihnen im Interesse der Arbeiter, der Bauern, der Angestellten, der Beamten oder des Mittelstandes gestellte Antrag könnte auf Annahme rechnen, wenn nicht einstimmig, so doch mit gewaltiger Majorität.

Aber dennoch wollen Sie vorerst den Reichstag ausschalten, um Ihre Revolution fortzusetzen. Zerstörung von Bestehendem ist aber noch keine Revolution. Das Volk erwartet positive Leistungen. Es wartet auf durchgreifende Maßnahmen gegen das furchtbare Wirtschaftselend, das nicht nur in Deutschland, sondern in aller Welt herrscht. Wir Sozialdemokraten haben in schwerster Zeit Mitverantwortung getragen und sind dafür mit Steinen beworfen worden. Unsere Leistungen für den Wiederaufbau von Staat und Wirtschaft, für die Befreiung der besetzten Gebiete werden vor der Geschichte bestehen. Wir haben gleiches Recht für alle und ein soziales Arbeitsrecht geschaffen. Wir haben geholfen, ein Deutschland zu schaffen, in dem nicht nur Fürsten und Baronen, sondern auch Männern aus der Arbeiterklasse der Weg zur Führung des Staates offen steht. Davon können Sie nicht zurück, ohne Ihren eigenen Führer preiszugeben. Vergeblich wird der Versuch bleiben, das Rad der Geschichte zurückzudrehen. Wir Sozialdemokraten wissen, daß man machtpolitische Tatsachen durch bloße Rechtsverwahrungen nicht beseitigen kann. Wir sehen die machtpolitische Tatsache Ihrer augenblicklichen Herrschaft. Aber auch das Rechtsbewußtsein des Volkes ist eine politische Macht, und wir werden nicht aufhören, an dieses Rechtsbewußtsein zu appellieren.

Die Verfassung von Weimar ist keine sozialistische Verfassung. Aber wir stehen zu den Grundsätzen des Rechtsstaates, der Gleichberechtigung, des sozialen Rechts, die in ihr festgelegt sind. Wir deutschen Sozialdemokraten bekennen uns in dieser geschichtlichen Stunde feierlich zu den Grundsätzen der Menschlichkeit und der Gerechtigkeit, der Freiheit und des Sozialismus. Kein Ermächtigungsgesetz gibt Ihnen die Macht, Ideen, die ewig und unzerstörbar sind, zu vernichten. Sie selbst haben sich ja zum Sozialismus bekannt. Das Sozialistengesetz hat die Sozialdemokratie nicht vernichtet. Auch aus neuen Verfolgungen kann die deutsche Sozialdemokratie neue Kraft schöpfen. Wir grüßen die Verfolgten und Bedrängten. Wir grüßen unsere Freunde im Reich. Ihre Standhaftigkeit und Treue verdienen Bewunderung. Ihr Bekennermut, ihre ungebrochene Zuversicht verbürgen eine hellere Zukunft. ...

b) Die Antwort Hitlers auf die Rede von Otto Wels (Auszug)

Verhandlungen des Reichstages, Bd. 457, S. 30ff.

Spät kommt ihr, doch ihr kommt! Die schönen Theorien, die Sie, Herr Abgeordneter, soeben hier verkündeten, sind der Weltgeschichte etwas zu spät mitgeteilt worden. Vielleicht hätten diese Erkenntnisse, praktisch angewendet vor Jahren, die heutigen Klagen von Ihnen erspart.

Sie erklären, daß die Sozialdemokratie unser außenpolitisches Programm unterschreibt, daß sie die Kriegsschuldlüge ablehnt, daß sie gegen die Reparationen sich wende. Nun erhebe ich nur die eine Frage: Wo war denn dieser Kampf in der Zeit, in der Sie die Macht in Deutschland hatten? Sie hatten einst die Möglichkeit, dem deutschen Volke das Gesetz des inneren Handelns vorzuschreiben. Sie haben es auch auf anderen Gebieten gekonnt. Es wäre genau so möglich gewesen, der deutschen Revolution, die von Ihnen mit ausgegangen, denselben Schwung und dieselbe Richtung zu geben, die einst Frankreich seiner Erhebung im Jahre 1870 gegeben hat. Es wäre in Ihrem Ermessen gewesen, die deutsche Erhebung zu einer wirklich nationalen zu gestalten, und Sie hätten dann das Recht gehabt, wenn die Fahne der neuen Republik nicht siegreich zurückgekommen wäre, immerhin zu erklären: Wir haben das Äußerste getan, um diese Katastrophe durch den letzten Appell an die Kraft des deutschen Volkes abzuwenden. In der Zeit mieden Sie den Kampf, den Sie heute in Worten plötzlich der Mitwelt mitteilen wollen.

Sie sagen, daß wehrlos nicht ehrlos ist. Nein, das braucht es nicht zu sein. Auch wenn wir wehrlos sein müßten: Ich weiß, wir würden nicht ehrlos sein. Unsere Bewegung war dank der Unterdrückung durch Ihre Partei jahrelang wehrlos gemacht worden, ehrlos ist sie nie gewesen. Ich bin der Überzeugung, daß wir dem deutschen Volke den Geist einimpfen werden, der es auch bei seiner heutigen Wehrlosigkeit sicherlich, Herr Abgeordneter, nicht ehrlos sein lassen wird. Auch hier lag es ja an Ihnen, die Sie fast vierzehn Jahre lang die Macht besessen haben, dafür zu sorgen, daß dieses deutsche Volk der Welt das Beispiel einer Ehre gegeben hätte. Es lag an Ihnen, dafür zu sorgen, daß, wenn schon die äußere Welt uns unterdrückt, die Art, in der das deutsche Volk diese Unterdrückung entgegennimmt, dann aber wenigstens eine würdige ist. Sie hatten die Gelegenheit, gegen alle die Erscheinungen der Entwürdigung unseres Volkes aufzutreten. Der Landesverrat konnte von Ihnen genauso beseitigt werden, wie er von uns beseitigt werden wird. Sie haben kein Recht, diesen Anspruch überhaupt auf sich zu beziehen: denn dann hätten Sie damals, in jener Stunde, da jede Revolution Hochverrat in Tateinheit mit Landesverrat sein mußte, zu dieser Handlung nicht, auch nicht einmal indirekt, Ihre Hand bieten dürfen. Und Sie hätten es vermeiden müssen, daß man dann dem deutschen

Volke auf Wunsch und Befehl des Auslands eine neue Verfassung aufoktroyierte. Denn das ist nicht ehrenvoll, sich vom Feinde seine innere Gestaltung aufzwingen zu lassen. ...

Sie beklagten, daß die Welt am Ende auch unwirkliche Tatsachen über die Zustände in Deutschland erfährt. Sie beklagen, daß man der Welt mitteilt, jeden Tag würden an israelischen Friedhöfen in Berlin zerstückelte Leichname abgeliefert. Es beklemmt Sie das, Sie möchten so gern der Wahrheit die Ehre geben! Oh, Herr Abgeordneter, Ihrer Partei mit ihren internationalen Beziehungen müßte es spielend leicht sein, die Wahrheit festzustellen. Und nicht nur das, ich lese in diesen Tagen die Zeitungen Ihrer eigenen sozialdemokratischen Bruderparteien in Deutsch-Österreich. Niemand hindert Sie, dorthin Ihre Erkenntnis der Wahrheit zu verbreiten. - Ich werde neugierig sein, inwieweit die Kraft Ihrer internationalen Bindungen auch hier wirksam wird. Ich habe Ihre Zeitung im Saargebiet gelesen, Herr Abgeordneter, und dieses Blatt treibt nichts anderes als dauernd Landesverrat, Herr Abgeordneter Wels, versucht dauernd dem Ausland gegenüber, Deutschland zu belasten, unser Volk vor der Welt mit Lügen in eine schiefe Lage zu bringen. ...

Sie sagen, die nationalsozialistische Revolution habe nichts mit Sozialismus zu tun, sondern der »Sozialismus« bestehe nur darin, daß man die »einzige Trägerin des Sozialismus in Deutschland«, die SPD, verfolge. Sie sind wehleidig, meine Herren, und nicht für die heutige Zeit bestimmt, wenn Sie jetzt schon von Verfolgung sprechen. Was ist Ihnen geschehen? Sie sitzen hier, und geduldig hört man Ihren Redner an. Sie reden von Verfolgung. Wer hat Sie denn bisher verfolgt? Sie sagen, Sie seien der einzige Träger des Sozialismus. Sie sind der Träger jenes geheimnisvollen Sozialismus gewesen, den das deutsche Volk in der Wirklichkeit niemals zu sehen erhielt. Sie reden heute von Ihren Leistungen und von Ihren Taten; Sie erzählen, was alles Sie beabsichtigten. An den Früchten soll man auch Sie erkennen! Die Früchte zeugen gegen Sie! Wenn das Deutschland, das Sie in vierzehn Jahren zeigten, das Spiegelbild Ihres sozialistischen Wollens ist, dann, meine Herren, geben Sie uns gefälligst vier Jahre Zeit, um Ihnen das Spiegelbild unseres Wollens zu zeigen. ...

Sie sagen weiter, daß die Sozialdemokratie auch von uns nicht weggedacht werden kann, weil sie die erste gewesen sei, die diese Plätze hier freigemacht hätte für das Volk, für die arbeitenden Menschen und nicht nur für Barone oder Grafen. In allem, Herr Abgeordneter, kommen Sie zu spät! Warum haben Sie über diese Ihre Gesinnung nicht beizeiten Ihren Freund Grzesinski, warum nicht Ihre anderen Freunde Braun und Severing belehrt, die jahrelang mir vorwarfen, ich sei doch nur ein Anstreichergeselle! Jahrelang haben Sie das auf Plakaten behauptet. Und endlich hat man mir sogar gedroht, mich mit der Hundepeitsche aus Deutschland hinauszutreiben!

Dem deutschen Arbeiter werden wir Nationalsozialisten von jetzt ab die Bahn freimachen zu dem, was er fordern und verlangen kann. Wir Nationalsozialisten werden seine Fürsprecher sein; Sie meine Herren (zu den Sozialdemokraten), sind nicht mehr benötigt! ...

Sie sagen, daß Sie in der Zeit der Sozialistengesetzgebung nicht gebrochen worden seien. Das war die Zeit, in der die deutsche Arbeiterschaft in Ihnen noch etwas anderes sah, als was Sie heute sind. Warum aber haben Sie denn diese Erkenntnis uns gegenüber vergessen? Was im Völkerleben morsch, alt und gebrechlich wird, das vergeht und kommt nicht wieder. Auch Ihre Stunde hat geschlagen, und nur weil wir Deutschland sehen und seine Not und die Notwendigkeit des nationalen Lebens, appellieren wir in dieser Stunde an den Deutschen Reichstag, uns zu genehmigen, was wir auch ohnedem hätten nehmen können. Des Rechts wegen tun wir es – nicht weil wir die Macht überschätzen, sondern weil wir uns am Ende mit denen, die vielleicht heute von uns getrennt sind, aber doch auch an Deutschland glauben, einst vielleicht leichter finden können. Denn ich möchte nicht in den Fehler verfallen, Gegner bloß zu reizen, statt sie entweder zu vernichten oder zu versöhnen. ...

c) Gesetz zur Behebung der Not von Volk und Reich (Ermächtigungsgesetz)

Reichsgesetzblatt 1933, Teil I, S. 141.

Der Reichstag hat das folgende Gesetz beschlossen, das mit Zustimmung des Reichsrats hiermit verkündet wird, nachdem festgestellt ist, daß die Erfordernisse verfassungsändernder Gesetzgebung erfüllt sind:

Artikel 1

Reichsgesetze können außer in dem in der Reichsverfassung vorgesehenen Verfahren auch durch die Reichsregierung beschlossen werden. Dies gilt auch für die in den Artikeln 85 Abs. 2 und 87 der Reichsverfassung bezeichneten Gesetze.

Artikel 2

Die von der Reichsregierung beschlossenen Reichsgesetze können von der Reichsverfassung abweichen, soweit sie nicht die Einrichtung des Reichstags und des Reichsrats als solche zum Gegenstand haben. Die Rechte des Reichspräsidenten bleiben unberührt.

Artikel 3

Die von der Reichsregierung beschlossenen Reichsgesetze werden vom Reichskanzler ausgefertigt und im Reichsgesetzblatt verkündet. Sie treten, soweit sie nichts anderes bestimmen, mit dem auf die Verkündung folgenden Tage in Kraft. Die Artikel 68 bis 77 der Reichsverfassung finden auf die von der Reichsregierung beschlossenen Gesetze keine Anwendung.

Artikel 4

Verträge des Reichs mit fremden Staaten, die sich auf Gegenstände der Reichsgesetzgebung beziehen, bedürfen nicht der Zustimmung der an der Gesetzgebung beteiligten Körperschaften. Die Reichsregierung erläßt die zur Durchführung dieser Verträge erforderlichen Vorschriften.

Artikel 5

Dieses Gesetz tritt mit dem Tage seiner Verkündung in Kraft. Es tritt mit dem 1. April 1937 außer Kraft; es tritt ferner außer Kraft, wenn die gegenwärtige Reichsregierung durch eine andere abgelöst wird.

94 **März - Juni 1933**

Die Verfolgung und Zerschlagung der Arbeiterbewegung

a) Funkspruch des Staatsicherheitsdienstes an die badischen Landeskommissäre, Bezirksämter, Polizeipräsidien und die Polizeidirektion Baden-Baden, 1. März 1933

Staatsarchiv Freiburg, LRA Emmendingen, Nr. 657.

Die letzten Ereignisse erfordern schärfste Aufmerksamkeit und strengste Maßnahmen insbesondere gegenüber der kommunistischen Bewegung. Auf die inzwischen erlassene und bereits in Kraft getretene Verordnung des Reichspräsidenten zum Schutze von Volk und Staat vom 28.2.1933 wird besonders hingewiesen. Aufgrund der genannten Verordnung werden auf Ersuchen des Herrn Reichsministers des Innern bis auf weiteres alle kommunistischen Versammlungen und Aufzüge einschließlich Versammlungen in geschlossenen Räumen verboten. Alle kommunistischen Druckschriften einschließlich Plakate und Flugblätter sind sofort zu beschlagnahmen und einzuziehen. Parteilokale sind zu beobachten. Gegebenenfalls sind Durchsuchungen und Beschlagnahmen vorzunehmen und Funktionäre in Haft zu nehmen. Gemäß § 14 der Verordnung zum Schutze des deutschen Volkes vom 4.2.1933 [ist es] verboten, daß Geld- oder Sachspenden zu Zwecken der Kommunistischen Partei Deutschlands oder ihrer Hilfs- oder Nebenorganisationen von Haus zu Haus, auf Straßen oder Plätzen, in Gast- oder Vergnügungsstätten oder an anderen öffentlichen Orten eingesammelt werden. Das Verbot erstreckt sich nicht auf Sammlungen von Haus zu Haus, die sich auf Mitglieder der sammelnden Organisation beschränken.

b) Bericht der »Volkswacht« über die polizeiliche Schließung des Freiburger Gewerkschaftshauses, 9. März 1933

Volkswacht (Freiburg) vom 10. März 1933.

Die Zeiten des Sozialistengesetzes sind erwacht. Das Handwerk der Schmarotzer, Denunzianten und Gesinnungslumpen blüht! Auf eine neue Anzeige untersuchte die Polizei unter Hinzuziehung eines Beamten der Stadtbaukontrolle gestern Vormittag die Kellerräume des Gewerkschaftshauses. Die Durchsuchung verlief ergebnislos.

In einem Artikel des »Alemanne« wird zu dem Waffenfund Stellung genommen, aus einer Mücke ein Elefant gemacht, von einer »Mordzentrale« gesprochen und die Verhaftung mehrerer Genossen verlangt, die mit der Sache gar nichts zu tun haben. Aber: der Zweck heiligt die Mittel. Merkwürdigerweise weiß das Naziblatt noch von beschlagnahmten Gegenständen zu berichten (Gasmasken usw.), die im Polizeibericht gar nicht erwähnt sind. Der Staatsanwaltschaft wird gedroht, so durchzugreifen, wie es der »Alemanne« wünscht, andernfalls der Reichskommissar nach dem Rechten sehen würde. Wir bitten unsere Genossen wiederholt, die größte Ruhe zu bewahren, Disziplin zu üben und sich durch keinerlei Provokationen irreführen zu lassen.

Gestern nachmittag waren die von auswärts, namentlich vom Kaiserstuhl, herangezogenen SA- und SS-Kolonnen in fieberhafter Tätigkeit. Alle Anzeichen deuten daraufhin, daß auch eine Aktion gegen das Gewerkschaftshaus geplant war. In den frühen Nachmittagsstunden schon sammelte sich eine große Menschenmenge am Schwabentorplatz an. Es befanden sich sehr viele Leute darunter, die sonst den Einrichtungen der Arbeiterschaft in weitem Bogen aus dem Wege gingen. Das Gerücht, daß die SA-Truppen das Heim der Freiburger Arbeiterschaft besetzen werden, brachte das Herz dieser aus Kriegs- und Inflationszeit hier bekannten »Volksgenossen« derart in Wallung, daß sie ihren kostbaren Mittagsschlaf opferten, um ja Zeuge dieses historischen Geschehens zu sein. Ein ring- und pelzbehangener Bewohner des Schloßbergs meinte mit asthmatischer Stimme, daß nunmehr »Gott sei Dank!« das Bolschewistennest ausgeräuchert werde. Diese Sorte von Gaffern kam allerdings nicht auf ihre Rechnung.

Gegen ½6 wurden die Büroräume und die Wirtschaft auf polizeiliche Anordnung geschlossen. Diese Maßnahme soll, wie wir hören, nur für den gestrigen Tag Geltung haben.

Die Freiburger Arbeiterschaft wird auch diese Maßnahme, die bei jedem Arbeiter das bittere Gefühl der Rechtlosigkeit auslöst, mit stoischer Ruhe entgegennehmen. Schließlich siegt der Geist über die Materie!

c) Anordnung des Reichskommissars und badischen Innenministers an die badischen Bezirksämter, Polizeipräsidien und die Polizeidirektion Baden-Baden, 17. März 1933.

Dokumentationsarchiv des deutschen Widerstands, Frankfurt a. M., AN 360.

Aus Anlaß der am 17. März 1933 in Freiburg erfolgten Erschießung eines Polizeibeamten durch den sozialdemokratischen Landtagsabgeordneten Nußbaum wird aufgrund des § 1 der Verordnung des Reichspräsidenten zum Schutz von Volk und Staat vom 28. Februar 1933 angeordnet:

1. Sämtliche der SPD und KPD angehörenden Mitglieder des Badischen Landtags sowie sämtliche in den neuen Reichstag gewählten Abgeordnete der SPD und KPD sind, soweit sie in Baden Wohnung oder Aufenthalt haben, bis auf weiteres in Schutzhaft zu nehmen, ferner sämtliche Kommunisten, die auf Reichstagswahlvorschlägen stehen.

2. Sämtliche in Baden erscheinenden periodischen Druckschriften der SPD sind bis auf weiteres verboten, ebenso die Verbreitung nicht in Baden erscheinender marxistischer periodischer Druckschriften in Baden.

3. Sämtliche in Baden bestehende marxistischen Wehr- und Jugendverbände einschließlich ihrer Hilfs- und Nebenorganisationen, insbesondere die Eiserne Front, das Reichsbanner Schwarz-Rot-Gold, die Antifa, der Kommunistische Jugendverband Deutschlands, die Sozialistische Arbeiterjugend, marxistische Schützenvereine werden mit sofortiger Wirkung aufgelöst; die z. Zt. der Auflösung im Besitz der aufgelösten Organisationen oder eines ihrer Mitglieder befindlichen, den Zwecken der aufgelösten Organisation dienenden Gegenstände sind zu beschlagnahmen. Ausge-

nommen von dem Verbot sind die Parteiorganisationen der SPD und KPD. Sämtliche den organisatorischen Zwecken der SPD und KPD einschließlich ihrer Hilfs- und Nebenorganisationen dienenden Räume sowie Schießstände marxistischer Organisationen sind polizeilich zu schließen. Die rein wirtschaftlichen Zwecken dienende Tätigkeit der sogenannten freien Gewerkschaften soll nicht beeinträchtigt werden.

Für die Stadt Freiburg wird, in Abweichung von Ziffer 3 und 4, weiterhin folgendes angeordnet: Sämtliche örtliche Organisationen der SPD und KPD werden einschließlich ihrer Hilfs- und Nebenorganisationen mit sofortiger Wirkung aufgelöst. Das Gewerkschaftshaus bleibt bis auf weiteres geschlossen.

d) Anordnung des Reichskommissars und badischen Innenministers, die politische Betätigung der freien Gewerkschaften zu unterbinden, 28. März 1933

GLA Karlsruhe, 371, 1959/654, 75.

Die freien Gewerkschaften sind hier vorstellig geworden mit der Bitte, es mögen der Abwicklung der rein gewerkschaftlichen Geschäfte keine Schwierigkeiten bereitet werden. Der gewerkschaftlichen Tätigkeit des Allgemeinen Deutschen Gewerkschaftsbundes soll kein Hindernis bereitet werden, soweit es sich um die Erledigung der eigentlichen Aufgaben der Gewerkschaften, d. h. der rein wirtschaftlichen und wirtschaftspolitischen Interessenvertretung der Arbeitnehmer handelt. Unter diesem Gesichtspunkt ist die Freigabe der geschlossenen Häuser und Geschäftsräume alsbald zu prüfen.

Der politischen Tätigkeit der freien Gewerkschaften ist aber in der Folgezeit besondere Aufmerksamkeit zu widmen. Es muß insbesondere unterbunden werden, daß Mitgliederversammlungen, Flugblätter und Rundschreiben der freien Gewerkschaften unter Umgehung der bestehenden Verbote politischen Zwecken der SPD dienen. Auf die Möglichkeit der polizeilichen Überwachung geschlossener Mitgliederversammlungen aufgrund des § 1 der Verordnung des Reichspräsidenten zum Schutze von Volk und Staat vom 28. Februar 1933 wird besonders hingewiesen.

e) Anordnung des Reichskommissars und badischen Innenministers an die Bezirksämter, Polizeipräsidien und die Polizeidirektion Baden-Baden zur Auflösung der Arbeitersport- und Kulturvereine, 30. März 1933

Stadtarchiv Freiburg, C 4, XII, 24-6.

Aufgrund § 1 der Verordnung des Reichspräsidenten zum Schutz von Volk und Staat vom 28. Februar 1933 werden die in Baden bestehenden Spitzenverbände (Gaue, Kreise, Bezirksleitungen) der marxistischen Turn-, Sport- und Kulturvereine, die örtlichen Kartelle und sämtliche Ortsgruppen dieser Verbände aufgelöst und ihr Vermögen beschlagnahmt. Wirtschaftsbetriebe dieser Organisationen sind zu schließen. Zu den aufgelösten Organisationen gehören u. a. der Arbeiterturn- und Sportbund, der Touristenverein »Die Naturfreunde«, der Arbeiterathletenbund, der Arbeiterkeglerbund, der Arbeiterschachklub, der Arbeitersängerbund, die Internationale Arbeiterhilfe, die Rote Hilfe, die Arbeiterwohlfahrt, der Arbeiterradiobund, der Arbeiter-Samariterbund, der Arbeiterrad- und Kraftfahrbund »Solidarität«, die Kampfgemeinschaft für Rote Sporteinheit, der Internationale Bund der Opfer des Krieges und der Arbeit und der Bund der Freunde der Sowjetunion.

Aufgrund der Anordnung vom 17. März 1933 sind in Baden bereits aufgelöst sämtliche marxistischen Wehr- und Jugendverbände einschließlich ihrer Hilfs- und Nebenorganisationen, insbesondere die Eiserne Front, das Reichsbanner Schwarz-Rot-Gold, der Arbeiterschützenbund, die Antifaschistische Arbeiterwehr, die Arbeitsgemeinschaft der Kinderfreunde mit den »Roten Falken« und »Jungfalken«, die Sozialistische Arbeiterjugend (SAJ)) und der Kommunistische Jugendverband Deutschland (KJVD).

Ausgenommen von den Verboten sind allein die Parteiorganisationen der SPD und KPD und die Gewerkschaften.

Die Gemeinden, Gemeindeverbände und Kreise werden angewiesen, Mittel für die aufgelösten Vereine nicht mehr zur Auszahlung zu bringen und vom Beginn des neuen Rechnungsjahres an nicht mehr in den Gemeindevoranschlag einzustellen.

f) Rundschreiben von Robert Ley (NSDAP) betreffend die »Gleichschaltungsaktion« gegen die freien Gewerkschaften (Auszug), 21. April 1933

Willy Müller: Das soziale Leben in Deutschland, Berlin 1938, S. 51f.

Dienstag, den 2. Mai 1933, vormittags, 10 Uhr beginnt die Gleichschaltungsaktion gegen die freien Gewerkschaften. Die Leitung der gesamten Aktion liegt in den Händen des Aktionskomitees. Das Aktionskomitee setzt sich folgendermaßen zusammen:

Dr. Robert Ley, Vorsitzender; Rudolf Schmeer, Stellvertreter; Schuhmann, Kommissar für den ADGB; Peppler, Kommissar für den AfA-Bund; Muchow, Organisation; Bankdirektor Müller, Kommissarischer Leiter der Bank der Arbeiter, Angestellten und Beamten; Brinkmann, Kommissarischer Hauptkassierer; Biallas, Propaganda und Presse.

Zum erweiterten Aktionskomitee gehören sämtliche kommissarischen Leiter der Verbände. Im wesentlichen richtet sich die Aktion gegen den Allgemeinen Deutschen Gewerkschaftsbund (ADGB) und den Allgemeinen freien Angestelltenbund (AfA-Bund). Was darüber hinaus von den freien Gewerkschaften abhängig ist, ist dem Ermessen der Gauleiter anheimgestellt.

Verantwortlich für die Durchführung der Gleichschaltungsaktion in den einzelnen Gebieten sind die Gauleiter. Träger der Aktion soll die NSBO sein. SA bzw. SS ist zur Besetzung der Gewerkschaftshäuser und der Inschutzhaftnahme der in Frage kommenden Persönlichkeiten einzusetzen. Der Gauleiter trifft seine Maßnahmen im engsten Einvernehmen mit dem zuständigen Gaubetriebszellenleiter. Die Aktion in Berlin wird durch den Aktionsausschuß selbst geleitet.

Im Reich werden besetzt: Die Leitung der Verbände; die Gewerkschaftshäuser und Büros der freien Gewerkschaften; die Parteihäuser der SPD, soweit Gewerkschaften dort untergebracht sind; die Filialen und Zahlungsstellen der »Bank der Arbeiter, Angestellten und Beamten AG«; die Bezirksausschüsse des ADGB und des AfA-Bundes; die Ortsausschüsse des ADGB und des AfA-Bundes.

In Schutzhaft werden genommen: alle Verbandsvorsitzenden; die Bezirkssekretäre und die der Filialen der »Bank der Arbeiter, Angestellten und Beamten AG«.

Die Ortsausschußvorsitzenden sowie die Angestellten der Verbände sind nicht in Schutzhaft zu nehmen, sondern zur Weiterarbeit zu veranlassen. Ausnahmen sind nur mit Genehmigung des Gauleiters zulässig.

Die Übernahme der freien Gewerkschaften muß in der Form vor sich gehen, daß dem Arbeiter und Angestellten das Gefühl gegeben wird, daß diese Aktion sich nicht gegen ihn, sondern gegen ein überaltertes und mit den Interessen der deutschen Nation nicht übereinstimmendes System richtet. Die vorläufige örtliche Leitung des ADGB und des AfA-Bundes übernimmt ein Kommissar der NSBO. Der Verkehr mit den Behörden und anderen Organisationen geht mit sofortiger Wirkung auf die eingesetzten Kommissare über.

Alle Kassen und Konten der freien Gewerkschaften werden mit sofortiger Wirkung gesperrt bis Donnerstag, nachmittags, 18 Uhr. Soweit die bisherigen Kassierer im Amt gelassen werden, wird ihnen ein Kommissar beigegeben bzw. übergeordnet. Alle Zahlungsanweisungen müssen von dem Kommissar gegengezeichnet sein.

Nach Aufhebung der Sperre müssen die gewohnten Auszahlungen an Unterstützungen usw. unbedingt sichergestellt sein, um bei den Mitgliedern keine Beunruhigung aufkommen zu lassen.

In allen Städten sind möglichst bald Massenversammlungen für die Gewerkschaftsmitglieder bei freiem Eintritt zu veranstalten, in denen über den Sinn der Aktion gesprochen und dargetan wird, daß die Rechte der Arbeiter und Angestellten unbedingt gewahrt werden. ...

Die übrigen einzusetzenden Kommissare werden vom Gauleiter im Einvernehmen mit dem Gaubetriebszellenleiter ernannt.

Es ist selbstverständlich, daß die Aktion in größter Disziplin vor sich zu gehen hat. Die Gauleiter sind dafür verantwortlich, daß sie die Leitung der Aktion fest in der Hand behalten.

g) Bericht der Gendarmerie Säckingen an das Bezirksamt Säckingen über die Beschlagnahme des Vermögens der freien Gewerkschaften in Säckingen, 13. Mai 1933

GLA Karlsruhe, Zug. 1943/40, Nr. 180.

Zufolge dringenden Funkspruchs aus Berlin vom 12.5.1933 wurde im Zusammenwirken mit dem Ortsgruppenbetriebsleiter der NSBO, Alfred Fuchs in Säckingen, nachstehend aufgeführtes Vermögen der freien Gewerkschaften, Ortsgruppen Säckingen, eingezogen:

1. Beim Kassier des Werkmeisterverbandes (Bezirksverein Säckingen), Anton Krämer, Säckingen:

Bargeld: Vereinsbeiträge	242,97 Mark
Vereinssterbekassengelder	75,00 Mark
Verbandssterbekassengelder	51,49 Mark
Zusammen	369,46 Mark

Ein Sparkassenbuch (Stadtsparkasse Säckingen), Nr. 6726, enthaltend den Sparbetrag von 183,34 Mark.

Ein Beitragsbuch; ein Kassenbuch; eine blaue Mappe mit Kassenbelegen von der Verbandskasse; eine rote Mappe mit Belegen des Ortsvereins; ein Sterbekassenbuch; ein Posteinlieferungsbuch; ein Sterbekassenbuch (blauer Einband).

2. Beim Kassier des Holzarbeiterverbandes (Ortsgruppe Säckingen), Josef Schmidt in Säckingen:

Keinerlei Geld, kein Sparbuch etc.

Ein Mitgliederbuch; ein Krankenunterstützungsheft; zwei Hefte für Arbeitslosenunterstützung; ein Kassenbuch; zwei Hefte für Reiseunterstützung; eine gelbe Mappe mit Belegen; eine grüne Mappe mit Mitteilungen des Vorstandes; ein Markenbuch; ein Handbuch für Funktionäre; sechs Almanache; verschiedene Mitgliederkarten (unbenützt) und verschiedenes Druckmaterial, wie Statutenheftchen etc.; drei Stempel mit Stempelkissen.

170 Beitragsmarken à 0,10 Mark; 92 Beitragsmarken à 1,10 Mark; 84 Beitragsmarken à 1,35 Mark; 80 Beitragsmarken à 0,65 Mark; 100 Beitragsmarken à 0,40 Mark.

3. Beim Kassier des Bauarbeiterverbandes (Deutscher Baugewerksbund, Ortsgruppe Säckingen), Anton Fürst:

Bargeld: 26,30 Mark

Ein Abrechnungsbuch; ein Handbuch für Verwaltung und Agitation; ein Buch »Kampf um den Achtstundentag«; ein Buch »Der Bauarbeiterschutz«; eine grüne Mappe mit Belegen; verschiedene Mitgliederhefte; zwei Stempel; drei Strichbücher; ein kleiner Posten Drucksachen, wie Beitragskarten etc.

18 Beitragsmarken à 1,30 Mark; 14 Beitragsmarken à 1,20 Mark; 17 Beitragsmarken à 0,90 Mark; 28 Beitragsmarken à 1,00 Mark; 15 Beitragsmarken à 0,80 Mark; 18 Beitragsmarken à 0,30 Mark; 60 Beitragsmarken à 0,10 Mark.

Die beschlagnahmten Gelder und Gegenstände wurden im Sinne des Funkspruches dem örtlichen Pfleger der NSBO zur Verwahrung übergeben.

h) Anordnung des badischen Innenministeriums an alle Bezirksämter zur Überstellung badischer »Schutzhäftlinge« in das »Schutzhaftlager« Heuberg, 24. Mai 1933

Dokumentationsarchiv des deutschen Widerstands, Frankfurt a.M., AN 1091.

An das Bezirksamt Adelsheim, die Polizeidirektion Baden-Baden, an die Bezirksämter Bruchsal, Bühl, Emmendingen, Freiburg, Heidelberg, Karlsruhe, Lahr, Lörrach, an das Polizeipräsidium Mannheim, an die Bezirksämter Offenburg, an die Polizeidirektion Pforzheim, an die Bezirksämter Rastatt, Säckingen, Schopfheim, Staufen, Villingen, Waldshut und Wolfach.

Die von den Polizeibehörden für das neue Schutzhaftlager Heuberg ausgewählten Schutzhäftlinge sind am Montag, den 29. Mai 1933 nach dem unter württembergischer Leitung stehenden Sammellager Heuberg zu verbringen. Das Polizeipräsidium Mannheim wird beauftragt, wegen der Verschubung durch Sammelschub mittels Sonderzugs die weiteren Verhandlungen mit der Reichsbahn zu führen und die beteiligten Bezirksämter rechtzeitig zu verständigen. Die Schutzhäftlinge sind zu der nächst gelegenen Bahnstation, die der Sammelschub berührt, möglichst gemeinsam zu verbringen. Die näheren Anordnungen sind vom Polizeipräsidium Mannheim im Benehmen mit den Polizeibehörden zu treffen. Die genaue Ankunft in der Bahnstation Thiergarten ist dem Württembergischen Lagerkommandanten rechtzeitig mitzuteilen (Telefon Nr. 35 Stetten a. k. Markt). Soweit der Sammelschub benützt wird, erfolgt die Benachrichtigung des Württembergischen Lagerkommandanten durch das Polizeipräsidium Mannheim. Die Personalakten sämtlicher nach dem Heuberg verbrachten Schutzhäftlinge sind dem Lagerkommandanten des württembergischen Schutzhaftlagers zu übersenden. Auf die einzelne Polizeibehörde entfällt folgende Zahl von Schutzhäftlingen:

Adelsheim	1	Baden-Baden	4
Bruchsal	2	Bühl	3
Emmendingen	1	Freiburg	5
Heidelberg	7	Karlsruhe	20
Lahr	3	Lörrach	7
Mannheim bis zu	100	Offenburg	2
Pforzheim	9	Rastatt	8
Säckingen	2	Schopfheim	5
Staufen	1	Villingen	4
Waldshut	1	Wolfach	1

Die genaue Zahl der nach dem Heuberg verbrachten Schutzhäftlinge ist hierher mitzuteilen.

i) Rundschreiben des badischen Innenministeriums an die Bezirksämter, Polizeipräsidien und die Polizeidirektion Baden-Baden betreffend die Auflösung von KPD und SPD sowie ihrer Nebenorganisationen, 23. Juni 1933

Staatsarchiv Freiburg, Landeskommissär Konstanz, Faszikel 1615.

Aufgrund § 1 der Verordnung zum Schutz von Volk und Staat vom 28. Februar 1933 wird die Kommunistische Partei Deutschlands (KPD) und die Sozialdemokratische Partei Deutschlands (SPD) mit sämtlichen Hilfs- und Nebenorganisationen für den Bereich des Landes Baden aufgelöst und verboten und ihr Vermögen polizeilich beschlagnahmt. Jede Betätigung für die Ziele der verbotenen Parteien und Organisationen durch Wort, Schrift oder durch die Tat wird aufgrund von §4 der genannten Verordnung mit Gefängnis nicht unter einem Monat oder mit Geldstrafe von 150 bis zu 15000 RM bestraft.

Durch das Verbot der KPD und SPD und ihre Hilfs- und Nebenorganisationen finden die Maßnahmen der letzten 3 Monate gegen den Marxismus ihren Abschluß. Das Verbot beider marxistischer Parteien soll verhindern, daß in Deutschland die staats- und volksfeindlichen Tendenzen des Marxismus jemals wieder auftauchen. Sämtliche Mitglieder der beiden Parteien sind von der weiteren Ausübung ihrer Mandate in allen Vertretungs- und Verwaltungsorganen öffentlich-rechtlicher Körperschaften und Anstalten ausgeschlossen. Wegen der etwa erforderlichen Ergänzung dieser Organe folgt weitere Weisung. Jede propagandistische Betätigung für den Marxismus durch Zeitungen, Zeitschriften, Flugblätter, Versammlungen, Zügen von Fahnen, Tragen von Abzeichen und einheitlicher Kleidung usw. ist unterbunden. Das Vermögen unterliegt der Beschlagnahme, soweit nicht schon durch frühere Anordnungen Beschlagnahmen erfolgt sind, die weitere Zugehörigkeit von Beamten, Angestellten und Arbeitern die aus öffentlichen Mitteln Gehalt, Lohn oder Ruhegeld beziehen, zu diesen Parteien und Organisationen ist selbstverständlich untersagt.

Liste der von der Freiburger Lesehalle gekündigten Zeitungs- und Zeitschriftenabonnements

Stadtarchiv Freiburg, Faszikel C4 V/33,3.

Gemäß mündlichem Auftrage haben wir ab 30. März 1933 die unten verzeichneten Zeitungen und Zeitschriften aus dem Verkehr gezogen und bei den Lieferanten abbestellt:

Arbeiterzeitung, Mannheim; Arbeiterzeitung, Wien; Achtuhr Abendblatt, Berlin; Berliner Tageblatt, Berlin; Deutsches Volksblatt, Stuttgart; Freie Stimme, Radolfzell; Freiwirtschaftliche Presse, Essen; Hamburger Fremdenblatt; Königsberger Allgemeine Zeitung; Leipziger Volkszeitung, Leipzig; Münchner Neueste Nachrichten, München; Münchner Post, München; Neues Stuttgarter Tagblatt, Stuttgart; Neue Badische Landeszeitung, Mannheim; Neue Freie Presse, Wien; Neue Züricher Zeitung, Zürich; Tägliche Rundschau, Berlin; Rhein-Mainische Volkszeitung, Frankfurt; Rote Fahne, Berlin; Volksfreund, Karlsruhe; Volksstimme, Mannheim; Volkswacht, Freiburg; Vorwärts, Berlin; Vossische Zeitung, Berlin.

Die Hilfe; Der wahre Jakob; Berliner Illustriere; Sozialistische Monatshefte; Die Grüne Post; Die Republik; Europäische Revue; Das Tagebuch; Die christliche Welt.

Neu bestellt wurden die im Schreiben vom 29. März 1933 mitgeteilten Zeitungen und Zeitschriften und außerdem ab 1. April 1933 zur Lieferung die »Deutsche Illustrierte«, der »Tag«, die »Hamburger Nachrichten« und ein drittes Exemplar des »Völkischen Beobachter«.

Die Gleichschaltung des Beamtenapparates

a) Gesetz zur Wiederherstellung des Berufsbeamtentums (Auszug), 7. April 1933

Reichsgesetzblatt 1933, Teil I, S. 175.

§ 1 (1) Zur Wiederherstellung eines nationalen Berufsbeamtentums und zur Vereinfachung der Verwaltung können Beamte nach Maßgabe der folgenden Bestimmungen aus dem Amt entlassen werden, auch wenn die nach dem geltenden Recht hierfür erforderlichen Voraussetzungen nicht vorliegen.
(2) Als Beamte im Sinne dieses Gesetzes gelten unmittelbare und mittelbare Beamte des Reichs, unmittelbare und mittelbare Beamte der Länder und Beamte der Gemeinden und Gemeindeverbände, Beamte von Körperschaften des öffentlichen Rechts sowie diesen gleichgestellten Einrichtungen und Unternehmungen (Dritte Verordnung des Reichspräsidenten zur Sicherung der Wirtschaft und Finanzen vom 6.Oktober 1931 - Reichsgesetzbl. I, S. 537, Dritter Teil, Kapitel V, Abschnitt I, § 15 Abs. 1). Die Vorschriften finden auch Anwendung auf Bedienstete der Träger der Sozialversicherung, welche die Rechte und Pflichten der Beamten haben.
(3) Beamte im Sinne dieses Gesetzes sind auch Beamte im einstweiligen Ruhestand.
(4) Die Reichsbank und die Deutsche Reichsbahn-Gesellschaft werden ermächtigt, entsprechende Anordnungen zu treffen.

§ 2 (1) Beamte, die seit dem 9. November 1918 in das Beamtenverhältnis eingetreten sind, ohne die für ihre Laufbahn vorgeschriebene oder übliche Vorbildung oder sonstige Eignung zu besitzen, sind aus dem Dienste zu entlassen. Auf die Dauer von drei Monaten nach der Entlassung werden ihnen ihre bisherigen Bezüge belassen.
(2) Ein Anspruch auf Wartegeld, Ruhegeld oder Hinterbliebenenversorgung und auf Weiterführung der Amtsbezeichnung, des Titels, der Dienstkleidung und der Dienstabzeichen steht ihnen nicht zu.
(3) Im Falle der Bedürftigkeit kann ihnen, besonders wenn sie für mittellose Angehörige sorgen, eine jederzeit widerrufliche Rente bis zu einem Drittel des jeweiligen Grundgehalts der von ihnen zuletzt bekleideten Stelle bewilligt werden; eine Nachversicherung nach Maßgabe der reichsgesetzlichen Sozialversicherung findet nicht statt.
(4) Die Vorschriften der Abs. 2 und 3 finden auf Personen der im Abs. 1

bezeichneten Art, die bereits vor dem Inkrafttreten dieses Gesetzes in den Ruhestand getreten sind, entsprechend Anwendung.

§ 3 (1) Beamte, die nicht arischer Abstammung sind, sind in den Ruhestand (§§ 8 ff.) zu versetzen; soweit es sich um Ehrenbeamte handelt, sind sie aus dem Amtsverhältnis zu entlassen.
(2) Abs. 1 gilt nicht für Beamte, die bereits seit dem 1. August 1914 Beamte gewesen sind oder die im Weltkrieg an der Front für das Deutsche Reich oder für seine Verbündeten gekämpft haben oder deren Väter oder Söhne im Weltkrieg gefallen sind. Weitere Ausnahmen können der Reichsminister des Innern im Einvernehmen mit dem zuständigen Fachminister oder die obersten Landesbehörden für Beamte im Ausland zulassen.

§ 4 Beamte, die nach ihrer bisherigen politischen Betätigung nicht die Gewähr dafür bieten, daß sie jederzeit rückhaltlos für den nationalen Staat eintreten, können aus dem Dienst entlassen werden. Auf die Dauer von drei Monaten nach der Entlassung werden ihnen ihre bisherigen Bezüge belassen. Von dieser Zeit an erhalten sie drei Viertel des Ruhegeldes (§ 8) und entsprechende Hinterbliebenenversorgung. ...

b) Verzeichnis der Beamten in Baden, die aufgrund des Gesetzes zur Wiederherstellung des Berufsbeamtentums gemaßregelt wurden

Dokumentationsarchiv des deutschen Widerstands, Frankfurt a.M., AN 512.

Art der Maßnahme	Fälle	in %
Versetzung in den Ruhestand (volle oder ¾ Pension)	192	33
Strafversetzungen	190	33
Entlassungen	144	25
Gehaltskürzungen/Rückstufungen	11	2
Sonstiges (Verwarnung u.a.m.)	43	7
Total	580	100

Gründe	Fälle	in %
SPD, Reichsbanner o. ä.	160	28
KPD o. ä.	17	2,5
Zentrum o. ä.	142	25
Andere bürgerliche Parteien	15	2,5
»Nichtarische« Abstammung oder Verwandschaft	37	7
Sonstige (meist »Gegner des Nationalsozialismus«, »keine Gewähr«, »Indifferenz«)	132	22
Ohne Angaben	77	13
Total	580	100

97 **April 1933**

Der faschistische »Tag der nationalen Arbeit«

a) Aufruf des Bundesvorstandes des ADGB zum »Feiertag der nationalen Arbeit«, 15. April 1933

Metallarbeiter-Zeitung vom 22. April 1933.

An die Mitglieder der Gewerkschaft!

Kollegen und Kolleginnen! Im Zeichen des 1. Mai habt Ihr alljährlich Euch zu der großen Aufgabe bekannt, in der deutschen Arbeiterschaft den hohen Gedanken der gegenseitigen Hilfe durch Erziehung zu Standesbewußtsein, Gemeinschaftswillen und Kameradschaftsgeist unermüdlich zu wecken, zu pflegen und zu fördern, wie er in unseren Gewerkschaften seinen organisatorischen Ausdruck gefunden hat.

Am Tage des 1. Mai erglühte stets erneut das Bekenntnis der von leidenschaftlichem Kulturwillen beseelten deutschen Arbeiter, den werktätigen Menschen einem dumpfen Arbeitsdasein zu entreißen und ihn als freie selbstbewußte Persönlichkeit in die Gemeinschaft des Volkes einzuordnen. So habt Ihr im Zeichen des 1. Mai Euch den gesetzlichen Achtstundentag, das Recht auf menschenwürdige Existenz erobert.

Wir begrüßen es, daß die Reichsregierung diesen unseren Tag zum gesetzlichen Feiertag der nationalen Arbeit, zum deutschen Volksfeiertag erklärt hat. An diesem Tage soll nach der amtlichen Ankündigung der deutsche Arbeiter im Mittelpunkt der Feier stehen. Der deutsche Arbeiter soll am 1. Mai standesbewußt demonstrieren, soll ein vollberechtigtes Mitglied der deutschen Volksgemeinschaft werden. Das deutsche Volk soll an diesem Tage seine unbedingte Solidarität mit der Arbeiterschaft bekunden.

Kollegen und Kolleginnen in Stadt und Land! Ihr seid die Pioniere des Maigedankens. Denkt immer daran und seid stolz darauf. In herzlicher Kameradschaft mit Euch allen unerschütterlich verbunden, senden wir Euch zu diesem Tage unseren gewerkschaftlichen Gruß.

Berlin, 15. April 1933

Der Vorstand des
Allgemeinen Deutschen Gewerkschaftsbundes

b) Rundschreiben des Kommunistischen Jugendverbandes, April 1933

Staatsarchiv Freiburg, LRA Emmendingen, Nr. 657.

Rüstet zum 1. Mai, dem Weltkampftag des Proletariats!

Der Faschismus in Deutschland befürchtet, daß sich am 1. Mai die Arbeiter nicht abhalten lassen werden, trotz faschistischen Terrors für die Maiparolen des internationalen Proletariats zu demonstrieren. Darum wurde schnell der 1. Mai zum »Tag der deutschen Arbeit« bestimmt und man glaubt, mit den nationalsozialistischen Phrasen des Reichslügenministeriums die Arbeitermassen besoffen machen zu können. Dies stellt eine ganz gemeine Schändung des Marxismus dar. Umso energischer muß das deutsche Proletariat für den roten Kampfmai rüsten.

Vor uns Jungkommunisten steht eine gewaltige Aufgabe. Wir müssen sofort die jugendlichen Arbeitermassen in den Betrieben, Arbeitsdienstlagern, Berufsschulen, auf den Stempelstellen aufklären und mobil machen für den roten Kampfmai. Wir müssen den Mai vorbereiten im Zeichen des verstärkten Kampfes gegen die faschistische Diktatur in Deutschland. Schon steigert sich die Kampffront: Im Betrieb Gummi-Elbe (Bezirk Halle-Merseburg) streikten 200 Jungarbeiterinnen gegen die Entlassung eines roten Betriebsratsvorsitzenden. In Thüringen wird der Racheschwur in den meisten Berufsschulen verweigert, eine Anzahl Notwerkkurse wurde zerschlagen, Arbeitsdienstlager wurden gesprengt, Schulstreiks durchgeführt, Nazilehrer verjagt, braune Mordbanditen von Jungkolonnen des NS entwaffnet, Hakenkreuz und schwarz-weiß-rote Fahnen heruntergeholt und rote Fahnen gehißt. In einer ganzen Reihe von Jugendsektionen wurden Entschließungen gegen den faschistischen Kurs der Gewerkschaften und gegen die Einsetzung von faschistischen Kommissaren angenommen. Aber wir müssen diese Aktionen gerade in der Vorbereitung des 1. Mai noch steigern.

Die alten Maiparolen: Arbeit, Sozialismus, Weltfrieden haben heute einen besonderen Sinn. Der Faschismus vermag nicht den Massen Arbeit und Brot zu geben, nur der Kommunismus ist Rettung. Der Faschismus will den bankrotten Kapitalismus aufrecht erhalten und opfert ihm die arbeitenden Massen und ihre Jugend. Wir kämpfen für die Vernichtung des Kapitalismus und für die Errichtung einer sozialistischen Gesellschaftsordnung. Wir stellen dem Elend der arbeitenden Massen im kapitalistischen Deutschland der Hitler-Hugenberg-Papen den gigantischen Aufstieg zum Sozialismus in der Sowjetunion entgegen. Die Verteidigung der Sowjetunion als des ersten Staates der Arbeiterklasse der Welt ist Aufgabe des gesamten internationalen Proletariats. Der deutsche Faschismus peitscht die chauvinistischen Instinkte der Bevölkerung auf, um sie für einen neuen imperialistischen Krieg bereit zu machen. Wir stellen dem Nationalismus der Faschisten den revolutionären Internationalismus des Proletariats entgegen und kämpfen gegen die Kriegspolitik des Faschismus mit allen Mitteln. Erst der Sozialismus bringt den Völkern wirklich Frieden und Freiheit. Wir kämpfen für den Sturz der faschistischen Diktatur, für die Vernichtung des Kapitalismus, für die Errichtung der Arbeiter- und Bauernrepublik in Deutschland, als dem einzigen Weg zu Arbeit und Brot, Freiheit und Sozialismus.

Unsere Jungkommunisten müssen in den Betrieben sofort an die sozialdemokratischen, gewerkschaftlich organisierten und christlichen Kollegen herantreten und zur Entsendung von Jugenddelegierten in die Maikomitees der Erwachsenen aufrufen. In den Jugendsektionen, Arbeitsdienstlagern, Berufsschulen haben wir die Pflicht, den Jugendlichen die Bildung von Maikomitees vorzuschlagen, deren Aufgabe es ist, Proteststreiks und Demonstrationen der Belegschaften zu organisieren. Unsere Genossen müssen vorschlagen, wie der Kampf gegen den Faschismus zu organisieren ist. Wo unser Einfluß stark ist, müssen wir Beschlüsse fassen, daß sich kein Jungprolet an der NSBO-Kundgebung beteiligt. Das Hissen von Nazifahnen in oder auf den Betrieben muß verhindert werden. Irgendwelche Versammlungen oder Kundgebungen der NSBO müssen verhindert werden. Es gibt bereits viele Beispiele, wo die SA aus dem Betrieb verjagt wurde, wo das Hissen von Nazi-Fahnen verhindert wurde. Unsere stärkste Waffe ist dabei die Antifaschistische Einheitsfront. Wir müssen überall an die Junggewerkschaftler, an die SAJler und Jungbannerkameraden herantreten. Angesichts der Verwirrung in ihren Reihen, des Überlaufens ihrer Führer zum Faschismus gewinnen wir dieselben viel eher, denn die ehrlichen sozialdemokratischen und christlichen Jungarbeiter wollen gegen den Faschismus kämpfen und haben in Dutzenden Fällen das bewiesen. Stellt in den Abteilungs- und Belegschaftsversammlungen ebenfalls wirtschaftliche Forderungen auf, die mobilisierend wirken. In einer Anzahl von Betrieben versuchen die Unternehmen betriebliche Lohnkürzungen vorzunehmen, Leistungslohn einzuführen, durch Rationalisierungsmaßnahmen und Erhöhung der Akkordquoten den Lohn zu kürzen. Bereits eine Woche vor dem 1. Mai müssen überall Streikbeschlüsse der Belegschaften vorliegen. Versucht schon vor dem 1. Mai kurze Proteststreiks oder passive Resistenz durchzuführen. Hitler muß gezeigt werden, daß sich das Proletariat seinen Weltkampftag nicht nehmen oder schänden läßt. Unsere Zelle muß sofort zusammentreten und aufgrund der Eigenart des Betriebes die Taktik festlegen.

Dasselbe, das zu den Betrieben gesagt wurde, trifft für Arbeitsdienstlager, Berufsschulen, Notwerkkurse und Stempelstellen zu. Den Aktionen im Arbeitsdienstlager kommt heute besondere Bedeutung zu. Da alle Maßnahmen zur massenmäßigen Einziehung von Jugendlichen getroffen und wie uns übereinstimmend aus dem Reich gemeldet wird, nehmen alle Lager stärkeren militärischen Charakter an. (Teilweise Reichswehruniform.) In der Berufsschule muß die Vorbereitung des 1. Mai im engsten Zusammenhang stehen mit unserem Kampf gegen die Nazilehrer, gegen die Einführung des Religionsunterrichts, für die Anerkennung der revolutionären Vertrauensleute. In Hamburg haben Arbeiterkinder die Versetzung eines Nazilehrers erzwungen. In Thüringen haben die Schüler bei Neueinsetzung eines Nazilehrers die Internationale gesungen, in anderen Fällen das Deutschlandlied nicht mitgesungen oder falsch gesungen. Wir müssen alle Formen des Protestes anwenden. Die Mobilisierung der Erwerbslosen ist von großer Bedeutung. Hitler nennt den 1. Mai »Tag der deutschen Arbeit«. Die Jugendlichen Erwerbslosen müssen Delegationen und Märsche in Massen zu den Wohlfahrtsämtern und Rathäusern organisieren, Arbeit und höhere Unterstützung verlangen.

Unsrer Taktik muß sein: eigenes sichtbares Auftreten, aber andererseits dürfen wir uns nicht von den Massen isolieren. Wir müssen uns darüber klar sein, daß die stärkste Waffe des Proletariats und der größte Schlag gegen die faschistische Diktatur jede, auch die kleinste Streikbewegung im Betrieb, Berufsschule, Arbeitsdienstlager ist. Da aller Voraussicht nach die meisten Betriebe ruhen werden, ist es von größter Bedeutung, schon an den vorhergehenden Tagen Aktionen auszulösen. Am 1. Mai selbst müssen wir Demonstrationen, Kundgebungen, Sprechchöre etc. durchführen. Nach außen hin muß zu sehen sein, daß der 1. Mai der Weltkampftag der Arbeiter ist. Also Hissen von roten Fahnen an schwer erreichbaren Stellen, Herunterholen der Nazi- und sonstigen nationalen Fahnen, Malen von Parolen, Kleben unseres Aufrufs, massenweise Herausgabe von Materialien; außer den von uns herausgegebenen Spuckzetteln muß jede Bezirksleitung, Unterbezirksleitung und unsere Einheit von sich aus selbst welche herstellen und auf den Verkehrsmitteln, an den Schaufenstern ankleben. Um von uns reden zu machen, müssen wir ähnlich wie das z.B. zum Reichsjugendtag durch einheitliche Aktionen im Reiche geschieht, in einzelnen Bezirken, Unterbezirken oder Orten tausendfach nur ein und dieselbe Parole malen und sonstige massenweise Sachen organisieren, z. B. zur gleichen Zeit in 50 oder 100 Höfen Sprechchöre organisieren (sichern!), 50 oder weniger Litfaßsäulen zu gleicher Zeit abbrennen usw. Wir geben in kürzester Zeit noch ein Material heraus, wo wir alle die Erfahrungen der Agitation gesammelt haben. Wir erwarten, daß jede Bezirksleitung uns sofort solche gemachten Erfahrungen übermittelt.

Unsere Grenzbezirke müssen sofort mit den Bruderverbänden in Verbindung treten zwecks Durchführung von gemeinsamen Grenzaufmärschen, Kundgebungen, Austauschen von Rednern usw.

Dort, wo es den Nazis gelingt, Massen auch der Betriebsarbeiter zu mobilisieren, dürfen wir uns nicht isolieren. Wir müssen außer den besonderen Aktionen, die wir in den Arbeitervierteln vor den Betrieben organisieren, auch auf dem Platz der Nazikundgebung irgendwie in Erscheinung treten. (Massenweises Fallenlassen von Flugblättern, Organisieren von Diskussionen, Aufsteigen von Luftballons mit roten Fahnen oder ähnliches.)

98 **April 1933 - Oktober 1934**

Die faschistische Betriebsverfassung

a) Gesetz über Betriebsvertretungen und über wirtschaftliche Vereinigungen, 4. April 1933

Reichsgesetzblatt 1933, Teil I, S. 161 f.

Artikel I: Betriebsvertretungen

§ 1 (1) Aus Gründen der öffentlichen Sicherheit und Ordnung kann die oberste Landesbehörde für das Land, für einen Teil des Landes oder für einzelne Betriebe die Wahlen zu den gesetzlichen Betriebsvertretungen bis längstens zum 30. September dieses Jahres aussetzen.
(2) Wird die Wahl ausgesetzt, so bleibt die bisherige Betriebsvertretung im Amte. Eine Ergänzung der Betriebsvertretung wegen Ausscheidens von Mitgliedern ist nur erforderlich, wenn die Zahl ihrer Mitglieder unter die Hälfte der gesetzlichen Mitgliederzahl oder auf weniger als drei Mitglieder gesunken ist. Die zur Erreichung dieser Mindeststärke erforderlichen neuen Betriebsvertretungsmitglieder sind von der obersten Landesbehörde

oder der von ihr bestimmten Behörde aus den wählbaren Arbeitnehmern der Belegschaft zu ernennen.

§ 2 Die oberste Landesbehörde oder die von ihr bestimmte Behörde kann das Erlöschen der Mitgliedschaft solcher Betriebsvertretungsmitglieder anordnen, die in staats- oder wirtschaftsfeindlichem Sinne eingestellt sind. An Stelle der ausgeschlossenen Mitglieder kann sie aus den wählbaren Arbeitnehmern der Belegschaft neue Betriebsvertretungsmitglieder ernennen.

Artikel II: Entlassung von Arbeitnehmern

Das im §84 des Betriebsrätegesetzes vorgesehene Recht des Einspruchs gegen die Kündigung eines Arbeitnehmers besteht nicht, wenn die Kündigung mit dem Verdacht staatsfeindlicher Einstellung begründet wird. Der Arbeitnehmer kann binnen einer Woche die nach Artikel I §2 zuständige Behörde anrufen. Diese entscheidet nach Anhörung der Beteiligten, ob der Verdacht gerechtfertigt ist. Verneint sie dies, so gilt die Kündigung als zurückgenommen.

b) Gesetz zur Ordnung der nationalen Arbeit (Auszug), 20. Januar 1934

Reichsgesetzblatt 1934, Teil I, S. 45f.

Erster Abschnitt: Führer des Betriebes und Vertrauensrat

§ 1 Im Betriebe arbeiten der Unternehmer als Führer des Betriebes, die Angestellten und Arbeiter als Gefolgschaft gemeinsam zur Förderung der Betriebszwecke und zum gemeinen Nutzen von Volk und Staat.

§ 2 (1) Der Führer des Betriebes entscheidet der Gefolgschaft gegenüber in allen betrieblichen Angelegenheiten, soweit sie durch dieses Gesetz geregelt werden.
(2) Er hat für das Wohl der Gefolgschaft zu sorgen. Diese hat ihm die in der Betriebsgemeinschaft begründete Treue zu halten. ...

§ 5 (1) Dem Führer des Betriebes mit in der Regel mindestens 20 Beschäftigten treten aus der Gefolgschaft Vertrauensmänner beratend zur Seite. Sie bilden mit ihm und unter seiner Leitung den Vertrauensrat des Betriebes.
(2) Zur Gefolgschaft im Sinne der Bestimmungen über den Vertrauensrat gehören auch die Hausgewerbetreibenden, die in der Hauptsache für den gleichen Betrieb allein oder mit ihren Familienangehörigen arbeiten.

§ 6 (1) Der Vertrauensrat hat die Pflicht, das gegenseitige Vertrauen innerhalb der Betriebsgemeinschaft zu vertiefen.
(2) Der Vertrauensrat hat die Aufgabe, alle Maßnahmen zu beraten, die der Verbesserung der Arbeitsleistung, der Gestaltung und Durchführung der allgemeinen Arbeitsbedingungen, insbesondere der Betriebsordnung, der Durchführung und Verbesserung des Betriebsschutzes, der Stärkung der Verbundenheit aller Betriebsangehörigen untereinander und mit dem Betriebe und dem Wohle aller Glieder der Gemeinschaft dienen. Er hat ferner auf die Beilegung aller Streitigkeiten innerhalb der Betriebsgemeinschaft hinzuwirken. Er ist vor der Festsetzung von Bußen aufgrund der Betriebsordnung zu hören. ...

§ 12 Der Vertrauensrat ist nach Bedarf von dem Führer des Betriebes einzuberufen. Die Einberufung muß erfolgen, wenn die Hälfte der Vertrauensmänner es beantragt. ...

§ 16 Gegen Entscheidungen des Führers des Betriebes über die Gestaltung der allgemeinen Arbeitsbedingungen, insbesondere die Betriebsordnung (§ 6 Abs. 2) kann die Mehrzahl des Vertrauensrates des Betriebes den Treuhänder der Arbeit unverzüglich schriftlich anrufen, wenn die Entscheidungen mit den wirtschaftlichen oder sozialen Verhältnissen des Betriebes nicht vereinbar erscheinen. Die Wirksamkeit der von dem Führer des Betriebes getroffenen Entscheidung wird durch die Anrufung nicht gehemmt. ...

Zweiter Abschnitt: Treuhänder der Arbeit

§ 18 (1) Für größere Wirtschaftsgebiete, deren Abgrenzung der Reichsarbeitsminister im Einvernehmen mit dem Reichswirtschaftsminister und dem Reichsminister des Innern bestimmt, werden Treuhänder der Arbeit ernannt. Sie sind Reichsbeamte und unterstehen der Dienstaufsicht des Reichsarbeitsministers. Ihren Sitz bestimmt der Reichsarbeitsminister im Einvernehmen mit dem Reichswirtschaftsminister.
(2) Die Treuhänder der Arbeit sind an Richtlinien und Weisungen der Reichsregierung gebunden.
(3) Die Treuhänder der Arbeit haben für die Erhaltung des Arbeitsfriedens zu sorgen. ...

§ 36 (1) Gröbliche Verletzungen der durch die Betriebsgemeinschaft begründeten sozialen Pflichten werden als Verstöße gegen die soziale Ehre von den Ehrengerichten gesühnt. Derartige Verstöße liegen vor, wenn
1. Unternehmer, Führer des Betriebes oder sonstige Aufsichtspersonen unter Mißbrauch ihrer Machtstellung im Betriebe böswillig die Arbeitskräfte der Angehörigen der Gefolgschaft ausnutzen oder ihre Ehre kränken;
2. Angehörige der Gefolgschaft den Arbeitsfrieden im Betriebe durch böswillige Verhetzung der Gefolgschaft gefährden, sich insbesondere als Ver-

trauensmänner bewußt unzulässige Eingriffe in die Betriebsführung anmaßen oder den Gemeinschaftsgeist innerhalb der Betriebsgemeinschaft fortgesetzt böswillig stören;
3. Angehörige der Betriebsgemeinschaft wiederholt leichtfertig unbegründete Beschwerden oder Anträge an den Treuhänder der Arbeit richten und seinen schriftlichen Anordnungen hartnäckig zuwiderhandeln. ...

c) Betriebsordnung einer Freiburger Firma (Auszug), 1934

Stadtarchiv Freiburg, DS ev.

Aufgaben der Betriebsführung: Auf allen Gebieten unseres Volkslebens wird der Grundsatz von Führung und Gefolgschaft verwirklicht. Dies gilt auch rückhaltlos für unseren Betrieb. Der Betriebsführer sieht seine vornehmste Verpflichtung darin, die ihm gestellten Aufgaben in der Geisteshaltung zu erfüllen, die das Gesetz zur Ordnung der nationalen Arbeit vom 20. Januar 1934 aufzeigt.

Eintritt in die Betriebsgemeinschaft: Die Betriebsführung erwartet, daß alle Gefolgschaftsangehörigen als Ausdruck ihres Gemeinschaftsgedankens die Mitgliedschaft bei der Deutschen Arbeitsfront erwerben.

Teilnahme am Aufbau der Nation: Der Betriebsführer begrüßt es, wenn ein möglichst großer Teil der Gefolgschaftsmitglieder sich aktiv betätigt in dem Dienst der nationalsozialistischen Bewegung und ihrer Gliederungen, insbesondere der Deutschen Arbeitsfront. Gefolgschaftsmitglieder, die sich in den Dienst dieser Gemeinschaft stellen, erhalten bezahlten Urlaub zur Teilnahme an den zu diesen Zwecken dienenden Kursen der NSDAP, ihrer Gliederungen und der angeschlossenen Verbände, bis zu einer Höchstdauer von vierzehn Arbeitstagen im Jahr.

Fristlose Entlassung hat außer in den gesetzlich festgelegten Fällen das Gefolgschaftsmitglied zu gewärtigen:
1. welches die Unfallversicherungsvorschriften grob fahrlässig verletzt;
2. das sich Tätlichkeiten, grobe Beleidigungen oder böswilliges Verhalten gegenüber dem Betriebsführer oder seinen Arbeitskameraden zuschulden kommen läßt;
3. welches sich durch Äußerungen und Handlungen gegen Führer, Volk, Partei und Staat als national unzuverlässig erweist,
4. welches aus der Deutschen Arbeitsfront austritt.

d) Verordnung des Reichskanzlers Hitler über die Deutsche Arbeitsfront, 24. Oktober 1934

Organisationshandbuch der NSDAP, München 1936, S. 185ff.

Wesen und Ziel

§ 1 Die Deutsche Arbeitsfront ist die Organisation der schaffenden Deutschen der Stirn und der Faust. In ihr sind insbesondere die Angehörigen der ehemaligen Gewerkschaften, der ehemaligen Angestelltenverbände und der ehemaligen Unternehmervereinigungen als gleichberechtigte Mitglieder zusammengeschlossen.

Die Mitgliedschaft bei der Deutschen Arbeitsfront wird durch die Mitgliedschaft bei einer beruflichen, sozialpolitischen, wirtschaftlichen oder weltanschaulichen Organisation nicht ersetzt. Der Reichskanzler kann bestimmen, daß gesetzlich anerkannte ständische Organisationen der Deutschen Arbeitsfront korporativ angehören.

§ 2 Das Ziel der Deutschen Arbeitsfront ist die Bildung einer wirklichen Volks- und Leistungsgemeinschaft aller Deutschen. Sie hat dafür zu sorgen, daß jeder einzelne seinen Platz im wirtschaftlichen Leben der Nation in der geistigen und körperlichen Verfassung einnehmen kann, die ihn zur höchsten Leistung befähigt und damit den größten Nutzen für die Volksgemeinschaft gewährleistet.

§ 3 Die Deutsche Arbeitsfront ist eine Gliederung der NSDAP im Sinne des Gesetzes zur Sicherung der Einheit von Partei und Staat vom 1. Dezember 1933.

Führung und Organisation

§ 4 Die Führung der Deutschen Arbeitsfront hat die NSDAP. Der Stabsleiter der PO führt die Deutsche Arbeitsfront. Er wird vom Führer und Reichskanzler ernannt. Er ernennt und enthebt die übrigen Führer der Deutschen Arbeitsfront.

Zu solchen sollen in erster Linie Mitglieder der in der NSDAP vorhandenen Gliederungen der NSBO und NS-Hago, des weiteren Angehörige der SA und SS ernannt werden.

§ 5 Die gebietliche Gliederung der Deutschen Arbeitsfront entspricht derjenigen der NSDAP. Für die fachliche Gliederung der Deutschen Arbeitsfront ist das im Programm der NSDAP aufgestellte Ziel einer organischen Ordnung maßgebend.

Die gebietliche und fachliche Gliederung der Deutschen Arbeitsfront wird vom Stabsleiter der PO bestimmt und im Dienstbuch der Deutschen

Arbeitsfront veröffentlicht. Er entscheidet über die Zugehörigkeit und die Aufnahme in die Deutsche Arbeitsfront.

§ 6 Die Kassenführung der Deutschen Arbeitsfront untersteht im Sinne der ersten Durchführungsverordnung zum Gesetz zur Sicherung der Einheit von Partei und Staat vom 23. März 1934 der Kontrolle des Schatzmeisters der NSDAP.

§ 7 Die Deutsche Arbeitsfront hat den Arbeitsfrieden dadurch zu sichern, daß bei den Betriebsführern das Verständnis für die berechtigten Ansprüche ihrer Gefolgschaft, bei den Gefolgschaften das Verständnis für die Lage und die Möglichkeiten ihres Betriebes geschaffen wird.

Die Deutsche Arbeitsfront hat die Aufgabe, zwischen den berechtigten Interessen aller Beteiligten jenen Ausgleich zu finden, der den nationalsozialistischen Grundsätzen entspricht und die Anzahl der Fälle einschränkt, die nach dem Gesetz vom 20. Januar 1934 zur Entscheidung allein den zuständigen staatlichen Organen zu überweisen sind.

Die für diesen Ausgleich notwendige Vertretung aller Beteiligten ist ausschließlich Sache der Deutschen Arbeitsfront. Die Bildung anderer Organisationen oder ihre Betätigung auf diesem Gebiet ist unzulässig.

§ 8 Die Deutsche Arbeitsfront ist die Trägerin der nationalsozialistischen Gemeinschaft »Kraft durch Freude«.

Die Deutsche Arbeitsfront hat für die Berufsschulung Sorge zu tragen. Sie hat ferner die Aufgaben zu erfüllen, die ihr durch das Gesetz vom 20. Januar 1934 übertragen werden.

§ 9 Das Vermögen der im § 1 dieser Verordnung genannten früheren Organisationen einschließlich ihrer Hilfs- und Ersatzorganisationen, Vermögensverwaltungen und wirtschaftlichen Unternehmungen bildet das Vermögen der Deutschen Arbeitsfront. Dieses Vermögen ist der Grundstock für die Selbsthilfe-Einrichtung der Deutschen Arbeitsfront. Durch die Selbsthilfe-Einrichtung der Deutschen Arbeitsfront soll jedem ihrer Mitglieder die Erhaltung seiner Existenz im Falle der Not gewährleistet werden, um den befähigtsten Volksgenossen den Aufstieg zu ebnen oder ihnen zu einer selbständigen Existenz, wenn möglich auch auf eigenem Grund und Boden, zu verhelfen

§ 10 Diese Verordnung tritt mit dem Tage ihrer Verkündung in Kraft.

Ankündigung einer Kundgebung der Hitlerjugend im »Alemannen« zur Bücherverbrennung in Freiburg

Der Alemanne vom 17. Juni 1933.

An die Bevölkerung Freiburgs!

Die Hitlerjugend veranstaltet am Samstag, 17. Juni, abends, 9.15 Uhr eine Große Kundgebung auf dem Münsterplatz anläßlich der ersten kulturellen Kampfwoche gegen »Schmutz und Schund«. Der Verlauf gestaltet sich wie folgt:

1. Um 21 Uhr Antreten vor dem Karlsplatz.
2. Fackelzug: Karlsplatz, Siegesdenkmal, Kaiserstraße nach dem Münsterplatz (Münsterportal).
3. Halbkreisförmige Aufstellung um das »Kleine Bücherfeuer« vor der mittleren Portalsäule.
4. Beginn der Kundgebung 21.15 Uhr:
   a. Gemeinsames Lied: »Volk ans Gewehr«.
   b. Einleitende Worte vom Bannführer Südbaden der Hitlerjugend.
   c. Kampfrufe der Hitlerjungens.
   d. Feuerrede von Pfarrer Albert, Gundelfingen.
   e. 10 Feuersprüche.
   f. Gemeinsam: »Horst-Wessel-Lied.«
5. Abmarsch um 21.40 nach dem Exerzierplatz.
6. Aufstellung um das »Große Bücherfeuer« auf dem Exerzierplatz.
7. Ansprache von Pg. Oberbürgermeister Dr. Kerber.
8. Ausklang am Biwakfeuer.

Die Veranstaltung geht von der Freiburger Hitlerjugend aus, welche sowohl auf dem Münsterplatz wie auch auf dem Exerzierplatz die Organisationsleitung übernimmt.

Der Widerstand der Arbeiterbewegung gegen die faschistische Diktatur

a) Aufruf der SPD an die Arbeiter, April 1933

GLA Karlsruhe, 365, Zugang 1958/65, Faszikel 1. – Flugblätter »Frage den Kommunisten« und »Frage den SA-Mann« wurden unter anderem auch in den Werkstätten des Kalibergwerks bei Müllheim illegal ausgelegt.

Frage den Kommunisten,

ob er schon darüber nachgedacht hat, weshalb eine wirkliche Einheitsfront der Arbeiterklasse bisher nicht zustande gekommen ist. Frage den kommunistischen Arbeiter, ob er sich schon Gedanken darüber gemacht hat, daß zwar die Harzburger Front der Reaktion sich geeinigt hat, in der Arbeiterklasse dagegen der Bruderkampf und die Zersplitterung immer weitergeht.

Erinnere den Kommunisten daran, daß es vor dem Kriege eine einige Arbeiterbewegung gab, die in der Sozialdemokratischen Partei und in den Gewerkschaften verkörpert war. Erinnere ihn weiter daran, daß erst nach dem Kriege die Spaltung der deutschen Arbeiterklasse durch die Kommunisten herbeigeführt worden ist. Sie begnügten sich nicht damit, die Sozialdemokratie zu spalten; auch in andere Organisationen der Arbeiterklasse wurde Zersplitterung und Verwirrung hineingetragen. In der Gewerkschaftsbewegung, bei den Sportlern, bei den Freidenkern, überall wurden kommunistische Sonderorganisationen gegründet.

Frage deinen kommunistischen Arbeitskollegen, ob ihm nicht bekannt ist, daß die kommunistische Parteileitung die Parole ausgegeben hat, die Sozialdemokratie und die Gewerkschaften seien der »Hauptfeind«? Sie haben diese Parole so weit getrieben, daß sie Schulter an Schulter mit Nazis und Stahlhelm das Volksbegehren gegen die preußische Regierung durchführten, nur weil darin die Sozialdemokraten Braun und Severing saßen. So kam es, daß Hunderttausende von kommunistischen Wählern den wirklichen Feind der Arbeiterklasse, den Faschismus, gar nicht mehr sahen und bei der Präsidentenwahl Herrn Adolf Hitler ihre Stimme gaben.

Sage den Kommunisten, daß die kommunistische Parole von der proletarischen Einheitsfront solange eine widerliche Komödie ist, so lange die Angriffe der Kommunisten auf die Sozialdemokratische Partei und die Gewerkschaften nicht eingestellt sind. Seit dem Regierungsantritt Adolf Hitlers als Reichskanzler spricht zwar die kommunistische Parteileitung nicht mehr davon, daß die Sozialdemokratie und die Gewerkschaften der »Hauptfeind« seien. Jetzt erkennt sie endlich, was die Regierung Braun-Severing in Preußen für die deutsche Arbeiterklasse bedeutet hat, was die

Regierungen im Reich und in den Ländern für das Proletariat geleistet haben, solange Sozialdemokraten daran beteiligt waren. Aber trotz dieser Erkenntnis werden die Beschimpfungen und Verleumdungen der Sozialdemokratischen Partei und der Gewerkschaften in kommunistischen Versammlungen und Zeitungen noch immer fortgesetzt.

Erkläre zum Schluß, daß du mit der ganzen sozialistischen Bewegung den Tag herbeisehnst, an dem die deutsche Arbeiterklasse wieder in geschlossener Front ihren Todfeinden entgegentritt. Dazu sind aber keine Einheitsfrontmanöver und »Entlarvungen« erforderlich, sondern der entschlossene Wille aller Arbeiter und Angestellten für die demokratischen Freiheiten, für die sozialen Errungenschaften, für die sozialistischen Forderungen gemeinsam zu kämpfen. Der Hauptfeind der Arbeiterklasse ist der Faschismus, der jetzt niedergerungen werden muß. Daher fort mit der Selbstzerfleischung, her mit der Einheitsfront für die Losungen der Sozialdemokratie: gegen Faschismus, für Demokratie und Sozialismus!

Frage den SA-Mann,

ob er sich noch daran erinnert, was ihm all die Jahre hindurch von seinen Führern versprochen worden ist? Das erste, was geschehen sollte, wenn die Nationalsozialisten an die Regierung kämen, war die Beseitigung des Parteibuchbeamtentums. Das mußte so aufgefaßt werden, als ob nunmehr die Parteivertreter überhaupt nichts mehr zu sagen hätten.

Sage dem SA-Mann, daß zuerst folgende Parteiführer zu Amt und Würden gelangt sind: Adolf Hitler ist Reichskanzler; Dr. Frick ist Reichsinnenminister; Hauptmann Göring ist Reichsluftfahrtminister, daneben verwaltet er noch das preußische Innenministerium, er blieb Reichstagspräsident; Reichstagsabgeordneter Funk, früher Wirtschaftsredakteur der großkapitalistischen »Berliner Börsen-Zeitung« wurde Reichspressechef; Techniker Sauckel wurde Innenminister in Thüringen; Gauleiter Rust ist kommissarischer Kultusminister in Preußen; Gauleiter Röver wurde Ministerpräsident in Oldenburg; Gauleiter Hofmann Bürgermeister in Dessau; Handlungsgehilfe Marschler Bürgermeister in Ohrdruf und thüringischer Minister.

Sage ihm weiter, daß das nur ein kleiner Teil der nationalsozialistischen Parteibeamten ist, die zu höheren Posten gelangten. Aber auch die mit den Nationalsozialisten verbündeten Deutschnationalen haben für ihre Leute gesorgt. Einige Beispiele: Die deutschnationale Parteiführer von Bismarck, von Rohr-Demmin und Dr. Bang sind Staatssekretäre geworden. Die »Deutsche Corpszeitung« berichtete mit Stolz, daß ein großer Prozentsatz der neuernannten höheren Beamten auf Angehörige des Adels entfällt. Vor allem haben die vornehmen studentischen Verbindungen ihre Mitglieder in die hohen Beamtenposten entsandt. Die Corps »Rhenania«, »Theutonia«, »Palalia«, »Vandalia«, »Suevia«, »Saxonia« sind daran beteiligt. Es wimmelt unter den Neuernennungen von hochgeborenen Personen: Graf Degenfeld, Graf zu Rantzau, Freiherr von Nordenflycht, Rabe von Pappenheim, Dr. von Hülsen, von Braumüller, von Scheller, von Hoffmann.

Frage den SA-Mann, ob er sich den Anbruch des »Dritten Reiches« wirklich so vorgestellt hat? Er und seine Kameraden standen monatelang an den Straßenecken und bettelten Beiträge für die Nationalsozialistische Partei zusammen. Ist es zu dem Zwecke geschehen, damit die Führer in die hohe Amtlichkeit klettern konnten, die SA-Leute aber auch künftig für sie ihre Haut zu Markte tragen sollen?

Sage dem SA-Mann, daß er schon jetzt einen Vorgeschmack davon bekommt, wie es künftig aussehen soll. Den »feinen Herren« die Posten, den Proleten aber die Arbeit! Sage ihm, daß niemals zusammen mit Prinzen, Grafen, Großkapitalisten und Großgrundbesitzern der Kapitalismus beseitigt und der Sozialismus verwirklicht werden kann, sondern daß das nur möglich ist, wenn alle Arbeiter der Hand und des Kopfes zusammenstehen und mit der Sozialdemokratie für die sozialistischen Forderungen kämpfen!

b) Manifest des Vorstandes der Sozialdemokratischen Partei Deutschlands im Exil (»Prager Manifest«), Januar 1934

Neuer Vorwärts vom 28. Januar 1934; abgedr. in: Dieter Dowe/Kurt Klotzbach: Programmatische Dokumente der deutschen Sozialdemokratie, Berlin/Bonn 1984, S. 239 ff.

I. Die Bedingungen des revolutionären Kampfes

Im Kampf gegen die nationalsozialistische Diktatur gibt es keinen Kompromiß, ist für Reformismus und Legalität keine Stätte. Die sozialdemokratische Taktik ist allein bestimmt durch das Ziel der Eroberung der Staatsmacht, ihrer Festigung und Behauptung zur Verwirklichung der sozialistischen Gesellschaft. Die Taktik bedient sich zum Sturz der Diktatur aller diesem Zweck dienenden Mittel.

Der revolutionäre Kampf erfordert die revolutionäre Organisation. Die alte Form, der alte Apparat ist nicht mehr, und Versuche zu seiner Wiederbelebung entsprechen nicht den neuen Kampfbedingungen. Neue Organisationsformen mit opferbereiten Kämpfern müssen entstehen.

In der Wahl dieser Formen sind wir nicht frei. Noch legt der Gegner durch die Übermacht seiner Mittel, durch die Brutalität ihrer Anwendung, noch legt uns der Zustand der deutschen Gesellschaft selbst, die unter dem furchtbaren Druck des ökonomischen, physischen und geistigen Terrors steht, das Gesetz des Handelns auf. Kleine Gruppen bilden sich, sie müssen in teuer erkauften Erfahrungen die Technik ihrer Arbeit erwerben – eine Elite von Revolutionären.

Wenn die Gegensätze im Innern des Faschismus, wenn die stets sich verschärfenden Klassengegensätze im Kapitalismus sich entfalten, wenn Unzufriedenheit und Enttäuschung die Massengrundlage der nationalsozialistischen Herrschaft erschüttern, wenn oppositionelle Strömungen entstehen und spontane Massenbewegungen beginnen, dann wird es zur Aufgabe der revolutionären Elite, die Gegensätze im Bewußtsein der Massen zu vertiefen, ihre Entwicklung zu lenken, ihre Zielsetzung zu beeinflussen, die Verbindungen auszudehnen und die revolutionäre Organisation zur Massenorganisation zu erweitern.

In den Dienst der Förderung der revolutionären Organisation hat sich von Anfang an die Leitung der deutschen Sozialdemokratie im Ausland gestellt und für die Erfüllung dieser Aufgabe ihre Kräfte und Mittel eingesetzt. Der Druck des Terrors führt in Deutschland selbst zu weitgehender Dezentralisation der illegalen Arbeit. Die in Deutschland selbst unausweichliche Teilung der Arbeit kann nur in der Tätigkeit der Leitung ihre Zusammenfassung finden. Unterstützung und Förderung erhält jede Gruppe, deren revolutionärer Geist dafür bürgt, daß ihre Tätigkeit dem Sturz der nationalsozialistischen Diktatur im Rahmen der Einigkeit der Arbeiterklasse dient. Die Führung ist sich dabei bewußt, daß dies der ständigen Mitwirkung und Beratung der Leiter der illegalen Gruppen bedarf.

II. Die Ziele der Massenbewegung

Die Organisation ist das Werkzeug für den revolutionären Kampf. Welches sind seine Bedingungen, was ist sein Ziel? Bedingungen und Ziele des Kampfes lassen sich nicht willkürlich bestimmen, sie erwachsen aus den sich zuspitzenden Gegensätzen der kapitalistischen Gesellschaft und aus den Tatsachen der nationalsozialistischen Gegenrevolution.

Wir fragen, wofür muß die Arbeiterklasse unter dem faschistischen System kämpfen, welche Kämpfe sind ihr aufgezwungen?

Der Nationalsozialismus leugnet in seiner Theorie die Klassenkämpfe, seine Praxis verschärft sie auf das grausamste. Seine Herrschaft bedeutet eine unerhörte Steigerung der sozialen Gegensätze, ein neues Erhitzen des Kessels bei gewaltsamer Verschließung aller Ventile. Die Unterdrückung aller Organisationen der Arbeiter und Angestellten, ihre völlige Entmachtung, überliefert sie der Willkür des Großkapitals, in dessen Interessen die Diktatur die Staatsmacht gestellt hat. Diese einseitige Verschiebung der Machtverhältnisse bedroht die Arbeiterschaft mit fortschreitender Verschlechterung ihrer Lebenshaltung. Die Gefahr wird gesteigert durch eine Wirtschaftspolitik, die die Kosten aller Bedürfnisse der breiten Masse erhöht, die Beschäftigung in den Exportindustrien immer mehr drosselt; sie wird vermehrt durch eine Finanzpolitik, die die Massen belastet und immer größere Teile des ihnen abgepreßten Tributs einzelnen vom Regime begünstigten Schichten zuschanzt. Das zwingt die Massen zum Kampf für die Sicherung und Hebung ihrer materiellen Existenz. Aber jede Lohnbewegung ist verboten, jeder Streik wird zur politischen Rebellion.

Aus dieser Situation wird mit Notwendigkeit die Forderung nach Wiederherstellung der Koalitionsfreiheit und der Schaffung sozialer Kampforganisationen als Vertreter der Arbeiterinteressen erwachsen. Ihre Koalitionsfreiheit ist nicht möglich ohne ihre Versammlungs-, Vereins- und Pressefreiheit. Aus den unabweisbaren Bedürfnissen der Arbeiterschaft ergibt sich so die Forderung nach politischen Rechten, entsteht der Kampf um ihre demokratische Bewegungsfreiheit.

Im Heer der Arbeitslosen wächst mit der Dauer der Arbeitslosigkeit die Rebellion gegen eine Gesellschaft, die ihnen das Recht auf Arbeit versagt, verstärkt sich ihre Forderung nach Wiedereingliederung in den Produktionsprozeß, nach einer Ordnung der Wirtschaft, die Arbeitende und Arbeitslose nicht mehr auseinanderreißt, sondern die Arbeitsmöglichkeit gleichmäßig auf alle Arbeitsfähigen verteilt. Diese Bewegung der von der Diktatur betrogenen Arbeitslosen richtet sich unmittelbar gegen die Grundlage der kapitalistischen Gesellschaft.

Die Kämpfe um die Sicherung der Lebenshaltung der Arbeitenden und um die Wiedereingliederung der Arbeitslosen in den Produktionsprozeß mit allen Mitteln zu fördern, die Front der kämpfenden Arbeiter zu verbreitern, den notwendigen inneren Zusammenhang dieser Kämpfe mit dem Ziel des Sturzes der Diktatur den Kämpfenden zum Bewußtsein zu bringen, ist eine der ersten Aufgaben der revolutionären Arbeit. Die Wiedereroberung demokratischer Rechte wird zur Notwendigkeit, um die Arbeiterbewegung als Massenbewegung wieder möglich zu machen und den sozialistischen Befreiungskampf wieder als bewußte Bewegung der Massen selbst zu führen. Jedes demokratische Recht wird aber zur Bedrohung des Fortbestandes der Diktatur. Der Kampf um die Demokratie erweitert sich so zum Kampf um die völlige Niederringung der nationalsozialistischen Staatsmacht. Dieser Kampf ist revolutionäres Durchgangsstadium zur Eroberung der ganzen Staatsmacht. Der Sturz der Despotie wird sich, wenn nicht äußere Katastrophen ihn herbeiführen, nur in der gewaltsamen Niederringung, nur durch den Sieg im revolutionären Kampfe vollziehen. Er wird sich ergeben, wenn die Bedingungen einer objektiv revolutionären Situation ausgenützt werden von einer entschlossenen, von radikalem Kampfgeist durchseelten, von einer erfahrenen Elite geführten Partei des revolutionären Sozialismus. Er kann nur erwachsen aus der Tat der Massen selbst.

III. Die Ausübung der Macht

Diese Art der Eroberung der Macht bestimmt die Art ihrer Ausübung. Im schweren, opferbereiten, leidenschaftlichen Ringen um den Sturz der Diktatur erfüllt sich die Arbeiterbewegung mit radikalem, kompromißlosem Geist. Der politische Umschwung von 1918 vollzog sich am Abschluß einer konterrevolutionären Entwicklung, die durch den Krieg und die nationalistische Aufpeitschung der Volksmassen bedingt war. Nicht durch den organisierten, vorbereiteten, gewollten, revolutionären Kampf der Arbeiterklasse, sondern durch die Niederlage auf den Schlachtfeldern wurde das kaiserliche Regime beseitigt. Die Sozialdemokratie als einzig intakt gebliebene organisierte Macht übernahm ohne Widerstand die Staatsführung, in die sie sich von vornherein mit den bürgerlichen Parteien, mit der alten Bürokratie, ja mit dem reorganisierten militärischen Apparat teilte. Daß sie den alten Staatsapparat fast unverändert übernahm, war der schwere historische Fehler, den die während des Krieges desorientierte deutsche Arbeiterbewegung beging. Die neue Situation schließt jede Wiederholung aus.

Die Niederwerfung des nationalsozialistischen Feindes durch die revolutionären Massen schafft eine starke revolutionäre Regierung, getragen von der revolutionären Massenpartei der Arbeiterschaft, die sie kontrolliert. Die erste und die oberste Aufgabe dieser Regierung ist es, die Staatsmacht für die siegreiche Revolution zu sichern, die Wurzeln jeder Widerstandsmöglichkeit auszureißen, den Staatsapparat in ein Herrschaftsinstrument der Volksmassen zu verwandeln.

Der revolutionären Regierung obliegt deshalb die sofortige Durchführung einschneidender politischer und sozialer Maßnahmen zur dauernden völligen Entmachtung des besiegten Gegners. Das fordert:

Einsetzung eines Revolutionstribunals.

Aburteilung der Staatsverbrecher, ihrer Mitschuldigen und Helfer in der Politik, der Bürokratie und Justiz wegen Verfassungsbruches, Mordes und Freiheitsberaubung unter Aberkennung der staatsbürgerlichen Rechte.

Aufhebung der Unabsetzbarkeit der Richter, Besetzung aller entscheidenden Stellen der Justiz durch Vertrauensmänner der revolutionären Regierung. Grundlegende Umgestaltung der Justiz durch Verstärkung des Laienelements.

Reinigung der Bürokratie, sofortige Umbesetzung aller leitenden Stellen. Organisierung einer zuverlässigen Militär- und Polizeimacht. Völlige Erneuerung des Offizierskorps.

Aufhebung aller die Freiheit der Arbeiterschaft beschränkenden Gesetze und Verordnungen der nationalsozialistischen Despotie.

Volle staatsbürgerliche Gleichberechtigung ohne Unterschied der Rasse und Religion. Trennung der Kirche vom Staat.

Unterbindung jeder konterrevolutionären Agitation.

Sofortiger Erlaß der notwendigen sozialen, wirtschaftlichen und finanziellen Gesetze durch die revolutionäre Regierung.

Die Zerschlagung des alten politischen Apparats muß gesichert werden gegen seine bisherigen gesellschaftlichen Träger. Das erfordert:

Sofortige entschädigungslose Enteignung der Großgrundbesitzer. Überführung der Forsten in Reichseigentum und Reichsverwaltung, Verwendung des Ackerlandes zur Schaffung lebensfähiger Bauernsiedlungen und genossenschaftlicher Betriebe von Landarbeitern mit ausreichender Förderung durch Staatsmittel.

Sofortige entschädigungslose Enteignung der Schwerindustrie. Übernahme der Reichsbank in den Besitz und die Verwaltung des Reiches.

Vergesellschaftung und Übernahme der Großbanken durch die vom Reich bestimmten Leitungen.

Erst nach der Sicherung der revolutionären Macht und nach restloser Zerstörung der kapitalistisch-feudalen und politischen Machtpositionen der Gegenrevolution beginnt der Aufbau des freien Staatswesens mit der Einberufung einer Volksvertretung, gewählt nach allgemeinem, gleichem und direktem Wahlrecht in Einzelwahlkreisen. Die erste Wahlkreiseinteilung erläßt die revolutionäre Regierung.

Die Volksvertretung wählt mit absoluter Mehrheit (falls notwendig unter Vornahme einer Stichwahl) den Chef der Reichsregierung, der die Reichsminister ernennt. Bis zum Zustandekommen der Wahl bleibt die Revolutionsregierung im Amt. Das despotische System der zentralisierten Staatsvollmacht wird durch die Herstellung einer echten, freiheitlichen Selbstverwaltung innerhalb des gegliederten Einheitsstaates gebrochen. In den politischen Gemeinden werden für das Schul-, Wohlfahrts-, Gerichts- und Steuerwesen Selbstverwaltungskörper gebildet, denen die Beamten verantwortlich sind.

IV. Die Revolution der Wirtschaft

Aufgabe der Arbeiterschaft im neuen Staat ist die Anwendung der errungenen Staatsmacht zur Durchführung der sozialistischen Organisation der Wirtschaft. Die Vergesellschaftung der Schwerindustrie, der Banken und des Großgrundbesitzes ist kein Endpunkt, sondern nur der Ausgangspunkt für die Umwandlung der kapitalistischen in die sozialistische Gesellschaft.

Die sozialistische Wirtschaftsorganisation beseitigt die Anarchie der kapitalistischen Produktionsweise. Sie überwindet damit die Wirtschaftskrisen und die Arbeitslosigkeit. An die Stelle der planlosen kapitalistischen Wirtschaft tritt die sozialpolitische Planwirtschaft. An die Stelle des kapitalistischen Profitstrebens tritt das Streben nach Deckung eines sich stets steigernden Bedarfs.

An die Stelle der regellosen Rationalisierung zur Erhöhung des Profits durch Ersparung von Arbeitskräften, an die Stelle der regellosen Aufblähung des Produktionsapparates auf Kosten des Konsums tritt die planmäßige Steigerung der Produktionskräfte, die gleichmäßige Erweiterung von Erzeugung und Verbrauch. An die Stelle des zerstörenden Kampfes der einzelnen Produktionskräfte gegeneinander tritt ihre aufeinander abgestimmte Entwicklung.

Die Leitung der Umorganisation obliegt der obersten sozialistischen

Planstelle. Diese dient der Lenkung der gesamten Wirtschaft. Sie hat insbesondere folgende Aufgaben:

Aufstellung eines Wirtschaftsplanes für die Entwicklung der Gesamtwirtschaft. Schaffung einer Verwaltungsorganisation für die Verstaatlichung der Wirtschaftszweige unter Mitwirkung der Produzenten, Konsumenten und des Staates. Vorbereitung weiterer Sozialisierung kapitalistisch beherrschter Wirtschaftszweige, Regulierung der Steigerung der Erzeugung und der Anwendung des technischen Fortschritts durch Lenkung der Kapitalanlagen und der Betriebskredite.

Regelung der Beziehungen zwischen dem vergesellschafteten Teil der Wirtschaft und der Marktwirtschaft. Für die Vergesellschaftung und einheitliche Leitung kommen zunächst folgende Wirtschaftszweige in Betracht: das Kreditwesen unter Aufrechterhaltung und Förderung der Selbstverwaltung der bäuerlichen und gewerblichen Genossenschaften; das Versicherungswesen; die Schwerindustrie; die chemische Großindustrie; der Güter- und Personenmassenverkehr; die Kraftversorgung (Gas und Elektrizität).

V. Die Revolution der Gesellschaft

Die sozialistische Gesellschaft beseitigt das Ausbeutungseigentum des Kapitals, sie schützt das Arbeitseigentum des Bauern und des Handwerkers. Sie bedeutet ständige Steigerung der Lebenshaltung, deshalb erleichterte Absatzmöglichkeit für die Produkte der bäuerlichen und handwerklichen Produktion. Sie befreit das Arbeitseigentum in Land und Stadt von dem Druck des argrarischen und industriellen Großbesitzes und von der Übermacht des Bankkapitals. Sie sorgt durch ihre Beherrschung des Kreditsystems für die ausreichende und billige Versorgung des Mittelstandes mit den nötigen Betriebskrediten. Sie dehnt die Alters-, Invaliden- und Krankenversicherung auf die ländlichen und städtischen Mittelschichten aus und erhöht so deren Existenzsicherheit. Die Agrarpolitik befreit von dem übermächtigen Einfluß des Großgrundbesitzes, tritt für die Förderung und ausreichende Verwertung der Veredelungsprodukte der bäuerlichen Wirtschaft ein, sorgt durch staatliche Meliorationen* für die Verbesserung ihres Grund und Bodens und durch Schaffung eines ausreichenden landwirtschaftlichen Bildungswesens für die ständige Hebung der Leistungsfähigkeit.

Die Neuordnung und Kontrolle der Produktion hebt die Bedeutung der Arbeit der technischen und leitenden Angestellten. Der Betrieb bedarf auch in der sozialistischen Wirtschaft einer gegliederten qualifizierten Leitung. Die Loslösung dieser leitenden Organe aus der kapitalistischen Herrschaft, ihre Verwandlung in Funktionäre der Gemeinschaft gibt ihrer Arbeit neuen Inhalt und neue Würde.

---

* Bodenverbesserungen.

Das Bildungsprivileg wird zerbrochen. In der Einheitsschule wird das heranwachsende Geschlecht nicht nur für den künftigen Beruf, sondern auch für die Erfüllung seiner Aufgaben in dem freien sozialistischen Gemeinwesen herangebildet. Der Aufstieg zu den höheren Lehranstalten erfolgt ausschließlich aufgrund der Eignung und Begabung ohne Rücksicht auf das Herkommen. Unterricht und Lehrmittel sind auf allen Stufen unentgeltlich. Die sozialistische Gesellschaft stellt die Freiheit des Geistes und der Wissenschaft wieder her, sichert Kulturarbeiten und Kunst vor den Eingriffen bürokratischer und kirchlicher Gewalt, gibt der Persönlichkeit ihr unveräußerliches Recht und ihre Menschenwürde zurück. Die sozialistische Neuordnung der Wirtschaft ist mehr als eine materielle Angelegenheit. Sie ist selbst Mittel zum Endziel der Verwirklichung wahrer Freiheit und Gleichheit, der Menschenwürde und voller Entfaltung der Persönlichkeit. Die Arbeit, bisher Quelle der persönlichen Bereicherung der einen und Ringen um Fristung des ärmlichen Lebens für die anderen, wird zum sozialen Dienst an der Mehrung des gesellschaftlichen Wohlstandes. Die Massen werden nicht mehr arbeiten, um den Monopolbesitzern der Produktionsmittel einen dürftigen Lebensraum und ein allzeit von Krisen bedrohtes Dasein abzuringen, sondern sie werden arbeiten für die Gestaltung der sozialistischen Zukunft unter glücklicheren Bedingungen zu höheren Zielen. Die planmäßige Lenkung des technischen Fortschritts wird die Produktivität der menschlichen Arbeit gewaltig steigern. Die Ausschaltung der Krisen wird den gesellschaftlichen Wohlstand ständig vermehren. Die dadurch ermöglichte Verkürzung der Arbeitszeit, vor allem bei der Befreiung des Menschengeschlechts von den täglichen materiellen Sorgen der Lebensfristung und der Arbeitssuche, ermöglicht allen Gliedern des sozialistischen Gemeinwesens die Anteilnahme an den Schätzen der Kultur, an den Erkenntnissen der Wissenschaft und an den Genüssen der Kunst. Ein neuer Gemeinsinn, eine neue Lebensauffassung, ein neuer Wetteifer um die Entfaltung aller Fähigkeiten erwächst: die sozialistische Gesinnung, in der die neue Gesellschaft unzerstörbar verankert sein wird.

Je mehr sich der gesellschaftliche Umbau seiner Vollendung nähert, je mehr der Obrigkeitsstaat durch die Selbstverwaltung ersetzt wird, um so mehr wird der jahrhundertealte Gegensatz zwischen Staat und Gesellschaft überwunden. An die Stelle des Machtstaates, der durch Militär, Bürokratie und Justiz seine Untertanen beherrscht, tritt die Selbstverwaltung der Gesellschaft, in der jeder zur Mitwirkung an den allgemeinen Aufgaben berufen ist. An die Stelle des Führerprinzips und der Parteihierarchie, die Willkür und Verantwortungslosigkeit bedeuten, tritt die Verantwortung freier Menschen für die Erfüllung der gesellschaftlichen Aufgaben. Die Despotie wird abgelöst durch die freie Selbstbestimmung des Volkes, die Unterdrückung weicht der Gleichheit der gesellschaftlichen Rechte und Pflichten für die Volksgenossen. Die Menschheit ist aus dem Reich der Notwendigkeit in das Reich der Freiheit getreten.

VI. Abrüstung und Kriegsgefahr

Die nationalsozialistische Diktatur hat Deutschland in Barbarei und Bestialität gestoßen, das deutsche Volk mit tiefster Schmach bedeckt. Aber die Hitlerherrschaft ist nicht nur Schande und Gefahr für Deutschland, sie bedeutet die Gewaltdrohung gegen die Freiheit und Zivilisation aller anderen Völker. Die Diktatur hat in Rassenwahn und Großmachtsucht den alldeutschen Nationalismus zur Siedehitze gesteigert. Sie vergiftet die Jugend mit militärischem Angriffsgeist, sie setzt alle geistigen und materiellen Mittel ein für eine fieberhafte Aufrüstung. Sie propagiert offen ihre Kriegsziele: eine neue Großraumpolitik soll Neuland für die Siedlung im Osten schaffen, soll alle »deutschstämmigen« Gebiete dem faschistischen Reich einverleiben. Aber Schlimmeres noch als territoriale Einbuße droht den Völkern von der siegreichen Diktatur, am faschistischen Wesen soll die Welt genesen. Bedeutet ein neuer Krieg mit den unendlich vervollkommneten Zerstörungsmitteln eine Untergangsdrohung für die Zivilisation, so bedeutet der Sieg der faschistischen Diktatur eine Verewigung der Sklaverei und Bestialität im Innern und ihre Ausbreitung über die übrige Welt.

Die deutsche Demokratie hat die Forderung der Gleichberechtigung erhoben im Bunde mit den großen Demokratien des Westens als ein Mittel zur Organisation und Sicherung des Friedens. Die Diktatur hat diese Forderung verfälscht, um sie für ihre kriegerischen Absichten zu mißbrauchen. Sie erhebt sich, um, militärisch gestärkt, neue militärische Stärkung zu ertrotzen. Sie erhebt sich, um als starker Bundesgenosse neue Koalitionen zur Erreichung ihrer machtpolitischen Ziele bilden zu können. Die auswärtige Politik der deutschen Diktatur bedeutet ständige Bedrohung des Friedens und damit den Zwang zum Wettrüsten. Die Diktatur, die durch schamlosen Verfassungsbruch, durch Inszenierung des Reichstagsbrandes zur Macht gelangt ist, durch frevelhaften Terror und schamlose Vergewaltigung von Recht und Gesetz die Macht behauptet, bietet erst recht keine Gewähr für die Innehaltung internationaler Verträge. Sie wird sie brechen, sobald sie den Bruch für nützlich hält.

Es ist nicht die Aufgabe der Sozialdemokratie, auf den Sturz der Despotie durch den Krieg zu hoffen. Es ist vielmehr ihre Aufgabe, den Krieg zu verhindern. Deshalb verwirft sie alle militärischen Konzessionen an Hitlerdeutschland. Sie warnt die Arbeiterparteien aller Länder, die Gefahr des deutschen Nationalsozialismus zu unterschätzen. Gleichberechtigung der Demokratie, aber keinerlei Aufrüstung für eine kriegslüsterne Diktatur! Diesem System keinen Mann und keinen Groschen, das ist die Parole der deutschen Sozialdemokratie, das muß die Losung der Sozialistischen Arbeiter-Internationale sein. Nicht militärische Zugeständnisse erfordern die Sicherung des Friedens und den Schutz der Freiheit der Nationen, sondern Wiederabrüstung, Entwaffnung und Auflösung der SA- und SS-Formationen.

Sollte der Krieg, den Festigkeit und wachsame Entschlossenheit der

Demokratie unter dem Einfluß ihrer Arbeiterparteien heute noch verhüten können, trotzdem ausbrechen, so werden die deutschen Sozialdemokraten der Despotie in unveränderter, unversöhnlicher Feindschaft gegenüberstehen. Die Einheit und Freiheit der deutschen Nation kann nur gerettet werden durch Überwindung des deutschen Faschismus. Die Sozialdemokratie wird sich mit Entschiedenheit gegen jeden Versuch von außen wenden, einen kriegerischen Zusammenbruch der Despotie in Deutschland zu einer Zerstückelung Deutschlands auszunutzen. Sie wird keinen Frieden anerkennen, der zur Zerreißung Deutschlands führt und eine Hemmung seiner freiheitlichen und wirtschaftlichen Entwicklungsmöglichkeiten bedeutet.

VII. Die Einheit des revolutionären Sozialismus

Mit dem Sieg des totalen Staates ist die Frage seiner Überwindung mit grausamer Eindeutigkeit gestellt. Die Antwort lautet: totale Revolution, moralische, geistige, politische und soziale Revolution!

In diesem Kampf wird die Sozialdemokratische Partei eine Front aller antifaschistischen Schichten anstreben. Sie wird die Bauern, die Kleingewerbetreibenden, die Kaufleute, die durch die Versprechungen der Nationalsozialisten betrogen sind, sie wird die Intellektuellen, die unter dem gegenwärtigen Regime ein bisher unvorstellbares Maß der Unterdrückung erleiden, zum gemeinsamen Kampf mit der Arbeiterklasse aufrufen. Wir haben den Weg, wir haben das Ziel des Kampfes gezeigt. Die Differenzen in der Arbeiterbewegung werden vom Gegner selbst ausgelöscht. Die Gründe der Spaltung werden nichtig. Der Kampf zum Sturz der Diktatur kann nicht anders als revolutionär geführt werden. Ob Sozialdemokrat, ob Kommunist, ob Anhänger der zahllosen Splittergruppen, der Feind der Diktatur wird im Kampf durch die Bedingungen des Kampfes selbst der gleiche sozialistische Revolutionär. Die Einigung der Arbeiterklasse wird zum Zwang, den die Geschichte selbst auferlegt. Die Führung der deutschen Sozialdemokratie weiß sich deshalb frei von jeder sektenhaften Abschließung und ist sich ihrer Mission bewußt, die Arbeiterklasse in einer politischen Partei des revolutionären Sozialismus zu vereinigen. Wie sie die illegale Arbeit aller Gruppen, die den Kampf gegen die Diktatur und nicht gegen andere Parteien der Arbeiterklasse führen, zu unterstützen bereit ist, so öffnet sie ihre Zeitungen, Zeitschriften und Publikationen allen Diskussionen über die Probleme des revolutionären Sozialismus, der Machteroberung und der Machtbehauptung in der Überzeugung, daß nur aus gemeinsamer geistiger Arbeit die Verwirklichung des einheitlichen revolutionären sozialistischen Bewußtseins der Arbeiterklasse entstehen kann. Aber sie lehnt es ab, die Selbstzerfleischung zuzulassen, die um der Frage der Ausnutzung noch nicht errungener Siege willen die Spaltung der Arbeiterklasse, den sichersten Schutz der Diktatur, verewigen will.

Die nationalsozialistischen Machthaber rühmen sich, die revolutionäre sozialistische Arbeiterbewegung vernichtet, den Freiheitsgedanken ausgerottet zu haben. Sie sind die Sieger und üben an den Unterdrückten grausame Rache. Aber je größer der Sieg, der Sieg der kapitalistischen Mächte, desto schwerer wird ihre künftige Niederlage sein. Die kapitalistische Entwicklung schafft selbst ihre Totengräber, und der Triumph von heute ist der Untergang von morgen.

Gegen die faschistische Barbarei führen wir den Kampf für die großen unvergänglichen Ideen der Menschheit. Wir sind die Träger der großen geschichtlichen Entwicklung seit der Überwindung der mittelalterlichen Gebundenheit, wir sind die Erben der unvergänglichen Überlieferungen der Renaissance und des Humanismus, der englischen und der französischen Revolution. Wir wollen nicht leben ohne Freiheit, und wir werden sie erobern. Freiheit ohne Klassenherrschaft, Freiheit bis zu völligen Aufhebung aller Ausbeutung und aller Herrschaft von Menschen über Menschen!

Das Blut der Opfer wird nicht umsonst geflossen sein. Deutsche Arbeiter, ihr habt nur die Ketten eurer Knechtschaft zu verlieren, aber die Welt der Freiheit und des Sozialismus zu gewinnen. Deutsche Arbeiter, einigt euch im revolutionären Kampf zur Vernichtung der nationalsozialistischen Diktatur! Durch Freiheit zum Sozialismus, durch Sozialismus zur Freiheit! Es lebe die deutsche revolutionäre Sozialdemokratie, es lebe die Internationale!

c) Lagebericht Nr. 4 des Geheimen Staatspolizeiamts Karlsruhe (Auszug), 17. Februar 1934

Jörg Schadt (Bearb.): Verfolgung und Widerstand unter dem Nationalsozialismus in Baden. Lageberichte der Gestapo und des Generalstaatsanwalts Karlsruhe 1933–1945, Stuttgart 1976, S. 67ff.

A. Illegale KPD-Organisation

Durch die ununterbrochene Folge täglicher Festnahmen von Personen, die sich staatsfeindlich äußern, kommunistische Gesinnung durch unvorsichtige Bemerkungen, oft unter Alkoholeinfluß, an den Tag legen, wird die Neubildung der KPD äußerst erschwert. Mehrere ehemalige KPD-Mitglieder, die sich z. B. in Kehl in einer Wohnung trafen, um den Moskausender zu hören, wurden festgenommen und sofort nach Kislau transportiert, da der Verdacht naheliegt, daß diese Personen auch heute noch sich illegal organisiert haben. Den Beweis zu erbringen ist z. Z. bei den Tarnungsmethoden der KPD derartig schwer, daß hierfür weder Personal noch Zeit ausreichen würden. In Freiburg wurden wieder Flugblätter verteilt, ohne daß die Täter festgenommen werden konnten; die 15 als Repressalie wieder inhaftierten ehemaligen Funktionäre bleiben daher weiter in Schutzhaft. Auch in Mannheim gelang es, drei KPD-Organisatoren und Kuriere, darunter den ehemaligen kommunistischen Stadtverordneten Leonhard Dengler, festzunehmen. Der einer besseren Sache würdige Fanatismus einer durchaus beachtlichen Anzahl auch heute noch überzeugter KPD-Anhänger kennzeichnet folgende Äußerung des festgenommenen Steindruckers Heilig: »Unser Stern leuchtet im Dunkeln immer noch heller als eurer bei Tag!«

d) Lagebericht Nr. 5 des Geheimen Staatspolizeiamts Karlsruhe (Auszug), 3. März 1934

Jörg Schadt (Bearb.): Verfolgung und Widerstand unter dem Nationalsozialismus in Baden. Lageberichte der Gestapo und des Generalstaatsanwalts Karlsruhe 1933–1945, Stuttgart 1976, S. 74 ff.

Die politische Lage im Lande Baden kann für den Berichtszeitraum als ruhig bezeichnet werden. Die illegale Tätigkeit der KPD in Unterbaden ist zur Zeit auf ein Minimum zurückgegangen. Speziell die neuerdings in Karlsruhe erfolgten Festnahmen lassen die Hoffnung zu, daß dadurch die Aktivität der örtlichen Kommunistenkreise für Wochen und Monate unterbunden ist. Es ist auch anzunehmen, daß die Erfolge der Polizei insofern abschreckend wirken, als das Risiko, bei einer illegalen Tätigkeit zugunsten der KPD entdeckt zu werden, ziemlich groß geworden ist, so daß sich nicht leicht Leute finden werden, die bereit sind, anstelle der Festgenommenen in der Geheimorganisation der KPD zu arbeiten. Hingegen muß eine besondere Aufmerksamkeit der Tätigkeit der KPD in Oberbaden zugewendet werden. Von den kommunistischen Zentralen in Basel und Schaffhausen aus läßt sich sehr leicht eine Verbindung zu den früheren Kommunisten in der Gegend von Freiburg, Lörrach, Schopfheim und Waldshut aufnehmen. Dafür, daß gerade von Basel und Schaffhausen aus im Sinne der KPD gewirkt wird, spricht die Tatsache, daß in der Nacht zum 16. Februar 1934 in Freiburg eine größere Menge kommunistischer Flugblätter aufgetreten ist, deren Verteiler bis jetzt noch nicht ermittelt werden konnten und daß die örtlichen Kommunistenkreise in Tiengen und Albbruck eine verdächtige, zur Zeit allerdings noch nicht nachhaltig erfaßbare Tätigkeit entwickeln.

In Freiburg besteht offenbar neben der eigentlichen Geheimorganisation der KPD eine Sonderorganisation, deren Aufgabe lediglich darin besteht, illegale Druckschriftenpropaganda zu treiben. Diese Nebenorganisation besitzt in jedem Stadtteil einen verantwortlichen Obmann; die Ermittlungen hierüber werden vermutlich in den nächsten Wochen einen greifbaren Erfolg bringen. Vertraulichen Mitteilungen zufolge soll in Kreisen der KPD die Absicht bestehen, den Sitz einer illegalen Unterbezirksleitung nach Konstanz zu verlegen. Näheres ist hierüber nicht bekannt. Es muß sogar fraglich erscheinen, ob Konstanz sich hierfür besonders eignet, da es immerhin eine kleinere Stadt mit einem überwiegend agrarischen Hinterland ist.

e) Aufruf des Zentralkomitees des Kommunistischen Jugendverbandes Deutschlands, Sektion der Kommunistischen Jugend-Internationale (Auszug), August 1934

Jörg Schadt (Bearb.): Verfolgung und Widerstand unter dem Nationalsozialismus in Baden. Lageberichte der Gestapo und des Generalstaatsanwalts Karlsruhe 1933-1945, Stuttgart 1976, S. 108ff. – Dieses Flugblatt wurde Ende August 1934 auch in Freiburg illegal verbreitet.

Grau liegt das »Morgen« vor uns, vor der werktätigen Jugend Deutschlands. Aus den Betrieben gezerrt, als Sklaven aufs Land und in die Arbeitsdienstlager verschickt, von Braut und Bräutigam, von Eltern und Geschwistern jäh fortgerissen, wird Deutschlands Jugend in die finsterste Zukunftslosigkeit gestoßen.

Millionen Jungens und Mädels glaubten, beim Marsch ins Dritte Reich in ein Land des Sozialismus zu wandern. Sie stehen jetzt an der Bahre ihrer Jugendideale, vor den Trümmern ihrer Jugendhoffnungen, denn sie erfahren: »Hitlerdeutschland ist ein Land des Zwanges, der Knechtschaft und der Zukunftslosigkeit!« Es versperrt uns jeden Lebensraum, jeden Aufstieg. Junge werktätige Menschen! Sozialdemokratische Jungarbeiter! Jungkameraden in den katholischen Organisationen, in der Arbeitsfront und der Hitlerjugend!

Wir Kommunisten wollen gemeinsam mit Euch das herannahende Kriegsverbrechen verhindern und die Sklaverei der Jugend zerbrechen.

f) Gemeinsamer Aufruf der Bezirksleitungen Süd- und Mittelbaden der Roten Hilfe und der SPD gegen den faschistischen Terror, Januar 1935

Jörg Schadt (Bearb.): Verfolgung und Widerstand unter dem Nationalsozialismus in Baden. Lageberichte der Gestapo und des Generalstaatsanwalts Karlsruhe 1933–1945, Stuttgart 1976, S. 208f.

Schluß mit dem Terror!

Seit zwei Jahren wütet in Deutschland der Terror der braunen Barbaren. Tausende der Besten des werktätigen Volkes, Vorkämpfer für ein freies Deutschland, Aufrechtgesinnte wurden ermordet. Hunderttausende in den Verließen und »Vernehmungsräumen« der Gestapo und der SA auf das Unmenschlichste gefoltert und geschunden. Weit über Hunderttausend schmachten heute noch in den Konzentrationslagern und Gefängnissen Deutschlands, darunter solche, die bereits im Februar/März des Jahres 1933 verhaftet wurden und denen man nicht das geringste zur Last zu legen vermag. Denen man weder eine Anklageschrift zustellte, noch überhaupt in der Lage war, einen Prozeß zu machen.

Frauen wurden als Gefangene verschleppt, mißhandelt, erpreßt, als Geiseln festgehalten. Kinder wurden verprügelt und zwangsweise in die Höllen der Erziehungsheime gesteckt, beschimpft und moralisch gedemütigt. Aufrechte Geistliche, die die Gewissens- und Bekenntnisfreiheit verteidigten und für ihre Gesinnung geradestanden, warf man in Gefängnisse und Konzentrationslager.

Intellektuelle, werktätige Mittelständler, Bauern, die zu Beginn der Herrschaft Hitlers diesem ehrliches Vertrauen entgegenbrachten, sind erschüttert über das Maß der Grausamkeit und zynischen Brutalität, mit der das braune System nicht nur seine Gegner verfolgt, sondern auch in den eigenen Reihen durch blutigen Mord jede Kritik und Opposition niederhält, wie durch den 30. Juni 1934* der Welt ein schauderhaftes Beispiel gegeben wurde.

Dieser in der Weltgeschichte beispiellose Terror richtet sich gegen alle ohne Unterschied der Partei, der Weltanschauung oder des religiösen Bekenntnisses, die nicht bedingungslos dieses System des Wahnsinns unterstützen. Zwei Jahre Hitler haben Deutschland in ein einziges Zuchthaus verwandelt.

Gleich ist das Schicksal der Erschlagenen und Hingerichteten von John Scheer und Steinfurth bis zu den Katholikenführern Klausener und Probst. Gleich ist das Schicksal all derer, die in den Konzentrationslagern und Zuchthäusern geschunden und gemartert werden. Gleich ist die Not und die Verzweiflung aller Angehörigen der Ermordeten und Eingekerkerten.

* Ermordung Ernst Röhms und weiterer SA-Führer.

Ihre Frauen und Kinder, ihre Angehörigen sind ständig dem Druck der Menschenjäger, der Gestapo, ausgesetzt. Sie leiden bitterste Not. Des Ernährers beraubt, die Unterstützung entzogen, den Schikanen und Demütigungen der Gestapo ausgesetzt, sind sie einzig und allein angewiesen auf die Solidarität all derer, die Gegner des braunen Terrorsystems sind.

Wir denken bei uns in Baden immer an den Fall des sozialdemokratischen Staatsrates Marum, den man im Konzentrationslager Kislau nach den unmenschlichsten Quälereien zum »Selbstmord« getrieben hat. Wir denken an den kommunistischen Landtagsabgeordneten Boening, dem man in der Haft einen Arm zerschlug und dann zu hoher Zuchthausstrafe verurteilte. Wir denken an den aufrechten katholischen Pfarrer aus Stetten im Wiesental, der wegen seines mutigen Bekenntnisses zur Gewissensfreiheit für mehrere Monate in den Kerker gehen mußte.

Die Rote Hilfe Deutschlands, Bezirk Süd- und Mittelbaden, und die Sozialdemokratische Partei, Bezirk Süd- und Mittelbaden, haben in gemeinsamen Besprechungen die Lage geprüft und sind zu dem Ergebnis gekommen, daß die Hilfe für die Opfer des braunen Terrors, ohne Unterschied der Partei- oder Weltanschauung, die dringendste Aufgabe ist, daß der Kampf um die Erleichterung der Lage der Eingekerkerten sowie deren Familien, der Kampf um ihre Freilassung nur dann erfolgreich geführt werden kann, wenn es gelingt, alle Nichtfaschisten zu einem einheitlichen Handeln zusammenzufassen.

Sie rufen daher gemeinsam alle Gegner des Systems und alle die, die bereit sind, die Not der Verfolgten zu lindern, um ihren Familien zu helfen, auf, sich der großen, allumfassenden Hilfsgemeinschaft für die Opfer des faschistischen Terrors anzuschließen, in allen Orten, in den Organisationen und Betrieben gemeinsame Hilfskomitees zu bilden, sich in Spenderkreisen zusammenzuschließen und Patenschaften für Gefangene, für Familien Gefangener und Ermordeter zu übernehmen.

Sie rufen gemeinsam auf, dem Wüten des Terrors, den Folterungen und Mißhandlungen, den Morden und Hinrichtungen durch geschlossenes Auftreten ein Ende zu bereiten und die furchtbare Lage der Gefangenen in den Konzentrationslagern und Zuchthäusern zu ändern.

Die Erfüllung dieser Aufgaben ist eine der vornehmsten Pflichten gegenüber den heldenhaften Kämpfern, die um ihrer Überzeugung willen leiden. Sie ist aber auch gleichzeitig eines der wirksamsten Mittel für die Stärkung und Verbreiterung der Kampffront gegen das barbarische faschistische System. Unsere Kämpfer, die täglich bereit sind, ihr Leben für ein freies Deutschland in die Schanze zu schlagen, sollen die Gewißheit haben, daß alle die Millionen, die innerlich gegen das Blutsystem des Faschismus sind, zu ihnen stehen und bereit sind, mitzuwirken und zu helfen.

Wir sind überzeugt, daß dieser Appell an die Solidarität mit allen Opfern des faschistischen Blutregimes von allen Nichtfaschisten auf das freudigste begrüßt wird und daß es uns gelingen wird, eine breite Massenfront des Schutzes und der Hilfe aufzurichten und die Bereitschaft zum Kampf für die Beseitigung dieses Systems zu steigern. Millionenfach muß den Volksbetrügern und Henkern der Ruf in die Ohren gellen:

Heraus mit allen eingekerkerten antifaschistischen Gefangenen! Schluß mit den Morden und Hinrichtungen! Beweist durch gemeinsames Handeln, daß die Solidarität mit den heldenhaften Kämpfern und ihren Familien in euch lebendig ist!

Freiburg i. Br., im Januar 1935

Rote Hilfe Deutschlands,
Bezirksleitung Süd- und Mittelbaden.
Sozialdemokratische Partei Deutschlands,
Bezirksleitung Süd- und Mittelbaden.
Roter Schutzbund, Brigade Karl Liebknecht,
Baden.

g) Gemeinsames Programm sozialdemokratischer und kommunistischer Organisationen für den antifaschistischen Kampf, 15. Januar 1935

Jörg Schadt (Bearb.): Verfolgung und Widerstand unter dem Nationalsozialismus in Baden. Lageberichte der Gestapo und des Generalstaatsanwalts Karlsruhe 1933–1945, Stuttgart 1976, S. 301 f.

An alle Arbeiter und Werktätigen von Mittel- und Oberbaden!

Mit dem 30. Januar 1933 hat in der deutschen Arbeiterbewegung eine neue Epoche begonnen. Die tiefe Krise des Kapitalismus in Deutschland erforderte eine Änderung seiner Herrschaftsmethoden. Die Weimarer Republik, in der die Bourgeoisie ihre Diktatur unter »demokratischem« Deckmantel ausübte, mußte der brutalsten Diktatur Platz machen. Alle Rechte und Einrichtungen der Arbeiterschaft wurden zerschlagen, ihre Organisationen verboten und verfemt. Zehntausende aufrechte Arbeiter wurden hingemordet, gefoltert, in Zuchthäuser und Konzentrationslager geworfen.

Heute erkennen die werktätigen Massen bereits klarer, daß ihnen das »Dritte Reich« des Finanzkapitals nicht »Freiheit und Brot«, sondern noch tiefere Knechtschaft und Not gebracht hat. Immer deutlicher wird, daß Hitler Deutschland in die Katastrophe, in ein neues imperialistisches Weltgemetzel führt.

Trotz Terror und Mord ist es den braunen Henkern nicht gelungen, den Klassenkampf und damit den Marxismus auszurotten. Der Lüge der faschistischen »Volksgemeinschaft« stellen wir entgegen den unversöhnlichen Klassenkampf. Die Verfolgten und Gefolterten von heute werden die Sieger von morgen sein.

Mehr denn je ist es heute notwendig, die einheitliche, gesammelte Kraft aller auf dem Boden des Klassenkampfes stehenden, illegalen Arbeiterorganisationen dem Faschismus entgegenzustellen. Unser aller Ziel ist der Sturz des Kapitalismus, die Eroberung der politischen Macht durch die Arbeiterklasse, die Errichtung der Diktatur des Proletariats, eines wahrhaft sozialistischen Rätedeutschlands. Zur Erkämpfung dieses Zieles, zur Heranführung der breitesten Massen an die entscheidenden Kämpfe um die Macht, verpflichten sich die unterzeichneten Arbeiterorganisationen, sofort folgende Aufgaben gemeinsam durchzuführen:

1. Gemeinsame Organisierung des Widerstandes gegen den Lohnraub und jegliche Verschlechterung der Arbeitsbedingungen in den Betrieben. Organisierung des Kampfes für Lohnerhöhung und Verbesserung der Arbeitsbedingungen.

2. Wiederaufbau der freien Gewerkschaften auf der Grundlage des unversöhnlichen Klassenkampfes.

3. Organisierung einer breiten Opposition in der Arbeiterfront. Ausnützung aller erlangbaren legalen Positionen und Möglichkeiten in der Arbeitsfront zur Unterstützung dieser revolutionären Oppositionsarbeit und der Auslösung von betrieblichen Kampfbewegungen.

4. Organisierung des Massenwiderstandes gegen die faschistischen Kriegsvorbereitungen, vor allem des Kampfes gegen die militärischen Massenrekrutierungen. Verstärkung der revolutionären Arbeit, insbesondere auch in den Rüstungsbetrieben. Revolutionär-antimilitaristische Arbeit unter den bewaffneten Formationen der Bourgeoisie, Oppositionsarbeit in der SA, HJ und Arbeitsdienst.

5. Für die unbedingte Verteidigung der Sowjetunion. Propagierung der Errungenschaften des sozialistischen Aufbaues unter der proletarischen Diktatur.

6. Zusammenfassung aller klassenbewußten Arbeiter in Betrieb und Wohngebiet zu einem proletarischen Massenselbstschutz zur Abwehr des faschistischen Terrors. Aufbau einer einheitlichen revolutionären Wehrorganisation als eines Kaders der künftigen Roten Garden zum Sturz der Bourgeoisie.

7. Aktivste Unterstützung des Kampfes der proletarischen Jugend, ihrer Oppositionsarbeit in Hitlerjugend und Arbeitsdienst.

8. Gemeinsame Unterstützung der Opfer des antifaschistischen Kampfes durch das Solidaritätswerk der Roten Hilfe. Tatkräftiger Kampf für die Befreiung von Thälmann, Mierendorff und allen Gefangenen des Faschismus.

Die unterzeichneten Organisationen rufen alle antifaschistischen Arbeiter und Werktätigen auf, diesem ihrem Appell zur Aktionseinheit Folge zu leisten, aktiv mitzuwirken am Kampf gegen die »braune Diktatur« des Hungers und des Krieges. Vorwärts Genossen, mit vereinter Kraft zum Kampf gegen den Faschismus, für den Sieg des Proletariats!

Freiburg, am 15. Todestag von Karl Liebknecht und Rosa Luxemburg.

Bezirksleitung der Roten Hilfe für Mittel- und Oberbaden.
Bezirksleitung der SPD für Mittel- und Oberbaden.
Bezirksleitung der KPD für Mittel- und Oberbaden.
Bezirksleitung des KJV für Mittel- und Oberbaden.
Roter Schutzbund, Brigade Karl Liebknecht, Baden.

h) Bericht Nr. 33 des Geheimen Staatspolizeiamts Karlsruhe an den badischen Innenminister, 30. Mai 1936

Jörg Schadt (Bearb.): Verfolgung und Widerstand unter dem Nationalsozialismus in Baden. Lageberichte der Gestapo und des Generalstaatsanwalts Karlsruhe 1933–1945, Stuttgart 1976, S. 187ff.

Bei der Überwachung und Bekämpfung der Feinde des nationalsozialistischen Staates im Lande Baden konnte schon bald festgestellt werden, daß mit dem Verbot und der Zerschlagung der kommunistischen und marxistischen Parteiorganisationen keineswegs ein restloser Stillstand in der Tätigkeit dieser Bewegungen eingetreten war. War schon geraume Zeit vor der Machtübernahme durch den Nationalsozialismus die Kommunistische Partei Deutschlands in der Erkenntnis der heranbrechenden staatspolitischen Umwälzung dazu übergegangen, einen illegalen Parteiapparat zu organisieren, so zeigte es sich nunmehr, daß der Auf- und Ausbau des illegalen Apparats mit Zähigkeit und Beharrlichkeit betrieben wurde, eine Tätigkeit, die heute keineswegs ihren Abschluß gefunden hat.

In einer großen Anzahl bereits abgeurteilter und noch anhängiger Strafverfahren vor dem Volksgerichtshof und den Oberlandesgerichten im Reich und in Baden ist eine bis in die Zeit der nationalen Erhebung zurückgehende Tätigkeit der KPD und SPD festgestellt worden, ohne daß es in diesen Verfahren je gelungen ist, den Umfang der staatsfeindlichen Tätigkeit restlos aufzuklären. Es konnte in den meisten Fällen nur festgestellt werden, daß sich die genannten Parteiorganisationen in einzelnen Städten und Stadtteilen neu organisierten, Beiträge einzogen und illegale Druckschriften, die entweder im Inland hergestellt oder vom Ausland eingeschmuggelt wurden, zur Verbreitung brachten. War eine Organisation aufgedeckt und ausgehoben und somit die Verbindung zwischen den einzelnen illegalen Gruppen und Zellen abgerissen, so konnte schon nach kurzer Zeit die Wahrnehmung gemacht werden, daß neue Gruppen im Aufbau begriffen waren.

Im allgemeinen konnte bis in die jüngste Zeit folgende Arbeitsweise des illegalen Apparates beobachtet werden:

Die illegalen Funktionäre versuchen zunächst solche Volksgenossen ausfindig zu machen und mit ihnen in Fühlung zu kommen, von denen sie annehmen können, daß sie aufgrund ihrer wirtschaftlichen Verhältnisse (Arbeitslosigkeit, schlechte Bezahlung usw.) oder aufgrund ihrer früheren politischen Haltung dem nationalsozialistischen Regime innerlich ablehnend oder zumindest gleichgültig bzw. abwartend gegenüberstehen. Eine hervorragende Gelegenheit, die Stimmung solcher Volksgenossen kennenzulernen, bietet sich fast immer auf den Stempelstellen der Arbeitsämter. Bei vorsichtiger Kritik noch vorhandener Mängel sind bald diejenigen Leute herausgefunden, die einer Beeinflussung zugänglich sind. Durch langsame intensive und systematische Bearbeitung, durch krasse Herausstellung alles auch nur Kritisierbaren, wird den angegangenen Volksgenossen die Überzeugung zu eigen gemacht, daß die bestehende Staatsordnung ein Machtinstrument einzelner weniger Gewalthaber oder (einer) bestimmten Klasse zur Knechtung der großen Masse des besonders arbeitenden (!) Volkes darstelle und daher deren Beseitigung als Voraussetzung zur Aufrichtung des wahren und sozialistischen Staatswesens notwendig sei. Diese weltanschauliche Gesinnung ist aber die geeignete Grundlage, um nunmehr diese Volksgenossen in die illegale Tätigkeit des kommunistischen oder sozialdemokratischen Parteiapparates einzuführen.

Dies geschieht in einer Weise, daß das geworbene Mitglied keineswegs Einblick in den Aufbau der illegalen Organisationen erhält. Es weiß zunächst nur, daß es eine Notwendigkeit ist, die Gleichgesinnten, die unter dem Druck des bestehenden Regimes wirtschaftlich oder in anderer Weise zu leiden haben, zu unterstützen. Näheres wird ihm nicht mitgeteilt. Die erste Tätigkeit für die Organisation ist daher die finanzielle Unterstützung in Gestalt eines monatlichen Geldbetrages. Wird der Neuling von dem ihn betreuenden Funktionär als vertrauenswürdig erachtet, so erhält er nach einiger Zeit entweder mit der Post oder, was im allgemeinen üblich ist, durch Briefkasteneinwurf im Haus Flugblätter zugestellt. Hat der Funktionär bei der Überwachung des Neulings festgestellt, daß er sich nicht begnügt, die ihm übermittelten Zeitungen zu lesen und dann zu vernichten, sondern daß er auch in seinem Bekanntenkreis für Weiterverbreitung sorgt, dann folgt die weitere Bearbeitung, die Gründung der fünften Gruppe bzw. dritten Gruppe.

Einige Zeit später erfolgt dann der Zusammenschluß der Gruppen in eine Stadtteilleitung und Unterbezirksleitung. Verschiedene Unterbezirksleitungen werden zu einer Bezirksleitung zusammengefaßt und von einem Polleiter, einem Techniker und von einem Hauptkassier geleitet. Der Techniker hat insbesondere dafür zu sorgen, daß die auswärtigen Kuriere illegal bei einem zuverlässigen Genossen Unterschlupf finden. Ferner hat er die Verbreitung der illegalen kommunistischen Druckschriften zu organisieren. Sämtliche Funktionäre führen Decknamen und geben sich auch ihren eigenen Genossen nie mit dem richtigen Namen zu erkennen.

Anfangs 1934 wurde in Baden die Wahrnehmung gemacht, daß sich die KPD und SPD tatsächlich illegal organisiert hat. In Mannheim wurde seinerzeit festgestellt, daß die SPD eine größere Anzahl illegaler Druckschriften vom Ausland einführte und zur Verbreitung brachte.

Durch längere Überwachung, die sich oft bis in die Morgenstunden hinzog, gelang es im Oktober 1934, in Mannheim und Karlsruhe eine größere Anzahl Funktionäre der illegalen SPD festzunehmen und des Hochverrats zu überführen. Bei den Festgenommenen handelte es sich damals um Henk aus Heidelberg, Deckname »Rechberg«, Calvi, Deckname »Sassa«, Alterthum, Deckname »Dr. Mann«, Gräber, Jattiot, Layer, Neunreither, Baumann und noch 14 SPD-Genossen. Alterthum und Layer sind Juden. Georg Ott, der ebenfalls zu dem illegalen SPD-Apparat gehörte, ging am 4.10.34 nach dem Saargebiet flüchtig und hält sich heute in Frankreich auf. Während das Verfahren gegen Baumann mangels hinreichender Beweise eingestellt werden mußte, wurden die übrigen Personen alle von dem Strafsenat des Oberlandesgerichts in Karlsruhe bestraft.

Damals wurde festgestellt, daß sich die Anhänger der illegalen SPD in zwei Gruppen teilten, und zwar in die »Prager Richtung« unter Leitung des Ott und in die »Rechberg-Gruppe« unter Leitung von Henk. Beide Gruppen hatten Verbindungen mit Emigranten im Ausland, insbesondere mit dem früheren Landtagsabgeordneten der SPD in Baden, Georg Reinbold, der vom Generalstaatsanwalt in Karlsruhe wegen Vorbereitung zum Hochverrat ausgeschrieben ist. Sie hatten auch gemeinsame Sitzungen in Heidelberg, im Saargebiet und der Pfalz. Der Unterschied der einzelnen Gruppen war der, daß die Anhänger der »Prager Richtung« sich bedingungslos der früheren SPD-Leitung anschlossen, während die »Rechberg-Gruppe« unter Ausschaltung der Emigranten den Neuaufbau der SPD durchführen wollte. Später kam es jedoch wieder zu einer Einigung, und der Neuaufbau wurde gemeinsam von beiden Gruppen betrieben.

Ott richtete Ende 1933 in Mannheim bei einem Hans Heilig eine Stelle für illegales Druckschriftenmaterial ein und nahm die Verbindung mit Frankfurt, Orten an der Bergstraße, Pfalz, Worms und Stuttgart auf. Er beschaffte unter Vermittlung durch den Emigranten Reinbold illegales Druckschriften-Material und verteilte es in der Wohnung des Heilig an die verschiedenen auswärtigen Kuriere. Die Menge der einzelnen hochverräterischen Druckschriften (es handelte sich um die »Sozialistische Aktion«, die im Ausland hergestellt wird) betrug anfänglich etwa 500 Exemplare, und später steigerte sich die Menge auf 1500 bis 2000 Exemplare. Als Henk verhaftet wurde und Ott flüchtig ging, ließ Ott einen gewissen Karl Mayer aus Mannheim nach dem Saargebiet kommen und übergab ihm dort die Verbindungen (!) der SPD. Mayer leitete die geschaffene Organisation weiter und setzte neue Funktionäre ein. Er bezog das illegale Druckschriftenmaterial anfänglich von Basel und später vom Saargebiet.

Mayer und eine größere Anzahl Personen wurden am 26.4.35 festgenommen, und Mayer wurde von dem Strafsenat des Volksgerichtshofes wegen Vorbereitung zum Hochverrat zu sechs Jahren Zuchthaus verurteilt. Das Verfahren der übrigen 22 Personen wurde zum Teil von dem Strafsenat des Oberlandesgerichts in Karlsruhe und Darmstadt abgeurteilt.

Nach der Festnahme des Mayer übernahm der vorseits schon einmal erwähnte Baumann die Leitung. Er nahm ebenfalls die Verbindung wieder auf und belieferte die besagten Stellen mit illegalem Material.

Am 15.12.35 konnte Baumann mit noch sechs Funktionären der SPD in Mannheim festgenommen werden. Bei der Überwachung des Baumann wurde ein Kurier der SPD, der vom Saargebiet kam, festgenommen, und das bei ihm befindliche Druckschriftenmaterial - cirka 1500 Exemplare »Sozialistische Aktion« und cirka 3000 Flugblätter - konnte beschlagnahmt werden. Bei dem Kurier handelte es sich um den SPD-Funktionär Richard Hussong aus Neunkirchen. Hussong hat von Anfang 1935 bis zu seiner Festnahme - 15.12.35 - monatlich 1500 bis 2000 Exemplare der »Sozialistischen Aktion« nach Mannheim zu dem erwähnten Heilig gebracht. Heilig hat nun die Exemplare an die verschiedenen Kuriere der illegalen SPD weitergeleitet. Bis zum Jahre 1935 wurden die Schriften von der Schweiz von einem gewissen Konrad Lutz aus Haltingen eingeschmuggelt.

Der Kurier Lutz hatte die Verbindung mit der SPD-Leitung in Freiburg i. Br., Mannheim und Stuttgart. Er stand mit dem ehemaligen Kriminalkommissar Schlotter aus Stuttgart, der heute als Emigrant in Basel ist, in engster Verbindung. Schlotter ist der eigentliche Organisator der illegalen SPD für Baden und Württemberg.

Im Jahre 1934 hat in Antwerpen eine Versammlung der illegalen SPD stattgefunden. An dieser Versammlung haben aus dem Reich etwa 30 SPD-Genossen teilgenommen. Die näheren Anweisungen über die illegale Fortführung der SPD stammen von Reinbold, Wels und Sollmann.

Durch die weiteren Ermittlungen in der Strafsache Hussong, Heilig, Baumann, Braun (Stuttgart), Reindl (Freiburg) sowie Finkernagel (Schwetzingen) konnten im April 1936 in Mannheim weitere 58 Personen festgenommen werden. Ferner durch Ermittlungen der Gestapobeamten in Mannheim in Worms 27 Personen, in Freiburg 34 Personen und in Darmstadt 4 Personen. Gegen sämtliche Personen ist ein Verfahren beim Oberreichsanwalt in Berlin wegen Vorbereitung zum Hochverrat anhängig.

Genau auf die gleiche Art und Weise hat sich auch die KPD in Baden neu organisiert.

Durch den Unterzeichneten wurde festgestellt, daß sich die KPD in den Grenzorten Waldshut, Tiengen, Unter- und Oberlauchringen, Blasiwald, Schopfheim, Lörrach und Weil usw. seit Anfang 1934 neu aufgebaut hat. Es wurden Beiträge in Höhe von monatlich 80 Pf bezahlt, Druckschriften von der Schweiz eingeschmuggelt und an die zahlenden Mitglieder der illegalen KPD weitergegeben. Durch umfangreiche Ermittlungen konnten im Jahre 1936 in den oben bezeichneten Orten 54 KPD-Funktionäre des Hochverrats überführt werden.

Bezeichnend ist ferner noch, daß bei einzelnen Funktionären in Waldshut bei der Festnahme über 120 RM Beitragsgelder für die illegale KPD beschlagnahmt werden konnte. Die Mitgliederzahl der illegalen KPD umfaßt nach den gemachten Feststellungen etwa 200 Personen.

Sämtliche Festgenommenen haben sich durch ihre Handlungsweise für die Ziele der illegalen SPD und KPD eingesetzt. Nach ihrer politischen Vergangenheit und aufgrund ihrer Beziehungen zu maßgebenden Funktionären der illegalen SPD und KPD in der Schweiz und im übrigen Ausland waren sie sich über die hochverräterischen Bestrebungen dieser Parteien im klaren. Insbesondere war ihnen aus dem illegalen Druckschriftenmaterial, das sie erhalten haben, bekannt, daß die illegale SPD und KPD den gewaltsamen Sturz der Reichsregierung erstrebt. Aufgrund dieser gewaltigen Aktion kann ohne weiteres angenommen werden, daß der illegale Apparat der SPD und KPD auf längere Zeit vollständig aufgelöst und zerschlagen ist.

i) Aufruf an die süddeutschen Bauern zum gemeinsamen Kampf mit den Arbeitern und Handwerkern gegen den Faschismus, 1938

Dokumentationsarchiv des deutschen Widerstands, Frankfurt a.M., AN 468.

Der Bundschuh Nr. 2

Zu den bedrängten Bauern Süddeutschlands kam vor vier Jahrhunderten der Bauernführer Thomas Münzer. Er hatte von den tapferen Kämpfen der süddeutschen Bauern gehört, und bald lebte hier wieder eine Bauernbewegung auf, die ein »seltsam bundschühlich Ansehen« hatte.

Seit Münzer sehen und denken konnte, ging ihm das Elend seines Volkes nahe. Er war religiös, doch kein tatenloser Träumer. Er plante, wagte und handelte. Seiner Zeit um Jahrhunderte voraus, sprach er Worte, die genausogut für die heutigen Bauern noch Geltung haben:

»Die Ursache des Übels sind die Herren; sie nehmen alles für sich. Sie schinden und schaben den armen Bauersmann, Handwerksmann und alles, was da lebt. Die Herren machen das selber, daß ihnen der arme Mann feind wird. Die Ursache des Aufruhrs wollen sie nicht weg tun, wie kann es in die Länge gut werden? Bauer, wie soll das weitergehen?«

Wie soll dieses Jahr noch enden?, fragt heute sorgenvoll der Bauer, der vom sonntäglichen Rundgang durch die Felder zurückkommt. Er hat seine Obstbäume besucht; die Kirschen sind in der Blüte erfroren in den kalten Nächten. Die »Eisheiligen« haben ohne ihn Kirschenernte gehalten. Bei den Birnen sieht es ganz klein wenig besser aus, aber mit den Apfelbäumen steht es ganz schlimm: Alles hat der Frost vernichtet. Bei den niedrigen Getreidepreisen hat der Bauer schon mit dem Obstverkauf im kommenden Herbst gerechnet, um die Steuerschulden vom Vorjahr endlich bezahlen zu können. Nun wird es dazu wieder nicht reichen. Ob die mit den Steuern nochmals zuwarten werden? Aber dann kommen die diesjährigen Steuern dazu und die Reichsnährstandsabgaben, die Kosten für die Hagel- und Viehversicherung, die Zinsen - der Bauer sieht kein Ende! Die Schädlingsbekämpfung an den Obstbäumen muß er gerade so weiterführen wie in anderen Jahren, sonst kann er auch im nächsten Jahr keine Ernte erwarten. Aber womit soll er die Mittel für die Schädlingsbekämpfung bezahlen? Wer ersetzt ihm den diesjährigen Ausfall?

Der Bauernfunk hat vorgeschlagen, die Bauern sollten den Ausfall der Obsternte durch den Anbau von Einjahresgemüsen wettmachen, sie sollen Zwiebeln, gelbe Rüben und Kohl für den Verkauf anpflanzen. Doch es fehlt dem Bauern an Pflanzland für den Gemüsebau, an Geld für den Einkauf der Samen und Stecklinge und auch an der Zeit, denn er rackert sich doch so schon mit Frau und Kindern von früh bis spät ab. Nein, das werden nur die Großbauern und Gutsbesitzer machen können, die Land genug haben und Landhelfer zur Verfügung gestellt bekommen.

Jedesmal, wenn der Bauer am Flachsfeld vorüberkommt, ärgert er sich. Was dieser Flachsanbau das ganze Jahr hindurch Arbeit macht - Arbeit, die sich niemals lohnen kann! Daran ist nur der Reichsnährstand schuld, der mit seinen Vorschriften überall hineinredet, der einen überall bevormundet und schädigt. Der Bauer hätte auf diesem Acker Klee angebaut wegen des Futtermangels, aber der Reichsnährstand tut ja, als ob er Herr auf dem Hof sei und der Bauer nur sein Knecht. Und wozu brauchen sie den Flachs? Zu Uniformen für einen neuen Krieg. Das nächste Jahr will der Bauer keinen Flachs mehr anbauen, das hat er sich bestimmt vorgenommen. Er hat nämlich gehört, daß die Bauern in der Stuttgarter Gegend sich allesamt geweigert haben, Flachs anzubauen. Er wird mit den Nachbarn sprechen, sie wollen es ebenso machen. Was andere können, bringen wir auch fertig.

Der Bauer hätte auch schwören mögen, daß der Kontrolleur und niemand anders die Maul- und Klauenseuche im Nachbardorf eingeschleppt hat. Es ist erschreckend, wie die gefürchtete Seuche überhandnimmt. Überall hört man von ihrem Ausbruch und von dem besonders bösartigen Verlauf, den sie nimmt. Warum wirkt die Sache diesmal besonders rasch und stark? Wenn der Bauer seine mageren Kühe betrachtet, versteht er es wohl: Das mangelhaft genährte Vieh hat nicht genügend Widerstandskraft gegen die heimtückische Krankheit.

Rücksichtslos wird der verseuchte Viehbestand der kleinen Bauern abgeschlachtet. Alle Viehbesitzer sind zwar zwangsweise in der Versicherung und müssen hohe Beiträge dafür zahlen, doch nur ein Teil des Wertes der notgeschlachteten Tiere wird ersetzt. Zum Trost sprechen die Bonzen wieder vom Gemeinnutz, der diese Maßnahmen erfordere.

Der Gemeinnutz hat auch verlangt, daß man verschiedene Bauern und Landwirte, in deren Stall die Seuche aufgetreten ist, in Schutzhaft genommen hat. Sie sollen durch Unvorsichtigkeit die Verbreitung der Seuche gefördert haben. Aber dann, so überlegt der Bauer, müßte man eigentlich die Kontrolleure des Reichsnährstandes auch in Schutzhaft nehmen. Sie gehen von Hof zu Hof, von Stall zu Stall, sie bringen die Krankheit mit, sie schleppen sie in den Stall. Wer vor der Seuche sicher sein will, darf diese Schnüffler nicht mehr in den Stall lassen; wer sein Vieh vor der Ansteckung schützen will, muß auch die Hitlerbuben, die mit ihrer unverschämten Sammlerei von Haus zu Haus gehen, vom Hof weisen; sie könnten die Seuche einschleppen.

Die zerstörte Obsternte, die Dürre, die Futternot, die Seuche, der Reichsnährstand, die Steuerlast - die ägyptischen Plagen kommen dem Bauern in den Sinn, vor denen es ihm immer so gegraust hat. Die Ägypter haben damals die Juden vertrieben, das haben die Nazis auch schon lange getan, aber die Plagen sind geblieben, sind größer geworden. Denn die Braunen sind der Grund alles Übels. Alles wollen sie für sich: Die Milch - gib sie! Die Eier - gib sie her! Das Getreide - gib es heraus! Das Vieh, die Äcker, die Kinder, den Hof - sie wollen mehr, immer mehr! Machen sie es im Großen nicht gerade so? Das spanische Erz - gib her! Österreich - her damit! Jetzt schreien sie nach der Tschechoslowakei, schreien nach Kolonien - mehr, immer mehr! Blutsauger sind das und Räuber, Bauernschinder und Kriegstreiber!

Wozu nehmen sie uns alles weg, wozu schnüffeln sie in Stall und Scheuer, weshalb können sie keine Devisen für Futtermitteleinfuhr freigeben? Weil sie alles für die Kriegsrüstungen verpulvern. Sie wollen es soweit treiben, bis der Krieg uns alle verschlingt.

»Wir müssen den sudetendeutschen Brüdern helfen!«, schreien die Nazis. Der Bauer ist da anderer Meinung: Die Sudetendeutschen sollen froh sein, daß sie keinen Reichsnährstand haben. Sie haben keinen Anbau- und keinen Ablieferungszwang, keine Schlußscheine und keine Hofschnüffler. Sie können sich frei versammeln, können frei von der Leber weg reden.

Glauben die Nazis, wir werden für sie in den Krieg gehen gegen die Tschechen? Die Tschechen haben uns nichts getan, wohl aber die Nazis. Die Eroberung Österreichs hat keine Milderung unserer Not gebracht, uns würde es auch nichts helfen, wenn die Nazis die Tschechoslowakei nehmen würden. - Sie würden sie übrigens gar nicht bekommen. Die Tschechen sind nicht so nachgiebig wie die Österreicher. Sie erklärten: Wir werden uns verteidigen!

Doch wir Bauern müssen uns nach weiteren Bundesgenossen in unserem gerechten Kampf umsehen. Auch da brauchen wir nicht weit zu gehen. Denn ist es nicht gerade so wie damals zu Münzers Zeiten vor 400 Jahren? »Sie schinden und schaben den armen Bauersmann, Handwerksmann und alles, was da lebt?«

Wir stehen nicht allein. In jedem Gespräch mit den Handwerkern unseres Ortes können wir hören, daß die Handwerker genauso unter dem Nazisystem leiden wie wir. Sie seufzen unter der Steuerlast, sie bekommen die notwendigsten Rohstoffe nicht oder nur in ungenügendem Maße nach umständlichen Bemühungen. Schon viele waren gezwungen, ihre Werkstätte ganz zu schließen. Und die Arbeiter mit ihren Hungerlöhnen, die den reinsten Zuchthausbetrieb in ihren Fabriken haben, die für die verhaßten Kriegstreiber schuften müssen, sind sie nicht unsere natürlichen Bundesgenossen im Kampf gegen Hitler? Hat nicht schon mancher von uns nach einem Gespräch mit dem Pfarrer oder mit einem Lehrer gedacht: »Der ist auch kein Nazi!«

Wir müssen mit all diesen Leuten bei jeder Gelegenheit sprechen, und wir werden sehen, wieviel Freunde wir haben. Wir müssen ihnen auch sagen, daß nicht wir schuld sind an dem Butter- und Eiermangel in den Städten und an den hohen Preisen, die sie bezahlen müssen, sondern die nationalsozialistische Kriegs- und Bonzenwirtschaft.

Die Nazis sprechen zwar von Volksgemeinschaft, aber tatsächlich hetzen sie einen Stand gegen den anderen auf, denn sie fürchten unsere Einheit wie das Feuer. Wir wollen uns nicht länger von ihnen gegen die Arbeiter und Mittelständler ausspielen lassen. Von allen Seiten her müssen wir mit unseren Forderungen gegen sie auftreten, die Arbeiter in der Stadt genauso wie wir Bauern auf dem Lande. Bauern, Arbeiter und Mittelständler müssen einander überall helfen, müssen einander Mut machen, müssen eine gemeinsame Front des Kampfes gegen das braune System bilden. Nur eine einige deutsche Volksbewegung wird unseren gemeinsamen Feind Hitler besiegen können!

j) Aufruf des Arbeiterbundes und der Sozialistischen Partei Basel an Ausflügler, nicht die Grenze nach Deutschland zu überschreiten

Stadtarchiv Lörrach, HA 3208.

Ausflügler aus der Schweiz: halt!
Besinnt Euch noch einmal!

Habt Ihr noch nichts davon gehört, wie es Leuten in Deutschland geht, die mit den Hakenkreuzlern nicht einverstanden sind? Habt Ihr schon beobachtet, daß selbst bürgerliche Zeitungen aus der Schweiz in ihrer freien Meinungsäußerung eingeschränkt wurden? Wollt Ihr Euch der Gefahr aussetzen, von Nazi-Jungens belästigt und angepöbelt zu werden, ohne Euch wehren zu dürfen?

Wißt Ihr, daß den Hakenkreuzlern gegenüber Menschen, die an freies Denken gewöhnt sind, alles erlaubt ist, daß aber umgekehrt Leute, die nicht mit dem gegenwärtigen Regime in Deutschland einverstanden sind, als vogelfrei erklärt wurden? Ist Euch bewußt, daß die Nazi-Burschen in der nächsten Umgebung von Basel einen starken Überwachungsdienst eingerichtet haben? Wollt Ihr angesichts dieser Tatsachen die Grenzen überschreiten?

Der beste Beweis dafür, wie die Freiheit geknechtet ist, liegt darin, daß keiner mit diesem Flugblatt über die Grenze gelassen wird. Deshalb studiert dieses Flugblatt sofort und kehrt wieder um!

Arbeiterbund Basel,
Sozialistische Partei Basel.

k) Meldung des Reichssicherheitshauptamtes an die Parteikanzlei über das Auffinden von antifaschistischen Flugblättern in Baden (Auszug), 8. Juni 1942

Dokumentationsarchiv des deutschen Widerstandes, Frankfurt a.M., AN 506.

KPD und andere marxistische Organisationen

Im Bereich der Stapoleitstelle Karlsruhe wurden auf den Bahnhöfen Engen, Mühlhausen bei Engen, Weil a.R. sowie in Orten nächst der Schweizer Grenze, in Mannheim-Rheinau und ferner auf Trittbrettern eines aus der Schweiz kommenden leeren Güterwagens wiederum in schwarzem wasserdichten Papier verpackte kommunistische Zersetzungsflugblätter aufgefunden (vgl. Meldungen vom 21.7.41, 29.8.41, 10.11.41 und 23.2.42).

Es handelt sich um ein im Rotationsdruck hergestelltes Flugblatt, das mit der Anrede: »An die deutschen Soldaten!« beginnt. Unter anderem wird darin gegen die Fortsetzung des »Völkermordens der Nazis« gehetzt, »die mit Fälschungen, Lügen und Schönfärberei die öffentliche Meinung in schamlosester Weise zu beeinflussen versuchen«, und der Klassenkampf, insbesondere die Gegnerschaft gegen die »deutschen Kapitalisten und die faschistische Regierung, die während das Volk hungert, das Durchhalten predigen«, propagiert. Einen wesentlichen Propagandastoff bildet auch die alte englische Propagandathese von der Unterscheidung zwischen deutschem Volk und dem deutschen Staat, die durch den nachfolgenden Auszug aus dem bekannten Tagesbefehl Stalins zum 24. Jahrestag der Roten Armee unterstrichen wird:

»Es ist sehr wahrscheinlich, daß der Befreiungskrieg um das Sowjetland mit sich die Ausrottung der Hitlerclique bringen wird. Wir würden eine solche Lösung mit großer Genugtuung begrüßen. Aber es wäre lächerlich, die Hitlerclique mit dem deutschen Volk und dem deutschen Staat zu identifizieren. Die geschichtliche Erfahrung lehrt uns, daß die Hitler kommen und verschwinden, daß aber das deutsche Volk und der deutsche Staat bleiben.«

Um die Moral der Truppen zu schwächen und sie schließlich zur Desertion zu bestimmen, wird weiter über einen angeblichen Kongreß von 150 deutschen Kriegsgefangenen in der Sowjetunion berichtet, auf dem der deutschen Regierung Grausamkeiten gegenüber sowjetrussischen Kriegsgefangenen und der russischen Zivilbevölkerung vorgeworfen sowie gegen die deutsche Behauptung, die Rote Armee mache keine Kriegsgefangenen, protestiert worden sei.

Die Frage: »Was müssen wir tun, um die Niederlage und den Sturz des Hitlersystems herbeizuführen?«, beantwortet das Flugblatt mit folgenden Worten:

»Sabotiert mit allen Mitteln Hitlers Kriegsmaschine! Verhindert das Weiterfahren der Transporte! Weigert Euch, an die Front zu gehen! Schießt nicht auf Rotarmisten! Wo die Rote Armee angreift, streckt die Waffen und laßt Euch gefangennehmen! Desertiert bataillons- und divisionsweise, wie das Eure Väter im Oktober 1918 getan haben! Organisiert Eure Kräfte! In allen Truppenteilen müssen sich die Gleichgesinnten zusammenschließen! In jedem Zug muß der aufrechteste Antifaschist als Vertrauensmann bestimmt werden! Wählt illegale Soldatenkomitees unter der Parole: Schluß mit dem Krieg, zurück in die Heimat!«

Am Schlusse heißt es:

»Soldaten! Kameraden! Aufgewacht und erkennt Eure Macht! Keine Worte mehr, jetzt gilt die Tat. Wir selbst müssen uns erheben und handeln. Unter unseren Schlägen muß der bluttriefende Faschismus und der menschenmordende Hitlerismus zusammenbrechen. Macht Schluß mit dem Krieg! Nieder mit Hitler - Es lebe Moskau! Es lebe der Kampf für ein freies und glückliches Deutschland!«

101 **Oktober 1935**

Berichte der SOPADE (Sozialdemokratische Partei Deutschlands im Exil) über die Tätigkeit der nationalsozialistischen Treuhänder der Arbeit

a) Bericht über Tarifordnungen des Treuhänders der Arbeit für das Wirtschaftsgebiet Südwest (Auszug), 2. Oktober 1935

Deutschland-Berichte der SPD, 2. Jg. 1935, Neudruck: Frankfurt a.M. 1980, S. 1195f.

Die Tarifordnungen der Treuhänder sind kein Ersatz für die alten Tarifverträge, 1. weil keine Arbeiterorganisation dahinter steht, die ihre Einhaltung erzwingen könnte, 2. weil sie mit Absicht dehnbar und lückenhaft formuliert werden, um für die Entlohnung nach der Leistung Raum zu lassen, 3. kommt aber noch hinzu, daß sie von den Treuhändern selbst in stets wachsendem Maße durchlöchert werden. Lag der Wert der früheren Tarife darin, daß sie für alle Betriebe ihres jeweiligen räumlichen und beruflichen Geltungsbereichs verbindlich waren und daß schlechtere Arbeitsbedingungen weder vom Unternehmer geboten noch vom Arbeiter angenommen werden konnten, so ist diese Allgemeinverbindlichkeit und Unabdingbarkeit der alten Tarifverträge in den neuen Tarifordnungen in das Gegenteil verkehrt worden. Wir haben bereits im März-Bericht eine lange Liste von Fällen aufgeführt, in denen die Treuhänder ganze Wirtschaftszweige oder einzelne Unternehmungen von den tariflichen Bindungen befreit haben. Die neue Verordnung des Reichsarbeitsministers, die in Zukunft die Veröffentlichung solcher Anordnungen unterbindet, wird bewirken, daß die nachstehende Übersicht über die Tätigkeit der Treuhänder auf diesem Gebiete die letzte ihrer Art sein wird. Wir werden versuchen, die Lücke durch die verstärkte Berichterstattung zu den Betrieben auszufüllen.

Den Zweck, den die neue Verordnung erreichen will - Lohnabbau unter Ausschluß der Öffentlichkeit -, haben die Treuhänder zum großen Teil schon bisher auf andere Weise erreicht: sie haben sich einfach in den Tarifordnungen selbst die Ermächtigung erteilt, im Einzelfall Ausnahmen zuzulassen. ...

Noch weiter geht der Treuhänder für das Wirtschaftsgebiet Südwest, der seine Tarifordnung vom 19.9.34 für die Kraftwagenführer in der Ziegel-, Stein- und Kalkindustrie in Baden (RABl. VI 408) durch Tarifordnung vom 19.3.35 dahin ändert, daß die Löhne in der Ziegelindustrie »bis zu 10 v. H.« gekürzt werden können (RABl. VI 291). ...

Der Treuhänder für Südwest hat die Tarifordnung für die Kraftwagenführer in der Ziegel-, Stein- und Kalkindustrie in Baden vom 19. September 1934 (RABl. VI 408) unter dem 19.3.35 wie folgt geändert (RABl. VI 291):

Die im § 3 festgelegten Bestimmungen über die Arbeitszeit werden für die Ziegelindustrie dahin geändert, daß die Gesamtdauer der Arbeitszeit einschließlich der Bereitschaftszeit im Frühjahr und Sommer bis zu 14 Stunden, im Winter bis zu 10 Stunden betragen darf.

An Stelle der 14 Stunden waren nach der Tarifordnung von 1934 nur 12 Stunden tägliche Arbeit zugelassen! Bemerkenswert wegen der »Lösung« der Zuschlagsfrage ist auch die Tarifordnung für das Hotel-, Gast- und Schankstättengewerbe, Wirtschaftsgebiet Südwestdeutschland vom 11. Juni 1935 (RABl. VI 437):

Die regelmäßige Arbeitszeit beträgt regelmäßig 8 Stunden, jedoch kann der Führer des Betriebes Mehrarbeit bis zu 2 Stunden täglich oder 12 Stunden wöchentlich anordnen. Die Verteilung der Arbeitszeit bleibt dem Führer des Betriebes überlassen ... Arbeitszeit, Essenszeit und Ruhepausen dürfen zusammen 14 Stunden täglich nicht überschreiten. In Saisonbetrieben darf die arbeitsfreie Pause während der Saison auf 3 Stunden und dementsprechend die vorerwähnte Zeit von 14 Stunden auf 15 Stunden erhöht werden. Für die 9. und 10. Arbeitsstunde erhält jedes Gefolgschaftsmitglied einen Zuschlag, der in der Lohntarifordnung festgesetzt und vom Unternehmer aus eigenen Mitteln zu bezahlen ist.

b) Bericht über die Aufhebung von Tarifordnungen in Deutschland durch die Treuhänder der Arbeit (Auszug), 2. Oktober 1935

Deutschland-Berichte der SPD, 2. Jg. 1935, Neudruck: Frankfurt a. M. 1980, S. 1175 f.

Das Regime hat in der Lohnpolitik von Anfang an die Taktik verfolgt, die Arbeiter nicht durch einen plötzlichen allgemeinen Lohnabbau gegen sich aufzubringen, sondern vorsichtig und schrittweise dabei vorzugehen. Dieser Taktik entsprach es, daß vor dem 1. Mai 1934 nach außen der Grundsatz aufgestellt wurde, die meisten Tarifverträge würden als Tarifordnungen aufrechterhalten, daß aber seitdem hintenherum die Treuhänder unablässig tätig sind, diesen Grundsatz zu durchlöchern. Wir haben bereits im März-Bericht auf die verschiedenen Methoden aufmerksam gemacht, die dabei angewendet werden. Seitdem hat die Tätigkeit der Treuhänder an Umfang weiter zugenommen, während gleichzeitig ihre Anordnungen einschneidender und rücksichtsloser geworden sind. Insbesondere ist die Zahl der ersatzlos aufgehobenen Tarifverträge weiter gewachsen. Vom März bis Oktober 1935 wurden aufgehoben:

Tarifvertrag vom:	Berufszweig:	Geltungsbereich	aufgehoben ab:
1. 7.32	Hotel- und Gaststättenangestellte	Bad Elster, Mühlhausen usw.	1. 4.
24.10.32	Fabrikarbeiter	Faserstoffwerk Th. Landauer und Faserstoffzurichterei Cohn & Rheinauer, Mannheim	19. 3.
1. 9.33	Hafenarbeiter	Lübeck	
1. 9.33	Kohlenarbeiter	Lübeck	1. 4.
1. 9.33	Holzspeditionsarbeiter	Lübeck	
1.10.28	Gaststättenangestellte	Crimmitschau und Umgebung	15. 4.
27. 6.32	Gaststättenangestellte	Stadt und Amtshauptm. Zittau	1. 5.
12.10.33	Spitzen-Lohngewerbe	Prov. Westfalen, Reg. Bez. Düsseldorf, Kreise Altenkirchen, Dillenburg usw.	15. 5.
12. 8.32	Bühnenpersonal	Groß-Hamburg	1. 5.
20.12.32	Fabrikarbeiter	Portlandzementfabriken Hamburg	1. 6.
15. 7.33	Uniformschneider (SA und SS)	Provinz Ostpreußen	25. 6.
30.12.32	Lichtspieltheater	Dresden	16. 6.
14.11.30	Hotelpersonal	Baden	14. 6.
27. 7.32	Ofentöpfer	Brandenburg, Grenzmark, Ostpreußen, Pommern, Mecklenburg, Schleswig-Holstein, Hannover, Hansestädte, Braunschweig, Anhalt, Schlesien, Sachsen, Thüringen, Provinz Sachsen.	12. 6.
29. 1.34	Friseure	Cuxhaven	24. 6.
20. 6.32	Gaststättenangestellte	Amtshauptm. Döbeln	1. 1.
21.10.34	Konsumvereine	Südwestdeutschland	17. 7.
19.11.32 1. 5.33	Tüten- und Beutelfabriken	Baden, Hessen, Reg. Bez. Wiesbaden	15. 8.
5. 5.30	Brauereien	Königsberg	5.10.
2./5.4.32	Steinarbeiter	Nord- und Mitteldeutschland	1.11.

Diese Liste umfaßt nur diejenigen Fälle, in denen bisher als Tarifordnungen weitergehende Tarifverträge aufgehoben worden sind, ohne daß neue Tarifordnungen an ihre Stelle treten. In diesen Fällen besteht also überhaupt keine überbetriebliche Lohnregelung mehr und die Arbeitnehmer sind ohne den fragwürdigen Schutz einer Tarifordnung der Unternehmerwillkür ausgeliefert.

c) Bericht zur Lohnentwicklung in Deutschland (Auszug), 2. Oktober 1935

Deutschland-Berichte der SPD, 2. Jg. 1935, Neudruck: Frankfurt a.M. 1980, S. 1169f.

Hitler hat in seiner Nürnberger Proklamation erneut als maßgebenden Grundsatz für die Wirtschafts- und Sozialpolitik die Forderung aufgestellt, daß die Preise und die Löhne stabil bleiben müßten. Was von der Stabilität der Preise zu halten ist, haben wir in den letzten Berichten unter Beweis gestellt. Aber in derselben Zeit, in der die Preise sprunghaft gestiegen sind, sind die Löhne weiter gesunken. Wie es bei den Preisen eine offene Preissteigerung und eine versteckte gibt, die in den Schleichhandelspreisen zum Ausdruck kommt, so bestehen auch offene und versteckte Lohnsenkungen nebeneinander. Die offenen Lohnsenkungen lassen sich – allerdings nur zum Teil an Hand der Statistik und der im Reichsarbeitsblatt veröffentlichten Tarifordnungen und Richtlinien der Treuhänder verfolgen. Die versteckten Lohnsenkungen, die oft noch weit über die offenen hinausgehen, lassen sich auf Grund der Mitteilungen unserer Berichterstatter nachweisen.

Nach dem Gesetz zur Ordnung der nationalen Arbeit vom 22. Januar 1934 erlangen die von den Treuhändern der Arbeit erlassenen Tarifordnungen und Richtlinien für Betriebsordnungen erst Rechtskraft mit der Veröffentlichung im Reichsarbeitsblatt. Seit dem Inkrafttreten des Arbeitsordnungsgesetzes am 1. Mai 1934 veröffentlicht infolgedessen das Reichsarbeitsblatt im Teil VI laufend die Entscheidungen der Treuhänder, und dieser Teil ist seitdem die wichtigste offizielle Quellensammlung für die Lohnpolitik im Dritten Reich. Wir haben bereits im Monatsbericht für März 1935 dieses Quellenmaterial ausgewertet und setzen im folgenden diese Auswertung für die Monate April bis Oktober fort. Es scheint aber, daß das Regime von dieser Auswertung Kenntnis erhalten hat und sich beeilt, diese Materialquelle soweit wie möglich zu verstopfen. ...

Aus der Statistik für das Baugewerbe ergeben sich z.B. bei den Maurerlöhnen für September 1934, verglichen mit einer früheren amtlichen Erhebung für August 1932 folgende Lohnsenkungen: (Zum Beispiel dafür, daß vom August bis zum Umsturz keine weiteren Lohnsenkungen mehr eingetreten sind, fügen wir in einer dritten Spalte noch die Löhne hinzu, die sich für Ende Dezember 1932 aus der ADGB-Statistik ergeben; diese Löhne enthalten allerdings nur die Werkzeugzulage von 1 Pf, die Löhne der ersten beiden Spalten auch noch andere Zuschläge).

Maurer: (über 20 Jahre, Zeitlohn)	Durchschnittlicher Stundenverdienst: einschließlich sämtlicher Zuschläge: Sept. 1934 RPf	Aug. 1932 RPf	nur mit Werkzeugzulage: Dez. 1932 RPf
Westdeutschland			
Köln	87,4	92,1	92,0
Essen	85,0	91,3	90,0
Dortmund	85,5	90,2	90,0
Düsseldorf	87,3	92,0	
Duisburg-Hamborn	85,2	89,8	
Wuppertal	87,1	92,1	
Bochum	85,0	90,6	
Hamm	85,8	90,9	
Baden und Vorderpfalz			
Mittel- und Oberbaden	79,3	87,5	
Freiburg	84,1	89,7	
Ortsklasse II	80,2	85,0	
Ortsklasse IV	70,6	84,6	
Unterbaden und Vorderpfalz	83,5	91,2	
Pommern			
Groß-Stettin	90,1	95,7	94,0
Lohngruppe A	77,1	85,0	
Köslin	77,7	84,4	
Stargard	76,3	83,8	
Stolp	78,4	84,4	
Stralsund	76,4	84,8	
Mecklenburg			
Parchim	61,0	70,9	

Soweit diese Gegenüberstellung Einblick gewährt, zeigt sie insbesondere, daß der Lohnabbau in den kleinen Orten offenbar wesentlich schärfer ist als in den großen. Andererseits muß man berücksichtigen, daß auch die sehr ungleichmäßige Verteilung der Rüstungsaufträge die örtliche Lohnhöhe gerade im Baugewerbe wesentlich beeinflußt.

Die Lohnsenkungen mögen auch zum Teil ziemlich gering erscheinen. Man muß aber bedenken, daß auch 1932 noch einige übertarifliche Bezahlungen bestanden, die inzwischen zum größten Teil beseitigt worden sind, ohne daß das in der Statistik zum Ausdruck kommt.

Berichte der SOPADE über Arbeitsbedingungen und Stimmungslage in Südbaden

a) Bericht über die Stimmung der Beamten, 2. Dezember 1935

Deutschland-Berichte der SPD, 2. Jg. 1935, Neudruck: Frankfurt a.M. 1980, S. 1481f.

Über die Stimmung unter den Beamten sind uns folgende Berichte zugegangen: ...

1. Bericht: Unter den Beamten wird zur Zeit die in Bearbeitung befindliche neue Besoldungsordnung lebhaft besprochen. Man fürchtet, daß die neue Regelung für die untern und mittleren Beamten einen fühlbaren Gehaltsabbau bringen wird. Die Stimmung bei den Beamten ist sehr gedrückt. Dies um so mehr, als auch die allgemeinen Dienstverhältnisse immer schlechter werden. In Offenburg machte ein alter Lokomotivführer aus seinem Herzen keine Mördergrube und schimpfte über die heutigen unerhörten Zustände in der dortigen Eisenbahnerkantine. Natürlich fehlten schuftige Angeber nicht. Der Lokführer wurde gemeldet und von seinen fünf Kindern hinweg verhaftet und in das Lager nach Kislau verbracht.

Zur Zeit werden sämtliche Beamten in Oberbaden von den Agenten des Freiburger Naziblattes, dem »Alemannen«, besucht. Unter Androhung, wenn sie den »Alemannen« nicht bestellen, dann würden sie aus dem Staatsdienst entlassen, versucht man die Bestellung zu erreichen. Die Frauen lehnen es in den meisten Fällen ab. Jedoch die Männer bestellen.

2. Bericht: Auch die Beamten, insbesondere die Eisenbahner, sind enttäuscht. Die mit Spannung erwartete Besoldungsregelung, die die Unregelmäßigkeiten beseitigen sollte, ist nicht gekommen. Dafür bekamen sie aber eine neue Uniform. »Hungerkordel« nennen sie die neue Kordel an der Mütze.

b) Bericht über nationalsozialistischen Terror in den Lonzawerken, Waldshut, 3. September 1936

Deutschland-Berichte der SPD, 2. Jg. 1935, Neudruck: Frankfurt a.M. 1980, S. 1177.

Alle Beobachtungen lassen darauf schließen, daß in allen Betrieben die Bespitzelung immer gründlicher durchgeführt wird. Die Folge davon ist natürlich die förmliche Züchtung von Lumpen. In einzelnen Betrieben konnte festgestellt werden, daß sich die Nazis, namentlich wenn sie Vertrauensräte sind, stundenlang in die Aborte einschließen, um so die Gespräche der Arbeiter mit abzuhören. Es sind auch schon Verwarnungen an Arbeiter wegen dieser Gespräche auf dem Abort erfolgt.

In den Lonzawerken, Chemische Fabrik für Stickstoffe, Karbid usw. in Waldshut a. Oberrhein (Belegschaft etwa 1800 Mann) herrscht eine wahre Denunziationswut. Schließlich sah sich der dortige Vertrauensrat gezwungen, in einem gesonderten Anschlag gegen das Denunziantenwesen Stellung zu nehmen und zu besserer Kameradschaft aufzufordern.

c) Bericht über die Arbeitszeiten, 3. November 1936

Deutschland-Berichte der SPD, 2. Jg. 1935, Neudruck: Frankfurt a.M. 1980, S. 1480f. – Auslassungen in der Vorlage.

In Donaueschingen wird ein neues großes Armeekorps-Lazarett errichtet. Hier wird ebenfalls in Tag- und Nachtschicht und ebenso an Sonntagen gearbeitet. Ein Zuschlag für Nacht- und Sonntagsarbeit wird nicht gezahlt. Die Arbeiter machen bis zu hundert Stunden die Woche ohne einen Pfennig Zuschlag.

In den Metall- und Aluminiumbetrieben in Oberbaden herrscht nach wie vor Hochkonjunktur. Die X-Werke in Y haben eine neue Gleisanlage gebaut. An einem Samstag mußten die daran beschäftigten Arbeiter von morgens 7 Uhr bis zum Sonntagmorgen früh 6 Uhr arbeiten. Ein Arbeiter, der am Samstag nachts um 10 Uhr nach Hause ging, wurde am Montag früh entlassen. Grund: Arbeitsverweigerung. Als er am Dienstag auf das Arbeitsamt kam, wurde ihm mitgeteilt, daß er vier Wochen Sperrfrist habe.

Die Dienstdauervorschriften der Reichsbahn werden in einer Weise überschritten, daß 14- bis 16stündige Dienstzeiten auch im Rangier-, Lokomotiv-, Zugsbegleit- und Stellwerksdienst herauskommen. Diese Vorschriften waren schon vor dem Umsturz der Zankapfel zwischen Verwaltung und allen Verbänden, obwohl sie damals lange nicht so rigoros ausgelegt wurden, wie jetzt. Jetzt wetteifern die Dienstvorstände in der Einsparung von Personal.

Das Hüttenwerk Z. hatte für den ... einen Betriebsausflug nach Konstanz in Aussicht gestellt. Der Beitrag des einzelnen war auf 2,80 RM festgesetzt worden. Am ... aber wurde jedem Teilnehmer noch ein Betrag von 4,- RM vom Lohne abgezogen mit dem Bemerken, daß dies für Besichtigung und eine Dampferfahrt auf dem Bodensee sei. Die Firma selbst hat pro Teilnehmer 1,50 RM gespendet. Aber nicht auf eigene Kosten, sondern sie hat die Zinsen aus einem Fonds genommen, der seit dem Januar 1936 den Lohn der 49. und 50. Arbeitsstunde erfaßt, der den Arbeitern nicht ausgezahlt, sondern gutgeschrieben worden ist. Die Arbeiter, welche diese Fahrt nicht mitmachen, erhalten auch diese Zinsen nicht, sondern es ist ihnen vom Vertrauensrat gesagt worden, daß sie doch auch einmal etwas für die Allgemeinheit tun könnten. Da die Arbeiter auch den Grund nicht kennen, weshalb ihnen die Auszahlung der Löhne für die beiden Überstunden verweigert wird, befürchten sie nun auch den Verlust dieses Geldes.

d) Bericht über die Arbeitsbedingungen, 4. Juni 1937

Deutschland-Berichte der SPD, 2. Jg. 1935, Neudruck: Frankfurt a.M. 1980, S. 830f.

In einem Metallbetrieb war trotz der großen Hitze in der Woche vom 7. bis 12. Juni nach Feierabend eine Betriebsversammlung einberufen worden. Der Direktor begann seine Begrüßung mit den Worten: »Es tut mir leid, daß ich Sie noch hierher zusammenrufen mußte, aber es ist von der DAF so befohlen worden.« Hierauf traten zwei Redner der Arbeitsfront im blauen Arbeitsanzug auf und verzapften den üblichen Kohl. Nach Schluß ihres Referats verschwanden sie hinter der Bühne. Als dann nach Beendigung der Betriebsversammlung ein Teil der Arbeiter, um schneller herauszukommen, den Ausgang über die Bühne benutzte, fanden sie die beiden Arbeitsfront-Redner nicht mehr in ihren blauen Arbeiteranzügen, sondern in eleganten Naziuniformen wieder. Man hatte also bei den Arbeitern den Eindruck erwecken wollen, als ob Arbeitskollegen zu ihnen in der Arbeitskleidung sprachen, und in Wirklichkeit waren es ausgewachsene Nazibonzen.

In einem anderen Metallbetrieb ist seit längerer Zeit das Seifenwasser für die Kühlung der Werkstücke durch andere Stoffe ersetzt worden. Diese

Stoffe erzeugen auf den Unterarmen der Arbeiter eine dicke Kruste, die nur durch die schärfsten Mittel gelöst werden kann. Nun ist aber auch die Qualität der Reinigungsmittel schlechter geworden, und die Folge waren ekelhafte Hautausschläge bei den meisten Drehern. Die Leute versuchten nun, die Anerkennung dieser Hautausschläge als Berufskrankheit durchzusetzen. Dabei stießen sie nicht nur auf den Widerstand der Betriebsleitung, sondern auch auf die Ablehnung der Vertrauensärzte und der hinter ihnen stehenden Arbeitsfront. Der Streit ist bisher noch nicht entschieden, aber die Erbitterung der Arbeiter, die seit Monaten sich nicht mehr richtig sauber halten, ist groß.

Eine kleinere Druckerei hat alle übertariflichen Leistungen abgebaut, zugleich aber die Leistungsanforderungen an die Betriebsangehörigen erhöht. Das zweite Wort des Betriebsführers ist: »Wenn's Ihnen nicht paßt, können Sie ja wieder gehen. Seien Sie froh, daß Sie arbeiten können.« Trotzdem kommt es gelegentlich zu heftigen Diskussionen auch über politische Fragen, bei denen einige Betriebsangehörige aus ihrem Herzen keine Mördergrube machen. Bei unserer letzten Aussprache dieser Art wurde es so arg, daß der Betriebsführer sagte: »Jetzt wird's aber Zeit, daß wir wieder arbeiten, sonst kommt der ganze Betrieb noch nach Dachau.«

103 **November 1937 - Oktober 1941**

Die Diskriminierung und Verfolgung der Juden

a) Bericht der SOPADE über Ausschreitungen gegen das jüdische Kaufhaus Wohlgrat in Kehl, 11. November 1937

Deutschland-Berichte der SPD, 5. Jg. 1938, Neudruck: Frankfurt a.M. 1980, S. 193.

In Kehl a.R. kam es am 11. November 1937 zu Ausschreitungen gegen das jüdische Kaufhaus Wohlgrat. Das Geschäft ging früher sehr gut. Aber seit längerer Zeit fürchtete sich ein Teil der Kunden, hineinzugehen, weil vor dem Haus mehrfach nationalsozialistische Demonstrationen veranstaltet worden waren. Deshalb beschloß der Inhaber, den Betrieb zu liquidieren. Er erhielt von dem Bezirksamt die Erlaubnis zum Totalausverkauf wegen Geschäftsaufgabe und mußte dafür 250,– RM Gebühren zahlen. Am Montag, den 8. November begann der Ausverkauf, und von Tag zu Tag wurden die Besucherzahlen größer. Jeder wollte die billigen Preise ausnützen. Am Donnerstag abend gegen 5 Uhr kamen plötzlich etwa 100 Mann SA in

Zivil, fingen an zu gröhlen und Sprechchöre zu bilden. Das Firmenschild wurde heruntergerissen. Der Inhaber ließ die Rolläden herab und schloß die Tür. Die zahlreichen im Laden anwesenden Kunden wurden durch eine Hintertür hinausgelassen. Einer der Käufer hatte sein Fahrrad vor dem Einkauf auf der Straße stehen lassen. Dieses Fahrrad wurde auf die Straße geworfen und vollständig demoliert. Erst später erschien die Polizei. Verhaftet wurde niemand. Die »Herren« wurden nur höflich gebeten, jetzt nach Hause zu gehen. Am Freitag blieb das Geschäft geschlossen. Am Samstag und Montag standen zwei Schutzleute vor dem Laden, um den Betrieb zu überwachen.

In Kehl geht es den Juden ganz schlecht. Verschiedene Geschäfte haben schon geschlossen, und die Inhaber wollen ihre Häuser verkaufen. Aber niemand bietet ihnen auch nur einen einigermaßen annehmbaren Preis dafür.

b) Aufforderung der NSDAP-Kreisleitung Freiburg an den Oberbürgermeister der Stadt Freiburg, Juden den Zutritt zum städtischen Bad zu verbieten, 15. August 1938

Stadtarchiv Freiburg, C 4, III, 10/9.

Auf der Kreisleitung sind wiederholt Beschwerden darüber geführt worden, daß in dem städtischen Marienbad Juden verkehren. Es soll sich sogar einmal zwischen einem SS-Mann und einem Juden eine Szene abgespielt haben

Ich wäre Ihnen dankbar, wenn Sie veranlassen könnten, daß Juden der Zutritt zu dem städtischen Marienbad verboten wird.*

---

* Am 7. Oktober 1938 wurde dieses Verbot von der Stadtverwaltung erlassen.

c) Erlaß des Präsidenten der Reichsanstalt für Arbeitsvermittlung und Arbeitslosenversicherung über den Arbeitseinsatz von Juden, 20. Dezember 1938

Paul Sauer: Dokumente über die Verfolgung der jüdischen Bürger in Baden-Württemberg, Bd. 2, Stuttgart 1966, S. 72 f.

Nach den mir vorliegenden Berichten hat sich die Zahl der arbeitslosen Juden erheblich vermehrt. Der Staat hat kein Interesse daran, die Arbeitskraft der einsatzfähigen arbeitslosen Juden unausgenutzt zu lassen und diese unter Umständen aus öffentlichen Mitteln ohne Gegenleistung zu unterstützen. Es ist anzustreben, alle arbeitslosen und einsatzfähigen Juden beschleunigt zu beschäftigen und damit nach Möglichkeit die Freistellung deutscher Arbeitskräfte für vordringliche, staatspolitisch wichtige Vorhaben zu verbinden. Der Einsatz erfolgt in Betrieben, Betriebsabteilungen, bei Bauten, Meliorationen usw. abgesondert von der Gefolgschaft. Ich ersuche Sie daher, unverzüglich bei den öffentlichen und privaten Unternehmern Ihres Bezirks auf die Bereitstellung solcher Arbeiten hinzuwirken.

Es ist sichergestellt, daß dem Unternehmer oder seinem Betrieb aus der Tatsache, daß er Juden beschäftigt, keinerlei Nachteile erwachsen. Als Juden im Sinne dieses Erlasses sind Juden deutscher Staatsangehörigkeit und staatenlose Juden (§ 5 der Ersten Verordnung zum Reichsbürgergesetz vom 14. November 1933 - Reichsgesetzblatt I, S. 1333) anzusehen, die für einen Arbeitseinsatz geeignet sind.

Wegen der Bereitstellung geeigneter Arbeiten für Juden auch durch öffentliche Betriebe habe ich mich mit den in Frage kommenden Obersten Reichsbehörden in Verbindung gesetzt. Gleichzeitig habe ich den Herrn Reichswirtschaftsminister und den Herrn Reichsernährungsminister gebeten, die Unternehmer der privaten Wirtschaft auf die Notwendigkeit der beschleunigten Heranziehung der Juden zur Arbeit und der Bereitstellung entsprechender Arbeiten nachdrücklich hinzuweisen.

Dieser Erlaß ergeht mit ausdrücklicher Billigung des Beauftragten für den Vierjahresplan, Ministerpräsident Generalfeldmarschall Göring. Den Stellvertreter des Führers habe ich gebeten, die Parteidienststellen einschließlich der Gliederungen und angeschlossenen Verbände im Sinne dieses Erlasses zu unterrichten.

d) Augenzeugenbericht über die Deportation der Freiburger Juden, 22. Oktober 1940

Berent Schwineköper/Franz Laubenberger: Geschichte und Schicksal der Freiburger Juden. Aus Anlaß des 100jährigen Bestehen der israelitischen Gemeinde in Freiburg, Freiburger Stadthefte, Nr. 6, 1963, S. 13.

Am 22. Oktober, an einem unserer hohen Feiertage, sah ich morgens, bevor ich zum Gottesdienst gehen wollte, zum Fenster hinaus und bemerkte, daß alles in der Nachbarschaft sehr erregt war. Ich frug über die Straße hinweg einen Nachbarn, was denn eigentlich los sei, worauf ich die Antwort erhielt: »Alle Juden kommen weg«. Und so geschah es auch. Die Gestapo und die gesamte Polizei waren aufgeboten, um die Juden aus ihren Wohnungen zu holen; innerhalb einer halben Stunde wurden sie abtransportiert, sie hatten kaum Zeit, das Allernotwendigste zusammenzuraffen. Viele wurden direkt mitgenommen, so, wie sie standen, ohne Kopfbedeckung, in den Hausschuhen. Anfänglich wurden sie auf öffentlichen Plätzen gesammelt, da dies aber den Verbrechern zuviel Aufsehen erregte, ließ man dieses System fallen, und man führte sie familienweise in Personenkraftwagen ab.

e) Durchführungsverordnung des Reichsarbeitsministers (Auszug), 31. Oktober 1941

Reichsgesetzblatt 1941, Teil I, S. 681f.

Abschnitt I: Arbeitsrechtliche Bestimmungen

§ 1 Der Jude kann als Artfremder nicht Mitglied einer deutschen Betriebsgemeinschaft sein, die sich auf dem Grundsatz der gegenseitigen Treuepflicht aller im Betrieb Schaffenden aufbaut. ...

§ 3 (1) Jüdische Beschäftigte haben Anspruch auf Vergütung nur für die tatsächlich geleistete Arbeit.
(2) Die Fortzahlung des Arbeitsverdienstes ohne Arbeitsleistung ist unzulässig.
(3) Unberührt bleiben die Bestimmungen über die Fortzahlung des Lohns bei Arbeitsausfall infolge ungünstiger Witterung.

(4) Ein Anspruch auf Fortzahlung des Gehalts in Krankheitsfällen oder auf Zuschußzahlungen zum Krankengeld besteht nicht.
(5) Besteht ein Anspruch auf Urlaub oder Familienheimfahrt, so beschränkt er sich auf die Gewährung von unbezahlter Freizeit; ein Verzicht auf den Anspruch ist zulässig. Der Anspruch von Jugendlichen richtet sich nach den für Erwachsene geltenden Bestimmungen.

§ 4 Jüdische Beschäftigte haben keinen Anspruch auf Zuschläge zum Lohn oder Gehalt für Arbeit, die an Sonn- oder Feiertagen geleistet wird oder über die regelmäßige Arbeitszeit hinausgeht.
§ 5 (1) Familien- oder Kinderzulagen dürfen jüdischen Beschäftigten nicht gewährt werden.
(2) Das gleiche gilt für Geburten- oder Heiratsbeihilfen, für Sterbegelder oder ähnliche Zuwendungen anläßlich des Todes des Beschäftigten.
(3) Die Gewährung von Weihnachtszuwendungen, von Abschlußgratifikationen, Jubiläumsgaben, Treugeld, eines dreizehnten Monatsgehalts, Abfertigungen sowie ähnlicher einmaliger Zuwendungen aus besonderen Anlässen an jüdische Beschäftigte ist unzulässig.

§ 6 Die Gewährung von tariflichen oder betrieblichen Leistungen aus Anlaß der Niederkunft (Wochenhilfe) ist unzulässig.

§ 7 Vereinbarungen über Altersversorgung neben den gesetzlichen Vorschriften dürfen mit jüdischen Beschäftigten nicht getroffen werden.

§ 8 Trennungs- und Unterkunftsgelder sowie Auslösungen und Fahrgelder dürfen jüdischen Beschäftigten nur mit Zustimmung des für den Betrieb zuständigen Reichstreuhänders der Arbeit gewährt werden.

§ 9 Der Beschäftigungsgeber kann das Beschäftigungsverhältnis der Juden - abgesehen von den Fällen der fristlosen Entlassung - jederzeit zum Schluß des folgenden Werktags kündigen, soweit nicht besondere Vorschriften über die Kündigung auch auf das Beschäftigungsverhältnis von Juden für anwendbar erklärt sind. Für die Kündigung des Beschäftigungsnehmers gelten die allgemeinen Vorschriften.

§ 10 (1) Über Streitigkeiten, die sich aus dem Beschäftigungsverhältnis eines Juden ergeben, entscheidet eine mit einem Richter besetzte Spruchstelle, die vom Reichsminister der Justiz am Sitz eines Arbeits-(Gewerbe-) Gerichts errichtet wird.
(2) Die für das arbeits-(gewerbe-)gerichtliche Verfahren geltenden Vorschriften finden auf das Verfahren und die Entscheidung der Spruchstelle entsprechende Anwendung. Gegen die Entscheidung der Spruchstelle ist ein Rechtsmittel nicht gegeben.

Abschnitt II: Arbeitseinsatz

§ 11 (1) Juden haben die ihnen von den Arbeitsämtern zugewiesenen Beschäftigungen anzunehmen.

(2) Die Verordnung über die Beschränkung des Arbeitsplatzwechsels vom 1. September 1939 (Reichsgesetzbl. I, S. 1685) gilt entsprechend.

§ 12 (1) Jüdische Beschäftigte dürfen nur gruppenweise zur Arbeit eingesetzt werden; das Landesarbeitsamt kann Ausnahmen zulassen.
(2) Jüdische Beschäftigte sind von der übrigen Gefolgschaft getrennt zu halten. Werden jüdische Beschäftigte außerhalb des Heimatorts gruppenweise eingesetzt, so sind sie in gesonderten Unterkünften unterzubringen.

§ 13 Juden dürfen nicht als Lehrlinge oder Anlernlinge vermittelt oder beschäftigt werden.

Abschnitt III: Arbeitsschutz

§ 14 Für jüdische Beschäftigte im Alter von 14 bis 18 Jahren gelten anstelle des Gesetzes über Kinderarbeit und die Arbeitszeit der Jugendlichen (Jugendschutzgesetz) die Arbeitszeitordnung vom 30. April 1938 (Reichsgesetzbl. I S. 447) und die sonstigen für Erwachsene geltenden Vorschriften über die Arbeitszeit. Der dritte Abschnitt der Arbeitszeitordnung findet sinngemäß auch auf männliche jüdische Beschäftigte unter 18 Jahren Anwendung.

§ 15 Auf erwachsene jüdische Beschäftigte findet die Verordnung über den Arbeitsschutz vom 12. Dezember 1939 (Reichsgesetzbl. I S. 2403) keine Anwendung.

§ 16 Das Gewerbeaufsichtsamt kann besondere Bestimmungen über den Beschäftigungsschutz von Juden abweichend von den geltenden Vorschriften über den Arbeitsschutz erlassen.

Abschnitt IV: Arbeitslosenhilfe

§ 17 Die Arbeitslosenhilfe für Juden beschränkt sich auf das zum Lebensunterhalt unerläßlich Notwendige.

§ 18 Die Bestimmungen über die Kurzarbeiterunterstützung finden auf jüdische Beschäftigte keine Anwendung.

Abschnitt V: Sonstige Bestimmungen

§ 19 Die Vorschriften über die Beschäftigung Schwerbeschädigter gelten nur für schwerkriegsbeschädigte Juden.

Die Maßnahmen zur Sicherung der Rüstungs- und Kriegsproduktion

a) Verordnung des Beauftragten für den Vierjahresplan, Hermann Göring, zur Sicherstellung des Arbeitskräftebedarfs für Aufgaben von besonderer staatspolitischer Bedeutung, 13. Februar 1939

Reichsgesetzblatt 1939, Teil I, S. 206.

Die Durchführung unaufschiebbarer Aufgaben von besonderer staatspolitischer Bedeutung darf durch Mangel an Arbeitskräften nicht gefährdet werden. Zur Durchführung solcher Aufgaben muß die Möglichkeit gegeben sein, Bewohner des Reichsgebiets zu Leistungen heranzuziehen und die Bindungen an den Arbeitsplatz fester zu gestalten. Aufgrund der Verordnung zur Durchführung des Vierjahresplans vom 18. Oktober 1936 (Reichsgesetzblatt I, S. 887) bestimme ich daher folgendes:

Abschnitt I: Dienstpflicht

§ 1 (1) Für Aufgaben, die der Beauftragte für den Vierjahresplan als besonders bedeutsam und unaufschiebbar bezeichnet, kann das Arbeitsamt Bewohner des Reichsgebiets zur Dienstleistung verpflichten. Hierzu kann privaten und öffentlichen Betrieben und Verwaltungen vom Arbeitsamt die Abgabe von Arbeitskräften auferlegt werden.
(2) Ausländische Staatsangehörige sind nicht zu Dienstleistungen heranzuziehen, soweit für sie aufgrund von Staatsverträgen oder von anderen Regeln des Völkerrechts Befreiungen bestehen.

§ 2 (1) Dienstverpflichtete, die in einem Beschäftigungsverhältnis stehen, gelten bei zeitlich begrenzter Verpflichtung als beurlaubt. Während der Beurlaubung darf das bisherige Beschäftigungsverhältnis nicht gekündigt werden. Der Dienstverpflichtete hat während der Dauer der Beurlaubung keinen Anspruch auf Gewährung von Arbeitsentgelt und sonstigen Bezügen aus seinem bisherigen Beschäftigungsverhältnis. Im übrigen gilt die Zeit der aufgrund dieser Verordnung erfüllten Dienstverpflichtung als Beschäftigungszeit in der bisherigen Arbeitsstelle.
(2) Bei Verpflichtung zu Dienstleistungen von unbeschränkter Dauer erlischt das bisherige Beschäftigungsverhältnis.
(3) Für das Dienstverhältnis des Verpflichteten gilt die für die neue Arbeitsstelle zuständige Tarif-, Betriebs- oder Dienstordnung.
(4) Verliert ein für unbegrenzte Zeit Verpflichteter Ansprüche aus seinem bisherigen Beschäftigungsverhältnis, die durch die Ansprüche aus dem

Dienstverhältnis nicht ausgeglichen werden, so kann zur Vermeidung besonderer Härten dem neuen Betrieb auferlegt werden, den Verpflichteten schadlos zu halten.
(5) Das Dienstverhältnis darf nur mit Zustimmung des Arbeitsamts gelöst werden.

§ 3 Zur Vorbereitung auf die Dienstleistung kann der Dienstpflichtige zu einer Schulung herangezogen werden.

§ 4 (1) Der Dienstverpflichtete hat dem Arbeitsamt auf Verlangen alle notwendigen Unterlagen vorzulegen sowie alle erforderlichen Auskünfte zu erteilen. Das Arbeitsamt kann auch das persönliche Erscheinen anordnen.
(2) Der Dienstverpflichtete hat die Pflicht und das Recht, Sachen, die sich in seinem Besitz oder Gewahrsam befinden, auf Verlangen des Arbeitsamts bei der Dienstleistung zu verwenden.

§ 5 (1) Wer aufgrund dieser Verordnung zu einer Dienstleistung verpflichtet oder zu einer Schulung herangezogen wird, die länger als drei Tage dauert, und infolgedessen gezwungen ist, von seiner Familie getrennt zu leben, kann auf Antrag zur Sicherung des angemessenen Lebensbedarfs seiner Angehörigen Unterstützung vom Arbeitsamt erhalten.
(2) Wenn es zur Sicherung der wirtschaftlichen Lage erforderlich ist, kann Unterstützung auch unabhängig von den Voraussetzungen des Abs. 1 gewährt werden.

§ 6 Die Unterstützung ist keine Leistung der öffentlichen Fürsorge und kein Arbeitsentgelt, sie ist nicht zu erstatten und unterliegt nicht der Pfändung.

Abschnitt II: Beschränkung des Arbeitsplatzwechsels

§ 7 (1) Aus besonderen staatspolitischen Gründen kann der Reichsarbeitsminister die Lösung von Arbeitsverhältnissen auch in anderen Fällen als denen des § 2 Abs. 5 von der Zustimmung des Arbeitsamts abhängig machen.
(2) Er kann auch anordnen, daß die Einstellung und Beschäftigung von Arbeitern und Angestellten an die Zustimmung des Arbeitsamts gebunden ist.

b) Erlaß des Reichsarbeitsministers an die Reichstreuhänder der Arbeit zur Lohngestaltung im Kriegsfall (Auszug), 4. September 1939

Timothy Mason: Arbeiterklasse und Volksgemeinschaft, Opladen 1975, S. 1101 f.

In Ergänzung und Abänderung meines Erlasses vom 23. August 1939 (III b/IV a 2193/39 g. Rs.) bitte ich, die Löhne, Gehälter und sonstigen Arbeitsbedingungen wie folgt zu regeln:

I. 1. Nach dem heute erlassenen Gesetz über die Kriegswirtschaft §§ 16 ff. sind Sie verpflichtet, die Arbeitsverdienste durch Tarifordnung sofort an den kriegsnotwendigen Stand anzupassen.

a. Es ist aus psychologischen Gründen nicht zu vertreten, daß in einer Zeit, in der viele Volksgenossen die Heimat unter Einsatz ihres Lebens verteidigen, in der Kriegswirtschaft besonders gute Verdienste erzielt werden. Daher ist es erstes Gebot: Jede Lohn- und Gehaltserhöhung über den bisherigen Stand hinaus zu verhindern. Die Lohngestaltungsverordnung gibt Ihnen hierzu die notwendige gesetzliche Ermächtigung.

b. Es wird jedoch nicht genügen, nur die bisherigen tatsächlichen Verdienste zu stabilisieren. Die gebotene Einschränkung in der Lebenshaltung und die unvermeidbare Minderung des Verbrauchs verlangen ebenso wie die Rücksichtnahme auf die Finanzierung des Krieges die Zurückführung derjenigen Löhne und Gehälter, die in einer von allen Schichten des Volkes Opfer verlangenden Kriegswirtschaft als zu hoch anzusprechen sind. Die Anpassung der Arbeitsverdienste an den kriegsnotwendigen Stand bedeutet also einen Abbau all der durch die Konjunktur der letzten Jahre stark erhöhten Löhne und Gehälter. Es ist Sinn und Inhalt des Kriegswirtschaftsgesetzes, wenn auch unter Berücksichtigung der psychologischen Rückwirkungen, eine Senkung aller Arbeitsverdienste herbeizuführen, die in den letzten Jahren im Widerspruch zu der vom Staat verlangten Stetigkeit der Löhne und Gehälter gestiegen sind.

c. Die sofortige Neuordnung auf dem Gebiete der Löhne darf unter keinen Umständen zu einem Leistungsrückgang führen. Es wird darauf Bedacht zu nehmen sein, daß mit den nach dem Kriegswirtschaftsgesetz durch Tarifordnung festzusetzenden Höchstbedingungen nicht die Arbeitsfreudigkeit und der Wille zur Leistungssteigerung gemindert wird.

2. Die Aufgabe, Löhne und Gehälter einem diesen Verhältnissen angemessenen Stand anzupassen, wird vordringlich in den Gewerben zu erledigen sein, in denen in den letzten Jahren besonders auffallende Erhöhungen der tatsächlichen Verdienste beobachtet worden sind und die innerhalb der Kriegswirtschaft eine wesentliche Rolle spielen. Es wird in Durchführung dieser Neuordnung der Löhne und Gehälter ein Lohnstand angestrebt werden müssen, der in der Regel mit einem Abbau der hier als überhöht zu betrachtenden Verdienste verbunden sein wird. Auf keinen Fall

kommen Senkungen der Löhne und Gehälter unter den bisherigen Tariflohnstand in Betracht. Dort, wo der Tariflohn angemessen erscheint, ist er durch Tarifordnung zum Höchstlohn zu erklären. ...

4. Die Gewährung von Leistungszulagen zu den tariflichen Höchststundenlöhnen darf nur im engen Rahmen und nur bei Vorliegen nachweisbarer Leistung statthaft sein. Soweit Sie diese Zulagen trotz der von Ihnen durchzuführenden ausreichenden Gliederung der Löhne und Gehälter für zwingend geboten halten, müssen Sie durch eine eingehende Bestimmung in der Tarifordnung jeden Mißbrauch ausschließen. Das wird am besten geschehen, wenn die Ausschüttung derartiger Zulagen ohne Ihre besondere Genehmigung nur für einen Teil der Gefolgschaft - etwa 25 Prozent innerhalb der einzelnen Arbeitergruppen - zugelassen wird. Eine Verallgemeinerung muß unter allen Umständen verhindert werden.

5. Die Tarifordnungen müssen auch die Vorschrift enthalten, daß keinerlei neue soziale Nebenleistungen des Unternehmens an die Gefolgschaft statthaft sind oder zumindest, daß derartige zusätzliche Leistungen Ihrer Genehmigung bedürfen.

6. Die Akkorde und Prämien sind gleichfalls in den hierfür in Betracht kommenden Gewerben den besonderen Verhältnissen anzupassen. Es ist in der Regel in den Tarifordnungen eine Vorschrift des Inhalts aufzunehmen, daß der Betriebsführer verpflichtet ist, die Akkorde (Prämien) dann mit dem Ziel einer Herabsetzung der Verdienste zu überprüfen, wenn im Betrieb der tarifliche Akkordrichtsatz der einzelnen Arbeitergruppen im Durchschnitt um mehr als 10 Prozent überschritten wird. Dem Betriebsführer ist auch aufzugeben, Ihnen derartige Fälle sofort mitzuteilen. Es obliegt Ihnen dann, die Neuordnung der Akkordbedingungen zu überwachen. Der aufgrund einer richtigen Akkordbasis und eines diesen besonderen Verhältnissen gerecht werdenden Zeitfaktors erzielte Akkordverdienst darf, um den Leistungswillen nicht zu beeinträchtigen, nicht beschnitten werden. Es ist also bei der Neuordnung der Akkorde besonders darauf zu achten, daß sich daraus kein fühlbarer Leistungsrückgang ergibt.

In kriegswichtigen, vor allem in den neu errichteten oder umgestellten Betrieben, ist besonders eingehend auf die Durchführung einer zutreffenden Akkordlohnregelung achtzugeben. Es muß auch Vorsorge getroffen werden, daß nicht mit der Veränderung der tariflichen Zeitlohnsätze (Akkordbasen) eine Erhöhung der vielleicht an sich schon zu hohen Akkordverdienste eintritt.

7. Um die Festsetzung der Höchstlöhne nach Möglichkeit zu beschleunigen - in spätestens 14 Tagen muß diese Lohnordnung in den wichtigsten Gewerben durchgeführt sein - sind bis zur Erledigung dieser Aufgabe alle übrigen Arbeiten in Ihrer Dienststelle zurückzustellen. In die neuen Tarifordnungen ist nur das unbedingt Notwendige aufzunehmen.

8. Der Vorschrift des AOG, vor dem Erlaß der Tarifordnung in einem Sachverständigenausschuß zu beraten, bitte ich in einfachster Form zu entsprechen. Es wird in der Regel genügen, wenn Sie einen besonders tüchti-

gen, Ihnen wegen seiner sehr guten Fachkenntnisse bekannten Unternehmer oder Geschäftsführer und einen sachkundigen Vertreter der Gefolgschaften hören. In geeigneten Fällen bitte ich - erforderlichenfalls - die Preisbildungsstellen zu beteiligen. Gleichfalls ist die Deutsche Arbeitsfront zu beteiligen. Ihre Dienststellen werden zentral angewiesen, sich mit Ihnen in Verbindung zu setzen, um eine möglichst einfache Form der Beteiligung zu verabreden. ...

Bei der Neuordnung der Löhne und Gehälter bitte ich nachfolgende Richtlinien zu beachten:

1. Eisen-, Metall- und Elektroindustrie

a. Bereits in dem Erlaß vom 21. August 1939 ... ist ausgeführt, daß die bestehenden Tariflöhne wegen ihrer unzureichenden Aufspaltung keine ausreichende Bewertung aller in der Metallwirtschaft vorkommenden Arbeitsgänge erlauben. Es ist deshalb in der von Ihnen vorzunehmenden Lohnfestsetzung, durch die den Betrieben das Recht genommen wird, auf der Grundlage der Tariflöhne selbständig eine Gruppierung nach der Art der Arbeit vorzunehmen, den tatsächlich bestehenden Unterschiedlichkeiten Rechnung zu tragen. Diesem Erfordernis kann durch Einführung von 6 Lohngruppen genügt werden. Die Lohngruppen sind nach folgendem Schema aufzustellen:

Lohngruppe	Arbeitergruppe
I	Hilfsarbeiter
II	Angelernte Arbeiter, d.h. Arbeiter mit nachweisbar fachlicher Zweckausbildung, die ihre Maschinen selbst einrichten und bedienen können. Hilfsarbeiter in Warmbetrieben.
III	Angelernte Arbeiter mit schwieriger oder verantwortlicher Tätigkeit.
IV	Facharbeiter, angelernte Arbeiter mit besonders schwieriger oder verantwortlicher Tätigkeit, die der des Facharbeiters gleichzusetzen ist.
V	Qualifizierte Facharbeiter, an deren Fähigkeit besondere Anforderungen gestellt werden oder die besondere Verantwortung haben.
VI	Höchstqualifizierte Facharbeiter (Horizontalbohrer, Kaliberdreher und -schleifer, Werkzeugmacher), die selbständig schwierige Aufgaben ausführen u.ä.

Die einzelnen Arbeitergruppen sind nach Möglichkeit noch näher zu umschreiben und durch weitere Beispiele zu erläutern. Die Verantwortung für die Eingruppierung im einzelnen muß den Betrieben überlassen bleiben; auf die strafrechtlichen Folgen einer schuldhaft falschen Eingruppierung ist hinzuweisen. Bei der Festsetzung der Lohnsätze sind grundsätzlich die bestehenden Tariflöhne als Ecklöhne (Lohngruppe I, II, IV evtl. auch V) zu verwenden. Höhere Löhne als die bisherigen Tariflöhne dürfen nur dann eingesetzt werden, wenn diese offensichtlich unbillig sind. Abweichungen müssen sich in engsten Grenzen halten. Um eine Einheitlichkeit der Lohngestaltung von vornherein sicherzustellen, gebe ich nachfolgend eine Richtlinie für die Lohngruppe VI. Über diese Sätze soll grundsätzlich nicht hinausgegangen werden. Dagegen ist eine Abstaffelung nach unten entsprechend der Ortsklassen- und Lohngebietseinteilung vorzunehmen. Für gewisse Großstädte oder eng umrissene Bezirke kann ein Überschreiten der angegebenen Sätze notwendig werden. Das gleiche gilt für Arbeiter mit besonders verantwortlicher Tätigkeit. Diese Fälle sind z.T. bereits in der Richtlinie berücksichtigt. ...

b. Soweit die Frauenlöhne noch keine Regelung für das gesamte Wirtschaftsgebiet gefunden haben, sind Frauenlöhne sofort festzusetzen. Bei der Festsetzung der Frauenlöhne ist die größte Vorsicht walten zu lassen, damit nicht von hier aus ein Lohnauftrieb erfolgt.

c) Bericht des Rüstungskommandos Freiburg über den Einsatz ausländischer Arbeitskräfte und von Frauen in der südbadischen Rüstungsindustrie (Auszug), Juli 1943

Bundesarchiv - Militärarchiv, RW 21-21/6.

Zuweisungen von Arbeitskräften an die Rüstungsindustrie erfolgen laufend. Aufgebracht werden diese Kräfte aus den allerdings immer spärlicher eingehenden Ausländertransporten und den Meldepflichtigen gemäß der Verordnung vom 27.1.1943. Mit dem völligen Ausbleiben der Ausländertransporte muß nach einer neueren Auslassung des Reichministeriums für Bewaffnung und Munition überhaupt gerechnet werden. Der Bedarf an Kräften steigt von Monat zu Monat. Die Gründe hierfür sind die gleichen wie im 1. Quartal 1943. Hierzu kommen noch die im verstärkten Maße durchgeführten Auftragsverlagerungen aus den luftgefährdeten Gebieten. Schließlich müssen 420 Italiener im Laufe des Jahres rückgeführt und für den Bergbau in 2 Aktionen rund 800 kriegsgefangene Russen bzw. Ostarbeiter aufgebracht werden.

Die Abdeckung des normalen Sofortbedarfs, der je Monat durchschnittlich über 3000 Menschen liegt, ist so gut wie unmöglich; denn nach den bestehenden Weisungen dürfen nur Rotzettelauflagen* erfüllt werden. Aber auch diese Abdeckung fällt außerordentlich schwer. In zahlreichen Fällen wird durch den zuständigen Prüfungsausschuß mittels Überprüfung der Berechtigung der Rotzettelauflagen an Ort und Stelle der Bedarf herabgesetzt und innerbetrieblicher Ausgleich den Firmen zur Auflage gemacht, in denen noch Fertigungen der Stufen III und IV der Rangfolge für die Zuweisungen von Arbeitskräften liegen. (Diese Stufen sind für Umsetzungen von Kräften zur Abdeckung von Rotzettelauflagen freigegeben.)

Die Abstoppung der zu bedenklicher Höhe angewachsenen Listenauflagen nach dem Stand vom 31.5.1943 - verfügt vom Reichsministerium für Bewaffnung und Munition im Einvernehmen mit den Ausschüssen und Ringen - bringt eine vorübergehende Erleichterung. Doch ist im Anschluß an diese Maßnahme ein sofortiges Anschwellen oder besser gesagt eine Inflation der Rotzettelauflagen zu verzeichnen.

Für vorrangige Fertigungen (Stufe I der Rangfolge für Zuweisungen von Arbeitskräften) wird die Umsetzung von Ostarbeiterinnen aus leichten Fertigungen in schwere und schwerste Arbeiten energisch betrieben. Der Einsatz dieser Kräfte wird in einer Anzahl von Betrieben jetzt schon vorbildlich durchgeführt.

Die Erwartungen, aus der Meldeaktion gemäß Verordnung vom 27.1.43 und der Stillegungsaktion gemäß Verordnung vom 29.1.43 Arbeitskräfte in erheblichem Umfang der Rüstungswirtschaft zuzuführen, haben sich nicht erfüllt. Beide Aktionen können als abgeschlossen betrachtet werden. Bei den bisher nicht eingesetzten Personen handelt es sich um Frauen, die weniger als ein Drittel der ortsüblichen Zeit einsatzfähig sind und teilweise infolge der familiären Verhältnisse nur für eine Heimarbeit in Frage kommen.

Der Arbeitseinsatz von Lazarettinsassen des Rüstungskommandos macht Fortschritte. Insgesamt sind in der Berichtszeit bei einem Bestand von 867 einsatzfähigen Kräften von den tatsächlich eingesetzten 460 Mann (rund 54%) 18 170 Arbeitsstunden geleistet worden. Wegen der Einzelheiten wird auf Anlage Nr. 11 verwiesen. Der Förderung dieses Einsatzes wird weiterhin größte Beachtung geschenkt.

Zusammenfassend muß die Arbeitseinsatzlage wie im Vorquartal als äußerst angespannt bezeichnet werden. Die Zuführung auch des kleinsten Ausländertransportes muß zur Entlastung des Arbeitsmarktes, vor allem auf dem Hochschwarzwald, erreicht werden.

Die Prüfungsausschüsse setzen ihre Tätigkeit in gesteigertem Umfang fort. Dieser kommt bei der von Tag zu Tag heikler werdenden Arbeitseinsatzlage immer größere Bedeutung zu; sie gibt dem Rüstungskommando die Möglichkeit, dort helfend einzugreifen, wo dies aus Fertigungsgründen geboten erscheint.

---

* Zuweisung von Arbeitskräften ausschließlich für die Produktion »höchster Dringlichkeitsstufe«.

Der Arbeitswille und die Stimmung der deutschen Gefolgschafter können im allgemeinen als gut bezeichnet werden. Haltung und Einsatzbereitschaft der durch die Fertigungsverlagerungen aus Westdeutschland zugeführten Kräfte ist vor allem durch die Trennung von Familie und Heim beeinträchtigt.

In Arbeiterkreisen wird immer wieder die Überzeugung zum Ausdruck gebracht, daß dem 100%igen Einsatz der im Betrieb tätigen Frau weite Kreise wohlhabender Schichten interesselos gegenüberstehen. Allgemein wird angenommen, daß z.B. viele junge Mädchen das Hochschulstudium nur ergreifen, um den beschwerlichen Kriegseinsatz auf bequeme Art zu vermeiden. Man findet sehr oft die Meinung vertreten, der totale Krieg gelte nur der Arbeiterschaft, und den »oberen Schichten« werde nach wie vor Gelegenheit gelassen, sich dem Zwang im totalen Arbeitseinsatz oder z.B. auf dem Gebiet der Wohnraumabgabe zu entziehen.

Bei den ausländischen Arbeitskräften einschließlich der Kriegsgefangenen wurde im allgemeinen gute Arbeitsleistung festgestellt.

d) Bericht des Rüstungskommandos über die Entwicklung der Rüstungsindustrie in Südbaden (Auszug), 18. April 1944

Bundesarchiv - Militärarchiv, RW 21-21/9.

Das Aufgabengebiet des Rüstungskommandos ist durch die Übernahme von 55 Betrieben, Betreuung LWA, in Betreuung Wehrmacht in der Berichtszeit erheblich angewachsen.

Um rasch eine enge Fühlungnahme mit den Betrieben zu gewinnen und die Zusammenarbeit mit den alten Betrieben weiterhin zu vertiefen, fanden Betriebsführerbesprechungen in Konstanz, Villingen, Freiburg und Offenburg unter der Parole »Selbstverantwortung der Industrie« statt. Hierbei wurde auf die wichtigsten wehrwirtschaftlichen Grundsätze und Aufgaben hingewiesen und die neue regionale Bearbeitungsweise im Rüstungskommando - unter Wahrung der Federführung der einzelnen Wehrmachtteile - bekanntgegeben.

Durch die bezirkliche Betreuung wird eine straffere und intensivere Zusammenfassung all der im Bezirk anfallenden Aufgaben und deren betriebsnahe, rasche und unbürokratische Erledigung gewährleistet und der Schwerpunkt der Betreuung, entsprechend dem Arbeitsgebiet der Prüfungsausschüsse, nach außen verlagert.

Diese Maßnahme einer noch engeren und unmittelbaren Zusammenarbeit mit den Betrieben hat sich um so notwendiger und dringlicher erwiesen, als Einsprüche, Eingriffe und Weisungen seitens nicht zuständiger Behörden und Dienststellen die Durchführung der Rüstungsaufgaben durch das Kommando immer wieder durchkreuzen, Fehldispositionen verursachen, deren Klärung und Behebung eine Unmenge Zeit, Arbeit und Aufwand jeglicher Art hervorrufen, und letzten Endes jegliche planvolle Lenkung erschweren.

Dies gilt besonders auf dem Gebiet des Arbeitseinsatzes. Ausschüsse und Ringe vergeben in vielen Fällen Aufträge oder stocken auf, und Betriebe nehmen solche immer wieder herein, ohne die für die Aufnahme erforderlichen Voraussetzungen nach dem Grundsatz zu überprüfen oder einzuhalten, daß Aufträge einerseits und vorhandene Maschinen- und Arbeitskräftekapazitäten andererseits in einem angemessenen Verhältnis zueinander stehen müssen.

Die Folge ist dann: Zusätzliche Anforderungen von Arbeitskräften, die die geplante Aufteilung des vorhandenen Kontigentes zunichte macht, bzw. Eingriffe in andere wichtige Fertigungen verursacht. Es sollte daher allen Dienststellen und Behörden wieder nachdrücklichst in Erinnerung gebracht werden, daß die Rüstungsdienststellen allein die Verantwortung für die richtige, d. h. den jeweiligen Erfordernissen entsprechende Steuerung des Arbeitseinsatzes tragen.

Im 5. Kriegsjahr ist es keinesfalls mehr angängig, daß privatwirtschaftliche Interessen seitens der Betriebe - ungerechtfertigte Ausweitung (insbesondere bei Betriebsverlegungen!), Kapitalanlage durch Bauvorhaben, ausschließliche Bevorzugung von Aufträgen in den höchsten Dringlichkeitsstufen und solcher, die einen möglichst hohen Gewinn abwerfen (einfache Gerätefertigung bei hochqualifizierten Betriebsanlagen und Arbeitskräften) - und einseitige Verfolgung und Durchsetzung von Teilaufgaben seitens der Ausschüsse und Ringe, das Zusammenspiel der für die Rüstungsfertigung notwendigen Faktoren stören und damit die Gesamtfertigung gefährden. ...

Der Versuch, die Arbeitszeit weiter zu erhöhen, bedeutet, auf längere Sicht gesehen, Raubbau an der Volkskraft und führt daher zu Leistungsminderung, insbesondere, wenn der gewährte Ernährungssatz mit der verlangten Mehrleistung nicht in Einklang steht. Um die ständig wachsenden Forderungen, die an die Rüstungswirtschaft gestellt werden, rechtzeitig und auf die Dauer erfüllen zu können, müssen die sonst noch vorhandenen Reserven an Arbeitskräften rasch und restlos ausgeschöpft werden:

1. Zuführung von Arbeitskräften durch Auslandswerbung der bei Rüstungsbetrieben bereits eingesetzten Ausländer.

2. Weitgehende Erfassung der qualifizierten weiblichen Arbeitskräfte in Hoch-, Fach-, Kunstschulen usw., um so mehr, nachdem klar erkennbar ist, daß die Erlernung eines Berufes für die Mehrzahl der weiblichen Jugend mit Flucht vor dem Kriegseinsatz gleichzusetzen ist.

3. Lückenlose Umsetzung der infolge Feindeinwirkung freiwerdenden Arbeitskräfte von Rüstungsbetrieben in den Kommandobereich, um die

durch Luftangriffe unmittelbar und mittelbar erhöhten Fertigungsauflagen erfüllen zu können.

4. Straffere Erfassung aller sonstigen Evakuierten, bei denen sich in vielen Fällen Arbeitsscheu und großstädtische Verwöhnung zeigen.

5. Noch bessere Erfassung der in Lazaretten, Erholungsheimen (Kurorte!) und Strafanstalten noch brachliegenden Kräfte.

6. Scharfe Überprüfung des Fraueneinsatzes, der nach der Meldeaktion vom 27.1.43 laufend sinkende Tendenz aufweist.

7. Rasche Einführung des »Rüstungstausch«-Verfahrens, insbesondere unter Rückführung von Kriegsversehrten in die Rüstungswirtschaft.

8. Konzentrierte Ausbildung der Lehrlinge in Best- und Musterbetrieben, um in der verkürzten Ausbildungszeit einen möglichst hohen Grad von Fertigkeit und Wissen zu erreichen.

Nachdem die Erfahrung gelehrt hat, daß das Ziel eines vollen Einsatzes aller Arbeitskräfte auf dem Wege der Freiwilligkeit und Selbstverantwortung nicht zu erreichen ist, erscheinen obige Maßnahmen - gegebenenfalls unter diktatorischer Durchführung - unumgänglich, um das Gebot des totalen Krieges auch wirklich zu erfüllen und frische Arbeitskräfte für die Rüstungswirtschaft zu gewinnen.

Als Schlußfolgerung ergeben sich demnach die Forderungen:

1. Straffere und einfachere Organisation unter Stärkung der Selbstverantwortung.

2. Restloser Einsatz der noch vorhandenen Arbeitskraftreserven.

3. Scharfe Maßnahmen, um jegliche privaten Interessen in der Stunde, da die nationale Existenz auf dem Spiele steht, auszuschalten.

Die Ausbeutung von Kriegsgefangenen, Zwangsarbeiterinnen und Zwangsarbeitern

a) Merkblatt für Betriebsführer über das Arbeitsverhältnis und die Behandlung von polnischen Arbeitern, März 1940

Staatsarchiv Freiburg, Landeskommissar Konstanz, Faszikel 1685.

Die Beanspruchung der gesamten deutschen Volkswirtschaft während des Krieges erfordert den Einsatz aller verfügbaren Arbeitskräfte. Die deutsche Regierung hat daher in großem Umfange Arbeiter und Arbeiterinnen polnischen Volkstums im Reichsgebiet zur Arbeit verpflichtet.

A. Allgemeines Verhalten
gegenüber Zivilarbeitern polnischen Volkstums

Jeder deutsche Betriebsführer hat sich stets bewußt zu sein, daß die ihm unterstellten Zivilarbeiter polnischen Volkstums Angehörige eines Feindstaates sind und sein Verhalten danach einzurichten. Jeder gesellige Verkehr zwischen diesen Zivilarbeitern und Deutschen ist verboten. Jeder Betriebsführer hat darauf zu achten, daß die diesen Arbeitskräften auferlegten Beschränkungen genauestens eingehalten werden. Diese Beschränkungen sind u.a. Meldepflicht binnen 24 Stunden nach Eintreffen am Arbeitsort, Verbot des Besuchs von Theatern, Kinos, Gaststätten u. a. gemeinsam mit der deutschen Bevölkerung, der Zwang, ein stets sichtbares, mit der jeweiligen Oberkleidung fest verbundenes Abzeichen auf der rechten Brustseite zu tagen und ein Ausgehverbot für bestimmte Nachtstunden.

Deutsche Volksgenossen, die den Erfolg dieser Auflagen dadurch beeinträchtigen, daß sie z.B. für die Polen Geld oder Bekleidungsstücke sammeln, Briefe vermitteln, Fahrkarten kaufen, die den Polen offenstehenden Gaststätten während deren Anwesenheit besuchen u. ä. m., werden zur Rechenschaft gezogen. Der Geschlechtsverkehr zwischen Deutschen und Zivilarbeitern und -arbeiterinnen polnischen Volkstums wird schärfstens geahndet.

Jeder Betriebsführer ist verpflichtet, alle ihm zur Kenntnis kommenden Zuwiderhandlungen dieser Arbeitskräfte gegen die bestehenden Anordnungen und sonstiges abträgliches Verhalten unverzüglich der Ortspolizeibehörde zu melden.

Der Betriebsführer hat dafür zu sorgen, daß die seiner Gefolgschaft angehörenden deutschen Volksgenossen eine Berührung mit den Arbeitskräften polnischen Volkstums während der Arbeit auf das unbedingt notwendige Maß beschränken und außerhalb der Arbeit ganz vermeiden.

B. Unterbringung der Zivilarbeiter polnischen Volkstums

Um eine Berührung dieser Arbeitskräfte mit der deutschen Bevölkerung weitgehendst auszuschließen, hat die Unterbringung der polnischen Arbeitskräfte grundsätzlich scharf getrennt von den Unterkünften der deutschen Volksgenossen zu erfolgen. Bei einem Arbeitseinsatz in gewerblichen Betrieben, auf Gütern und größeren Wirtschaften erfolgt die Unterbringung in geschlossenen Sammelstätten (Baracken, Schnitterkasernen usw.) Auch bei Einzelunterbringung polnischer Arbeitskräfte (bei kleineren Bauernwirtschaften) ist eine scharfe Trennung von dem deutschen Gesinde je nach den gegebenen Möglichkeiten durchzuführen. Um keine Gefahrenherde für die Gesundheit des deutschen Volkes zu bilden, haben die Unterkunftsräume den hygienischen Anforderungen zu entsprechen. Die sonst übliche Aufnahme von Gesindekräften in die häusliche Gemeinschaft hat bei den Arbeitskräften polnischen Volkstums unter allen Umständen zu unterbleiben. Die Mahlzeiten sind möglichst getrennt einzunehmen und die Arbeitspausen in getrennten Aufenthaltsräumen zu verbringen.

C. Beschäftigungsgenehmigung und Arbeitserlaubnis

Die Beschäftigung polnischer Arbeitskräfte ist nur mit ausdrücklicher vorheriger Genehmigung des zuständigen Arbeitsamtes zulässig. Wer polnische Arbeitskräfte ohne die Genehmigung einstellt, verstößt gegen die Verordnung des Reichsarbeitsministers über ausländische Arbeitnehmer vom 23.1.1933. Entlassungen und Umsetzungen in andere Betriebe, auch dann, wenn Entlassung oder Umsetzung in beiderseitigem Einvernehmen erfolgt, sind nur mit Zustimmung des Arbeitsamtes zulässig. Entsprechend der dem Betriebsführer erteilten Beschäftigungsgenehmigung wird für den polnischen Arbeiter selbst vom Arbeitsamt die Arbeitserlaubnis für die ihm zugewiesene Arbeitsstelle erteilt und darüber eine Arbeitskarte ausgestellt, die dem Arbeiter durch die Ortspolizeibehörde ausgehändigt wird.

D. Entlohnung

Die Entlohnung polnischer landwirtschaftlicher Arbeiter ist grundsätzlich niedriger als die der deutschen Arbeiter. Sie erfolgt nach der »Reichstariffordnung für landwirtschaftliche Arbeitskräfte, die nicht im Besitz der deutschen Staatsangehörigkeit sind, mit Ausnahme derjenigen, deren Arbeitsbedingungen Gegenstand von Staatsverträgen sind« vom 8. Januar 1940

(Reichsarbeitsblatt Nr. 2 vom 15. Januar 1940). Soweit bestehende Arbeitsverträge höhere Löhne vorsehen, als sie die Reichstarifordnung festsetzt, können die vereinbarten Löhne gemäß Anordnung des Reichstreuhänders der Arbeit für das Wirtschaftsgebiet Brandenburg als Sondertreuhänder vom 8.1.1940 mit einer Aufkündigungsfrist von einer Woche auf die Sätze der Reichstarifordnung zurückgeführt werden. Bürgerliche Rechtsstreitigkeiten aus Arbeitsverhältnissen polnischer Landarbeiter werden unter Ausschluß der Arbeitsgerichtsbarkeit durch ein bei dem zuständigen Arbeitsamt errichtetes Schiedsgericht entschieden.

Die Arbeitsbedingungen für gewerbliche polnische Arbeitskräfte sind die gleichen wie für entsprechende reichsdeutsche Kräfte, soweit nicht für polnische Arbeitskräfte abweichende Bestimmungen getroffen werden. Über die Lohnauszahlung an polnische Zivilarbeiter sowie die Überweisung ihrer Ersparnisse in die Heimat gibt ein besonderes vom Reichsarbeitsministerium herausgegebenes Merkblatt Auskunft.

E. Sozialversicherung

a. Kranken- und Unfallversicherung: Polnische Arbeitskräfte unterliegen der Pflicht zur Kranken- und Unfallversicherung in gleicher Weise wie deutsche Arbeitskräfte.

b. Invalidenversicherung: Während polnische gewerbliche Arbeiter in Deutschland allgemein der Invalidenversicherung unterliegen, sind polnische landwirtschaftliche Arbeiter in land- und forstwirtschaftlichen Betrieben nur dann invalidenversicherungspflichtig, wenn sie einen Befreiungsschein besitzen. Die Beschäftigung polnischer landwirtschaftlicher Arbeiter, die versicherungsfrei sind, hat der Betriebsführer binnen 3 Tagen der Landesversicherungsanstalt anzuzeigen. Er hat für diese Arbeiter Zahlungen in Höhe des halben Invalidenversicherungsbeitrages an die Landesversicherungsanstalt zu leisten (§ 1233 Abs. 2 RVO).

c. Arbeitslosenversicherung: Es gelten dieselben Bestimmungen wie für deutsche Arbeitskräfte. Danach sind landwirtschaftliche Betriebsführer und Arbeiter von der Entrichtung von Beiträgen zur Arbeitslosenversicherung befreit.

b) Vertrag zwischen der Stadt Offenburg und dem Kriegsgefangenenstammlager VC über die Überlassung von Kriegsgefangenen, 23. Juli 1940

Stadtarchiv Offenburg, 5/6.427.

Vertrag zwischen dem Deutschen Reich (Wehrmacht-Fiskus Heer), vertreten durch den Kommandanten des Kriegsgefangenen-Mannschaftsstammlagers VC*, und dem unterzeichneten Unternehmer wird folgender Vertrag abgeschlossen:

§ 1 Dem unterzeichneten Unternehmer werden insgesamt 10 Kriegsgefangene des Gefangenenlagers VC zur Verrichtung von land- und forstwirtschaftlichen Arbeiten überlassen ab 20. Juli 1940. Die Kosten des An- und Abtransportes von und zum Lager trägt der Wehrmacht-Fiskus Heer. Die Kosten eines Transportes zwischen Unterkunfts- und Beschäftigungsort tragen die Unternehmer.

§ 2 (1) Die tägliche Arbeitsdauer der Kriegsgefangenen soll diejenige der Gefolgschaftsmitglieder des beschäftigenden Betriebes nicht überschreiten. Sie darf einschließlich des Hin- und Rückmarsches nicht übermäßig sein. Jedem Kriegsgefangenen ist wöchentlich eine Ruhe von mindestens 24 aufeinanderfolgenden Stunden zu gewähren. Falls die betrieblichen Verhältnisse es zulassen, ist die Ruhezeit auf den Sonntag zu verlegen.
(2) Für die Arbeitsleistungen der Kriegsgefangenen sind angemessene Vergütungssätze zu zahlen.

Die sich nach den vorstehenden Absätzen 1 und 2 ergebenden Vergütungen sind wöchentlich von den Arbeitskommandoführern für jeden einzelnen Kriegsgefangenen unter Angabe der geleisteten Arbeitszeit in Listen einzutragen, die dem Unternehmer zur Anerkennung vorzulegen sind. Bestehen über die Höhe der Vergütungen Zweifel, so setzt sie der zuständige Reichstreuhänder der Arbeit fest. Die Vergütungen sind durch den Unternehmer monatlich an die Verwaltung des Stammlagers VC abzuführen. Auf der Überweisung sind die Wochenbeträge zu erläutern.

§ 3 Die von den Unternehmern zu gewährende Verpflegung und Unterkunft müssen gut und ausreichend sein. Wachmannschaft und Gefangene sind getrennt unterzubringen.

§ 4 Wird vom Kommmandanten des Stalags** oder einem seiner beauftragten Offiziere oder Beamten festgestellt, daß die Verpflegung bzw. Unterkunft der überlassenen Kriegsgefangenen unzureichend ist, so kann das Arbeitsverhältnis ohne Einhaltung der Kündigungsfrist aufgelöst werden.

---

* Stammlager im Wehrkreis V.
** Stammlager.

§ 5 Der Unternehmer verpflichtet sich, die Kriegsgefangenen unter den gleichen Bedingungen wie die Gefolgschaftsmitglieder gegen Unfall zu versichern und die gesetzlichen Beiträge zu leisten. Bei Erkrankung oder Unfall am Beschäftigungsort ist der Unternehmer zum Transport des Kriegsgefangenen in das Stammlager bzw. das zuständige Krankenhaus verpflichtet. Die Kosten des Transportes werden vom Deutschen Reich ersetzt.

Der Unternehmer soll die Kriegsgefangenen mit Menschlichkeit behandeln und sie insbesondere gegen Gewalttätigkeiten, Beleidigungen und öffentliche Neugierde schützen.

§ 6 Der Vertrag wird auf unbestimmte Zeit abgeschlossen. Er kann von jedem Vertragsteil mit einer Frist von einer Woche gekündigt werden. Das Recht zur fristlosen Kündigung aus wichtigen Gründen bleibt vorbehalten.

§ 7 Die durch Vertragsabschluß entstehende Urkundensteuer wird von den Unternehmern getragen.

§ 8 Der Vertrag ist einfach ausgefertigt. Der Unternehmer erhält eine Vertragsabschrift.

c) Rundschreiben der Landesbauernschaft Baden an alle Kreisbauernschaften betreffend die Behandlung polnischer Landarbeiter, 6. März 1941

Der Prozeß gegen die Hauptkriegsverbrecher vor dem Internationalen Militärgerichtshof, Bd. XXXVI, Nürnberg 1949, S. 132ff.

Mit Genugtuung haben die Dienststellen des Reichsnährstandes - Landesbauernschaft Baden - das Ergebnis der Verhandlungen beim Höheren SS- und Polizeiführer am 14.2.1941 in Stuttgart aufgenommen. Entsprechende Merkblätter wurden Kreisbauernschaften bereits übergeben. Anschließend gebe ich einzelne Bestimmungen bekannt, wie diese aufgrund der Besprechungen festgelegt wurden und nun entsprechend angewendet werden müssen:

1. Ein Beschwerderecht steht den Landarbeitern polnischen Volkstums grundsätzlich nicht mehr zu, und dürfen solche auch von keiner Dienststelle entgegengenommen werden.

2. Die Landarbeiter polnischen Volkstums dürfen die Ortschaften, in welche sie zum Einsatz gegeben wurden, nicht mehr verlassen und haben Ausgangsverbot vom 1. Oktober bis 31. März von 20 Uhr bis 6 Uhr und vom 1. April bis 30. September von 21 Uhr bis 5 Uhr.

3. Die Benutzung von Fahrrädern ist streng untersagt. Ausnahmen sind möglich für Fahrten zur Arbeitsstelle aufs Feld, wenn ein Angehöriger des Betriebsführers oder der Betriebsführer selbst dabei ist.

4. Der Besuch von Theatervorstellungen, Kinos und sonstigen kulturellen Veranstaltungen ist für Landarbeiter polnischen Volkstums streng untersagt.

6. Der Besuch von Gaststätten für Landarbeiter polnischen Volkstums ist streng verboten mit Ausnahme einer Gaststätte im Ort, die vom Landratsamt hierzu bestimmt wurde, und nur an einem Tag in der Woche. Der Tag, welcher zum Besuch der Gaststätte freigegeben wurde, wird ebenfalls vom Landratsamt bestimmt. Bei dieser Bestimmung ändert sich an dem unter 2. verkündeten Ausgangsverbot nichts.

7. Der Geschlechtsverkehr mit Frauen und Mädchen ist streng verboten, und wo solcher festgestellt wird, ist Anzeigepflicht gegeben.

8. Zusammenkünfte von Landarbeitern polnischen Volkstums nach Feierabend auf anderen Höfen, sei es in Stallungen oder in den Wohnräumen der Polen, sind verboten.

9. Die Benutzung von Eisenbahnen, Omnibussen oder sonstigen öffentlichen Verkehrsmitteln durch Landarbeiter polnischen Volkstums ist verboten.

10. Bescheinigungen von der Ortspolizeibehörde (Bürgermeisteramt), welche zum Verlassen des Ortes berechtigen, dürfen nur in ganz großen Ausnahmefällen ausgestellt werden. Keinesfalls aber, wenn ein Pole eigenmächtig eine Dienststelle, sei es ein Arbeitsamt oder die Kreisbauernschaft, aufsuchen oder seinen Arbeitsplatz wechseln will.

11. Ein eigenmächtiger Stellenwechsel ist streng verboten. Die Landarbeiter polnischen Volkstums haben so lange täglich zu arbeiten, wie es im Interesse des Betriebs gelegen ist und vom Betriebsführer verlangt wird. Eine zeitliche Begrenzung der Arbeitszeit besteht nicht.

12. Das Züchtigungsrecht steht jedem Betriebsführer für die Landarbeiter polnischen Volkstums zu, sofern gutes Zureden und Belehrungen ohne Erfolg waren. Der Betriebsführer darf in einem solchen Fall von keiner Dienststelle deswegen zur Rechenschaft gezogen werden.

13. Die Landarbeiter polnischen Volkstums sollen nach Möglichkeit aus der Hausgemeinschaft entfernt werden und können in Stallungen usw. untergebracht werden. Irgendwelche Hemmungen dürfen dabei nicht hindernd im Wege stehen.

14. Alle von Landarbeitern polnischen Volkstums begangenen Schandtaten, die dazu angetan sind, den Betrieb zu sabotieren oder die Arbeiten aufzuhalten, z. B. durch Arbeitsunwillen und freches Benehmen, unterliegen der Anzeigepflicht, auch dann, wenn es sich um leichtere Fälle handelt. Ein Betriebsführer, welcher durch pflichtgemäße Anzeige seinen Polen, der daraufhin eine längere Haftstrafe verbüßen muß, verliert, erhält auf Antrag vom zuständigen Arbeitsamt bevorzugt eine andere polnische Arbeitskraft zugewiesen.

15. In allen anderen Fällen ist nur noch die Staatspolizei zuständig. Auch für die Betriebsführer sind hohe Strafen vorgesehen, sollte festgestellt werden, daß der notwendige Abstand von den Landarbeitern polnischen Volkstums nicht gewahrt worden ist. Dasselbe gilt auch für die Frauen und Mädchen. Sonderzuwendungen sind streng untersagt. Nichteinhaltung der Reichstarife für Landarbeiter polnischen Volkstums werden mit sofortiger Wegnahme der Arbeitskraft durch das zuständige Arbeitsamt bestraft. In irgendwelchen Zweifelsfällen gibt die Landesbauernschaft Auskunft. Eine schriftliche Weitergabe obiger Vereinbarung an Landarbeiter polnischen Volkstums ist streng verboten.

Diese Bestimmungen gelten nicht für Polen, welche sich noch im Kriegsgefangenenverhältnis befinden und somit der Wehrmacht unterstehen. In diesem Falle gelten die von der Wehrmacht bekanntgegebenen Regelungen.

d) Merkblatt des Beauftragten für den Vierjahresplan und des Generalbevollmächtigten für den Arbeitseinsatz über die Behandlung von Ostarbeitern, 27. Juli 1942

Merkblatt Nr. 1, Bundesarchiv Koblenz, R 41/288 a.

A. Allgemeine Grundsätze für die Behandlung der Ostarbeiter

1. Ostarbeiter sind diejenigen Arbeitskräfte nichtdeutscher Volkszugehörigkeit, die im Reichskommissariat Ukraine, im Generalkommissariat Weißruthenien oder in Gebieten, die östlich an diese Gebiete und an die früheren Freistaaten Lettland und Estland angrenzen, erfaßt und nach der Besetzung durch die deutsche Wehrmacht in das Deutsche Reich einschließlich des Protektorats Böhmen und Mähren gebracht und hier eingesetzt werden.

2. Die Masse der Ostarbeiter kommt arbeitswillig ins Reich. Sie empfindet die Vernichtung des Bolschewismus in ihrer Heimat als Erlösung. Die Ostarbeiter müssen daher korrekt und gerecht behandelt werden. Es ist auch beim Einsatz der Ostarbeiter alles zu vermeiden, was ihnen über die kriegsbedingten Einschränkungen und Härten hinaus den Aufenthalt und die Arbeit in Deutschland erschweren oder gar unnötig verleiden könnte. Anregungen, Wünsche oder Beschwerden der Ostarbeiter sind gerecht und sorgfältig zu prüfen. Mißverständnisse aus der Sprachverschiedenheit sind aufzuklären.

3. Andererseits sind die Ostarbeiter vom Bolschewismus in harter und strenger Arbeitsdisziplin erzogen worden. Auf die geringsten Verfehlungen standen harte Strafen (Haft oder Zwangslager); Prügelstrafen oder sonstige körperlichen Mißhandlungen kennt der sowjetische Arbeiter jedoch im allgemeinen nicht. Bei Verfehlungen soll hart und rücksichtslos durchgegriffen werden. Übergriffe jeder Art gegenüber Deutschen sind sofort zu ahnden; die Täter sind der Polizei zu übergeben und nicht ohne Strafe wieder an die Arbeit zu lassen.

4. Stets müssen sich die mit den Ostarbeitern während der Arbeit wie in der Freizeit zusammenkommenden Personen der Verantwortung bewußt sein, die ihnen die Berührung mit den Angehörigen von Völkern auferlegt, die länger als zwei Jahrzehnte unter bolschewistischer Herrschaft standen. Ebenso verderblich wie eine willkürliche und ungerechte Behandlung der Ostarbeiter für den Arbeitseinsatz in Deutschland wäre einer der Würde unseres Volkes und der Schwere der Kriegszeit widersprechende Annäherung oder gar Anbiederung. Gerade die Ostarbeiter werden bei ungerechter Behandlung ebenso wie bei unwürdiger Anbiederung sehr schnell den schuldigen Respekt aufgeben und in ihrer Arbeitsleistung erheblich nachlassen.

B. Die Arbeitsbedingungen für die Ostarbeiter

Arbeitsverhältnis

Die im Reich eingesetzten Ostarbeiter stehen in einem Beschäftigungsverhältnis eigener Art. Die deutschen arbeitsrechtlichen und arbeitsschutzrechtlichen Vorschriften finden auf sie nur insoweit Anwendung, als dies besonders bestimmt wird.

Einsatz im Betrieb

Beim Einsatz im Betrieb sind die Ostarbeiter grundsätzlich von den deutschen und ausländischen Arbeitern sowie von den Kriegsgefangenen getrennt, d. h. nur in geschlossenen Kolonnen, einzusetzen. Dem Grundsatz des kolonnenweisen Einsatzes steht es nicht entgegen, daß in den Betrieben die Kolonnen in kleinere Gruppen aufteilt werden, wenn sonst – wie etwa bei Facharbeitern – ein Einsatz nicht möglich wäre. Wo es möglich ist, die Ostarbeiter in besonderen Betriebsabteilungen einzusetzen, ist dies selbstverständlich durchzuführen. Dem Einsatz von Familien mit arbeitsfähigen Kindern über 15 Jahren, der vor allem in der Landwirtschaft in Frage kommen wird, stehen Bedenken nicht entgegen. Es ist nicht notwendig, die Familien zu trennen.

Entlohnung

Die im Reich eingesetzten Ostarbeiter erhalten ein nach ihrer Leistung abgestuftes Arbeitsentgelt (vgl. die Verordnung vom 30.6.1942, RGBl. I,

S. 419/424 über Einsatzbedingungen der Ostarbeiter). Die Höhe des Entgelts richtet sich nach den als Anlage beigefügten Tabellen. (In der Landwirtschaft nach den von dem Reichstreuhänder der Arbeit herausgegebenen Sätzen.) Bei der Festsetzung des Entgelts ist von den vergleichbaren Lohnsätzen (Zeitlohn-, Akkord-, Prämiensätzen) deutscher Arbeiter auszugehen.

Besteht ein Teil des Vergleichslohnes in Sachleistungen, so sind diese bei der Ermittlung dieses Lohnes zu den Sätzen zu bewerten, zu denen sie deutschen Arbeitern im Betriebe für den Fall einer Abgeltung in bar in Rechnung gestellt werden.

Sozialzulagen und Sozialleistungen aller Art, die deutschen Arbeitern zustehen, sind bei der Ermittlung des Vergleichslohnes nicht zu berücksichtigen. Leistungszulagen sind in der gleichen Höhe in den Vergleichslohn einzubeziehen, in der sie bei gleichen Leistungen deutscher Arbeiter im Betriebe gewährt werden. Bleibt der Ostarbeiter in seiner Leistung hinter der Durchschnittsleistung eines deutschen Arbeiters zurück, so ist bei der Feststellung des ihm zu zahlenden Entgelts von einem entsprechend verringerten Vergleichslohn auszugehen. Erschwernis- und Schmutzzulagen u. a. sind bei der Ermittlung des für das Arbeitsentgelt des einzelnen Ostarbeiters maßgebenden Vergleichslohnes zu berücksichtigen.

Dem Ostarbeiter ist ein Arbeitsentgelt nur für die tatsächlich geleistete Arbeit zu gewähren, doch sind die Bestimmungen über Arbeitsausfall infolge ungünstiger Witterung entsprechend anzuwenden. Die Ostarbeiter haben keinen Anspruch auf Zuschläge zum Arbeitsentgelt für Mehrarbeit sowie Sonntags- usw. Arbeit. Trennungs- und Unterkunftsgelder sowie Auslösung und Zehrgelder dürfen nicht gezahlt werden. Die vom Unternehmer gewährte Unterkunft und Verpflegung sind nach den Sätzen in Rechnung zu stellen, die sich aus der Tabelle ergeben. Sonstige Sachleistungen sind zu angemessenen Preisen zu verrechnen.

Ostarbeiterabgabe

Betriebsführer, die Ostarbeiter beschäftigen, haben eine Abgabe nach Maßgabe der beigefügten Tabelle zu entrichten. (In der Landwirtschaft nach Maßgabe der von den Reichstreuhändern der Arbeit herausgegebenen Tabelle.)

Urlaub, Rückkehr nach der Heimat

Die Anwerbung der Ostarbeiter ist auf unbestimmte Zeit erfolgt. Urlaub und Familienheimfahrten werden zunächst nicht gewährt. ...

Bekleidung

In wirklich dringenden Fällen können für Ostarbeiter wie bei den übrigen Ausländern Bezugscheine bei den Wirtschaftsämtern beantragt werden. Mit Rücksicht auf die angespannte Kriegslage muß daher ein strenger Maßstab angelegt werden. Anträge dürfen nur gestellt werden, soweit es zur Erhaltung der Arbeitsfähigkeit der betreffenden Ostarbeiter notwendig ist.

Im übrigen ist der Erhaltung und Pflege der mitgebrachten Kleidung besondere Beachtung zu schenken. In den Lagern sind Flick- und Schusterstuben einzurichten sowie Kleiderappelle abzuhalten. ...

Gesundheitsfürsorge

Um sicherzustellen, daß den Betrieben nur gesundheitlich geeignete und von ansteckenden oder übertragbaren Krankheiten freie Arbeitskräfte zugeführt werden, werden die Arbeitskräfte vor dem Einsatz mehrmals ärztlich untersucht und entlaust. Ihre Kleidung und ihr Gepäck wird jedesmal entwest. Trotzdem können bei der großen Zahl der geworbenen Kräfte, dem Mangel an Ärzten und den Schwierigkeiten der Verständigung gelegentlich ungeeignete Arbeiter oder Arbeiterinnen zugewiesen werden. Arbeitskräfte sind jedoch nicht als ungeeignet anzusehen, wenn bei ihnen körperliche Fehler oder Leiden vorliegen, die nicht ansteckend oder übertragbar sind und bei der vorgesehenen oder, nach Umsetzung im Betriebe, bei einer anderen Arbeit nicht wesentlich hindern. Es ist deshalb nicht zulässig, solche Arbeitskräfte dem zuweisenden Arbeitsamt wieder zur Verfügung zu stellen.

Tatsächlich nicht einsatzfähige oder kranke Ostarbeiter, die unbedingt zurückbefördert werden müssen, sind dem zuständigen Arbeitsamt zur Rückführung zu melden. Das Arbeitsamt veranlaßt eine abschließende ärztliche Untersuchung durch den Arzt des Arbeitsamtes. Aufgrund des Ergebnisses dieser Untersuchung wird über die Rücksendung endgültig entschieden. Sofern vom Arzt nichts anderes bestimmt wird, bleiben die rückzuführenden Kräfte bis zum Abtransport im Lager bzw. in der jeweiligen Unterkunft. ...

Religiöse Betätigung

Eine seelsorgerische Betreuung durch ausländische oder deutsche Geistliche kommt nicht in Frage. Soweit Ostarbeiter im Lager eine religiöse Betätigung ausüben oder leiten wollen, ist hiergegen nichts einzuwenden, solange dies nicht zu Störungen des Lagerlebens oder des Betriebsfriedens führt. Der Kirchenbesuch außerhalb des Lagers ist auch unter deutscher Führung nicht möglich.

Ausgang

Bewährten Arbeitskräften kann als Belohnung Ausgang in geschlossenen Gruppen unter deutscher Aufsicht gewährt werden. Jedoch darf der Ausgang nicht zur Berührung mit der deutschen Bevölkerung führen; es dürfen also keine öffentlichen Veranstaltungen, Filme, Varietés usw. besucht werden. Verantwortlich für die Gewährung des Ausgangs ist der Betriebsführer, der sowohl die Arbeitsleistung als auch das Verhalten im Betrieb und Lager (Beteiligung des Lagerführers) berücksichtigen muß. ...

D. Bewachung und sicherheitspolitische Bestimmungen

Bewachung

Die Unterkünfte sind ständig unter Bewachung zu halten. Das Wachpersonal ist zu stellen
a. in staatlichen Betrieben (Kriegsmarinewerften, Reichsbahn) von den für diese Einrichtungen vorgesehenen Wachmannschaften,
b. in Betrieben mit Werkschutz vom Werkschutz und Ergänzungskräften des Bewachungsgewerbes,
c. in sonstigen Betrieben vom Bewachungsgewerbe. Soweit der Einsatz des Bewachungsgewerbes nicht möglich ist, ist unter Aufsicht der Staatspolizeileitstellen ein Sonderbewachungsdienst im Rahmen eines Selbstschutzes zu organisieren.

Über die Bewachung im Betrieb, auf dem Wege vom Lager zur Arbeitsstelle und beim Ausgang ergehen besondere Weisungen durch die Staatspolizeistellen.

Verstöße gegen die Arbeitsdisziplin

Disziplinarmaßnahmen (Verwarnung, Bußen), die dem Betriebsführer gegenüber deutschen Gefolgschaftsmitglieder zustehen, sind auch bei Verstößen gegen die Arbeitsdisziplin auf die Ostarbeiter anzuwenden. Darüber hinaus kann zeitweilig die übliche Verpflegung gekürzt werden.

Der Vertrauensrat ist bei Maßnahmen gegen Ostarbeiter nicht zu beteiligen. Bei gröberen Verstößen müssen sich die Betriebsführer sofort an die Staatspolizeistelle wenden. Seitens der Staatspolizeistellen sind Weisungen bereits ergangen und ergehen noch. …

Entgelttabelle bei wöchentlicher Lohnzahlung

Bruttolohn des vergleichbaren deutschen Arbeiters (Zeitlohn, Akkordlohn, Prämienlohn) für eine Woche von mehr als - bis - in RM	Entgelt des Ostarbeiters Insgesamt für eine Woche (§ 3 Abs. 2) in RM	davon sind für freie Unterkunft und Verpflegung abzusetzen in RM	Auszuzahlender Betrag in RM	Ostarbeiter-abgabe (§ 10) in RM
bis 9,80	11,20	10,50	0,70	-
9,80-10,15	11,34	10,50	0,84	-
10,15-10,50	11,55	10,50	1,05	-
10,50-11,20	11,69	10,50	1,19	-
11,20-11,90	11,90	10,50	1,40	-
11,90-12,60	12,04	10,50	1,54	-
12,60-13,30	12,25	10,50	1,75	0,70
13,30-14,00	12,60	10,50	2,10	1,05
14,00-15,05	12,95	10,50	2,45	1,40
15,05-16,10	13,30	10,50	2,80	2,10
16,10-17,15	13,65	10,50	3,15	2,80
17,15-18,20	14,00	10,50	3,50	3,50
18,20-19,25	14,35	10,50	3,85	4,20
19,25-20,30	14,70	10,50	4,20	4,90
20,30-21,35	15,05	10,50	4,55	5,60
21,35-22,40	15,40	10,50	4,90	6,30
22,40-23,45	15,75	10,50	5,25	7,00
23,45-24,50	16,10	10,50	5,60	7,70
24,50-25,55	16,45	10,50	5,95	8,40
25,55-26,60	16,80	10,50	6,30	9,10
26,60-27,65	17,15	10,50	6,65	9,80
27,65-27,70	17,50	10,50	7,00	10,50
28,70-29,75	17,85	10,50	7,35	11,20
29,75-30,80	18,20	10,50	7,70	11,90
30,80-32,20	18,55	10,50	8,05	12,60
32,20-33,60	18,90	10,50	8,40	13,65
33,60-35,00	19,25	10,50	8,75	14,70
35,00-36,40	19,60	10,50	9,10	15,75
36,40-37,80	19,95	10,50	9,45	16,80
37,80-39,20	20,30	10,50	9,80	17,85
39,20-40,60	20,65	10,50	10,15	18,90
40,60-42,00	21,00	10,50	10,50	19,95
42,00-43,40	21,35	10,50	10,85	21,00
43,40-44,80	21,70	10,50	11,20	22,05
44,80-46,20	22,05	10,50	11,55	23,10

Verpflegungssätze der in der Rüstungsindustrie bzw. in der gewerblichen Wirtschaft beschäftigten Arbeiter und Arbeiterinnen

---

Es erhalten:

a. Normalarbeiter:

Brot	2600 g die Woche
Fleisch	250 g die Woche
Fett	130 g die Woche
Kartoffeln	5250 g die Woche
Nährmittel	150 g die Woche
Zucker	110 g die Woche
Tee-Ersatz	14 g die Woche
Gemüse	nach Aufkommen (Kohlrüben)

b. Schwerarbeiter:

Brot	3400 g die Woche
Fleisch	400 g die Woche
Fett	200 g die Woche

Die übrigen Lebensmittel wie zu a.

c. Schwerstarbeiter:

Brot	4200 g die Woche
Fleisch	500 g die Woche
Fett	260 g die Woche

Die übrigen Lebensmittel wie zu a.

d. Bergarbeiter unter Tage:

Brot	4400 g die Woche
Fleisch	600 g die Woche
Fett	300 g die Woche

Die übrigen Lebensmittel wie zu a.

e. Lang- und Nachtarbeiterzulagen werden nicht gewährt.

f. Die vorstehenden Verpflegungssätze gelten auch für weibliche Arbeitskräfte. ...

Die Lieferung von Magermilch kommt in Fortfall. Die Fleischportion ist möglichst in Pferde- und Freibankfleisch zum vollen Anrechnungssatz zu verabreichen. Die Fettportion soll nach Möglichkeit aus Margarine bestehen. Brot soll grundsätzlich in der Zusammensetzung von 72 Prozent Roggenschrot und 28 Prozent vollwertigen Zuckerschnitzeln hergestellt werden. Solange Brot mit Zuckerschnitzeln nicht geliefert wird, kann normales Brot gewährt werden. Auf die Herstellung sättigender Suppen, wie sie der Ernährungsgewohnheit der Russen entsprechen, wird besonderer Wert gelegt. Anstelle von 500 g Brot kann daher 350 g Roggenmehl oder 380 g Roggenschrot oder 360 g Roggengrütze gewährt werden. ...

e) Bericht des Amtsarztes des Gesundheitsamts Freiburg über die hygienischen Verhältnisse im Freiburger »Russenlager«, 4. August 1942

Stadtarchiv Freiburg, C 4, XII, 10/1.

Das Russenlager wurde heute von mir besichtigt. Es beherbergt z. Zt. etwa 160 Männer und Frauen. Es ist erforderlich folgende Einrichtungen mit größter Beschleunigung fertigzustellen:

1. Waschgelegenheiten, da die vorhandene Möglichkeit ganz ungenügend ist und die meisten Leute sich überhaupt nicht waschen können, es sei denn im vorbeifließenden Kanal.

2. Abortanlagen. Da nur 2 oder 3 Aborte vorhanden sind, findet notgedrungen jede Nacht eine unbeschreibliche Verunreinigung der Umgebung und sogar des Hauses selbst statt, die zu den größten gesundheitlichen Bedenken Anlaß gibt. Solange die Spülaborte nicht fertiggestellt sind, schlage ich den sofortigen Bau einer behelfsmäßigen Latrine vor und die Ausgabe entsprechender Menge von Chlorkalk zur Bekämpfung von Ungeziefer und Geruch.

3. Die Küche. Hier fehlt es an großen Kochkesseln, die vorhandenen reichen schon jetzt nicht aus. Koch und Köchin sollten waschbare Arbeitskleidung oder wenigstens Schürzen bekommen.

4. Das Arztzimmer. Es ist ein unhaltbarer Zustand, daß der Arzt die Kranken im Geschäftszimmer des Lagerwalters untersuchen muß. Der Krankenstand ist, wie ich höre, verhältnismäßig hoch. Um so mehr muß auf Erfüllung der obengenannten hygienischen Forderungen bestanden werden.

Es ist, wenn eine Wiederverlausung der Leute und die verträgliche Ausbreitung der jetzt schon zahlreich vorhandenen Flöhe vermieden werden soll, auch nötig, daß jeder Mann und jede Frau zwei Garnituren Wäsche besitzt. Die meisten Leute besitzen nur ein Hemd, das meist noch zerrissen ist, und konnten sich bisher nie umziehen. Ein Umstand, der die beste Brutstätte für Läuse schafft und dazu das Auftreten der Hautkrankheiten begünstigt. Es fehlen noch immer Decken, so daß die Kleider nicht abgelegt werden, eine weitere Begünstigung und Läuseplage.

Solange die unter Nr. 1–4 genannten Einrichtungen nicht getroffen sind, kann es gesundheitlich nicht verantwortet werden, das Lager noch stärker zu belegen.

f) Übersicht über die Anzahl der in badischen Rüstungsbetrieben beschäftigten ausländischen Arbeiterinnen und Arbeiter, August 1942

Bundesarchiv - Militärarchiv (Freiburg), RW 20-5/38.

Betreuung Straßburg

Firma	männlich	weiblich
Hasberg, Baden-Baden	-	-
Telekin, Baden-Oos	5	-
Beuttenmüller, Bretten	35	52
Josef Meller, Bretten	44	44
Avog, Holland, Bühlertal	22	-
Daimler-Benz, Gaggenau	481	205
Eisenwerke, Gaggenau	4	51
Stefan Hertweck, Gaggenau	-	21
Kienzle, Gengenbach	-	-
Hengstler, Gutach	-	-
Mannesmann, Hausach	67	1
Schiele, Hornberg	4	17
Schondelmaier, Hornberg	14	1
Gritzner & Kayser, Karlsruhe-Durlach	41	147
Badisch-Pfälzische Reparatur-Werft, Karlsruhe	4	-
Deutsche Waffen- u. Munitionsfabrik, Karlsruhe	866	800
Genschow, Karlsruhe	44	88
Gesellschaft für Lagerschalen, Karlsruhe	65	15
Nähmaschinenfabrik, Karlsruhe	109	114
Junker & Ruh, Karlsruhe	79	100
Markstahler & Barth, Karlsruhe	23	32
Pensky, Karlsruhe	1	1
Rombach, Karlsruhe	24	-
Süddeutsche Arguswerke, Karlsruhe	146	100
Eisenwerk Beutler, Lahr	34	39
Gebrüder Junghans, Lehengericht	16	-
Gritzner & Kayser, Philippsburg	-	-
Reiss & Bastian, Rastatt	-	6
Hans Grohe, Schiltach	-	12
Karlin & Co, Schiltach	2	-
Kumpf, Schiltach	3	-
Progresswerke Oberkirch, Stadelhofen	10	10
Gebrüder Grieshaber, Wolfach	5	7
Insgesamt	2 148	1 863

Betreuung Rüstungskommando Kolmar

Firma	männlich	weiblich
Blessing Werke, Waldkirch	15	45
Frako, Teningen	-	3
Franz Morat, Eisenbach	1	10
Druckerei und Appretur, Brombach	7	7
Chr. Mann, Waldshut	6	-
Jos. Willmann, Eisenbach	-	-
Wilh. Zeh, Freiburg	-	20
Aluminium Walzwerk Wutöschingen	166	-
Wehrle Werk AG, Emmendingen	22	42
Theod. Kromer, Freiburg	19	9
Theod. Kromer, Todtnau	22	-
Storz & Söhne, Gütenbach	-	-
Otto Suhner, Säckingen	1	1
Tuchfabrik Lörrach, Lörrach	10	8
Storz & Söhne, Waldkirch	-	1
Albert Otto & Sohn, Hauenstein	-	4
Hugo Wuttig, Laufenberg	-	1
Maschinenfabrik Zell	-	-
Kadus-Werk, Neustadt	8	1
Hummel & Söhne, Laufenberg	-	-
Hellige & Co, Freiburg	19	2
Insgesamt	296	154

g) Bericht des Leiters des Arbeitsamts Freiburg über den Einsatz von ausländischen Arbeitskräften im Arbeitsamtsbezirk Freiburg (Auszug), August/September 1944

Staatsarchiv Freiburg, Schriftgut NS-Zeit, Nr. 68.

Die Zurückverlegung der Front bis in die Nähe unserer Grenzen ist nicht ohne Auswirkung auf die Ausländer geblieben. Es mußten im August und September verschiedentlich Ausländer von der Geheimen Staatspolizei in Schutzhaft genommen werden wegen Arbeitsvertragsbrüchen, deutschfeindlichen Äußerungen, Wehrkraftzersetzung, Sabotage, Verdacht der Zugehörigkeit zu einer illegalen Ostarbeiterorganisation, Begünstigung der Flucht von Ausländern in die Schweiz, in einem Falle wegen Herstellung von Waffen (Messer) und ein Ostarbeiter, weil er im Besitze von 450 Schuss Kleinkaliber-Munition und einem Seitengewehr war. Es handelt sich hier um insgesamt 20 Ausländer fast jeder Nationalität. Weiterhin erfolgte vom Lilienhof bei Ihringen die Meldung, daß 18 russische Kriegsgefangene revoltierten, so daß sie umgesetzt werden mußten. Es macht sich hauptsächlich bei den in der Landwirtschaft eingesetzten Ausländern eine große Unruhe bemerkbar, deren Ursache nicht festzustellen ist. Arbeitsverweigerung im größeren Ausmaß oder Sabotageakte wurden aus der Landwirtschaft nicht gemeldet.

Der Durchmarsch der landeseigenen Verbände im Süden Freiburgs (Ehrenstetten, Bollschweil) zeitigte insofern eine schlechte Auswirkung, als die in der Gegend eingesetzten Ukrainer sich bei den Offizieren über die Behandlung bei den Bauern, vor allem aber darüber beklagten, daß sie abends laut polizeilicher Vorschrift nicht beliebig ausgehen dürften. Die Offiziere erklärten dem Bürgermeister von Ehrenstetten, daß ihre Volksgenossen in allem genau wie die Deutschen zu behandeln seien und bedrohten den Gendarm mit Erstechen, falls die Ukrainer nicht wie gewünscht behandelt werden. Die Bauern sind naturgemäß jetzt ziemlich verängstigt, zumal die landeseigenen Verbände an ihren Lagerplätzen die Kartoffeln ausrissen, ihre Pferde rücksichtslos in Wiesen und Äcker zum Weiden getrieben und sonst gestohlen haben, was nicht niet- und nagelfest war. Sie sollen außerdem in jenem Gebiet wahllos 40 bis 50 Rehe abgeschossen haben.

Das Heranrücken der Front hat aber nicht nur auf die Ausländer, sondern auch auf das Verhalten der Elsässer sichtliche Wirkung ausgeübt. Während zu Beginn des Krieges einzelne männliche und weibliche elsässische Gefolgschaftsmitglieder unter Arbeitsvertragsbruch ins Elsaß abwanderten – die Mutter eines derselben begründete das Verlassen des Arbeitsplatzes mit den Worten: »Wir wissen halt mehr wie ihr« – haben im August aus einem nach Gutach verlagerten Betrieb 60 elsässische Gefolgschaftsmitglieder geschlossen den Arbeitsplatz verlassen. Einzelne begründeten nun ihr Fernbleiben damit, daß sie infolge der schlechten Zugverbindungen die Arbeit nicht aufnehmen können.

h) Erinnerungsbericht des Niederländers A. van Buiten, ehemaliger Zwangsarbeiter in Offenburg (Auszug), 1943–1945

Schriftlicher Erinnerungsbericht des Niederländers A. van Buiten (unveröffentlicht).

Im März 1943 wurde von der deutschen Besatzung bekanntgegeben, daß alle männlichen Personen zwischen 18 und 35 Jahren nach Deutschland geschickt werden würden, um dort in der Kriegsindustrie zu arbeiten. Schon seit Ende Juni 1940 waren alle männlichen Personen, die keine Arbeit mehr hatten, nach Deutschland geschickt worden. Insgesamt wurden bis März 1944 etwa 520 000 Personen nach Deutschland verbracht. Zwischen Oktober 1944 und Januar 1945 etwa 50 000 Personen, die bei Razzien festgenommen worden waren und mit allerhand Transportmaterial nach Deutschland gebracht wurden.

Die meisten wurden beim Graben von Schützengräben und beim Bauen von Absperrungen eingesetzt. Eine Freistellung zu bekommen, war sehr schwierig. Nur diejenigen, die bereits für die Kriegsindustrie in den Niederlanden oder für die Lebensmittelversorgung tätig waren, wurden freigestellt.

Als ich am Montag, den 26. Juli 1943 aus dem Büro nach Hause kam, war ein Aufruf für mich da, daß ich mich am Dienstag, den 27. Juli für die Musterung zur Zwangsarbeit melden sollte. Im Jahre 1942 war ich wegen einer schweren Operation 9 Monate lang im Krankenhaus gewesen und bekam noch immer durch den Spezialisten zusätzliche Lebensmittelmarken, da ich noch keine 47 Kilo wog. Da es mir verboten war, schwere Arbeit zu verrichten, ging ich davon aus, daß ich für dienstuntauglich erklärt werden würde. Kam man diesem Aufruf nicht nach, wurde die Familie verantwortlich gemacht. Es wurden Zwangsmaßnahmen angewandt, wie die Inhaftierung von Familienmitgliedern oder Arbeit in Deutschland für den Vater. Die ganze Musterung hatte nichts zu bedeuten. Erst wurden die Lungen auf TB kontrolliert. Die Deutschen hatten eine Höllenangst vor jeder ansteckenden Krankheit. Lag kein Befund vor, kam man zu einem deutschen Arzt. Er notierte lediglich auf einer Karte, daß man für diensttauglich erklärt worden war. Bescheinigungen vom Spezialisten, daß ich noch immer in Behandlung war, spielten keine Rolle. Mit der Karte mußte ich eine Bescheinigung für den Kauf eines Overalls holen. Bekleidung und Schuhe hatte man damals praktisch nicht mehr, aber das war für die deutschen Behörden unwichtig. Man mußte selber sehen, wie man dieses Problem löste. Am Samstag, den 31. Juli mußte ich mich morgens um 7.00 Uhr am Bahnhof melden. Mit etwa 500 anderen sind wir dann nach Deutschland transportiert worden. Wo wir hinfuhren, wurde uns nicht gesagt.

Durch das Chaos bei der Bahn in Deutschland sind wir einige Male zwischen Düsseldorf und Köln hin- und hergefahren, weil wir immer wieder den Anschluß verpaßten. Die Leitung hatte dann die Absicht, uns in Köln übernachten zu lassen. Aber wegen der regelmäßigen nächtlichen Bombenabwürfe wollten wir entweder weiterreisen oder die Nacht außerhalb von Köln verbringen, um uns dann am nächsten Tag wieder am Bahnhof zu melden. Endlich abends um 22.00 Uhr konnten wir mit einem überfüllten Zug losfahren. Nachts um 4.00 Uhr wurden wir wieder aus dem Zug herausgeholt und mußten auf dem dunklen Bahnsteig warten, bis ein zusätzlicher Zug kam, um uns weiterzubefördern. Später stellte sich heraus, daß wir in Karlsruhe waren. Sonntag morgen um 7.00 Uhr sind wir wieder losgefahren und nachmittags in Straßburg angekommen. Dort bekamen wir endlich etwas zu essen. Es wurde uns gesagt, daß wir im Lager übernachten würden. Montag morgen mußten wir antreten zur Einteilung.

Es wurden 20 Männer nach Offenburg verlangt. Da ich noch nie etwas von dieser kleinen Stadt gehört hatte und davon ausging, daß es dort nicht oft zu Bombenangriffen kommen würde, habe ich mich gemeldet. Als ich in Offenburg ankam, wurden wir abgeholt und ins Arbeitsamt gebracht. Zu acht wurden wir in die Firma Stahlbau Müller gebracht, wo wir beschäftigt wurden. Uns wurde in der Fabrik mitgeteilt, was man von uns erwartete, und wenn wir uns nicht genügend einsetzen würden, wüßten sie wohl einen Weg, uns das beizubringen.

Wir wurden in einem kleinen Lager der Eisenbahngesellschaft untergebracht, am Rangiergelände beim Bahnhof Offenburg. Wir haben dann gefragt, ob wir den Dienstag dazu verwenden dürften, uns von der Reise zu erholen und unsere Arbeitskleidung in Ordnung zu bringen. Mittwoch, den 4. August bekamen wir in der Fabrik unsere Arbeit. Da ich durch die Reise wieder Schmerzen an der Operationswunde bekommen hatte, weil ich meinen Koffer hatte schleppen müssen und ich es nicht gewohnt war, den ganzen Tag zu stehen, war dies zuletzt einfach eine Folterung. Wenn ich mich kurz auf die Werkbank setzte, kam sofort einer der Betriebsleiter auf mich zu und beschimpfte mich.

Die Arbeitstage dauerten von 6.45 Uhr bis 9.00 Uhr, von 9.45 Uhr bis 12.30 Uhr und von 13.00 bis 18.00 Uhr, samstags bis 13.00 Uhr. Das waren 58½ Stunden pro Woche. Während der halben Stunde Mittagspause mußten wir in der Bahnhofskantine essen, wir hatten 15 Minuten um hinzukommen und 15 Minuten zum Essen. Da wir selber unsere Lebensmittelmarken bekamen, mußten wir selber für unser Essen sorgen. Die warmen Mahlzeiten nahmen wir in einem Gasthaus in Offenburg ein. Was das Essen angeht, war es am Anfang gar nicht so schlecht, später ist es viel schlechter geworden. Samstags fuhren wir ab und zu heimlich mit dem Bähnle nach Kehl, und dann schlichen wir uns über die Brücke nach Straßburg. Dort bekamen wir als Holländer in den meisten Geschäften Brot und Lebensmittel ohne Marken. Dies war zwar strengstens verboten, aber für das Essen nahmen wir das Risiko auf uns. Anfang 1944 war dies nicht mehr möglich, weil streng kontrolliert wurde, nachdem ein paar erwischt worden waren. Am Freitag nachmittag, am 6. August, war ich nicht mehr imstande in die Fabrik zu gehen und zu arbeiten. Ich bat einen Kameraden auszurichten, daß ich krank war. Kaum war ich im Lager im Bett, da kam schon jemand von der Fabrik. Mir wurde auf alle möglichen Weisen mit einem KZ-Lager gedroht. Ich sollte mich am Samstag im Büro der Fabrik melden. Samstag bin ich in die Fabrik gegangen und habe mich dort im Büro gemeldet. Da fing alles von Neuem an. Ich bekam keinen Vorschuß und keine Lebensmittelmarken. Ich habe dann der Direktion meinen Zustand erklärt und die Wunde gezeigt, aber dies beeindruckte die Herren überhaupt nicht. Ich sollte erst einmal zu einem Arzt, und wenn sich dann herausstellte, daß nichts los wäre, würde ich wohl merken, was mit mir geschehen würde. Als ich die Fabrik verließ, wurde ich glücklicherweise von einem Franzosen angesprochen, der mir die Adresse eines Arztes gab, zu dem ich am besten hingehen könne. Ich habe dem Arzt meine Geschichte erzählt. Nach einer gründlichen Untersuchung sagte er mir, ich dürfe zwei Wochen nicht arbeiten und es müsse eine Korsett für mich angefertigt werden. Er schickte mich zu der Firma Fidelbell. Dieses Geschäft gibt es noch immer. Der Arzt hat für mich die Direktion der Fabrik angerufen und ihnen meinen Krankheitszustand erzählt. Ich mußte nachher wieder zurück in die Fabrik, um einen Vorschuß und Lebensmittelkarten abzuholen.

Die Arbeit und die Behandlung in der Fabrik waren einfach schrecklich, die beiden Aufseher entbehrten jeder Menschlichkeit und kannten nur Fluchen, Schimpfen und Drohen mit Arbeitslager. Auch wenn ich ihnen erklärte, daß ich immer Büroarbeit gemacht hätte und nichts von den Maschinen verstünde, kümmerte sie das nicht. Dadurch, daß ich das Korsett trug, ging es mit dem Stehen besser. Allmählich ging es mit der Arbeit besser, aber die Herren fanden immer etwas, worüber sie schimpfen konnten.

Im September 1943 ist für mich alles viel schlechter geworden. Wir wurden damals in einem Lager in der Kornenwiese, jetzt Burda, untergebracht. Dort hat für mich das größte Elend angefangen. Meine Marken wurden mir genommen, Essen bekamen wir im Lager und mittags in der Fabrik. Dies war eine regelrechte Katastrophe. Das Essen in der Fabrik war anfangs gut, aber nach der Invasion in Frankreich wurde es immer schlechter. Die Deutschen selbst aßen es nicht mehr. Das Essen im Lager war außerordentlich schlecht. Beschwerden beim Direktor in der Fabrik und beim Lagerführer brachten keinerlei Verbesserung. Als es im Mai warm wurde, bekamen wir im Lager es mit Wanzen, Flöhen und Läusen zu tun. Seit dieser Zeit bis Mitte Oktober habe ich jede Nacht unter der Kinzig-Brücke geschlafen. Schlafen im Lager war unmöglich.

Die zweite Verschlechterung kam für mich im Mai 1944, als ich zur Nachtschicht eingeteilt wurde. Die Arbeitszeiten waren zu diesem Zeitpunkt Montag bis einschließlich Sonntag von 6.45 Uhr bis 9.00 Uhr, 9.15 Uhr bis 12.30 Uhr, von 13.00 Uhr bis 18.00 Uhr, Nachtschicht war von

Montag abend bis Sonntag morgen, Arbeitszeiten von 18.00 Uhr bis 24.00 Uhr, und von 0.30 Uhr bis 6.00 Uhr, sonntags bis 7.00 Uhr. Dies waren 70 Stunden pro Woche. Viel Freizeit, um sich ein bißchen zu erholen, gab es nicht und dann auch noch nicht genügend Essen.

Herr Müller hatte die angenehme Gewohnheit, Samstagnacht mit Freunden und Bekannten, warm angezogen, nachdem sie gut gegessen hatten, in der Fabrik einen Besuch zu machen. Dann stand ich dort kalt, hungrig, als ein Schauobjekt für den Besuch. Oft habe ich damals gedacht, jetzt ein Maschinengewehr und dann losschießen. Dies war so erniedrigend, daß mich dies bis auf den heutigen Tag wütend macht, wenn ich daran zurückdenke.

Am Montag, den 27. November 1944 um etwa 11.00 Uhr kam das große Bombardement auf Offenburg. In dem Keller, der für uns bestimmt war, gab es überhaupt keinen Schutz für Luftangriffe. Bei einem Volltreffer in der Fabrik stürzte eine Wand im Keller zusammen. Unser Glück war, daß eine schwere, im Boden verankerte Bank im Keller war, auf der die Wand hängenblieb und wir darunter gerieten.

Gegenüber der Fabrik hatte es ein großes Gefangenenlager gegeben, davon war nichts mehr zu sehen. Abends bin ich noch einmal zurückgegangen, um meinen Mantel mit den Papieren zu holen. Die ersten, die schon vor dem Bombardement geflohen waren, waren die Deutschen. Deshalb gab es nach dem Bombardement überhaupt keine Ordnung, um das Feuer zu bekämpfen und andere Sachen zu regeln. Als ich bei der Fabrik ankam, wollten sie, daß wir beim Löschen und Retten helfen. Ich bin aber sehr schnell abgehauen. Dienstag mußten wir, von Soldaten bewacht, wieder zur Fabrik zurück. Dort mußten wir die Maschinen ausbauen und in Kisten verpacken. Diese wurden mit LKWs abtransportiert. In diesen Tagen lagen wir regelmäßig unter Granatfeuer und Beschuß von Flugzeugen. Dieser Zustand dauerte so ungefähr zwei Wochen. Meinen Lohn für die letzten sechs Wochen habe ich nie erhalten. Das Lager durften wir nie verlassen, auch dann nicht, wenn es beschossen oder bombardiert wurde. Es war von Soldaten umzingelt.

Am Montag, den 11. Dezember 1944 wurden wir unter Bewachung um 6.00 Uhr morgens zum Bahnhof gebracht, um abtransportiert zu werden, weil es in Offenburg keine Arbeit mehr für uns gab. Wo wir hin sollten, wußten wir nicht. In Freudenstadt mußten wir abends auf einen Zug mit Soldaten warten. Dort bin ich mit fünf Freunden aus einem Zug geflohen. Wir haben uns drei Tage in einem Russenlager versteckt. Donnerstag morgen, den 14. Dezember sind wir zum Arbeitsamt gegangen, um uns zur Arbeit zu melden. Wir sind dort streng verhört worden, wo wir herkämen und ob wir nicht bei dem Transport gewesen wären, der am Dienstag Freudenstadt wieder verlassen hatte. Mit unserer Geschichte, die wir uns in den drei Tagen gut eingeprägt hatten, wurde uns Arbeit zugewiesen bei Burkle in Friedrichstal. Zu viert wurden wir im ehemaligen Gasthaus »Zum Schiff« untergebracht. Dieses Gasthaus außerhalb von Freudenstadt gibt es noch immer. Jetzt, da wir wieder unsere eigenen Lebensmittelmarken bekamen, war für uns das Essen wieder um einiges besser. Auch die Arbeit bei Burkle war besser und die Arbeitszeit kürzer. In der Tagschicht betrug sie 58 Stunden pro Woche und die Nachtschicht, die am Samstag morgen endete, hatte 54 Stunden pro Woche. Ein großer Unterschied zu Stahlbau Müller!

Nachdem die deutsche Wehrmacht am Sonntag, den 15. April 1945 das Angebot der Franzosen, die Stadt zu übergeben, wegen der vielen Lazarette abgelehnt hatte, fingen die Franzosen an, Freudenstadt zu bombardieren und zu beschießen. Dies dauerte bis Dienstag morgen. Als wir sonntags hinter dem Gasthaus »Zum Schiff« in einen Luftschutzkeller fliehen wollten, wurden wir von einigen Deutschen rausgeschmissen. Wir sind dann durch den Wald in Richtung Fabrik gelaufen, dort befand sich oberhalb in den Bergen ein Luftschutzkeller. Ich bin dort bis Dienstag mittag, den 17. April 1945 geblieben. Die Franzosen haben uns dann beim Luftschutzkeller abgeholt und nach Freudenstadt gebracht. Dieses schöne Städtchen ist vollkommen sinnlos von einigen Fanatikern aufgeopfert worden, die einfach nicht einsahen, daß alles verloren war.

Am Sonntag, dem 22. April 1945, mußten wir uns melden, um nach Kehl gebracht zu werden. Mit einem LKW sind wir dann in Richtung Kehl abgefahren, aber der Fahrer wußte den Weg nicht mehr. In der Dunkelheit wurden wir von marokkanischen Soldaten angehalten, die bei einem Bauernhof in Stellung waren, weil noch nicht einmal 300 Meter weiter die Deutschen sich noch hielten. Wären wir eine Stunde früher dort angekommen, dann wären wir wieder den Deutschen in die Hände gefallen. Begleitet von einem Panzerwagen wurden wir aus der Gefahrenzone gebracht. Etwa 7 Kilometer vor Kehl hat der Fahrer sich etwas zum Übernachten gesucht. Am nächsten Tag mußten wir schauen, wie wir nach Kehl kamen. Mit einem Karren mit unseren Koffern obenauf sind wir Montag nachmittag, den 23. April in Kehl angekommen. Zu unserem großen Erstaunen trafen wir dort unsere anderen Kameraden aus Offenburg, die sonntags in Kehl angekommen waren. Nachdem wir zuerst zu Essen bekommen haben, konnten wir eine Dusche nehmen und danach wurden wir medizinisch untersucht und von Läusen befreit. Anschließend wurden wir mit Bussen nach Straßburg gefahren.

Mittwoch, den 25. April 1945 sind wir nach Paris abgefahren. Dort blieben wir bis Sonntag, den 9. Mai. Wegen des großen Zulaufs von Evakuierten aus Deutschland wurden wir nach Loches in der Mitte von Frankreich weitergeschickt. Nach Hause durften wir noch nicht im Hinblick auf die Ansteckung in der Niederlanden. Am Sonntag, dem 6. Juni, durften wir endlich den Zug Richtung Niederlande nehmen, wo ich am Montag abend ankam.

Bericht von René Thalmann, ehemaliger Häftling im Arbeitslager Kinzigdamm in Haslach*, über den Alltag im Lager

Archiv des Internationalen Suchdienstes Arolsen, Akten KZ Natzweiler, Außenstelle Haslach.

Der Tag begann für die Deportierten bereits vor Sonnenaufgang. Gegen 4 Uhr morgens wurden wir mit dem Geschrei »aufstehen los!« und Gummiknüppelschlägen vom Lagerleiter geweckt. Wir mußten beginnen, die während der Nacht Verstorbenen neben die Baracke herauszulegen (sie wurden von der SS beim Appell mitgezählt), dann den großen Kübel von 2 m Umfang leeren, der nachts als WC diente, weil die Deportierten jeden Abend eingeschlossen wurden. Dann mußten wir bei jeder Witterung zu einem Schuppen gehen, der auf dem Appellplatz aufgestellt war, in welchem sich ein großer Wellblechtrog befand mit fließendem Wasser. Dort mußten wir den Oberkörper freimachen und Körper und Haupt mit eiskaltem Wasser waschen, ohne uns abtrocknen zu können, weil wir keine Handtücher hatten. Nach dieser Reinigung mußten wir in den sogenannten Aufenthaltsraum und ein viertel Liter schwarze Kaffeebrühe fassen, die aus Eicheln hergestellt war. Vor der Tür zum Aufenthaltsraum stand der stellvertretende Lagerleiter und kontrollierte, ob alle Deportierten sich richtig gewaschen hatten, d. h. ob sie genügend naß waren. Oft schickte er zu seinem Vergnügen einige zwei oder drei Mal zurück.

Dann gings zum Appell, zur Zusammenstellung der Kommandos und zum Abmarsch zur Arbeit. Einige hatten den Vorzug, in den Arbeitskommandos im Lager eingereiht zu sein, Reinhaltung, Transport, Küche etc., aber die Mehrzahl, d. h. ca. 350–400 Mann, waren im Kommando Steinbrüche. Eine lange Kolonne, die vor Tagesanbruch durchs Lagertor marschierte unter Aufsicht von ca. 30 SS-Leuten, einer wilder wie der andere. ...

An den Baustellen angelangt, mußte man sofort mit der Arbeit beginnen unter Anleitung von Mitgliedern der Organisation TODT, die übrigens an Brutalität den SSlern in nichts nachstanden und natürlich unter Bewachung derselben.

Die ganze Zeit über mußten wir ohne Unterbrechung arbeiten, unter dauerndem Geschimpfe und Schlägen unserer Kerkermeister, mit einer Stunde Unterbrechung für die Suppe, die von Anbeginn sehr unregelmäßig mit dem Lift aus der Stadt herkam, manchmal um 3 oder 4 Uhr nach-

* Das Lager Kinzigdamm wurde im August 1944 von der SS eingerichtet und gehörte zu den Außenkommandos von Natzweiler-Struthof.

mittags; unnötig zu sagen, was für eine Suppe es war und in welchem Zustand sie ankam. Sobald es anfing, kalt zu werden, war es keine Flüssigkeit mehr, sondern Eisstücke.

Gegen 6 Uhr abends Aufstellen zum Appell und Rückkehr ins Lager. Der Abstieg war ebenso beschwerlich wie der Aufstieg, um so mehr, als wir oft vornedraus die gehbehinderten oder die bei der Arbeit oder von den Schlägen verwundeten Kameraden hinunterbringen mußten. Nach einer gewissen Zeit waren es nicht nur Verwundete, sondern Leichen, die wir hinunterbrachten.

Nach der Ankunft im Lager ließ man uns auf dem Appellplatz stehen, während unsere Aufseher sich aufwärmten oder sich erfrischten; dies dauerte eine oder zwei Stunden, manchmal noch länger. Um uns zu erwärmen, stellten wir uns eng aneinander und im Winter führten wir eine Art Bärentanz auf, um zu verhindern, daß unsere Füße in dem Dreck erfroren. Sobald die Diensthabenden der SS zum Appell erschienen, behandelten sie uns, wenn es ihnen nicht schnell genug ging, mit Schlägen mit dem Gummiknüppel.

Nach dem Appell ging es zum Waschen wie am Morgen, dann gab es Kohlrüben- oder Rote Rübensuppe, ein viertel Liter Kaffeebrühe und ca. 150 g Brot mit einem winzigen Stückchen Margarine oder einer kleinen Scheibe Wurst.

Sobald dieses mehr wie einfache Mahl verschlungen war, legten wir uns auf die famosen Pritschen mit dem bißchen Stroh und einer dünnen Decke zum Schlafen.

Wenn es tagsüber geregnet hatte, mußten wir anderntags unsere Kleider anziehen, wie sie waren, in ganz feuchtem Zustand.

Um dieses jämmerliche Leben noch unerträglichen zu machen, war es nicht selten, daß man uns nachts ein- oder mehrmals aufstehen ließ und uns, nur mit der dünnen Decke bedeckt, ins Freie hetzte zu einem nochmaligen Appellstehen. ...

Jeden Morgen lagen die abgemagerten Leichen unserer Kameraden auf einem Haufen vor der Türe. Sie wurden während des Vormittags im Massengrab verscharrt, das am Rande des Haslacher Friedhofs ausgegraben war.

Der Gipfel des Ekels war der vierrädrige Pferdekarren, der diesen Dienst versah, auf den man die Leichen hinaufwarf und der auf dem Retourweg das Brot ins Lager brachte.

Selten waren diejenigen, die das Glück hatten, lebend aus dieser unbeschreiblichen Hölle herauszukommen, Symbol menschlicher Entartung, in die uns die teuflische Vorherrschaft des nazistischen Ungeheuers gestürzt hatte.

Kapitel V

Von der Befreiung vom Faschismus bis zur Verabschiedung des Betriebsverfassungsgesetzes

April 1945 – 19. Juli 1952

Durch das interalliierte Abkommen vom 2. Juli 1945 wurde das Land Baden zweigeteilt. Der nördliche Teil mit Nordwürttemberg wurde den Amerikanern zugeschlagen (Land Württemberg-Baden), der südliche Teil kam unter französische Besatzungsherrschaft. Südbaden wurde so zu einem eigenständigen Wirtschaftsgebiet (Land Baden).

Wie im übrigen Deutschland hatte der Krieg schwerwiegende Veränderungen in der Struktur der Bevölkerung und der Arbeiterschaft verursacht. Die Wohnbevölkerung betrug im französisch besetzten Südbaden 1197856, sie hatte im Vergleich zu 1939 um 2,6 Prozent abgenommen. In den Stadtkreisen nahm die Bevölkerung sogar um 8,9 Prozent ab. Die Zahl der Erwerbstätigen sank in Vergleich zu 1939 von 672540 auf 563347. Der Prozentsatz an zerstörtem Wohnraum betrug gegenüber 1939 20,9 Prozent. Die Kreise der Rheinebene hatten aufgrund ihrer Nähe zur Front die höchsten Kriegsschäden aufzuweisen. 1946 arbeiteten 14,9 Prozent aller Beschäftigten in der Industrie, davon knapp zwei Drittel in Betrieben mit unter 200 Beschäftigten. Die südbadische Industrie war nach wie vor von Klein- und Mittelbetrieben beherrscht und in erster Linie eine Verarbeitungs- und Veredelungsindustrie, die nur in geringem Maße Rohstoffe benötigte.

Die Tätigkeit der antifaschistischen Ausschüsse (Antifa) in Südbaden

Bereits während der letzten Kriegsmonate hatten sich in allen größeren und mittleren Städten und in einigen kleineren Orten Südbadens Menschen zusammengefunden, deren Ziel es war, bei der Befreiung vom Faschismus mitzuwirken. Die Mitglieder dieser losen Gruppen waren vorwiegend Arbeiter, die sich schon während der Weimarer Republik in der SPD, in der KPD oder den freien Gewerkschaften politisch aktiv betätigt hatten. Sie hatten keinen Kontakt zu Exilorganisationen. Das erste Verdienst dieser Gruppen war, daß die meisten Städte und Orte Südbadens kampflos den anrückenden französischen Truppen übergeben werden konnten (Dok. 108). Ihre Aktionsformen reichten von Sabotageakten, wie dem Verhindern von Sprengungen, und vom Hissen weißer Tücher bis hin zu Straßendemonstrationen gegen den faschistischen Terror, wie in Lahr.

Als zentrale Aufgabe betrachteten die Antifagruppen die gründliche Säuberung von Verwaltung und Wirtschaft von allen Faschisten. Den

Politische Grenzen in Südwestdeutschland, 1945 - 1952

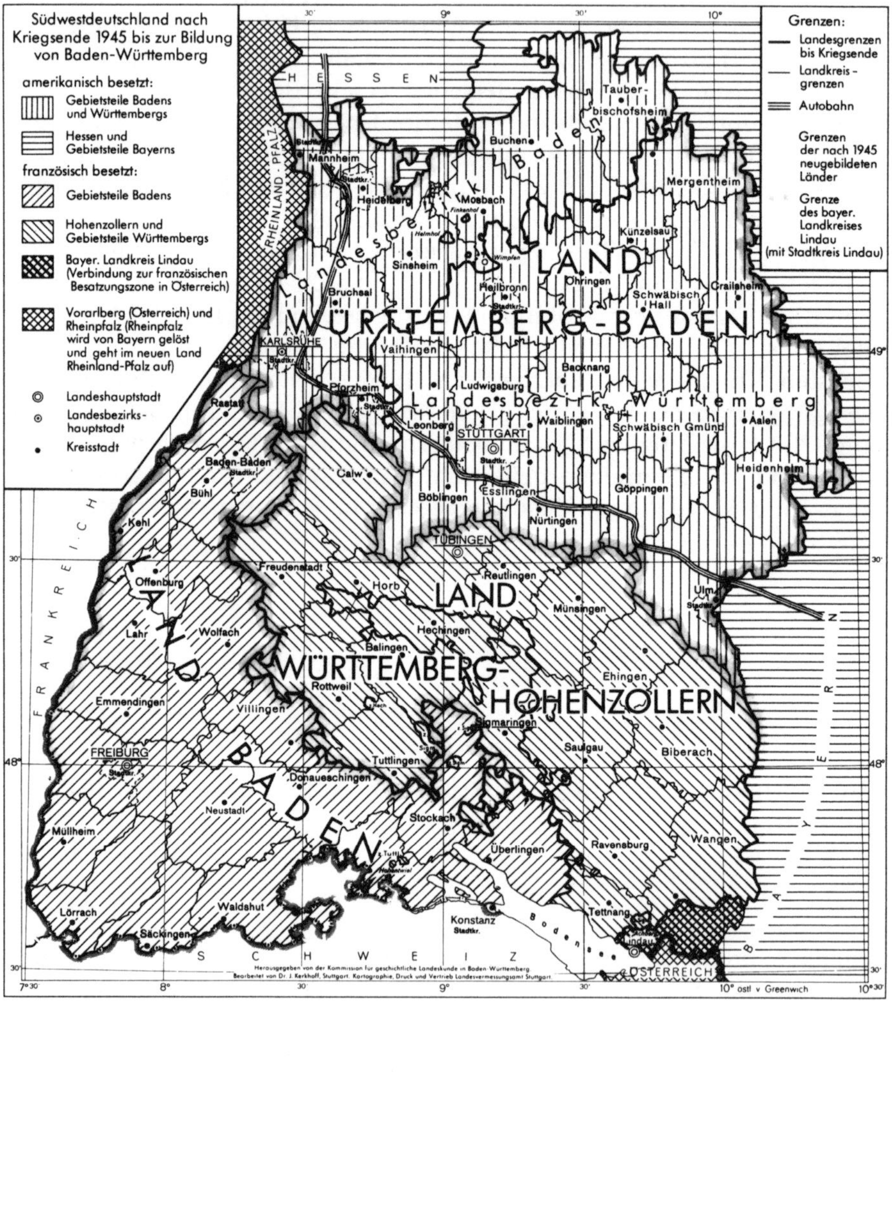

Quelle: Paul Sauer (Bearb.): Die Entstehung des Bundeslandes Baden-Württemberg, Ulm 1977, S. 31.

Gruppen war das Bestreben gemeinsam, Einfluß auf die Personalpolitik der Gemeinden auszuüben. In manchen Orten gelang es ihnen in der ersten Zeit, ihr Konzept der Kontrolle der Verwaltungen zu verwirklichen (in Furtwangen, Grenzach, Wyhlen, Gaggenau, Rastatt). In Gaggenau und Grenzach z. B. nahmen die Gruppen selbständig Verhaftungen vor, die in der Regel von der französischen Militärregierung gebilligt wurden. Viele der selbstgesetzten Aufgaben, wie die Sozialisierung oder die Entnazifizierung der Schulen, waren jedoch auf lokaler Ebene nicht zu bewältigen.

In Freiburg (Dok. 110) und anderen Orten beschränkten sich die Antifagruppen von Anfang an darauf, als beratendes Gremium zu wirken. Ihr Tätigkeitsfeld erstreckte sich auf die Mithilfe bei der Lebensmittelversorgung, der Wohnraumbeschaffung, der Aufrechterhaltung der öffentlichen Ruhe und Ordnung, sowie bei der Ingangsetzung der Betriebe. Mit der Herausbildung von überörtlichen Instanzen in Südbaden, der Einsetzung einer provisorischen badischen Regierung, den sich rasch konsolidierenden Kommunalverwaltungen, der Zentralisierung der französischen Militärverwaltung verloren die Antifagruppen rasch an Bedeutung. Das formale Verbot durch die französische Militärregierung kam im Februar 1947.

Der Kampf um die politische Einheit der Arbeiterbewegung

Unmittelbar nach dem Zusammenbruch des nationalsozialistischen Regimes war bei Gewerkschaftern, Sozialdemokraten und Kommunisten aller Besatzungszonen die Vorstellung lebendig, daß man aus den Fehlern der Spätphase der Weimarer Republik zu lernen habe. Die Machtübertragung an Hitler hatte unter anderem wegen der Zersplitterung der Arbeiterbewegung nicht verhindert werden können. Die Zerschlagung aller Arbeiterorganisationen, die brutale Verfolgung von Kommunisten und Sozialdemokraten, der gemeinsame Kampf gegen den nationalsozialistischen Terror in den Gefängnissen, Zuchthäusern, in den Konzentrationslagern und im Untergrund riefen nach dem Zusammenbruch des deutschen Faschismus die Notwendigkeit eines gemeinsamen politischen Handelns ins Bewußtsein (Dok. 113).

Im Dezember 1945 wurde jedoch nicht, wie von vielen früheren Mitgliedern der Arbeiterparteien in der Weimarer Republik gefordert, einer Sozialistischen Einheitspartei die Lizenz erteilt, sondern der Sozialistischen Partei Land Baden (SP) und der Kommunistischen Partei Land Baden (KP).

Noch vor ihrer offiziellen Genehmigung als SP hatten sich bereits am 2. Dezember 1945 in Freiburg Sozialdemokraten aus ganz Südbaden illegal getroffen, um eine sozialistische Partei zu proklamieren, die wie vor dem Ersten Weltkrieg alle Sozialisten umfassen sollte. Auf ihrem Gründungsparteitag am 16./17. Februar 1946 in Villingen zeigte sich deutlich, daß die Gründungsmitglieder mit der Schaffung einer »sozialistischen« anstelle einer »sozialdemokratischen« Partei versuchten, eine erneute Spaltung der Arbeiterklasse zu verhindern. Auf diesem Gründungsparteitag hatten sich die badischen Sozialisten strikt von der einheitsfeindlichen Strategie Kurt Schumachers abgegrenzt, die sich auf den sozialdemokratischen Funktionärskonferenzen von Hannover und Frankfurt a. M. im Januar 1946 bereits hatte durchsetzen können. Die badischen Landesleitungen von KP und SP faßten Anfang März 1946 den Beschluß zur Vorbereitung der Vereinigung beider Parteien. Dieser Beschluß markiert den Höhepunkt der badischen Einheitsbewegung und fand in den Ortsgruppen beider Parteien große Resonanz. Die Einheitsbewegung wurde von den Belegschaften zahlreicher Industriebetriebe unterstützt. Die Hoffnungen auf einen unmittelbar bevorstehenden Zusammenschluß trogen jedoch. Es zeigte sich sehr bald, daß in der Führung der SP gravierende Einwände gegen die Vereinigung erhoben wurden.

Um die Einheit der Arbeiterparteien zumindest noch vor den Wahlen im Herbst 1946 zu erreichen, entschloß sich die Landesleitung der KP zu der Unterschriftensammlung »Für die Sozialistische Einheitspartei Badens« (Dok. 113 i). Sie wurde ein Mißerfolg, da sie politisch ungenügend vorbereitet war und viele Mitglieder der SP mit der Aufforderung, sofort in die Einheitspartei einzutreten, überfordert waren. Zudem verbot die französische Militärregierung den Druck und die Verbreitung des Appells mit der lapidaren Begründung, nur ordnungsgemäß zugelassene Parteien hätten das Recht, eine Werbetätigkeit zu entfalten.

Die Pressepolitik der französischen Besatzungsmacht behinderte die Einigungsbewegung empfindlich: sie schränkte die Möglichkeiten, öffentlich über die Notwendigkeit der Vereinigung zu diskutieren, stark ein. In Singen mußte im Mai 1945 das Einheitsorgan »Neues Deutschland« sein Erscheinen einstellen. Während des ganzen Jahres 1945 konnte keine einzige antifaschistische Zeitung kontinuierlich erscheinen. Dem Eingriff der Militärregierung fiel Anfang April 1946 die »Volkszeitung« zum Opfer, die seit dem 15. März 1946 in Singen als Gemeinschaftsorgan der beiden Arbeiterparteien und der Gewerkschaften herausgegeben wurde. In den entscheidenden Monaten, in denen sich in der sowjetisch besetzten Zone der Zusammenschluß von KPD und SPD vollzog, verfügte die südbadische Einheitsbewegung über keine eigenen Zeitungen. Erst im Juli 1946 erhielten die badische KP und SP die Lizenz für die Herausgabe ihrer eigenen Parteiorgane »Der neue Tag« (Offenburg) und »Das Volk« (Freiburg). Die strikte Zensur der Militärbehörden ließ nur spärlich Nachrichten über die Vereinigungsbestrebungen in Berlin und der sowjetisch besetzten Zone

Für die
„Sozialistische Einheitspartei Badens"

Die furchtbare Not, in die uns die verbrecherische Hitlerdiktatur gestürzt hat, kann nur überwunden werden, durch die Aufrichtung eines antifaschistisch-demokratischen Staates, durch die Ausmerzung jedes faschistischen, militaristischen und reaktionären Einflusses, durch eine planvolle Wirtschaftsordnung und die aufrichtige Bereitschaft zu Frieden und Völkerversöhnung.

Die Fundamentierung der neuen Demokratie aber, die Durchführung des wirtschaftlichen Aufbaus, die Vorbereitung einer friedlichen Zukunft setzt den politischen Zusammenschluß aller Sozialisten auch im Lande Baden voraus.

Ohne Sozialistische Einheit keine wirkliche Demokratie, ohne Sozialistische Einheitspartei keine Sicherung des Wiederaufbaus, ohne Sozialismus keine sinnvolle Gestaltung des Lebens.

Aus dieser Erkenntnis haben die Landesvorstände der Sozialistischen und der Kommunistischen Partei Badens schon am 7. März dieses Jahres einen Ausschuß zur Vorbereitung der Vereinigung beider Parteien gebildet.

Die Unterzeichneten sind der Ansicht, daß die Durchführung der Verschmelzung beider Parteien ein Gebot der Stunde ist. Sie fordern darum die Vorstände der Sozialistischen und Kommunistischen Partei auf, zu handeln und alle Männer und Frauen, die sich zum Kampf um die sozialistische Ordnung bekennen, in der

„SOZIALISTISCHEN EINHEITSPARTEI BADENS"

zu vereinigen, die Partei aller Schaffenden in Stadt und Land, die Partei der Arbeiter und Bauern, der Angestellten und Beamten, der Techniker und Ingenieure, der Wissenschaftler und Künstler zu gründen.

Die Unterzeichneten erklären sich ausdrücklich und freiwillig bereit, der neu zu gründenden

„SOZIALISTISCHEN EINHEITSPARTEI BADENS"

sofort als Mitglieder beizutreten.

29 Aufruf zur Gründung einer Sozialistischen Einheitspartei Badens, 1946.

nach Südbaden fließen. Vertretern der neugegründeten SED wurde die Einreise verweigert.

Die endgültige Entscheidung der badischen SP gegen einen Zusammenschluß fiel auf ihrem Landesparteitag im November 1946. Ohne Aussprache wurde der Antrag auf Anschluß an die SPD und die damit verbundene Namensänderung einstimmig angenommen. Die Führung der badischen SPD ging in den folgenden Monaten im Gefolge des beginnenden Kalten Krieges auch von ihrem Entschluß ab, sich nur unter Einbeziehung der Kommunisten an der Landesregierung zu beteiligen. Sie bildete am 24. Juni 1947 gemeinsam mit der CDU die zweite Regierung Leo Wohleb.

30 Maidemonstration in Freiburg. Teilnehmer fordern die Einheit der Arbeiterbewegung, 1. Mai 1947.

Der Wiederaufbau der gewerkschaftlichen Organisationen

Bereits vor der offiziellen Genehmigung zum Wiederaufbau der Gewerkschaften (Dok. 111) richteten in allen Teilen des südbadischen Raums Gewerkschaftsfunktionäre aus der Weimarer Zeit an die örtlichen Militärgouvernements die Bitte, Neugründungen zu erlauben. Es lag ihnen viel an einer schnellen Entscheidung, denn erst mit dem Rückhalt ihrer Organisationen konnten sie die anstehenden Probleme anpacken: die Betriebe mußten von den Nazis gesäubert, der Übergang von der Kriegs- auf Friedenswirtschaft mußte geregelt, die Versorgung der Bevölkerung gesichert werden.

Nach der Verordnung Nr. 6 zur Wiederherstellung des Gewerkschaftsrechts vom 10. September 1945 setzte eine Welle von Gründungsgesuchen ein. Die Statuten der neu gegründeten örtlichen Gewerkschaften fielen recht unterschiedlich aus. Während sich z. B. die Gewerkschaft der Holzarbeiter Säckingens einer starken Selbstzensur unterwarf (Artikel 5: »Die Erörterung parteipolitischer, weltanschaulicher und religiöser Fragen ist streng untersagt«), stand im Protokoll der Gründungsversammlung der Gewerkschaften Rheinfelden, Fachgruppe »Öffentliche Betriebe«: »Neuschaffung einer wahren Demokratie, Mitbestimmungsrecht der Gewerkschaften bei der Produktion, Verhinderung jeglicher Aufrüstung sowie des Krieges selbst müssen Aufgaben der Gewerkschaft sein.«

Bemerkenswert ist die Tatsache, daß die Gründungsversammlungen der Gewerkschaften oft in Betrieben im Rahmen einer Betriebsversammlung stattfanden.

Die zahlreichen Beitritte zu den Ortsgruppen schon im Dezember 1945 bestätigten die Gewerkschaften in ihrer Arbeit. Doch erst mit der Verfügung Nr. 59 vom 12. April 1946 zur Durchführung der Verordnung Nr. 6 vom 10. September 1945 gab die Militärregierung grünes Licht zur Bildung von Ortsausschüssen in der gesamten französisch besetzten Zone.

Das erste überregionale Treffen aller in Südbaden gegründeten Gewerkschaften fand am 2. Juni 1946 in Offenburg statt. Fast 200 Delegierte berieten über den weiteren Aufbau der Organisation. In der Diskussion kristallisierte sich die Auffassung heraus, daß die Betriebsräte in den Betrieben nicht nur beratende Funktionen, sondern auf dem Boden gesetzlicher Bestimmungen das volle Mitbestimmungsrecht ausüben sollten.

Die Ergebnisse dieser ersten Nachkriegskonferenz südbadischer Gewerkschaftsvertreter waren die Verabschiedung eines verbindlichen Satzungsentwurfs für die Bildung von Ortsausschüssen und Orientierungsrichtlinien zum Aufbau von Landesfachvereinigungen. Die zu gründenden Landesvereinigungen sollten später in einem Dachverband zusammengefaßt werden. Im Laufe der nächsten Monate fanden in Südbaden zahlreiche Landeskonferenzen zur Herbeiführung von Landesverbänden für die jeweiligen Gewerkschaftsgruppen statt. Es wurden Landesleitungen gewählt, Satzungen verabschiedet und organisatorische Probleme abgeklärt.

Um den organisatorischen Wiederaufbau voranzutreiben, lud der Ortsausschuß der Freiburger Gewerkschaften am 30. Dezember 1946 die Vorstände der bis dahin genehmigten Landesvereinigungen nach Freiburg ein. Sie beschlossen die Gründung des Badischen Gewerkschaftsbundes und arbeiteten ein provisorisches Statut aus. Sie gründeten einen vorläufigen Bundesvorstand, dessen Aufgabe es war, die Vorarbeiten zur Einberufung einer Gründungsversammlung zu beschleunigen und einen Satzungsentwurf auszuarbeiten. Daneben hatte er die Funktion, diejenigen Gewerkschaften, die noch keine Landesvereinigungen gebildet hatten, in dieser Hinsicht zu unterstützen, einen Entwurf für ein zukünftiges badisches Betriebsrätegesetz zu fertigen und eine Stellungnahme der Gewerkschaften zum badischen Landesverfassungsentwurf auszuarbeiten. Bereits am 1. und 2. März 1947 fand im Freiburger Gewerkschaftshaus die offizielle Gründungsversammlung für den Badischen Gewerkschaftsbund statt. Der bisherige behelfsmäßige Vorsitzende, Wilhelm Reibel, wurde in seinem Amt bestätigt. In seinem Einleitungsreferat würdigte er die bisherigen Leistungen beim Aufbau der südbadischen Gewerkschaften: mehr als 160 örtliche Gewerkschaften, 22 Ortsausschüsse und 9 Landesvereinigungen mit insgesamt etwa 60 000 Mitgliedern waren bis Ende Februar 1947 gegründet worden.

Der gewerkschaftliche Wiederaufbau im Betrieb

Erst das Kontrollratsgesetz Nr. 22 vom 10. April 1946 (Dok. 114 a) erlaubte offiziell die Wahl von Betriebsräten, deren Rechtsstellung sich der in der Weimarer Republik annäherte. Jedoch waren schon zuvor in der Regel provisorische Betriebsräte oder Betriebsausschüsse gebildet worden, deren wichtigste Aufgabe es war, die Belegschaften zu sammeln, um die Produktion wieder in Gang zu bringen. Gleichermaßen hatten sie dafür zu sorgen, daß die Restbelegschaften Lohn, Nahrungsmittel und lebensnotwendige Güter erhielten.

Die Betriebsratsprotokolle der Freiburger Firma Rhodiaseta zeigen, daß der Arbeitsalltag der Betriebsräte in den Jahren 1945 bis 1948 gänzlich damit ausgefüllt war, Ernährung, Bekleidung, Fahrradbereifung, Holz- und Wohnraumversorgung ihrer Belegschaften auch nur annähernd zu sichern.

Erst ab 1948 traten allmählich Lohnverhandlungen inner- und außerhalb der Betriebe in den Vordergrund. Nicht selten waren es diese wiederentstandenen Betriebsvertretungen, die die Gründung von Gewerkschaften auf örtlicher Ebene herbeiführten.

Die ersten Wahlen zu den Betriebsvertretungen nach dem Krieg fanden in Südbaden auf gesetzlicher Grundlage des Kontrollratsgesetzes Nr. 22 im November/Dezember 1946 statt. Die Wahlvorbereitungen wurden im Betrieb von einem Wahlvorstand unter Mitwirkung der Gewerkschaften getroffen. Nach den bei den Gewerkschaften bis zum 15. Januar 1947 eingegangenen Berichten waren in Südbaden in 447 Betrieben 2 125 Betriebsräte gewählt worden. Dennoch mußte Anfang Februar 1948 eine Betriebsrätekonferenz aller Betriebe in Südbaden feststellen, daß es für die Hälfte der Betriebe Südbadens mit mehr als zwanzig Arbeitnehmern noch keinen Betriebsrat gab.

Das Kontrollratsgesetz Nr. 22 steckte lediglich den Rahmen ab, innerhalb dessen sich die Betriebsrätearbeit abspielen sollte. Wie auch die anderen Besatzungsmächte behielt sich die französische Militärbehörde vor, Betriebsratsgremien aufzulösen, wenn deren Tätigkeit den Zielen der Besatzungsmacht zuwiderlief. Auch in dieser unmittelbaren Nachkriegsphase reichten die Befugnisse der Betriebsratsgremien so weit wie ihre Entschlossenheit und ihr Durchsetzungsvermögen.

So fixierte die Personalvertreterkonferenz der Stadt Offenburg ausdrücklich das Recht auf Mitsprache bei Einstellung und Entlassung. Wie jedoch eine Umfrage der Stadtverwaltung Emmendingen unter verschiedenen südbadischen Städten vom 4. Juli 1947 zeigt, machte der Betriebs- oder Personalrat nur in drei von dreizehn Städten (Offenburg, Lörrach, Rastatt) seine Mitsprache in punkto Einstellung und Entlassung geltend.

Insgesamt ist festzuhalten, daß die im November/Dezember 1946 gewählten Betriebsratsgremien in enger Zusammenarbeit mit den Gewerkschaften die Interessen der Belegschaften vertraten. Sie versuchten nachdrücklich, die paritätische Mitbestimmung der Arbeitnehmer in der Wirtschaft durchzusetzen.

In einem Bericht vom Februar 1948 klagte die französische Militärregierung über die Einflußnahme der Gewerkschaften und der politischen Parteien auf die neugewählten Betriebsräte. Etwa 50 Prozent der Betriebsräte seien Kommunisten, weshalb die Sozialdemokraten und die Christdemokraten Badens die Absicht hätten, im Gegenangriff ihren Einfluß auf die Betriebsräte auszudehnen.

Der Kampf der Betriebsräte und der Gewerkschaften als Interessenvertreter auf sozialem Gebiet

Die Ernährungskrise, die das gesamte Nachkriegsdeutschland erschütterte, betraf das französisch besetzte Südbaden in verschärfter Form. Die Franzosen, die unter der deutschen Besatzung sehr gelitten hatten und ebenso von der Nahrungsmittelkatastrophe betroffen waren, holten aus ihrer Zone heraus, was sie zur Verpflegung der Besatzungsangehörigen brauchten. Insbesondere in Südbaden entnahmen sie enorme Mengen an Nahrungsmitteln und trugen so zur Verschärfung der Krise in der Versorgung mit lebenswichtigen Gütern bei.

»Die Preise hoch, die Zonen fest geschlossen / Die Kalorien sinken Schritt für Schritt / Es hungern stets die gleichen Volksgenossen / Die andern hungern nur im Geiste mit«, so reimten die Gewerkschafter auf der Titelseite der Zeitung »Das Volk« (Offenburg) im Oktober 1946.

Bereits im Herbst 1945 riefen die unzureichende Kartoffelversorgung und die Senkung der Brotrationen unter der südbadischen Arbeiterschaft große Unruhe hervor. Angesichts dieser Situation konnte sich das Engagement der Gewerkschaften nicht nur in Appellen und Resolutionen an die badischen Behörden und die französische Besatzungsmacht erschöpfen. Es gründeten sich auf Initiative der Gewerkschaften in vielen südbadischen Orten Arbeitsgemeinschaften mit der Zielsetzung, in enger Zusammenarbeit mit den badischen und französischen Behörden bei der Lösung aller Probleme in der Wirtschaft und im sozialen Leben mitzuwirken.

In Offenburg zum Beispiel entstand ein »Wirtschaftsausschuß« der Gewerkschaften, welcher der Stadtverwaltung anbot, die Verteilung von Lebensmitteln, Textilien, Brennstoffen und Schuhen mitzuorganisieren. Ab Juni 1946 wurden Mitglieder dieses Ausschusses vom Bürgermeister der Stadt zu den Debatten über die Versorgung der Bevölkerung hinzugezogen.

Auf Drängen der Gewerkschaften bildete sich im Spätsommer 1946 ein Landesernährungsausschuß, dem unter anderem Vertreter der Gewerkschaften und der politischen Parteien sowie die Leiter des Landwirtschaftsministeriums und des Landesernährungsamtes angehörten. Der Ausschuß erarbeitete einen Plan, der eine gerechte Verteilung der Erträge sichern sollte. Auf Initiative der Gewerkschaften erhielten Teile der Bevölkerung, die nicht Selbstversorger waren, Kartoffeln. Dennoch spitzte sich die Ernährungslage zu einer allgemeinen Hungersnot zu, die auch im Jahr 1948 unvermindert anhielt. Die vielfältigen Bemühungen und Hilfeleistungen der Gewerkschaften waren nur ein Tropfen auf den heißen Stein. Nach wie vor blieben die Themen Ernährung, Bekleidung und Brennholz die bestimmenden Tagesordnungspunkte auf den gewerkschaftlichen Mitgliederversammlungen. Die Zahl der Protestkundgebungen und Streikandrohungen wuchs. Die Forderungen nach Mitbestimmung in den Betrieben und in der gesamten industriellen Produktion wurden immer lauter.

31 Kinder und Erwachsene auf dem Freiburger Schwarzmarkt vor dem Hauptbahnhof, um 1946.

Die Demontage

Die Auseinandersetzung mit der Demontagepolitik der französischen Besatzungsmacht war eine weitere große Herausforderung für Betriebsräte und Gewerkschaften (Dok. 115). »Aber unsere Absicht ist, das wieder aus Deutschland herauszuholen, was uns von den Deutschen genommen worden ist, vor allem in industrieller Beziehung.« Diese Aussage General de Gaulles charakterisiert die Demontagepolitik der Franzosen in ihrer Zone, von der im besonderen Südbaden betroffen war.

Unmittelbar nach dem Einmarsch der französischen Truppen wurde mit dem Abbau technischer Anlagen zum Abtransport nach Frankreich begonnen. Diese erste Phase der französischen Demontagepolitik dauerte bis zum Juni 1946. In diesem Zeitraum wurden in Südbaden um die 8700 Maschinen im Wert von etwa 32 Millionen Reichsmark nach Frankreich abtransportiert. Die Bevölkerung der betroffenen Gegenden war dadurch jeglicher Existenzgrundlage beraubt, da sie Arbeit und Einkommen verlor. Es erstaunt nicht, daß die meisten Beschwerden und Proteste gegen die französische Demontagepolitik aus dem ohnehin relativ industrieschwachen Südbaden kamen. Durchgängiges Argument der oft verbitterten und verzweifelten Anstrengungen gegen die Demontagen war die drohende Arbeitslosigkeit der Arbeiterschaft.

Die Forderung nach weiteren 12000 Maschinen aus der französischen Besatzungszone, vorgelegt im Januar 1947, leitete die zweite Phase der Demontagen ein. Wieder äußerten die südbadischen Gewerkschaften ihre schweren Befürchtungen gegen die unabsehbaren Folgen der Umsetzung dieser Forderungen, ohne daß sie jedoch ein grundlegendes Abrücken von der Demontagepolitik erreichen konnten. Am 16. Oktober 1947 unterbreitete die französische Militärregierung dem Kontrollrat eine weitere Demontageliste. Von den insgesamt 170 von der Demontage betroffenen Betrieben lagen etwa 60 in Südbaden. Betroffen waren in erster Linie Rüstungsbetriebe und sechs Betriebe der chemischen Industrie. Diese Forderungen hatten in Südbaden heftige Reaktionen zur Folge. Der Badische Gewerkschaftsbund nahm den Kampf um den Erhalt der südbadischen Wirtschaft im Bündnis mit Parteien, Landesregierung und selbst Unternehmern auf. Die französische Militärregierung beharrte auf ihrem Standpunkt, daß die Demontage eine gerechte Sache sei, daß die ganze Metallindustrie abgebaut werden müsse und die Arbeiter in anderen Industriezweigen unterkommen könnten.

Noch im August 1949 mußte die südbadische Arbeiterschaft um den Verlust ihrer Arbeitsplätze bangen. Konsequent verfolgte die französische Militärregierung ihr von de Gaulle auf den Punkt gebrachtes Interesse. Sie ließ den Gewerkschaften kaum Möglichkeiten, dagegen vorzugehen. Die unzähligen Eingaben aus den Betrieben, von Gewerkschaften, Unternehmen und staatlichen Stellen bewirkten lediglich eine punktuelle Reduzierung des angeordneten Umfangs der Demontagen.

Erst Anfang der 50er Jahre wurden die Demontagen eingestellt, so daß eine allmähliche wirtschaftliche Erholung einsetzen konnte. Die Gründe hierfür sind in der Umkehr der Wirtschaftspolitik der Alliierten und ihrem Bemühen zu sehen, die westliche Besatzungszonen in ein westliches Bündnis zu integrieren.

Die Mitwirkung der Betriebsräte und Gewerkschaften bei der Entnazifizierung

Das in der französisch besetzten Zone angewendete Entnazifizierungsverfahren war von mehreren Kurswechseln der Besatzer gekennzeichnet und verhinderte weiterreichende Demokratisierungsfortschritte in Südbaden. Hier wurde - ähnlich wie in der britischen und amerikanischen Zone - nicht prinzipiell unterschieden zwischen der Bevölkerungsgruppe, die tatsächlich für Faschismus und Krieg verantwortlich zu machen war, und der Masse der Mitläufer und bloß nominellen NSDAP-Mitglieder. Nicht selten richtete sich die Säuberung gegen diese zweite Kategorie (Dok. 109).

Die Gewerkschaften mußten zwar ständige Vertreter in die Reinigungs- und Säuberungsausschüsse entsenden, dennoch zeugen wenig Dokumente von der praktischen und geistigen Auseinandersetzung der südbadischen Gewerkschaften mit der Entnazifizierung. Ebenso fehlt jeder Hinweis auf die Rechenschaftslegung ihrer Arbeit auf Orts- oder Landesebene oder auf die Ergebnisse einer Zusammenarbeit von Säuberungsinspektoren und Gewerkschaften.

Die Betriebsratsprotokolle verschiedener südbadischer Firmen, wie z. B. der Freiburger Rhodiaseta AG, dokumentieren allerdings die Engagiertheit der Betriebsratsgremien bezüglich der politischen Säuberung im Betrieb. Noch bis Ende 1948 standen auf der Tagesordnung der Betriebsratssitzungen die Entlassung oder Beurlaubung politisch belasteter Personen, Umbesetzungen, Wieder- und Neueinstellungen. Die Unternehmensleitungen konnten zu diesem Zeitpunkt weder Einstellungen noch Entlassungen ohne die Zustimmung der Betriebsräte vornehmen, die vorher genauestens die politische Vergangenheit der betreffenden Personen prüften.

Wurden die Gewerkschaften wie in Bühl zu initiativ - dort bildete sich im Sommer 1947 auf Initiative der örtlichen Gewerkschaften eine Arbeitsgemeinschaft mit Vertretern der Gewerkschaften, der SPD und KPD, um Belastungsmaterial zu sammeln -, wurden sie in ihrer Arbeit gestoppt, indem das Badische Staatskommissariat für politische Säuberung sie für ungesetzlich erklärte und verbot.

Zurecht bilanzierte der »Badische Gewerkschaftler« im Mai 1949 die Entnazifizierung als Pleite. Die bürokratischen Apparate waren von der Säuberung weitgehend verschont geblieben. Ende August 1948 saßen noch 78 Prozent der Beamten und Angestellten in Amt und Würden, die auch zwischen 1933 und 1945 dem Staat treue Dienste geleistet hatten. Insbesondere wurde der alte Justizapparat weitgehend übernommen. 1947 hatten 76 Prozent seiner Beamten bereits dem NS-Regime gedient. Als »Fachleute« schienen sie der französischen Militärregierung unentbehrlich, die von ihnen keine antifaschistischen Anschauungen, sondern nur die Unterstützung ihrer Besatzungspolitik forderte.

In der Wirtschaft waren die Ergebnisse noch weniger befriedigend. Die Fabriken, auch ehemalige Rüstungsbetriebe, blieben in der Hand der Kapitaleigner. Die Unternehmer konnten sich schon im Juli 1946 zu Fachverbänden zusammenschließen. 1947 gab es in Südbaden bereits 89 im Landesmaßstab organisierte Unternehmerverbände.

Ebenso behielten die Großgrundbesitzer ihr Eigentum, obwohl sie nicht selten den Nationalsozialismus unterstützt hatten. Bis Ende 1946 war noch kein einziger Großgrundbesitzer einem Entnazifizierungsverfahren unterzogen worden.

Die Badische Landesverfassung

Das öffentliche Leben in Südbaden war sehr bald maßgeblich von der christlich-konservativen Badischen Christlich-Sozialen Volkspartei (BCSV, Vorläuferin der CDU) bestimmt. Aufgrund ihrer föderalistischen, teilweise sogar separatistischen Neigung fand diese politische Richtung eher die Sympathien der französischen Besatzungsmacht als die Arbeiterparteien. Die der katholischen Kirche sehr nahestehende BCSV fand in einem Land, dessen Einwohner zu mehr als 70 Prozent katholisch und traditionell sehr eng an die katholische Kirche gebunden waren, große Resonanz. Bei den Gemeindewahlen vom 15. September 1945 errangen die BCSV 53,5, die Demokratische Partei 14,8, die SP 13,9 und die KP 5,9 Prozent der Stimmen.

In der Beratenden Versammlung, welche 1946/47 die zukünftige badische Landesverfassung ausarbeitete, verfügte die BCSV über 37 Sitze, während die SP 11, die Demokratische Partei 9 und die KP lediglich 4 Sitze innehatte. Die Beratende Landesversammlung entsprach in ihrer Zusammensetzung keineswegs der Vorstellung der südbadischen Gewerkschaften. Dennoch überließen sie die Initiative zur Ausarbeitung der badischen Verfassung den Vertretern der politischen Parteien. Zwar versuchte der Badische Gewerkschaftsbund in seinem Organ »Der badische Gewerkschaftler« mit mehreren Artikeln eine öffentliche Diskussion in Gang zu bringen, verzichtete jedoch auf einen eigenen Verfassungsentwurf. In den Artikeln zeigten die südbadischen Gewerkschaften sehr deutlich ihre Erwartung, daß die zukünftige Verfassung eine sozialistische Wirtschaftsordnung und

Wahlergebnisse in Württemberg und Baden 1946–1949 (in Prozent)

	SPD	KPD	CDU	FDP/DVP
Württemberg-Baden				
Verfassungsgebende Landesversammlung vom 30.6.1946	32,2	10,0	40,9	16,8
1. Landtag 1946–1950 24.11.1946	31,9	10,2	38,4	19,5
Stadt Stuttgart	33,6	14,8	23,7	27,9
Württemberg-Hohenzollern				
Landtag 1947–1952 18.5.1947	20,8	7,3	54,2	17,7
Baden			BCSV*	
Landtag 1947–1952 18.5.1947	22,4	7,4	55,9	14,3
1. Deutscher Bundestag 14.8.1949				
Bundesgebiet	29,2	5,7	31,0	11,9
Württemberg-Baden	25,2	7,4	31,0	18,2
Baden	23,7	4,2	51,1	17,4
Südwürttemberg-Hohenzollern	18,9	5,2	59,1	15,3

* Badische Christlich-Soziale Volkspartei.

Quellen: J. Weik: MdL und Landtagsgeschichte von Baden-Württemberg 1945–1980, Stuttgart 1980, S. 252; Statistisches Jahrbuch für die Bundesrepublik Deutschland 1952, Stuttgart/Köln 1952, S. 82 ff.; Statistisches Amt der Landeshauptstadt Stuttgart.

eindeutige Grundsätze für die Mitbestimmung in der Wirtschaft verankern sollte.

Am 21. April 1947 wurde die Badische Verfassung mehrheitlich von der Beratenden Landesversammlung verabschiedet. Auf ausdrücklichen Wunsch der Militärregierung sollte am 18. Mai die badische Bevölkerung über die Landesverfassung abstimmen. Jetzt erst ging der Badische Gewerkschaftsbund in die Offensive und forderte seine Mitglieder auf, Abschnitt III der Verfassung »Arbeit und Wirtschaft« abzulehnen. Er wies nachdrücklich darauf hin, daß die wirtschaftspolitischen Artikel in keiner Weise die Interessen der arbeitenden Bevölkerung berücksichtigten (Dok. 117). Im Dezember 1947 resümierte »Der Badische Gewerkschaftler«, daß wiederum ganz im Sinne der Unternehmerverbände das kapitalistische System als Ordnungsprinzip anerkannt worden war.

Der Kampf der Gewerkschaften um die Mitbestimmung in der Wirtschaft und bei der Reorganisation der Wirtschaft

Die Währungsreform in den Westzonen am 20. Juni 1948 beendete die extreme Mangelwirtschaft. Die Gewerkschaften waren damit zwar von der Sorge um die Beschaffung des täglichen Brots befreit, dafür hatten sie nun den genauso kräfteverzehrenden Kampf gegen die unsozialen Folgen der Währungsreform aufzunehmen (Dok. 116).

Nach der Währungsreform reduzierten viele Unternehmen drastisch die Löhne und außertarifliche Leistungen. Viele Arbeiter wurden entlassen. Den Gewerkschaften wurden durch die Währungsreform alle Barmittel entzogen und die Konten blieben gesperrt. Die Gehälter der Funktionäre konnten monatelang nicht gezahlt werden und an Streiks war aus Geldmangel nicht mehr zu denken. Der Lohnstopp blieb erhalten, während die freigegebenen Preise sprunghaft in die Höhe stiegen.

Auf allen Mitgliederversammlungen im Sommer 1948 machten sich die Arbeitnehmer Luft über den unsozialen Charakter der Währungsreform. In Entschließungen forderten sie die sofortige Verstärkung der Preiskontroll-Organe, den Kampf gegen den Wucher und für einen gerechten Lastenausgleich. Die Gewerkschaftsmitglieder waren nicht mehr gewillt, alle Lasten des verlorenen Krieges auf ihre Schultern abwälzen zu lassen. Der Druck der Kollegen und Kolleginnen aus den Betrieben auf die Führung der Badischen Gewerkschaften wurde zusehends stärker.

Empört über das Ausbleiben von versprochenen Lohnerhöhungen, das Drücken von Löhnen und Gehältern und erschreckt über die drohende Arbeitslosigkeit, fanden sich Mitte August in Freiburg die Delegierten des Ortsausschusses und die Betriebsratsvorsitzenden zu einer Beratung über eine Massendemonstration zusammen. Einstimmig faßten sie den Entschluß, eine öffentliche Massenkundgebung vor dem Landtag in Freiburg durchzuführen. Derartig unter Zugzwang geraten, ging der Bundesausschuß des Badischen Gewerkschaftsbundes nun in die Offensive. Er beauftragte den Bundesvorstand, bei der Badischen Regierung vorstellig zu werden und sie mit Nachdruck aufzufordern, gesetzliche Schritte in folgenden Punkten einzuleiten: Aufhebung des Lohnstopps, strenge Kontrolle der Preise unter Mitwirkung der Wirtschaftsorganisationen, scharfe Maßnahmen gegen Preiswucher, Aufhebung aller Verkaufs- und Preisbindungen des unmittelbaren Bezugs beim Erzeuger, unverzügliche Verabschiedung des Betriebsrätegesetzes und des Arbeitsgerichtsgesetzes. Zur Untermauerung der gewerkschaftlichen Forderungen sollte zur gleichen Zeit in allen Betrieben des Landes Südbaden die Arbeit niedergelegt werden und öffentliche Protestkundgebungen sollten stattfinden.

32 Währungsreform - Freiburger Bürger bei der Auszahlung von 40,- DM Startgeld, 1948.

Angesichts der allgemeinen politischen Lage schien es der Militärregierung opportun, gegen die geplanten Aktionen keinen Einspruch zu erheben. Sie wußte vom Dilemma des Badischen Gewerkschaftsbundes, der wegen seiner Glaubwürdigkeit bei seinen Mitgliedern zu Protestaktionen gegen Preisterror und Lohnstopp aufrufen mußte. Im ganzen südbadischen Raum folgten am 2. September 1948 die Gewerkschafter dem Aufruf ihrer Organisation.

Nach den Septemberkundgebungen fuhren die Gewerkschaften zweigleisig. Einerseits versuchten sie in Verhandlungen mit Regierung und zuständigen Stellen, eine Senkung der Wucherpreise herbeizuführen. Im November 1948 mußten sie sich allerdings eingestehen, daß die eingeleiteten Preissenkungsaktionen nicht erfolgreich waren. Andererseits begannen sie ab Mitte September, mit den Unternehmern in Lohnverhandlungen einzutreten.

Die südbadische Gewerkschaft Chemie-Papier-Keramik zum Beispiel konnte mit der Fachvereinigung Chemie einen Tarifvertrag aushandeln, der rückwirkend zum 1. September 1948 in Kraft trat. Es war ihr zum ersten Mal gelungen, die Ortsklassen abzuschaffen und ganz Südbaden als einheitliches Lohngebiet zu behandeln. Außerdem gelang es ihr, die Frauenlöhne abzuschaffen und festzuschreiben, daß männliche wie weibliche Arbeitskräfte ausschließlich nach ihrer Tätigkeit bezahlt werden.

Unter dem Druck der großen Unruhe unter der Arbeiterschaft verabschiedete der Badische Landtag am 23. November 1948 einstimmig das

Gesetz über die Aufhebung des Lohnstopps. Damit erst war den Gewerkschaften die volle Tarifautonomie eingeräumt.

Die Währungsreform hatte den Arbeitern die Auswirkungen der fehlenden Mitbestimmung noch einmal drastisch vor Augen geführt. Vor diesem Hintergrund galt es, das badische Betriebsrätegesetz durchzufechten.

Die Gewerkschaften hatten unter anderem durch ihr Versäumnis, sich rechtzeitig aktiv an der Verfassungsdiskussion beteiligt zu haben, in der Mitbestimmungsfrage eine offensichtliche Niederlage erlitten (Dok. 114). Ebenso hatte sich schon Ende 1947 allzu deutlich erwiesen, daß auf dem Wege von Betriebsvereinbarungen Mitbestimmung nicht durchzusetzen war. Deshalb war es nun für die südbadische Arbeiterbewegung um so wichtiger, aktiv für die Verankerung der Mitbestimmung im Badischen Betriebsrätegesetz zu kämpfen. Sie veröffentlichten bereits im Oktober 1947 im »Badischen Gewerkschaftler« ihren eigenen Entwurf eines Betriebsrätegesetzes. Er forderte eine umfassende Mitbestimmung für Produktion, Investition und Preisgestaltung. Die inzwischen wieder erstarkten »Fachvereinigungen der Industrie«, die späteren Unternehmerverbände, antworteten im November 1947 mit einem Gegenentwurf. Dieser sah weder personelle noch wirtschaftliche Mitbestimmung vor, sondern nur ein Mitwirkungsrecht in Lohnfragen, beim Arbeitsschutz und bei der Betriebsordnung. Die Unternehmer betonten ausdrücklich, daß nur durch die volle Aufrechterhaltung des Direktionsrechtes des Arbeitgebers die Wirtschaft reibungslos funktionieren könne. Sie ließen keinen Zweifel daran, daß sie nicht bereit waren, die Gewerkschaften als Organisation der Arbeitnehmer und die Arbeit der gewerkschaftlichen Vertrauensleute in ihren Betrieben zu dulden.

Der Vorstand des Badischen Gewerkschaftsbundes reagierte mit einem Flugblatt, indem er alle Außenstehenden aufforderte, sich in den Gewerkschaften zu organisieren und den Kampf um die Mitbestimmung aufzunehmen. Auf einer Tagung des Bundesausschusses des Badischen Gewerkschaftsbundes am 8./9. November 1947 entschlossen sich die Anwesenden zu einer Versammlungskampagne, in deren Mittelpunkt das Mitbestimmungsrecht der Arbeitnehmer stehen sollte. In den folgenden Monaten fanden in ganz Südbaden Protestversammlungen und Betriebsrätekonferenzen statt, auf welchen die Teilnehmer klare Position für den entschlossenen Kampf für das von den Gewerkschaften vorgeschlagene Betriebsrätegesetz bezogen. Die Auswertung der Versammlungskampagne des Badischen Gewerkschaftsbundes zeigte, daß in ganz Südbaden weit über 33 000 Arbeitnehmer und Arbeitnehmerinnen an über 80 Kundgebungen teilgenommen hatten.

Nachdem auch die badische SPD sich den Gewerkschaftsentwurf zu eigen gemacht hatte und seine Beratung im Landtag forderte, griff die Staatsregierung im Februar 1948 ein. In einem Schreiben forderte Ministerpräsident Leo Wohleb, den SPD-Entwurf zurückzustellen, bis die Landesregierung einen eigenen Entwurf vorgelegt habe. Dieser ließ bis zum

Arbeitnehmer aufgepaßt!

Der umseitig abgedruckte Brief zeigt, daß ein großer Teil der Arbeitgeber noch nichts gelernt hat. Seit dem Zusammenbruch ist die Arbeitnehmerschaft mit den Gewerkschaften bemüht, unsere Produktion aufrechtzuerhalten. In vielen Fällen wurde von Arbeitgeberseite die Unterstützung durch die Gewerkschaften direkt gewünscht. Heute versucht man, den Arbeitnehmern das Mitbestimmungsrecht abzusprechen und die Gewerkschaften auszuschalten.

Beachtet die von uns in Fettdruck hervorgehobenen Sätze in dem umseitig abgedruckten Brief.

Es soll den Betriebsräten verboten werden, in Betriebsvereinbarungen das Mitbestimmungsrecht zu verankern, auch dann, wenn Arbeitgeber hierzu bereit sein sollten!

Es soll verboten werden, daß Gewerkschaftsvertreter an Betriebsratssitzungen oder Betriebsversammlungen teilnehmen!

Es wird den Gewerkschaften unterschoben, in den Betrieben politische Tendenzen zu verfolgen!

Wollt Ihr auf das Euch nach Artikel 39 der Badischen Verfassung zugestandene Recht der Mitbestimmung an der Verwaltung und Gestaltung der Betriebe verzichten?

Wollt Ihr, daß die Gewerkschaften in den Betrieben ausgeschaltet werden?

Wenn Ihr das nicht wollt, dann zeigt, daß es Euch ernst ist mit der Verwirklichung des Mitbestimmungsrechts.

Deshalb

Hinein in die Gewerkschaften!

Zeigt, daß Ihr nicht gewillt seid, die Gewerkschaften als die berechtigten Interessenvertreter der Arbeitnehmer ausschalten zu lassen.

Stärkt Eure Gewerkschaft! Haltet Disziplin!

Der Vorstand des Badischen Gewerkschaftsbundes

Aufnahmescheine sind bei den Vertrauensleuten zu erhalten!

33 Flugblatt des Badischen Gewerkschaftsbundes zur Mitbestimmung, November 1947.

34 Maidemonstration in Freiburg. Arbeiterinnen und Arbeiter fordern Gleichberechtigung im Wirtschaftsleben, 1. Mai 1947.

August des Jahres auf sich warten. Das badische Wirtschafts- und Arbeitsministerium nutzte die Zeit. Die ihm unterstellte »Direktion Arbeit« veranstaltete regelmäßig Besprechungen zwischen Unternehmern und Gewerkschaftsführung, bei denen im März 1948 vereinbart wurde, »daß die bisherigen Gegner künftig Partner sein wollten«, wie die Begründung zum Regierungsentwurf nicht ohne Stolz verkündigte.

Am 9. April 1948 fand eine Sitzung des Bundesausschusses des Badischen Gewerkschaftsbundes, des Bundesvorstands und der Vorsitzenden der Ortsausschüsse statt. Drei Viertel der Anwesenden stimmten den unter der Schirmherrschaft der Direktion Arbeit ausgehandelten unverbindlichen Absprachen zur Mitbestimmung zwischen Unternehmern und Gewerkschaftsführung zu. Angelpunkte dieser Absprachen waren, daß der Betriebsrat unmittelbare Mitbestimmung nur noch bei Betriebseinschränkungen oder -schließungen, bei geplanter Monopolisierung, Rüstungsproduktion und Konzernbildung haben sollte. In allen anderen wirtschaftlichen Fragen sollte der Betriebsrat nur ein Informations-, Beratungs- und Vorschlagsrecht bekommen. Dies jedoch nicht im Betrieb, sondern in überbetrieblichen, zentral organisierten »Fachkommissionen«, die paritätisch aus Betriebsräten und Unternehmern zusammengesetzt sein sollten.

Der auf der Basis dieser Absprachen zustande gekommene Regierungsentwurf des Betriebsrätegesetzes wurde im September 1948 im Badischen Landtag beraten und beschlossen. Da die Gewerkschaftsführung – mit Ausnahme der Gewerkschafter, die der KP angehörten – diesem Kompromiß zugestimmt hatten, war die Verabschiedung problemlos. Änderungsanträge der kommunistischen Fraktion wurden umstandslos abgelehnt. Das Fachkommissionsgesetz wurde ebenfalls im September 1948 gegen die Stimmen der Kommunisten verabschiedet. Da die französische Militärregierung das Badische Betriebsrätegesetz billigte, konnte es mit seiner Veröffentlichung am 15. Dezember 1948 rechtskräftig werden. Das Fachkommissionsgesetz hingegen lehnte sie mit formaljuristischer Begründung ab.

Ohne das Fachkommissionsgesetz mußte das Betriebsrätegesetz jedoch ein unzulängliches Instrument in den Händen der Gewerkschaften bleiben. Wollten die Betriebsräte im Betrieb ihr unmittelbares Mitbestimmungsrecht durchsetzen, waren sie ganz auf ihre Eigeninitiative zurückgeworfen. Trotz fehlender gesetzlicher Basis bildeten sich Fachkommissionen. Sie erfüllten jedoch nicht die ihnen ursprünglich zugedachte Funktion bei der Mitbestimmung der Arbeitnehmer. Vielmehr wurden sie zu »Schiedsgerichten« entwertet, die lediglich in Lohn- und Tarifstreitigkeiten zwischen Arbeitgeber und Arbeitnehmer eingreifen sollten. Wie die Gewerkschaften befürchtet hatten, stellten die Fachkommissionen mit dem Wegfall der Bewirtschaftungsmaßnahmen nach der Währungsreform ihre Arbeit allmählich ein.

Ihr Ziel, das Mitbestimmungsrecht und die Mitverantwortung im gesamten Wirtschaftsleben, konnten die südbadischen Gewerkschaften unter dieser Rahmenbedingung nicht erreichen. Erst am 28. Februar 1951 wurde ein Fachkommissionsgesetz in allerdings veränderter Form verabschiedet. Die Abänderungen betrafen die Streichung der Produktionskontrolle, die Festlegung des bloßen Empfehlungscharakters der Fachkommissionen und die Streichung aller über das Betriebsrätegesetz hinausgehenden Aufgaben der Fachkommissionen. In dieser Form wurde das Gesetz von der französischen Hohen Kommission gebilligt. Mit dem Hinweis auf kommende bundeseinheitliche Regelungen durch das in Vorbereitung begriffene Betriebsverfassungsgesetz verzichtete die Badische Landesregierung auf die Durchführung des Gesetzes. Damit war die Mitbestimmung für die südbadischen Arbeitnehmer gestorben.

Bei aller Berücksichtigung der Eingriffe der französischen Militärregierung, der wiedererstarkten Macht des südbadischen Unternehmertums, der politischen Mehrheitsverhältnisse im badischen Landtag ist für das Desaster in der Mitbestimmungsfrage auch die südbadische Gewerkschaftsführung verantwortlich zu machen. Sie nahm Kompromisse, die ihr vielleicht aufgezwungen worden wären, vorweg. Durch die Disziplinierung der innergewerkschaftlichen Opposition und Immobilisierung der Betriebsräte begab sich die Gewerkschaftsführung freiwillig der Möglichkeiten, mehr zu erreichen.

Im April 1952 konstituierte sich das Bundesland Baden-Württemberg. Durch das am 19. Juli 1952 im Deutschen Bundestag verabschiedete Betriebsverfassungsgesetz wurden die eingeschränkten Kompetenzen des Badischen Betriebsrätegesetzes sang- und klanglos beseitigt. Auf Bundesebene beschritten die Gewerkschaften hier noch einmal den Weg, den sie regional schon gegangen waren.

Nach dem Zusammenbruch des Faschismus hatte in allen Kräften der Arbeiterbewegung das Bewußtsein von der Notwendigkeit, aus den Fehlern der Arbeiterbewegung in der Spätphase der Weimarer Republik zu lernen, gelebt. Wollte die Arbeiterbewegung in der neu aufzubauenden demokratischen Gesellschaft als tragendes Element wirken, hatte dies zur notwendigen Voraussetzung die Vereinigung der alten Richtungsgewerkschaften zur Einheitsgewerkschaft. Diesen Anspruch haben die wiederaufgebauten südbadischen Gewerkschaften verwirklicht. Der Badische Gewerkschaftsbund und die in ihm vereinigten Landesgewerkschaften konnten deshalb reibungslos in dem im Oktober 1949 gegründeten Deutschen Gewerkschaftsbund aufgehen. Unbestritten bleibt, daß ohne den unermüdlichen Einsatz der Betriebsräte und Gewerkschaften die südbadische Wirtschaft nicht so schnell wieder in Gang gekommen wäre.

Daß die Bemühungen der südbadischen Arbeiterbewegung zur Verwirklichung der Wirtschaftsdemokratie scheiterten, hat viele, sich gegenseitig bedingende Ursachen: Die Kräfte der Arbeiterbewegung waren durch die faschistische Terror- und Mordpolitik stark dezimiert. Die Kraft der Gewerkschaften und Betriebsräte war aufgesogen von zermürbenden »Alltagsgeschäften« zur Milderung der allgemeinen Nachkriegsnotlage.

Die Führungspositionen der wiederaufgebauten Gewerkschaften waren auch in Südbaden von der erfahrenen »alten Garde« besetzt. In den Funktionären wirkten die Erfahrungen, die traditionellen Vorstellungs- und Handlungsweisen aus der Weimarer Republik. Ihr Spielraum war eng begrenzt durch die Anordnungen der französischen Besatzungsmacht, die bald die politischen Gegenkräfte förderte, und nicht zuletzt durch die alltägliche extreme Notlage der Bevölkerung. Gerade im traditionell katholischen Südbaden verhinderte das innenpolitische Kräfteverhältnis, daß die Gewerkschaften Machtpositionen in Politik und Verwaltung einnehmen konnten.

Die zunehmende Spannung zwischen den Westalliierten und der Sowjetunion ermöglichte reformfeindlichen Kräften, gesellschaftliche Reformvorstellungen im gegebenen Augenblick aus Gründen der militärischen und politischen Sicherheit als nicht durchführbar hinzustellen. Spätestens mit dem Beitritt der Westzonen zum Marshallplan (Dok. 120) war die Weichenstellung zum Kalten Krieg besiegelt. Der Kalte Krieg brachte die alte Spaltung der Arbeiterklasse bald wieder zum Vorschein und schürte die Angst vor den Kommunisten. Auch in den südbadischen Gewerkschaften wurden sie bald aus den Vorständen gedrängt, ausgeschlossen und gerichtlich verfolgt.

Aufgrund der Mobilisierung der südbadischen Arbeiter war zunächst das von allen Westzonen fortschrittlichste Betriebsrätegesetz der Nachkriegsjahre erkämpft worden. Mit ihrer Kompromißbereitschaft vergaben die südbadischen Gewerkschaften jedoch jede Chance auf eine Umsetzung dieses Betriebsrätegesetzes. Nach den Proteststreiks gegen Preiserhöhungen im September 1948 und der Kampagne für die Mitbestimmung verstanden es die südbadischen Gewerkschaftsführer nicht, die vorhandene Bereitschaft der Arbeiter für einen effektiven Kampf gegen die Wiederherstellung der alten Machtverhältnisse zu nutzen.

Der bei den Gewerkschaften anfänglich vorhandene Impuls zur grundlegenden Veränderung der Gesellschaftsordnung zerbrach bald an der Wirklichkeit, die Währungsreform, Marshallplanhilfe und der Ost-West-Konflikt geschaffen hatten. Die Struktur dieser Realitäten konnten sie nur noch ganz am Rande mitbestimmen.

Manifest der demokratischen Sozialisten des ehemaligen Konzentrationslagers Buchenwald, 13. April 1945

Wolfgang Abendroth: Aufstieg und Krise der deutschen Sozialdemokratie, Frankfurt a.M. 1964, S. 123ff.

Im Augenblick ihrer Befreiung aus der bestialischen Gefangenschaft der nazisitischen Diktatur empfinden es die im ehemaligen Konzentrationslager Buchenwald versammelten Vertreter des demokratischen Sozialismus aus Berlin, Brandenburg, Mitteldeutschland, Sachsen, Thüringen, Anhalt, Hannover, Braunschweig, Westfalen, Rheinland, Saarland, Bayern und Österreich als ihre Pflicht, in Anwesenheit der legitimierten Vertreter und Beauftragten der französischen, belgischen, niederländischen, tschechischen und polnischen Sozialisten sowie der Deutschen Sozialdemokratischen Arbeiter-Partei in der Tschechoslowakischen Republik, folgendes zu erklären:

Wir haben Gefängnis, Zuchthaus und Konzentrationslager ertragen, weil wir glaubten, auch unter der Diktatur für die Gedanken und Ziele des Sozialismus und für die Erhaltung des Friedens arbeiten zu müssen. In Zuchthaus und Konzentrationslager setzten wir trotz täglicher Bedrohung mit einem elenden Tode unsere konspirative Tätigkeit fort. Durch diesen Kampf ist es uns vergönnt gewesen, menschliche, moralische und geistige Erfahrungen zu sammeln, wie sie in normalen Lebensformen unmöglich sind. Vor dem Schattengesicht der Blutzeugen unserer Weltanschauung, die durch die hitleristischen Henker gestorben sind, wie auch in der besonderen Verantwortung für die Zukunft unserer Kinder halten wir uns deshalb für berechtigt und verpflichtet, dem deutschen Volke zu sagen, welche Maßnahmen notwendig sind, um Deutschland aus diesem geschichtlich beispiellosen Zusammenbruch zu retten und ihm wieder Achtung und Vertrauen im Rate der Nationen zu verschaffen.

1. Vernichtung des Faschismus

Solange Faschismus und Militarismus in Deutschland nicht restlos vernichtet sind, wird es keine Ruhe und keinen Frieden bei uns und in der Welt geben. Unsere ersten Anstrengungen müssen darauf gerichtet sein, alle gesellschaftlichen Erscheinungen dieser blutigen Unterdrückung des Lebens für immer zu beseitigen.

Alle Gesetze, Erlasse, Verordnungen, Verfügungen, Urteile, Bescheide und sonstigen Rechtsvorschriften, die zur Begründung, Förderung und Behauptung der Diktatur gedient haben, sind aufzuheben.

Die NSDAP mit allen ihren Gliederungen und angeschlossenen Verbänden ist zu verbieten und aufzulösen, ihr Vermögen zugunsten der Opfer ihres Terrors einzuziehen, ihren Mitgliedern sind die politischen Rechte zu entziehen. Alle begangenen Verbrechen sind durch Volksgerichte schnell, streng und gerecht zu bestrafen und die Verurteilten einem Strafvollzug nach ihren eigenen Anschauungen zu unterwerfen. Alle zu Unrecht erworbenen Vermögen der Nutznießer des Regimes sind zu enteignen. Nationalsozialistische Aufstandsversuche sind rücksichtslos niederzukämpfen. Darüber hinaus sind alle faschistischen und militaristischen Organisationen dem gleichen Verfahren zu unterwerfen. Ebenso ist die hitlerische Wehrmacht mit allen ihren Institutionen aufzulösen. Den Bedürfnissen der öffentlichen Sicherheit kann durch eine Miliz genügt werden.

Alle Beamten, die als Träger der Diktatur tätig gewesen sind, müssen unverzüglich den öffentlichen Dienst verlassen. Kriegsverbrecher und Kriegsverlängerer sind nach den Geboten des internationalen Rechts von deutschen Gerichten zu bestrafen.

2. Aufbau der Volksrepublik

Diese riesenhafte Arbeit kann nur geleistet werden, wenn sich alle antifaschistischen Kräfte zu einem unverbrüchlichen Bündnis zusammenschließen. Zu diesem Zwecke erstreben wir einen neuen Typ der Demokratie, die sich nicht in einem leeren, formelhaften Parlamentarismus erschöpft, sondern den breiten Massen in Stadt und Land eine effektive Betätigung in Politik und Verwaltung ermöglicht.

Zuerst sind in allen Orten antifaschistische Volksausschüsse zu bilden, die sobald als möglich durch Heranziehung antifaschistischer Organisationen auf eine urdemokratische Grundlage zu stellen sind. Aus diesen Volksausschüssen ist für das ganze Reich ein Deutscher Volkskongreß zu berufen, der eine Volksregierung einzusetzen und eine Volksvertretung zu wählen hat.

Die bürgerlichen Freiheiten der Person, des Glaubens, des Denkens, der Rede und Schrift, der Freizügigkeit und des Koalitionsrechts sind sofort wiederherzustellen.

Die Volksausschüsse haben Gemeinderäte, diese durch Delegierte Kreis- und Landesräte zu wählen. Die Behördenvorstände in Stadt und Land sind neu zu bestellen. Staatskommissare haben die Kontrolle der übrigen Verwaltung zu übernehmen.

Das Reich ist unter Beseitigung des ganzen bisherigen Regierungsapparates der Länder nach wirtschaftlichen und sozialen Gesichtspunkten neu zu gliedern, die Verwaltung zusammenzufassen, zu vereinfachen und zu verbilligen.

Das privilegierte Berufsbeamtentum ist abzuschaffen und durch ein hochqualifiziertes, sauberes, sozial modernes Volksbeamtentum zu ersetzen.

3. Befreiung der Arbeit

Aufbau und Führung der Volksrepublik sind nur möglich, wenn die Massen der Werktätigen in Stadt und Land in ihr ihren Staat sehen, ihn bejahen und immer bereit sind, für diesen Staat einzustehen. Sie werden das nur tun, wenn die Volksrepublik die Arbeit aus der unerhörten Ausbeutung und Entrechtung, die die Kapitalistenknechte der NSDAP über sie verhängt haben, befreit und ein menschenwürdiges Dasein aller Arbeitenden schafft und garantiert. Deshalb sind die Sozialpolitik und die Sozialversicherung den Bedürfnissen der Arbeiterschaft entsprechend zu gestalten.

Der Achtstundentag ist sofort wieder einzuführen und eine weitere Verkürzung der Arbeitszeit vorzubereiten. Das Diktat der angeblichen »Treuhänder der Arbeit« ist abzuschaffen, die freie, tarifvertragliche Regelung der Lohn- und Arbeitsverhältnisse wiederherzustellen. Schlichtung von Arbeitsstreitigkeiten und die Arbeitsgerichtsbarkeit haben Gesetz und Recht im Arbeitsleben zu gewährleisten.

Die DAF ist in eine einheitliche Gewerkschaft zu überführen. Diese vom Staate unabhängige Gewerkschaftsorganisation soll die Selbstverwaltung und Selbstverantwortung der Arbeiter, Angestellten und Beamten für ihre sozialen Geschicke erneuern und stärken, um ihren ganzen Einfluß im Gesamtprozeß der Sozialisierung voll zur Geltung zu bringen.

4. Sozialisierung der Wirtschaft

Überzeugt, daß die letzte Ursache zu diesem ungeheuerlichsten aller Kriege in der Raubtiernatur der kapitalistischen Wirtschaft, des finanzkapitalistischen Imperialismus und der von beiden erzeugten moralischen und politischen Verwahrlosung des Lumpenproletariats und Kleinbürgertums liegt, fordern wir, daß den Gesellschaftskrisen durch eine sozialistische Wirtschaft ein absolutes Ende gesetzt wird. Deutschland kann ökonomisch nur auf sozialistischer Grundlage wieder aufgebaut werden. Ein Aufbau unserer zerstörten Städte als kapitalistisches Privatgeschäft ist ebenso unmöglich, wie ein Wiederaufbau der Industrie aus den Taschen der Steuerzahler.

Wir erklären feierlich, daß niemand von uns an eine Enteignung des bäuerlichen Besitzes denkt. Er soll im Gegenteil garantiert und vermehrt, zur Höchstleistung geführt, von allen Schranken der Reichsnährstandspolitik befreit, genossenschaftlich gefördert werden und einer freien Selbstverwaltung überlassen bleiben. Der Großgrundbesitz ist einzuziehen und gemeinwirtschaftlich zu verwalten.

Eine neue Währung, ein von den Lasten der Diktatur bereinigter öffentlicher Haushalt und eine Sozialisierung der Banken und Versicherungsanstalten unter Führung der öffentlichen Bankanstalten sollen die Grundlagen einer gesunden Wirtschaftspolitik schaffen. Staatsmonopole für Massenverbrauchsgüter sollen fiskalisch und preisregulierend wirken. Bergwerke, die gesamte Energieerzeugung, die Schwerindustrie und das Verkehrswesen sind zu sozialisieren.

Zur Befriedigung des dringenden Massenbedarfs sind alle Verbrauchsgüter staatlich zu lenken. Der Wiederaufbau der Städte und die Wohnungsbeschaffung sind nach demselben Gesichtspunkt zu regeln. Ein Planwirtschaftsamt hat den sozialistischen Wiederaufbau zu leiten.

5. Friede und Recht

Wir wissen, daß unsere innere Lage furchtbar ist. Unsere äußere Lage ist jedoch noch verzweifelter. Aber wir verzagen nicht. Wir bekennen uns vor der Welt aus tiefster ehrlicher Überzeugung zu der schuldrechtlichen Verpflichtung der Wiedergutmachung der Schäden, die das deutsche Volk durch den Hitlerismus angerichtet hat. So entschieden wir Kontributionen und Vasallendienste ablehnen, so aufrichtig wollen wir dazu beitragen, daß durch Abtragung einer festbestimmten Wiedergutmachungsschuld eine neue Atmosphäre des Vertrauens zu Deutschland geschaffen wird. Die deutsche Jugend wird verstehen, daß es besser ist, für den Frieden Opfer zu bringen, als im Kriege bei noch größeren sinnlosen Opfern das Leben zu verlieren.

Wir wollen nie wieder Krieg. Wir werden alles tun, um einen neuen Krieg unmöglich zu machen. Wir wünschen, baldigst in die Weltorganisation des Friedens und der Sicherheit aufgenommen zu werden und besonders als Richter und Partei in der internationalen Gerichtsbarkeit einen Beitrag zu leisten, der von anderen Völkern als wertvoll anerkannt werden soll.

Auch in der verzweifeltsten Lage werden wir deshalb nicht auf eine eigene sozialistische Außenpolitik verzichten. Die deutsche Außenpolitik muß im engsten Einvernehmen mit der Union der Sozialistischen Sowjetrepubliken geführt werden. Unser oberstes Ziel ist, in Zusammenarbeit mit allen sozialistisch geführten Staaten zu einer europäischen Staatsgemeinschaft zu kommen, die unserem schwergeprüften Kontinent durch eine europäische Gemeinschaft Ordnung und Wohlstand verbürgt.

Diese soll uns als Mittel dienen, Europas kulturelle Mission in der Welt auf der gesellschaftlichen Stufe des Sozialismus zu erneuern. Die erste Voraussetzung dafür sehen wir in der deutsch-französischen und deutsch-polnischen Verständigung und Zusammenarbeit, die zweite im Eintritt Deutschlands in den angelsächsischen Kulturkreis. So wollen wir ein europäisches Gesamtbewußtsein schaffen, das allein den Frieden der Völker tragen kann.

6. Humanität

Dazu brauchen wir einen neuen Geist. Er soll verkörpert werden durch den neuen Typ des deutschen Europäers. Uns kann niemand umerziehen, wenn wir es nicht in Freiheit selbst tun. Neue Universitäten, aus den wertvollsten Kräften der Emigration und der inländischen sozialistischen Intelligenz gebildet, sollen uns neue Lehrer schaffen.

Wenn alle nazistischen Sonderformen der Schule, wie Ordensburgen, Adolf-Hitler-Schulen, nationalpolitische Erziehungsanstalten, verschwunden sind, wollen wir mit neuen Lehrern Volks- und Berufsschulen, vor allem auf dem Lande, auf- und ausbauen, das humanistische Gymnasium modernisieren, den Typ eines deutschen Gymnasiums neu schaffen, Landes- und Hochschulen für Politik errichten und die Erwachsenenbildung mit allen Kräften fördern. Freie und angewandte Künste, Literatur, Theater und Musik sollen in Freiheit aus einer Nacht tiefsten Grauens ins Land der Schönheit führen.

7. Sozialistische Einheit

Zu all diesem ist die Einheit der sozialistischen Bewegung unerläßlich. Begründet auf die Gedanken des Klassenkampfes und der Internationalität und auf das Bewußtsein, daß die Verwirklichung des Sozialismus nicht eine Frage des Zukunftsstaates, sondern die unmittelbare Gegenwartsaufgabe ist, wollen wir die Einheit der sozialistischen Bewegung als eine Einheit des praktischen Handelns, der proletarischen Aktion herstellen. Freiheit in der Diskussion und Disziplin in der Durchführung der Beschlüsse werden es uns ermöglichen, alle ehrlichen sozialistischen Kräfte zusammenzufassen.

Wir erwarten, daß die auf dem Boden des Klassenkampfes stehenden Parteien und Gewerkschaften nach den unerläßlichen Vorbesprechungen alsbald einen Organisationsausschuß einsetzen und dieser einen Gründungskongreß beruft, der Statuten und Aktionsprogramm festzustellen und die neuen Parteiorgane zu wählen hat.

Zur Vollendung der Einheit des Weltproletariats fordern wir die Aufrichtung einer alle sozialistischen Parteien umfassenden, arbeitenden und kämpfenden internationalen politischen und gewerkschaftlichen Organisation.

Es lebe das Bündnis aller antifaschistischen Kräfte Deutschlands!
Es lebe ein freies, friedliches, sozialistisches Deutschland!
Es lebe der revolutionäre demokratische Sozialismus!
Es lebe die Internationale der Sozialisten der ganzen Welt!

Augenzeugenbericht über das Ende der faschistischen Diktatur in Waldkirch

DGB Freiburg, Dokumente zur Geschichte der Gewerkschaft im DGB-Kreis Freiburg 1945-1949, II.

Am 20. April 1945 sind französische Militäreinheiten in Waldkirch einmarschiert. Damit war für die Waldkircher Bevölkerung das Kriegsgeschehen zu Ende. Sie hatten Ruhe. Keine Fliegerangriffe mehr und keine militärischen Operationen. Zur selben Zeit, als die französische Armee in Waldkirch einrückte, zog sich die nazistische Terror-Einheit, der SD (Sicherheitsdienst), welche in Waldkirch sowie im Dettenbachtal stationiert waren, zurück. Sie waren vor Monaten gekommen und hatten sich häuslich eingerichtet. Sie bauten im Dettenbachtal Blockhütten. Man hatte noch die Illusion, den Krieg zu gewinnen. Mit dem Einmarsch der französischen Armee floh diese Nazitruppe in Richtung Kandelwald und setzte sich dort fest. Beim Rückzug schossen sie blindlings um sich, auch mit Maschinenpistolen, wobei die Waldkircherin Fräulein Oschwald tödlich getroffen wurde. Eine Panzerfaust, welche noch von der Nazi-Einheit abgeschossen wurde, zertrümmerte das Schaufenster der Edelsteinschleiferei Wintermantel vollständig.

Die Antifaschisten Waldkirchs beobachteten den Rückzug des SD und die neue Stellung im Kandelwald und meldeten das dem französischen Ortskommandanten Möhr, worauf der den Nazis eine französische Einheit entgegenschickte und sie somit in Richtung Sägendobel zurückdrängte. Von da wurden diese SD-Anhänger in die Flucht getrieben.

Bevor die SD-Truppe aus Waldkirch flüchtete, haben diese Leute den eigenen Proviant in die Luft gesprengt, welcher in Dettenbach gelagert war, obwohl diese Nazis wußten, daß die Bevölkerung hungerte. In der letzten Minute wurden noch drei blutjunge Soldaten vom Nazi- Hinrichtungskommando bei der alten Brunnenstube an der Kandelstraße erschossen. In ihrer Zerstörungswut sprengte eine Nachhuteinheit völlig sinnlos die Eisenbahnbrücke am Waldkircher Bahnhof. Sie kümmerten sich einen Dreck um die umstehenden Häuser und um die Bevölkerung. Sie warnten nicht einmal vor der Sprengung, wonach eine starke Panik entstand und zahlreiche Häuser schwer beschädigt wurden.

Durch den mutigen Einsatz eines Kollnauer Antifaschisten wurde die Sprengung der Kollnauer Elzbrücke bei der Kirche verhindert, indem der mutige Mann, trotz ständiger Bewachung von Nazitruppen, die Sprengladung entschärfte. Es handelte sich um einen bekannten Antifaschisten namens August Schindler, welcher diese mutige Tat vollbrachte.

Rosenblatt, Waldkirch.

Die Entnazifizierung

a) Anweisung der französischen Militärregierung zur Entnazifizierung der Behörden, 14. Juni 1945

Amtsblatt der Militärregierung, Nr. 3, 14. Juni 1945.

Vornahme von Entlassungen und Suspendierungen

A. Sofort nach der Besetzung von Deutschland oder von Teilen Deutschlands sowie auch später werden gewisse Personen wegen ihrer früheren oder gegenwärtigen Tätigkeit politischer und anderer Art von Militär-, Militärregierungs-, Gegenspionage- und anderen Offizieren verhaftet und in Haft gehalten werden. Alle in dieser Weise verhafteten und in Haft gehaltenen Personen, die bei Regierungsbehörden angestellt sind, sind mit sofortiger Wirkung aus ihrer Stellung zu entlassen.

B. Regierungsbehörden müssen sofort alle Personen, die bei ihnen angestellt sind, entlassen, von denen bekannt ist, daß sie sind oder waren: 1) Vor dem 1. April 1933 Mitglieder oder zu irgendeiner Zeit Beamte der NSDAP. 2) Vor dem 1. April 1933 Mitglieder oder zu irgendeiner Zeit Offiziere und Unteroffiziere der SS (jedoch mit der Maßgabe, daß diese Bestimmung hinsichtlich der Waffen-SS nur auf Offiziere im Range eines Unterscharführers oder einem höheren Range Anwendung finden soll). 3) Vor dem 1. April 1933 Mitglieder oder zu irgendeiner Zeit Offiziere der SA mit dem Range eines Unterscharführers oder einem höheren Range. 4) Zu irgendeiner Zeit Offiziere der HJ mit dem Rang eines Stammführers oder einer Mädelringführerin oder einem höheren Range. 5) Zu irgendeiner Zeit Offiziere des RAD mit dem Range eines Arbeitsführers oder einem höheren Range. 6) Vor dem 1. April 1933 Mitglieder oder zu irgendeiner Zeit Beamte oder Offiziere einer der übrigen, in den Gesetzen Nr. 2, 5 oder 77 der Militärregierung bezeichneten Organisationen, einschließlich der Gliederungen, angeschlossenen Verbände oder betreuten Organisationen der NSDAP. 7) Zu irgendeiner Zeit Mitglieder der Generalstäbe oder des Generalstabskorps. 8) Zu irgendeiner Zeit Beamte oder Angestellte irgendwelcher Art im Dienste der Gestapo oder des Sicherheitsdienstes (SD).

C. Während der Überprüfung werden alle Personen automatisch suspendiert: 1) die gewisse Stellungen, welche unten aufgeführt sind, einnehmen oder einnahmen, 2) die nicht in eine der Gruppen fallen, bei denen automatische Entlassung Platz greift, aber aktive Nazis oder überzeugte Anhänger der Nazis sind, 3) die zu irgendeiner Zeit seit dem 1. Januar 1938 eine hierin aufgeführte Stellung einnahmen, deren gegenwärtiger Inhaber nur aufgrund seiner Stellung gemäß dieser Anweisung suspendiert worden ist, 4) die zu irgendeiner Zeit seit dem 1. Januar 1938 außerhalb Deutschlands a) im Auftrage des Reichs oder dessen Behörden, gleichgültig ob sie in leitenden Stellungen waren oder nicht, oder b) als Beamte einer im vorstehenden genannten oder einbezogenen Regierungsbehörde oder c) im Auftrage irgendeiner in den Gesetzen Nr. 2, 5 oder 77 der Militärregierung bezeichneten Organisationen tätig waren, 5) die zu irgendeiner Zeit seit dem 1. Januar 1938 als Personalleiter oder als höhere Beamte in der Personalabteilung einer Regierungsbehörde tätig waren.

D. Wenn eine Person in mehr als eine Gruppe in bezug auf die Behandlung gemäß dieser Anweisung fällt, so soll diejenige Gruppe, für die in dieser Anweisung die strengste Behandlung vorgeschrieben ist, maßgebend sein.

Behandlung von entlassenen und suspendierten Personen

Für Personen, welche automatisch oder auf Anweisung der alliierten Streitkräfte oder der Militärregierung entlassen worden sind, und für suspendierte Personen während der Zeit ihrer Suspendierung gelten folgende Vorschriften: 1) Den bezeichneten Personen muß der Zutritt zu den Behörden, aus denen sie entlassen worden sind, sowie allen ihren Büros, Zweigstellen und Ämtern verweigert werden. 2) Den bezeichneten Personen muß die mittelbare oder unmittelbare Mitwirkung an allen Angelegenheiten, an der Bestimmung von Richtlinien und der Führung der Behörden, aus denen sie entlassen worden sind, untersagt werden. 3) Die bezeichneten Personen sind aus allen anderen Behörden, an denen sie in irgendeiner Weise direkt oder indirekt interessiert sind oder mit denen sie irgendwie verbunden sind, zu entfernen und dürfen keinerlei Belege, Papiere oder Wertsachen, gleichgültig ob sie persönlicher Natur sind oder nicht, aus solchen Unternehmen oder Behörden entnehmen. 4) Den bezeichneten Personen muß der Zugang zu allen ihren Konten, Stahlschrankfächern, Tresoren und sonstigen Vermögenswerten untersagt werden. Diese müssen sämtlich aufgrund des Gesetzes Nr. 52 der Militärregierung gesperrt werden. 5) Diese bezeichneten Personen dürfen nicht in irgendeiner Behörde in irgendeiner Form angestellt werden, sei es denn, daß ihrer Anstellung durch eine besondere Erlaubnis einer höheren Stelle der Militärregierung zugestimmt worden ist. 6) Die bezeichneten Personen haben dem Offizier der Militärregierung des Gebietes, in dem sie aus dem Amt entlassen worden sind, schriftlichen Bericht zu erstatten, sobald sie eine Anstellung in irgendeinem anderen Tätigkeitsgebiet angenommen haben.

Personen, die entlassen worden sind, sind nicht berechtigt, irgendwelche Vermögensvorteile seitens der Behörde, aus der sie ausgeschieden sind, zu erhalten, jedoch mit Ausnahme von solchen Beträgen, zu denen sie vertraglich durch ordnungsmäßig abgeschlossene Verträge oder Vereinbarungen berechtigt sind, und mit Ausnahme von Abfindungssummen, die nicht den normalen Betrag übersteigen dürfen, der normalerweise von solchen Behörden aus Gründen dieser Art für die Dauer von zwei Monaten gezahlt zu werden pflegt. Alle diese Beträge, die Personen auf diese Weise empfangen oder auf die sie aufgrund solcher Verträge oder Vereinbarungen ein Anrecht haben, müssen gesperrt werden.

Die vorstehenden Bestimmungen finden im Falle von suspendierten Personen für die Dauer ihrer Suspendierung Anwendung.

Neueinstellung von Personal

A. Niemand, der seit dem 1. Januar 1938 eine der Bedingungen erfüllt hat, die zu seiner Entlassung oder Suspendierung aufgrund dieser Anweisung führen würde, wenn er noch im Amte wäre, kann als Ersatz für nach obigen Anweisungen entlassenes oder suspendiertes Personal eingestellt werden; ebenso darf eine solche Person weder direkt noch indirekt an den Angelegenheiten, an der Bestimmung von Richtlinien irgendeiner Regierungsbehörde mitwirken.

B. Bevor irgendeine Person eine andere, die entlassen wurde, ersetzt oder eine Stellung in irgendeiner Abteilung der Verwaltung, sei es der Gemeinden oder der staatlichen Verwaltung, ausfüllen kann, muß dies schriftlich von dem Militärregierungsoffizier gebilligt werden.

b) Landesverordnung über die Befreiung von Nationalsozialismus und Militarismus (Auszug), 29. März 1947

Amtsblatt der Landesverwaltung Baden - Französisches Besatzungsgebiet, Nr. 14, 15. April 1947.

Kapitel I: Zweck und allgemeine Grundsätze

Artikel 1: Zweck

Der Zweck des vorliegenden Gesetzes ist:

a. die Nationalsozialisten, Militaristen und Industriellen, die das nationalsozialistische Regime gefördert und unterstützt haben, zu bestrafen;

b. die nationalsozialistischen und militaristischen Organisationen dadurch völlig und dauernd zu vernichten, daß die maßgebenden Mitglieder der nationalsozialistischen Partei und die Anhänger ihrer Lehre in ihrer persönlichen Freiheit oder Handlungsfreiheit beschränkt werden.

Artikel 2: Allgemeine Grundsätze

Urteile aufgrund dieser Landesverordnung werden für jeden einzelnen Fall gesondert ausgesprochen. Jeder Fall wird nach der persönlichen Verantwortlichkeit des Schuldigen beurteilt. Die Richter haben dabei davon auszugehen, daß die Sühnemaßnahmen die Schuldigen aus dem öffentlichen, wirtschaftlichen und kulturellen Leben des deutschen Volkes ausschließen. Sie sind von der Notwendigkeit bestimmt, den Nationalsozialismus, seine Methoden und seine Ideen endgültig auszuschalten.

Die bloße Mitgliedschaft bei der NSDAP oder einer der in dieser Landesverordnung erwähnten Organisationen ist an sich nicht entscheidend bei der Beurteilung des Grades der Schuld und der Einreihung in die Gruppe der Verantwortlichen.

Umgekehrt genügt die Nichtmitgliedschaft bei einer dieser Organisationen nicht, um die Verantwortlichkeit auszuschalten, wenn erwiesen ist, daß der Betroffene sich im Sinne dieser Landesverordnung aktivistisch betätigt hat.

Kapitel II: Festsetzung der Gruppen der Verantwortlichen

Artikel 3

Zur gerechten Beurteilung der Verantwortlichkeit und zur Heranziehung zu Sühnemaßnahmen werden folgende Gruppen aufgestellt:

1. Hauptschuldige,
2. Schuldige (Aktivisten, Militaristen und Nutznießer),
3. Minderbelastete,
4. Mitläufer,
5. Entlastete.

Artikel 4: Hauptschuldige

Hauptschuldiger ist: 1) wer der nationalsozialistischen Gewaltherrschaft maßgebliche politische, wirtschaftliche, propagandistische oder andere Unterstützung gewährt und durch diese Mitarbeit erheblichen Nutzen für sich selbst oder andere erlangt hat; 2) wer in einer führenden Stellung der NSDAP, ihrer Gliederungen oder in angeschlossenen Verbänden oder einer anderen nationalsozialistischen oder militaristischen Organisation tätig gewesen ist; 3) wer in der Reichsregierung, der Länderregierung, der Verwaltung der früheren besetzten Gebiete eine führende Stellung innehatte, die nur von einem überzeugten Anhänger des Nationalsozialismus bekleidet werden konnte; 4) wer für die nationalsozialistische Gewaltherrschaft in der Gestapo, dem SD, der SS, der Geheimen Feld- oder Grenzpolizei aktiv tätig geworden ist; 5) wer um des persönlichen Gewinns oder Vorteils willen aktiv mit der Gestapo, dem SD, der SS oder ähnlichen Organisationen durch Denunziation oder sonstige Hilfeleistung bei der

Verfolgung der Gegner der nationalsozialistischen Gewaltherrschaft zusammengearbeitet hat; 6) wer dem OKW* angehört hat (spezifiziert).

Artikel 5: Schuldige

A. Aktivisten

I. Aktivist ist: 1) wer durch seine Stellung oder seine Tätigkeit die nationalsozialistische Gewaltherrschaft wesentlich gefördert hat; 2) wer seine Stellung, seinen Einfluß oder seine Verbindungen ausgenützt hat, um durch Ausübung von Gewalt, durch Drohungen oder durch Brutalität eine Herrschaft der Unterdrückung und Ungerechtigkeit aufzurichten; 3) wer sich als erklärter Anhänger der nationalsozialistischen Gewaltherrschaft, insbesondere ihrer rassischen Grundsätze bekannt hat.

II. Aktivisten sind insbesondere nachstehend angeführte Personen, sofern sie nicht Hauptschuldige sind: 1) wer durch Wort oder Tat, besonders aber in der Öffentlichkeit durch Reden und Veröffentlichungen, durch freiwillige Spenden aus seinem eigenen oder fremden Vermögen oder durch Ausnützung seines Berufes oder seiner Machtbefugnisse im politischen, wirtschaftlichen oder kulturellen Leben wesentlich zur Errichtung, zur Festigung und zur Aufrechterhaltung der nationalsozialistischen Gewaltherrschaft beigetragen hat; 2) wer den Geist und die Seele der Jugend durch nationalsozialistische Erziehung oder Lehre vergiftet hat; 3) wer das Familien- oder das Gemeinschaftsleben durch Nichtbeachtung anerkannter moralischer Grundsätze untergraben hat, um die nationalsozialistische Gewaltherrschaft zu stärken; 4) wer im Dienste des Nationalsozialismus sich unrechtmäßig in die Rechtspflege eingemischt oder sein Amt als Richter oder öffentlicher Ankläger politisch mißbraucht hat; 5) wer im Dienst des Nationalsozialismus hetzerisch oder gewalttätig gegen Kirchen, Religionsgemeinschaften oder weltanschauliche Vereinigungen aufgetreten ist; 6) wer im Dienst des Nationalsozialismus Kunstwerke oder wissenschaftliche Werte verhöhnt, beschädigt oder zerstört hat; 7) wer sich als Urheber oder Aktivist an der Zerschlagung der Gewerkschaften, am Ausschluß aus Stellungen und unrechtmäßiger Verwertung des Gewerkschaftsvermögens beteiligt hat; 8) wer als Provokateur, Spitzel oder Denunziant die Einleitung eines Verfahrens zum Schaden eines anderen wegen seiner Rasse, Religion oder seiner politischen Gegnerschaft gegen den Nationalsozialismus oder wegen Zuwiderhandlungen gegen nationalsozialistische Vorschriften herbeigeführt oder herbeizuführen versucht hat; 9) wer seine Machtstellung unter der nationalsozialistischen Gewaltherrschaft zu Begehung von Straftaten, insbesondere Erpressungen, Vertrauensmißbrauch oder Betrügereien ausgenützt hat; 10) wer durch Wort oder Tat eine gehässige Haltung gegenüber Gegnern der NSDAP im In- und Ausland, gegen Kriegsgefangene, die Bevölkerung der ehemals besetzten Gebiete, gegen

* Oberkommando der Wehrmacht.

ausländische Zivilarbeiter, Häftlinge oder ähnliche Personen eingenommen hat; 11) wer dazu beigetragen hat, daß Gegner des Nationalsozialismus zur Front abgestellt worden sind.

III. Aktivist ist ferner: wer nach dem 8. Mai 1945 den Frieden des deutschen Volkes oder der Welt durch Eintreten für den Nationalsozialismus oder Militarismus oder durch die Erfindung oder Verbreitung böswilliger Gerüchte bedroht hat oder von dem angenommen werden kann, daß er ihn in dieser Weise bedrohen würde.

B. Militaristen

I. Militarist ist: 1) wer das Leben des deutschen Volkes nach militaristischen Grundsätzen auszurichten getrachtet hat; 2) wer für die Beherrschung ausländischer Völker, ihre Ausbeutung oder Verschleppung eingetreten ist oder dafür verantwortlich ist; 3) wer die Aufrüstung für diese Zwecke gefördert hat.

II. Militarist ist insbesondere, soweit er nicht Hauptschuldiger ist: 1) wer durch Wort oder Schrift militärische Lehren oder Programme aufstellte oder verbreitete oder außerhalb der Wehrmacht in einer Organisation aktiv tätig war, die der Förderung militaristischer Ideen diente; 2) wer vor 1935 die planmäßige Ausbildung der Jugend für den Krieg organisierte oder an dieser Organisation teilnahm; 3) wer in Ausübung seiner Befehlsgewalt nach der Invasion Deutschlands für die willkürliche Verwüstung von Stadt und Land verantwortlich ist; 4) wer ohne Unterschied seines Ranges als Angehöriger der Wehrmacht, des Reichsarbeitsdienstes, der Organisation Todt (OT) oder der Transportgruppe Speer seine Dienstgewalt zur Erlangung persönlicher Vorteile oder zu Quälereien seiner Untergebenen mißbrauchte; 5) wer durch sein Verhalten oder seine Tätigkeit im Generalstab oder anderswo zur Förderung des Militarismus beigetragen hat.

C. Nutznießer

I. Nutznießer ist: 1) wer aus der Gewaltherrschaft der NSDAP, aus der Aufrüstung oder aus dem Kriege durch seine politische Stellung oder seine politischen Beziehungen für sich oder andere persönliche oder wirtschaftliche Vorteile herausgeschlagen hat.

II. Nutznießer ist insbesondere, soweit er nicht Hauptschuldiger ist: 1) wer aufgrund seiner Zugehörigkeit zur NSDAP in ein Amt oder eine Stellung berufen oder bevorzugt befördert wurde; 2) wer erhebliche Zuwendungen von der NSDAP, ihren Gliederungen oder angeschlossenen Verbänden erhielt; 3) wer auf Kosten der politisch, religiös oder rassisch Verfolgten unmittelbar oder mittelbar, insbesondere im Zusammenhang mit Enteignungen, Zwangsverkäufen und dergleichen, Vorteile für sich oder andere erlangte oder erstrebte; 4) wer bei der Aufrüstung oder bei Kriegsgeschäften übermäßige Gewinne erzielte; 5) wer sich im Zusammenhang mit der Verwaltung ehemals besetzter Gebiete unberechtigterweise bereicherte.

Artikel 6: Minderbelastete

I. Minderbelastet ist: 1) wer, einschließlich früherer Angehöriger der Wehrmacht, an sich zur Gruppe der Belasteten gehört, jedoch wegen besonderer Umstände einer milderen Beurteilung würdig erscheint und nach seinem Leumund erwarten läßt, daß er nach Bewährung in einer Probezeit seine Pflichten als Bürger eines friedlichen demokratischen Staates erfüllen wird; 2) wer sonst in die Gruppe der Mitläufer eingereiht ist, aber sich wegen seiner Führung und in Anbetracht seines Leumundes erst bewähren muß.

II. Minderbelastet ist insbesondere: 1) wer nach dem 1. Januar 1919 geboren ist, nicht zur Gruppe der Hauptschuldigen zählt, jedoch als Belasteter erscheint, ohne aber ein verwerfliches oder brutales Verhalten an den Tag gelegt zu haben, und nach seinem Leumund eine Bewährung erwarten läßt; 2) wer, ohne Hauptschuldiger zu sein, zwar als Belasteter erscheint, aber eindeutig und klar erkennbar frühzeitig vom Nationalsozialismus und seinen Methoden abgerückt ist.

Artikel 7: Mitläufer

I. Mitläufer ist: wer nicht mehr als nominell am Nationalsozialismus teilgenommen oder die nationalsozialistische Gewaltherrschaft nur unwesentlich unterstützt hat.

II. Mitläufer ist unter diesen Voraussetzungen insbesondere: 1) wer als Mitglied der NSDAP oder einer ihrer Gliederungen, ausgenommen HJ und BDM, lediglich Mitgliedsbeiträge bezahlte, an Versammlungen, deren Besuch Zwang war, teilnahm oder unbedeutende oder rein laufende Obliegenheiten wahrnahm, wie sie allen Mitgliedern vorgeschrieben waren; 2) wer, ohne Hauptschuldiger, Belasteter oder Minderbelasteter zu sein, Bewerber der NSDAP war und nicht endgültig als Mitglied aufgenommen wurde.

Artikel 8: Entlastete

Entlastet ist: wer trotz seiner formellen Parteizugehörigkeit oder Anwartschaft oder sonstiger äußerer Kennzeichen nicht nur eine passive Haltung einnahm, sondern auch nach Kräften aktiven Widerstand gegen die nationalsozialistische Gewaltherrschaft geleistet und dadurch Nachteile erlitten hat. Außerdem gelten die Jugendlichen, die nach dem 25. März 1939 in die HJ oder den BDM eingetreten sind, als Entlastete, vorausgesetzt, daß ihre Handlungsweise oder ihre Haltung nicht ihre Einreihung in eine der ersten drei Kategorien rechtfertigt.

Kapitel III: Sühnemaßnahmen

A. Abstufung und Anwendung der Sühnemaßnahmen

Artikel 9

Nach dem Maß der Verantwortung sind zur Ausschaltung des Nationalsozialismus und des Militarismus aus dem Leben des deutschen Volkes und zur Wiedergutmachung des angerichteten Schadens die in den Artikeln 16, 17, 18 und 19 vorgesehenen Sühnemaßnahmen in gerechter Auswahl zu verhängen.

Artikel 10

Die in dieser Landesverordnung vorgesehenen Maßnahmen müssen entsprechend der Belastung der Betroffenen ausgewählt und abgestuft werden, die Art der Sühnemaßnahmen muß unbedingt aus der für die Gruppe des Betroffenen vorgesehenen Liste entnommen werden, die Sühnemaßnahmen, die den Nachlaß betreffen, können gegen die Erben, die Pflichtteilberechtigten und Vermächtnisnehmer durchgeführt werden, sofern es die Entscheidung ausdrücklich vorsieht.

Artikel 11

In der Beurteilung der Milderungs- und Verschärfungsgründe müssen besonders folgende Punkte berücksichtigt werden:

1. Ein strenger Maßstab ist bei allen Personen anzulegen, von denen in Anbetracht ihrer öffentlichen und gesellschaftlichen Stellung, ihrer wirtschaftlichen Unabhängigkeit oder des Grades ihrer Bildung vorzugsweise zu erwarten gewesen wäre, daß sie sich dem Nationalsozialismus oder dem Militarismus versagt oder widersetzt hätten;
2. besonders streng ist derjenige zu beurteilen, der bei wirtschaftlicher Unabhängigkeit sich persönliche Vorteile durch die Zugehörigkeit zur NSDAP oder ihren Gliederungen verschafft hat;
3. mildernde Umstände sind insbesondere den Personen zuzubilligen, die sich nachträglich von dem Nationalsozialismus und Militarismus abgewandt und dies durch Handlungen bekundet haben, durch die sie sich der Gefahr erheblicher Nachteile aussetzten;
4. in Ausnahmefällen können einzelne Personen von einer höheren in eine niedrigere Gruppe und umgekehrt eingestuft werden, wenn besondere Milderungs- oder Verschärfungsgründe es geboten erscheinen lassen.

Artikel 12

Die Vorschriften dieser Landesverordnung berühren nicht die in Kraft befindlichen Strafbestimmungen gegen Kriegsverbrecher, Verbrecher gegen die Menschlichkeit und gegen das allgemeine Recht, die ausdrücklich vorbehalten bleiben. Umgekehrt hindern die laufenden oder abgeschlossenen strafrechtlichen Verfahren nicht die Verfolgung aufgrund dieser Landesverordnung.

Artikel 13

In Fällen, bei denen von einem der durch die vorliegende Landesverordnung gebildeten Säuberungsorgane eine Freiheitsstrafe ausgesprochen wird, kann die behördlich angeordnete Haft des Betroffenen genauso angerechnet werden wie Untersuchungshaft.

Artikel 14

Das aufgrund dieser Landesverordnung angeordnete Verfahren kann auf juristische Personen des öffentlichen und privaten Rechts ausgedehnt werden, die wegen ihrer früheren Tätigkeit den Hauptschuldigen oder Schuldigen im Sinne der Artikel 4 und 5 gleichzustellen sind. Wenn ihre Schuld festgestellt ist, können diese juristischen Personen aufgelöst und ihr Vermögen eingezogen werden.

Artikel 15

Rechtshandlungen, die geeignet sind, eine aufgrund dieses Gesetzes angeordnete Vorbeugungs- oder Sühnemaßnahme zu verhindern, zu erschweren oder deren Wirkung zu vereiteln, sind nichtig.

Der Einziehung und Verwertung von Vermögen oder Vermögensbestandteilen steht es nicht entgegen, daß Vermögensbestandteile kraft Gesetzes oder durch rechtsgeschäftliche Bestimmungen nicht übertragbar sind.

B. Die einzelnen Sühnemaßnahmen

Artikel 16: Sühnemaßnahmen gegen Hauptschuldige

I. Folgende Sühnemaßnahmen müssen den Hauptschuldigen auferlegt werden: a) sie sind mit Gefängnis bis zu 10 Jahren zu bestrafen oder für eine Zeit bis zu 10 Jahren zu internieren. Eine Internierung nach dem 8. Mai 1945 kann angerechnet werden. Körperbehinderte müssen entsprechend ihren Fähigkeiten Arbeiten verrichten; b) sie sind nicht berechtigt, ein öffentliches Amt einschließlich des Notariats und der Anwaltschaft zu bekleiden; c) sie verlieren die gesetzlichen Ansprüche auf eine Pension, Rente oder Unterstützung, die aus öffentlichen Mitteln bezahlt werden; d) sie verlieren das Wahlrecht, die Wählbarkeit und das Recht, sich irgendwie politisch zu betätigen und einer politischen Partei als Mitglied anzugehören; e) sie dürfen weder Mitglieder einer Gewerkschaft noch einer wirtschaftlichen oder beruflichen Vereinigung sein; f) es wird ihnen auf die Dauer von mindestens 10 Jahren nach ihrer Freilassung untersagt: 1) selbständig in einem freien Beruf, Unternehmen oder gewerblichen Betrieb jeglicher Art tätig zu sein, sich daran zu beteiligen oder die Aufsicht oder Kontrolle hierüber auszuüben; 2) einen leitenden Posten in einem unselbständigen Beruf innezuhaben, 3) als Lehrer, Erzieher, Prediger, Verleger, Redakteur, Schriftsteller oder Rundfunkkommentator tätig zu sein.

II. Im übrigen kann ihr Vermögen ganz oder teilweise eingezogen werden; jedoch soll ihnen der notwendige Betrag belassen werden, um ihren Lebensunterhalt nach Berücksichtigung der Familienverhältnisse und ihrer Erwerbsfähigkeit zu decken.

III. a) Außer den vorstehenden Strafen werden folgende Verwaltungsmaßnahmen durch die zuständige Behörde gegen die Hauptschuldigen erlassen: 1. Sie unterliegen Wohnungs- und Aufenthaltsbeschränkungen; 2) sie verlieren alle ihnen erteilten Approbationen, Konzessionen und Privilegien sowie das Recht, einen Kraftwagen zu halten. b) Überdies können sie zu Arbeiten im öffentlichen Interesse herangezogen werden.

Artikel 17: Sühnemaßnahmen gegen Schuldige

I. Folgende Sühnemaßnahmen müssen den Schuldigen auferlegt werden: a) sie sind unfähig, ein öffentliches Amt zu bekleiden, einschließlich das des Notars und des Rechtsanwalts; b) sie verlieren die gesetzlichen Ansprüche auf eine Pension, Rente oder Unterstützung, die aus öffentlichen Mitteln bezahlt werden; c) sie verlieren das Wahlrecht, die Wählbarkeit und das Recht, sich irgendwie politisch zu betätigen und einer politischen Partei als Mitglied anzugehören; d) sie dürfen weder Mitglieder einer Gewerkschaft noch einer wirtschaftlichen oder beruflichen Vereinigung sein; e) es wird ihnen auf Dauer von mindestens fünf Jahren nach ihrer Freilassung untersagt: 1) selbständig in einem freien Beruf, Unternehmen oder gewerblichen Betrieb jeglicher Art tätig zu sein, sich daran zu beteiligen oder die Aufsicht oder Kontrolle hierüber auszuüben; 2) einen leitenden Posten in einem unselbständigen Beruf innezuhaben; 3) als Lehrer, Erzieher, Prediger, Verleger, Redakteur, Schriftsteller oder Rundfunkkommentator tätig zu sein.

II. Überdies: a) können sie mit Gefängnis bis zu 10 Jahren bestraft oder für einen Zeitraum bis zu 10 Jahren interniert werden, um Reparations- oder Wiederaufbauarbeiten zu leisten. Die politische Internierung nach dem 8. Mai 1945 kann angerechnet werden; b) ihr Vermögen kann ganz oder teilweise eingezogen werden, jedoch soll ihnen der notwendige Betrag gelassen werden, um ihren Lebensunterhalt nach Berücksichtigung der Familienverhältnisse und ihrer Erwerbsfähigkeit zu decken. Bei teilweiser Einziehung des Vermögens sind insbesondere die Sachwerte oder Werte, die Vorteile irgendwelcher Art beschaffen können, einzuziehen. Es sind ihnen die notwendigsten Gebrauchsgegenstände zu belassen.

III. Außer den vorerwähnten Strafen werden folgende Verwaltungsmaßnahmen durch die zuständige Behörde gegen die Schuldigen erlassen: a) sie unterliegen Wohnungs- und Aufenthaltsbeschränkungen; b) sie verlieren alle ihnen erteilten Approbationen, Konzessionen und Privilegien sowie das Recht, einen Kraftwagen zu halten.

Artikel 18: Sühnemaßnahmen gegen Minderbelastete

Wenn der Spruch des Gerichts eine Person in die Gruppe der Minderbelasteten einstuft, wird ihr eine Bewährungsfrist auferlegt. Die Dauer dieser Bewährungsfrist muß mindestens 2 Jahre betragen, darf aber im allgemeinen 3 Jahre nicht überschreiten. Die Gruppe, in die eine verantwortliche Person nach den vorliegenden Bestimmungen schließlich eingestuft wird, hängt von ihrem Verhalten während der Bewährungsfrist ab.

I. Während dieser Bewährungsfrist können ihnen eine oder mehrere der folgenden Sühnemaßnahmen auferlegt werden:

1. Es kann ihnen untersagt werden: a) ein Unternehmen als Inhaber, Gesellschafter, Direktor, Prokurist oder Bevollmächtigter zu beaufsichtigen oder zu kontrollieren oder ein Unternehmen oder eine Teilhaberschaft ganz oder teilweise zu erwerben; b) als Lehrer, Erzieher, Prediger, Verleger, Redakteur, Schriftsteller oder Rundfunkkommentator tätig zu sein.

2. Ist der Minderbelastete Inhaber eines Unternehmens oder einer Teilhaberschaft zur Zeit seiner Einstufung, so kann sein Anteil an dem Unternehmen gesperrt werden.

3. Als Unternehmer im Sinne der Nr. 1a und 2 dieses Artikels gelten nicht Kleinbetriebe, insbesondere Handwerksbetriebe, Einzelhandelsgeschäfte und Bauernhöfe mit weniger als 20 Arbeitnehmern, soweit die Entscheidung nichts anderes bestimmt.

4. Außerdem können zusätzlich einzelne der in Artikel 17 erwähnten Sühnemaßnahmen in gerechter Auswahl und Abänderung verhängt werden, insbesondere: a) Beschränkung in der Ausübung eines selbständigen Berufes und Verbot der Ausbildung von Lehrlingen, b) bei Beamten: Kürzung des Ruhegehalts, Versetzung in den Ruhestand oder Versetzung mit Rückstufung oder Versetzung in ein anderes Amt mit Rückstufung, Rückgängigmachung einer Beförderung, Überführung von Beamten ins Angestelltenverhältnis.

5. Die Spruchkammer kann eine Geldbuße auferlegen.

II. a) Die Spruchkammer muß ihnen die Wählbarkeit sowie das Recht absprechen, sich irgendwie politisch zu betätigen oder Mitglied einer Partei zu werden. Es kann ihnen auch das Wahlrecht entzogen werden; b) ferner sind Vermögenswerte, deren Erwerb auf Ausnutzung von politischen Beziehungen oder von besonderen nationalsozialistischen Maßnahmen wie Arisierung und Aufrüstung beruhen, einzuziehen. c) Außer den vorerwähnten Maßnahmen können die Minderbelasteten durch die zuständige Behörde in ihrem Wohnraum beschränkt und verpflichtet werden, sich regelmäßig bei der Polizei ihres Aufenthaltsortes zu melden. Die Internierung in ein Arbeitslager oder die Einziehung des gesamten Vermögens kann nicht auferlegt werden.

Artikel 19: Sühnemaßnahmen gegen Mitläufer

Folgende Sühnemaßnahmen können den Mitläufern auferlegt werden:

1. Sie können verpflichtet werden, sich regelmäßig bei der Polizeibehörde ihres Wohnorts zu melden;
2. Personen, die dieser Kategorie angehören, sind nicht wählbar, besitzen jedoch das Wahlrecht;
3. es kann ihnen die Bezahlung einer einmaligen oder laufenden Geldbuße auferlegt werden. Bei der Festsetzung dieser Geldbuße ist die Dauer der Mitgliedschaft des Betroffenen, die Höhe der Beiträge und sonstige Zahlungen, die er geleistet hat, sowie sein Vermögen und Einkommen, seine Familienverhältnisse und ähnliche Umstände zu berücksichtigen;
4. außerdem bei Beamten Versetzung in den Ruhestand oder Versetzung mit Rückstufung oder Versetzung in ein anderes Amt mit Rückstufung, gegebenenfalls unter Kürzung der Bezüge oder Rückgängigmachung einer während der Zugehörigkeit zur NSDAP erfolgten Beförderung; bei Personen der Wirtschaft, einschließlich der Land- und Forstwirtschaft, können ähnliche Maßnahmen angeordnet werden.

Artikel 20: Entlastete

Gegen Personen, die eine Spruchkammer als entlastet erklärt, dürfen keine Maßnahmen angewendet werden.

c) Schreiben des Badischen Gewerkschaftsbundes an die badische Landesregierung betreffend die Entnazifizierung der Betriebsräte, 20. Mai 1949

Staatsarchiv Freiburg, A 2, Nr. 104.

Anläßlich der Besprechung mit der Landesregierung wurde vom Bundesvorsitzenden darauf hingewiesen, daß die Entnazifizierung sämtlicher gewählten Betriebsräte verlangt wird. Die Landesregierung hat damals die Ansicht vertreten, daß dies nicht notwendig sei.

In den letzten Tagen bekommen nun die Betriebsräte die Aufforderung seitens der Militärregierung, das Formular D auszufüllen und einzusenden. Wir haben der Militärregierung mitgeteilt, daß nach dem Betriebsrätegesetz die Gewerkschaften in Verbindung mit dem Wahlausschuß die Wählbarkeit aller Kandidaten vor Durchführung der Wahl überprüfen und dadurch die Gefahr behoben ist, daß belastete Nationalsozialisten als Betriebsräte gewählt werden.

Wir würden es für zweckmäßig erachten, wenn durch eine Verordnung der Regierung die Überprüfung der Betriebsräte aufgehoben würde.

d) Stellungnahme des Badischen Staatskommissariats für politische Säuberung an die Badische Staatskanzlei zur Entnazifizierung der Betriebsräte, 9. Juni 1949

Staatsarchiv Freiburg, A 2, Nr. 104.

Die politische Überprüfung der Betriebsräte auf ihre Wählbarkeit durch die Untersuchungsausschüsse erfolgt aufgrund unserer Bekanntmachung vom 9.2.1949 über die Wählbarkeit und Wahlberechtigung und unseres Rundschreibens vom 1.4.1949 über die Wahlen zu den Betriebsräten. Die Bekanntmachung vom 9.2.1949 faßt die Vorschriften der politischen Säuberung über die Wählbarkeit und Wahlberechtigung zusammen. Der Begriff der Wählbarkeit ist nicht nur auf politische Wahlen beschränkt. Er gilt auch für Wahlen in Betrieben (Betriebsrätewahlen). Der Kommentar zum Gesetz zur Befreiung vom Nationalsozialismus und Militarismus der US-Zone (Ges. Nr. 104) von (Priese) Pokorny vertritt denselben Standpunkt. Das Ministerium für politische Befreiung in Stuttgart ist in Übereinstimmung mit dem Kommentar von Pokorny - wie uns bei einer Besprechung in Stuttgart am 30.3.1949 mitgeteilt wurde - der Auffassung, daß die Wählbarkeit nach den Säuberungsbestimmungen auch für Betriebsräte gilt. Die Berechtigung der Säuberungsorgane zur Prüfung der Wählbarkeit ergibt sich insbesondere aus Art. 44 LVO vom 29.3.1947, in dem bestimmt ist, daß alle Behörden und Privatpersonen verpflichtet sind, die Organe der politischen Säuberung zu unterstützen, bei ihrer Ausführung Hilfe zu leisten und die Entscheidungen zu beachten. Der Art. 44 der LVO ist eingangs der Bekanntmachung vom 9.2.1949 vermerkt. Die Regelung vom 9.2.1949 und 1.4.1949 wurde im Einvernehmen mit der Militärregierung getroffen.

Es besteht zur Zeit keine Möglichkeit, die Vorschriften über die politische Überprüfung der Betriebsräte auf ihre Wählbarkeit zu ändern.

e) Stellungnahme des Badischen Ministeriums für Wirtschaft und Arbeit an die Badische Staatskanzlei zur Entnazifizierung der Betriebsräte, 14. Juli 1949

Staatsarchiv Freiburg, A 2, Nr. 104.

Wir schließen uns der Auffassung des Badischen Gewerkschaftsbundes in dessen Schreiben vom 20.5.1949 an und halten die Auffassung des Staatskommissariats für politische Säuberung nicht für haltbar. Die Frage der Wählbarkeit als Betriebsrat ist in den Durchführungsbestimmungen zum Landesgesetz über die Bildung von Betriebsräten am 21. März 1949 - Badisches Gesetz- und Verordnungsblatt, S. 156 - in Artikel II Abs. 2 geregelt. Diese Durchführungsbestimmungen wurden vom Ministerium der Wirtschaft und Arbeit erlassen und inhaltlich ausdrücklich von der Landesregierung gebilligt. Wir sind deshalb der Meinung, daß diese Durchführungsbestimmungen einer einfachen Anordnung des Staatskommissariats für politische Säuberung vorgehen.

Auch sachlich halten wir das vom Staatskommissariat für politische Säuberung vorgesehene Verfahren für unzweckmäßig und nicht erforderlich. Wir dürfen darauf hinweisen, daß auch in der Bizone die Wählbarkeit zum Betriebsrat in der gleichen Weise geregelt worden ist, wie in unseren Durchführungsbestimmungen. Eine besondere Überprüfung durch die Entnazifizierungsbehörden ist auch in der Bizone nicht vorgesehen.

f) Grundsätzliche Bemerkungen des Badischen Staatskommissariats für politische Säuberung zu den Entwürfen des bevorstehenden Abschluß- und Gnadengesetzes (Auszug), 23. Februar 1950

Stadtarchiv Rastatt, A 6032.

Die Ausführungen vom 1.2.1950, die das Staatskommissariat nur einem kleinen Personenkreis mitteilen konnte, werden hiermit ergänzt und zur besseren Veranschaulichung statistisch unterbaut und mit dem Stande der politischen Säuberung in unseren Nachbarländern Württemberg-Baden und Bayern verglichen. Sie zeigen die Gründe auf, die zu dem Entwurf des Abschluß- und Gnadengesetzes in Baden geführt haben, und möchten dem Bestreben dienen, alle Abschlußgesetze im Bundesgebiet weitestgehend zu koordinieren.*

A. Sinn und Ziel der Entnazifizierung in Deutschland

Sinn und Ziel der Entnazifizierung in Deutschland ist nicht zu begreifen, wenn man die Tatsache außer Acht läßt, daß sie von den Alliierten eingeführt und, abgesehen von der russischen Zone, im Bundesgebiet von drei Besatzungsmächten bis heute teilweise kontrolliert wird, wenn auch die Kontrolle sich nach Inkrafttreten des Besatzungsstatuts wesentlich gelokkert hat. Entfernung und Ausschluß von Nationalsozialisten und Militaristen aus der Verwaltung und der Wirtschaft verlangte die Direktive 24 des Kontrollrats vom 12. Januar 1946. Auf ihr fußt das gleichzeitig für Bayern, Groß-Hessen und Württemberg erlassene Gesetz zur Befreiung vom Nationalsozialismus und Militarismus vom 5. März 1946, in Kraft seit 5.3.1946. Die in diesem Gesetz gebildeten Gruppen von Hauptschuldigen, Belasteten (Schuldigen), Minderbelasteten, Mitläufern und Entlasteten übertrug die Direktive 38 des Kontrollrats vom 12. Oktober 1946 auf alle Zonen. In Ausführung der Direktive 38 wurde die Badische Landesverordnung zur Befreiung von Nationalsozialismus und Militarismus vom 29. März 1947 erlassen, die am 15.4.1947 in Kraft trat, also 13 Monate nach dem Befreiungsgesetz der amerikanischen Zone.

B. Politische Säuberung in Baden bis 15.4.1947

Die politische Säuberung wurde vor dem Inkrafttreten der Landesverordnung vom 29.3.1947 im Lande Baden nach Weisung der Militärregierung von den Ministerien durchgeführt. Die Reinigungskommissionen in den Kreisen arbeiteten Vorschläge aus, die Landesreinigungskommissionen entschieden. In diesem sogenannten Verwaltungsverfahren vor dem 15.4.1947 wurden 187639 Entscheidungen getroffen, davon 100035 ohne Sühnen und 87604 mit Sühnen.

Sämtliche im sogenannten Verwaltungsverfahren entnazifizierte Personen wurden aufgrund einer von der Militärregierung festgesetzten Einstufungstabelle (Bekanntmachung über die Einstufungstabelle vom 21.9.1948 BGVBl.**, Seite 139, und Bekanntmachung über die Änderung der Einstufungstabelle vom 5.10.1949 BGVBl., Seite 368) in die nach der Badischen Landesverordnung vom 29.3.1947 vorgesehenen Gruppen der Schuldigen, Minderbelasteten, Mitläufer und »Nicht vom Gesetz Betroffenen« eingestuft.

---

* Die Statistik beruht a) für Baden auf den statistischen Angaben vom Oktober 1949 und 10.1.1950 des Staatskommissariats für politische Säuberung (Stichtag 31.12.1949), b) für Württemberg-Baden auf der Pressenotiz in der »Neuen Zeitung« vom 25.11.1949, c) für Bayern auf dem Sonderdruck aus dem »Bayerischen Staatsanzeiger« Nr. 2 vom 14.1.1950.

** Badisches Gesetz- und Verordnungsblatt.

Die 87604 Fälle mit Sühnemaßnahmen schlüsseln sich nach den Einstufungskategorien wie folgt auf: 9128 Schuldige, 26175 Minderbelastete, 52301 Mitläufer.

C. Politische Säuberung in Baden nach dem 15.4.1947

I. Erläuterungen zu den verschiedenen Einstufungskategorien in den Ländern Baden, Württemberg-Baden und Bayern.

1. Schuldige

Da die verschiedenen Kontrollrats-Direktiven bezüglich der Entnazifizierung für alle Zonen bindend waren, kann gesagt werden, daß die Einstufung der 9128 Schuldigen in Baden gemäß Einstufungstabelle im wesentlichen in dem gleichen Geist und nach denselben Grundsätzen erfolgte, wie die Schuldigen in Württemberg-Baden und Bayern aufgrund der bereits 1946 erlassenen Befreiungsgesetze in einem Spruchkammerverfahren bisher eingestuft wurden.

Durch den Umstand, daß die Badische Landesverordnung zur Befreiung vom Nationalsozialismus und Militarismus zu einem verhältnismäßig späten Zeitpunkt (15.4.1947) in Kraft getreten ist, was zu Beginn der politischen Säuberung als großer Mangel und als nachteilig empfunden wurde, war die Möglichkeit gegeben, fast alle Schuldigen-Fälle aufgrund der in der Landesverordnung verankerten neuen Grundsätze einer Revision zu unterziehen und dem in der Zwischenzeit vollzogenen Wandel in der Geisteshaltung Rechnung zu tragen. ...

Aufgrund der in Baden geübten Spruchpraxis sind im wesentlichen nur Personen als Schuldige eingestuft worden, denen außer einer starken formalen Belastung auch noch materielle Belastungen (z.B. Aktivismus, Nutznießerschaft, Denunziation, Verbrechen gegen die Menschlichkeit usw.) nachgewiesen werden konnten.

Außerdem konnten ohne eine nochmalige Überprüfung für die Schuldigen bereits Milderungsmaßnahmen erwirkt werden: Die Sühnemaßnahmen gegen Schuldige wurden auf grundsätzlich 5 Jahre befristet mit der Maßgabe, daß nach Ablauf der Frist die Möglichkeit gegeben sein sollte, ihnen ihre aberkannten Rechte wieder zuzubilligen. Des weiteren kann Schuldigen in besonderen Fällen die Erlaubnis erteilt werden, einen Betrieb mit nicht mehr als 5 Arbeitern zu leiten.

In Württemberg-Baden und Bayern wurden die Schuldigen-Fälle nach den Grundsätzen der bereits im Jahre 1946 in Kraft getretenen Befreiungsgesetze behandelt, unterlagen also einer nach der heutigen Auffassung zu harten Spruchpraxis. Um diese sehr große Zahl der Schuldigen-Fälle auf den Verfahrensstand wie in Baden zu bringen, ist es verständlich, wenn diese Länder auf gesetzmäßiger Grundlage eine allgemeine Änderung herbeizuführen wünschen, ohne jeden einzelnen Fall überprüfen zu müssen. In Baden erübrigt sich eigentlich eine derartige gesetzliche Maßnahme. Es wäre noch zu prüfen, ob es aus politischen und finanziellen Gründen vertretbar ist, für die in Baden nur noch kleine Zahl von Schuldigen (ca. 350) weitere Regelungen zur Milderung der für die Gruppe der Schuldigen vorgesehenen Sühnemaßnahmen vorzunehmen.

2. Minderbelastete

Zusammenfassend muß hervorgehoben werden, daß fast alle 26 175 Betroffenen, die gemäß Einstufungstabelle zu Minderbelasteten erklärt waren, schon nach verhältnismäßig kurzer Zeit von ihren finanziellen Sühnemaßnahmen, die ursprünglich für einen größeren Zeitraum vorgesehen waren, befreit und Mitläufer wurden. ... Es bestehen somit noch zwei Kategorien von Minderbelasteten:

a. 6 484 Betroffene, die gemäß Einstufungstabelle zu Schuldigen erklärt waren und nun im Spruchkammer-Revisionsverfahren als Minderbelastete eingruppiert wurden. Von dieser Kategorie kann angenommen werden, daß sie ihrer Struktur nach den Schuldigen in Württemberg-Baden und Bayern entspricht. An Stelle der diesen Betroffenen im Verwaltungsverfahren auferlegten, zum Teil sehr harten Sühnemaßnahmen wurden im Spruchkammer-Revisionsverfahren Sühnen ausgesprochen, die hauptsächlich folgendes Ziel haben: Die Betroffenen sollen während der Bewährungsfrist nicht befördert werden und zunächst keine leitende Stelle bekleiden. Im Gegensatz zu den Ländern Württemberg-Baden und Bayern ist den Minderbelasteten in Baden, abgesehen von ganz wenigen Ausnahmefällen, grundsätzlich die Möglichkeit geblieben, sich weiterhin in ihren Berufen zu betätigen.

b. 3 863 Betroffene, die als Minderbelastete im erstinstanzlichen Spruchkammerverfahren (Neufälle) eingestuft wurden. Zu dieser Kategorie gehören zum größten Teil Betroffene, die es verstanden haben, sich Jahre hindurch der Entnazifizierung zu entziehen. Sie haben sich dadurch große Vorteile verschafft gegenüber den Personen, die sich gutwillig gleich der politischen Säuberung unterzogen haben. Zudem lagen in vielen dieser Fälle wesentliche Belastungen materieller Art vor, so daß diese Minderbelasteten ebenfalls wohl im wesentlichen den Schuldigen-Kategorien in Württemberg-Baden und Bayern entsprechen dürften. Die Einstufung dieser Personen in die Gruppe der Minderbelasteten ist lediglich auf die milde Handhabung der Spruchpraxis in Baden zurückzuführen. Was unter dem Begriff »milde Handhabung der Spruchpraxis« zu verstehen ist und welche Ziele damit verfolgt wurden, ist in Ziff. IV, 2. Absatz dargelegt. Dieser Standpunkt ist von allen Parteien gebilligt worden. Es haben damit auch die politischen Leumundszeugnisse, die den Betroffenen von den Parteien, Organisationen und angesehenen Persönlichkeiten ausgestellt und bei den Spruchkammer-Verhandlungen vorgewiesen wurden, je nach Lage des Falles Berücksichtigung gefunden, ohne daß die Betroffenen durch diese »Persilscheine«, wie der Volksmund diese Zeugnisse nannte, »blütenrein« gewaschen wurden.

Als wesentliches Unterscheidungsmerkmal zwischen den Minderbelasteten in Baden einerseits und denen der Länder Württemberg-Baden und Bayern andererseits muß also herausgestellt werden:

a. In Baden können Personen, die durch badische Säuberungsinstanzen als Minderbelastete eingruppiert wurden, grundsätzlich im öffentlichen Dienst verwendet werden, es sei denn, daß Gegenteiliges im Urteilstenor ausdrücklich vermerkt ist. Solche Berufsbeschränkungen wurden nur gegen Betroffene ausgesprochen, deren Weiterverwendung im öffentlichen Dienst aufgrund der gesamten Belastungen untragbar gewesen wäre.

b. Dagegen können in Württemberg-Baden und Bayern Personen, die aufgrund der Befreiungsgesetze in Württemberg-Baden und Bayern in die Gruppe der Minderbelasteten eingestuft wurden, für die Dauer der Bewährungsfrist grundsätzlich nicht in den öffentlichen Dienst kommen.

Um die große Zahl von insgesamt 77 116 Minderbelasteten in Württemberg-Baden und Bayern möglichst bald wieder in den Arbeitsprozeß einreihen zu können, ist es verständlich, wenn diese Länder, nämlich Württemberg-Baden und Bayern, eine entsprechende Gesetzesänderung für ihren Bereich herbeiwünschen. In Baden besteht in dieser Hinsicht aufgrund der dargelegten Sachlage keine Notwendigkeit. Diese Gesichtspunkte waren bei der Frage der Umstufungstermine im Abschlußgesetz zur Diskussion gestellt. Wenn man glaubte, von den vorgeschlagenen verschiedenen Umstufungsterminen Abstand nehmen zu müssen, so waren folgende berechtigte Bedenken ausschlaggebend:

Wenn man z. B. an einem früheren Umstufungstermin, z. B. 1.4.1950, für die Minderbelasteten-Revisionsfälle festhielte, wäre diesen Minderbelasteten, die zum Teil erheblich politisch belastet sind, zu diesem frühen Zeitpunkt schon durch die Wiedergewinnung der Wählbarkeit die Möglichkeit gegeben, sich in führenden Positionen des öffentlichen Dienstes, der Organisationen, der Parteien usw. zu betätigen. Daß dies im Interesse der Allgemeinheit in manchen Fällen unerwünscht wäre, steht außer Zweifel. Es ist daher geplant, die Umstufungen nach Ablauf der Bewährungsfristen zu den jeweiligen Fälligkeitsterminen vorzunehmen und den letzten Umstufungstermin für beide Minderbelastetenkategorien (Revisions- und Neufälle) auf den 1.4.1951 festzusetzen. (Die Mitläufer sollen bereits zum 1.4.1950 von allen Sühnemaßnahmen befreit werden.) Ursprünglich war daran gedacht, die Bewährungsfrist für die Revisionsfälle zu einem früheren Zeitpunkt beenden zu lassen, da diese Betroffenen teilweise schon seit 1946 mit Sühnemaßnahmen belegt wurden, im Gegensatz zu den Neufällen, die erst in letzter Zeit verhandelt wurden und deren Sühnemaßnahmen erst jetzt zu laufen beginnen. Die endgültige Festlegung des Termins wird erst nach Rücksprache mit allen politischen Parteien erfolgen können.

Bei der Regelung der Frage des Umstufungstermins sind also in erster Linie politische Gesichtspunkte ausschlaggebend. Das Bestreben, die Minderbelasteten von den ihnen auferlegten finanziellen Sühnemaßnahmen (Rückstufungen um Dienstalterszulagen, Rückgruppierungen um Besoldungsgruppen, Kürzung der Gehälter, Pensionen usw.) zu befreien, ist nicht für alle Betroffenen von Bedeutung, da schätzungsweise überhaupt nur die Hälfte dieser Minderbelasteten mit Sühnen dieser Art belegt wurden, und davon wiederum nur einem kleineren Teil Berufsbeschränkungen auferlegt wurden.

3. Mitläufer

... Von den gemäß Einstufungstabelle zu Mitläufern erklärten 52301 Personen wurden alle durch die verschiedenen Amnestieverordnungen begünstigt. Da alle diese Betroffenen ganz unwesentlich belastet waren, hat man damals schon vorausschauend ihnen die vollen bürgerlichen Rechte zugesprochen und sie ebenfalls von allen eventuell ausgesprochenen Sühnen befreit. Der gleichen Vergünstigungen wurden die 16000 Betroffenen zuteil, die mit Wirkung vom 13.7.1948 als »Mitläufer, Begünstigte der VO 133/165« bestätigt wurden. Diese schon frühzeitige großzügige Regelung in Baden verdient ganz besonders hervorgehoben zu werden; dadurch wurden ca. 68000 = 80 Prozent der im Verwaltungsverfahren mit Sühnemaßnahmen bedachten 87604 Personen von allen politischen und finanziellen Sühnen zu einem sehr frühen Zeitpunkt schon befreit.

Diese Tatsachen scheinen der breiten Öffentlichkeit nicht genügend bekannt zu sein, da in der Tagespresse da und dort zu lesen ist: »Viele Tausende erwarten, daß bei den kleinen Sündern großmütig ausgeglichen werde.« Dieser Ausgleich ist in Baden, wie aus den vorstehenden Ausführungen ersichtlich ist, bereits erfolgt. Von der 1,2 Millionen betragenden Gesamteinwohnerzahl Badens ist überhaupt nur noch weniger als ein Prozent mit irgendwelchen finanziellen Sühnemaßnahmen, die für den Wiedergutmachungsfonds bestimmt sind, belegt. Diese Stellungnahmen in der Presse im Zusammenhang mit dem Abschluß der politischen Säuberung, die aus Unkenntnis der genauen Sachlage erfolgen, sind dazu angetan, der Öffentlichkeit eine falsche Vorstellung über den wirklichen Sachverhalt zu geben. Außerdem schaffen sie eine Atmosphäre, die die ehemaligen Nationalsozialisten als »Opfer der Entnazifizierung« erscheinen lassen könnten. Daß sich die von der politischen Säuberung Betroffenen diese Auffassung zu eigen machen und sie Kapital daraus zu schlagen versuchen, beweisen die in letzter Zeit in erhöhtem Maße bei uns eingehenden Schriftsätze und Eingaben, die in ihrer Abfassung sehr herausfordernd gehalten sind. Auch bei persönlichen Vorsprachen legen manche Betroffene ein anmaßendes Benehmen an den Tag. Die gleichen Erfahrungen werden auch in anderen Ländern gemacht.

Mit der vorerwähnten Amnestierung war jedoch folgender Nachteil verbunden: Einem großen Teil dieser ca. 68000 Betroffenen war als finanzielle Sühne ein prozentualer Vermögenseinzug auferlegt. Diese hieraus gewonnenen Gelder sollten dem Wiedergutmachungsfonds zufließen. Durch die generelle Amnestierung der Militärregierung kamen jedoch auch diese finanziellen Sühnen in Wegfall und konnten dem Wiedergutmachungsfonds nicht zukommen. Als Ausgleich hierfür ist es gerechtfertigt, wenn der Staat und die Gemeinden die Gelder, die sie seither durch Einbehaltung der den Beamten und Angestellten des öffentlichen Dienstes auferlegten Dienstalterszulagen, Pensionskürzungen usw. eingespart haben, zur Ergänzung des Wiedergutmachungsfonds verwenden.

In Baden bestehen noch zwei Kategorien von Mitläufern:

a. 8 887 Betroffene, die aufgrund ihrer Belastung von der Begünstigung der Verordnungen 133/165 ausgeschlossen waren, mußten im Spruchkammerverfahren als Mitläufer eingestuft werden, wodurch ihnen automatisch gemäß LVO die Wählbarkeit aberkannt worden ist. Von der Auferlegung besonders hoher Geldbußen wurde abgesehen, so daß auch diese Gruppe im wesentlichen keine großen Geldbußen mehr zu entrichten hat. Im Abschlußgesetz für Baden sowie auch in den entsprechenden Gesetzen der anderen Länder ist vorgesehen, daß die einmaligen Geldbußen durch diese Gesetze nicht berührt werden, d. h. sie kommen nicht in Wegfall und sollen weiterhin dem Wiedergutmachungsfonds zugewiesen werden.

b. Circa 10 000 Betroffene, die aufgrund der Einstufungstabelle zu Minderbelasteten erklärt waren und nun nach Ablauf ihrer Bewährungsfristen zu Mitläufern umgruppiert wurden bzw. noch umgruppiert werden können, da sie wegen ihrer formalen Belastung von der Begünstigung ausgeschlossen sind.

In Baden sind also insgesamt noch ca. 19 000 Mitläufer (nicht wählbar) vorhanden.

Von den unter a) aufgeführten Mitläufern erhielt schätzungsweise nur die Hälfte zusätzliche Sühnemaßnahmen auferlegt, während die Mitläufer-Kategorie b) ja bereits von allen Sühnen (außer der Nichtwählbarkeit) durch die Umgruppierung befreit ist. Die gesamte Gruppe der ca. 19 000 Mitläufer soll mit dem Zeitpunkt des Erlasses des Schlußgesetzes, eventuell am 1.4.1950, von allen politischen und finanziellen Sühnemaßnahmen frei sein. Für die Mitläufer aufgrund des Gesetzes in Rheinland-Pfalz sollen alle Sühnemaßnahmen mit Wirkung vom 1.4.1950 in Wegfall kommen.

II. Bemerkungen zur Wählbarkeit

Die Frage der Wählbarkeit der Minderbelasteten und Mitläufer muß letztlich von den politischen Parteien entschieden werden. Das Für und Wider zu diesem strittigen Problem hat sich bisher in der Öffentlichkeit wie auch innerhalb der politischen Parteien die Waage gehalten.

Die Frage der Wählbarkeit ist auch für Württemberg-Baden und Bayern von weitgreifender Bedeutung, da hiervon nicht weniger als insgesamt 432 000 Personen berührt werden. In Baden betrifft es ca. 30 000 Menschen, das sind 2,5 Prozent der Gesamtbevölkerung Badens.

In dem Entwurf zum Schlußgesetz für Baden ist vorgesehen, den ca. 19 000 Mitläufern mit Wirkung vom 1.4.1950 die Wählbarkeit zuzuerkennen. Die Minderbelastetenkategorie von 10349 Personen gewinnt nach Ablauf der jeweiligen Bewährungsfristen die Wählbarkeit zurück, spätestens also am 1.4.1951.

Die nachstehenden grundsätzlichen Bemerkungen, die die besondere Aufmerksamkeit aller politischen Parteien verdienen, zeigen treffend die Einflüsse der Entnazifizierung auf die heutige politische Situation in Baden:

a. Seit den letzten Landtagswahlen in Baden haben nachstehende Personengruppen zwischenzeitlich die Wählbarkeit wiedererlangt oder werden sie bis spätestens 1.4.1950 erlangen. ...

Im Hinblick auf kommende Landtagswahlen in Baden bedeutet dies also: Ca. 114000 Personen, das sind nicht weniger als 10 Prozent der Gesamtbevölkerung Badens oder ca. 20 Prozent der bisher wählbaren Personen, die bisher nicht zu Wahlkandidaten aufgestellt werden konnten, erscheinen schlagartig auf der politischen Tribüne und werden somit die politische Gesamtkonzeption in Baden wesentlich beeinflussen. Die Frage, wie und in welchem Maße dies geschehen wird, mag hier offen bleiben.

b. Zu dem Zuwachs an ca. 114000 wählbaren Personen kommen noch ca. 30000 Wähler hinzu, die zwischenzeitlich das aktive Wahlrecht wiedererlangt haben und bei künftigen Landtagswahlen in Baden ebenfalls ein gewichtiges Wort mitzureden haben werden.

Diesen Faktoren ist die größte Bedeutung beizumessen.

III. Entwicklung und Stand der Entnazifizierung in den Ländern Baden, Württemberg-Baden und Bayern

A. Baden

Da in Baden nicht alle Einwohner über 18 Jahre wie in den beiden anderen Bundesländern ihre Meldebogen abgeben mußten, sondern nur solche, die zu dem wesentlich enger gefaßten Personenkreis gehören, der der systematischen politischen Säuberung unterliegt, sind im Lande Baden auch nur 237698 Personen (Stand vom 31.12.1949) entnazifiziert worden, d.h. nur ca. 20 Prozent der 1,2 Millionen Personen umfassenden Gesamtbevölkerung Badens.

Von diesen 237698 bisher entnazifizierten Personen bleiben nur noch ca. 30000 Fälle mit irgendwelchen Sühnen übrig. In Prozenten ausgedrückt heißt dies: 87 Prozent aller bisher entnazifizierten Personen sind von allen Sühnemaßnahmen irgendwelcher Art frei. Von den ca. 30000 Fällen, von denen jetzt nur noch den Schuldigen und etwa der Hälfte der Minderbelasteten und Mitläufer, also ca. 11000, finanzielle oder berufsbeschränkende Sühnemaßnahmen auferlegt sind, sind wiederum nur einem Drittel der 11000 Personen = 4 Prozent aller bisher entnazifizierten Personen oder weniger als 1 Prozent der Einwohnerzahl Badens noch finanzielle Sühnemaßnahmen (einmalige oder in Raten zu zahlende Geldbußen,

Rückstufungen um Dienstalterszulagen, Rückgruppierungen, Kürzung der Gehälter, Pensionen usw.) auferlegt. ...

Übersicht in Tabellen-Form:

	Gesamteinwohner	Es sind entnazifiziert worden	Mit finanziellen oder berufsbeschränkenden Sühnen noch vorhandene Fälle	
	Anzahl	Prozent	Anzahl	Prozent
Baden	1,2 Mill.	20	ca. 11000	1
Württemberg-Baden	3,6 Mill.	80	ca. 150000	4
Bayern	9,2 Mill.	74	ca. 281000	3

IV. Spruchpraxis der letzten Monate in Baden

Der Entwurf zum Abschlußgesetz in Baden sieht vor, daß das Spruchkammerverfahren nur noch gegen Hauptschuldige und Schuldige einzuleiten und durchzuführen ist. Diese Absicht hat die Spruchpraxis der letzten Monate in Baden in weitgehendem Maße bereits schon verwirklicht.

Es kommen seit einigen Monaten schon grundsätzlich nur Fälle vor die Spruchkammer, bei denen der Verdacht auf »schuldig« naheliegt. Es werden nur solche Betroffene als schuldig eingestuft, wenn außer der formalen Belastung auch erhebliche materielle Belastungen vorliegen, die die Anwendung der ganzen Härte des Gesetzes rechtfertigen. Bei Fällen, die an der Grenze des »schuldig« liegen, aber weitgehende Milderungsgründe vorhanden sind, neigt die Spruchkammer dazu, die Betroffenen in die Gruppe der »Minderbelasteten« einzustufen. Dadurch soll vermieden werden, daß die Betroffenen durch einen Schuldig-Spruch den Beruf, für den sie ausgebildet sind, oder die Rechte auf Pension (auch die Hinterbliebenen) verlieren. Andererseits kann durch Auferlegung entsprechender Sühnemaßnahmen aus der Gruppe der Minderbelasteten eine Betätigung an leitender Stelle während der Bewährungsfrist verhindert werden. Als Beispiel wird angeführt: Einem Arzt wird für die Dauer der Bewährungsfrist untersagt, als Amtsarzt tätig zu sein. Trotz dieser beruflichen Einschränkung ist diesem Betroffenen nicht die Möglichkeit seiner eigentlichen Berufsausübung genommen.

Der Entwurf zum Schlußgesetz gibt einer solchen Zwischenlösung bei der Beibehaltung der strengen Bestimmungen der Landesverordnung vom 29.3.1947 keinen Raum. Die Spruchkammer wird sich bei solchen Grenzfällen nicht ohne weiteres dazu entschließen können, entweder die Einstufung als »Schuldiger« mit allen schwerwiegenden Folgen vorzunehmen oder als Alternative das Verfahren einzustellen. Es ist daher vorgesehen, Milderungsmaßnahmen für Artikel 17 der Landesverordnung einzuführen. ...

V. Einige Bemerkungen zur allgemeinen Grundhaltung in der Entnazifizierung

Seit dem Inkrafttreten der Landesverordnung vom 29.3.1947 und seit das Staatskommissariat mit der Durchführung der Entnazifizierung beauftragt wurde, war wohl die juristische Form des Säuberungsgesetzes erhalten und konstant geblieben, nicht aber der Geist, wie diese ausgelegt wurde. Er war einem steten Wandel unterworfen. Die politische Grundhaltung der als Beisitzer in die Untersuchungsausschüsse und Spruchkammern abgeordneten Vertreter der politischen Parteien änderte sich in den Fragen politischer Säuberung in der gleichen Weise. Die Besetzung der Säuberungsorgane war bei uns auf echter demokratischer Basis durchgeführt worden. Sämtliche Mitglieder waren natürlich gehalten, das Gesetz anzuwenden. Das war nicht nur bei uns in Baden so, sondern auch in allen anderen Zonen. Es ist müßig, jetzt darüber zu diskutieren, daß »alles falsch war« oder daß »man es hätte so oder so machen sollen«! Es unterliegt keinem Zweifel, daß man durch Massenaburteilung und Auferlegung von finanziellen Sühnemaßnahmen den Nazigeist nicht ausrotten konnte. Zu der Zeit jedoch, als die Entnazifizierungsgesetze gemacht wurden, war wohl der Gedanke vorherrschend, durch Auferlegung von Geldbußen genügend Geldmittel bereit zu stellen für die Wiedergutmachung des den Opfern des Faschismus zugefügten Unrechts. Aus unserem Bericht ist nun zu erkennen, daß man trotzdem die weitaus größte Zahl der kleinen Mitläufer schon zu einem sehr frühen Zeitpunkt von ihren finanziellen Bußen befreit hat und diesen Betroffenen sehr schnell wieder die Möglichkeiten für ihre Stellungen geschaffen hat. Der Vorwurf, man hätte die am meisten Belasteten nicht genügend zur Sühneleistung herangezogen, mag wohl in vieler Hinsicht berechtigt erscheinen. Es kann jedoch gesagt werden, daß in Baden, insbesondere noch zu Beginn der politischen Säuberung und des Spruchkammerverfahrens, die schwerer belasteten Betroffenen entsprechend ihrer wirtschaftlichen und sozialen Verhältnisse und Vermögenslage im allgemeinen mit verhältnismäßig hohen finanziellen Sühnen belegt wurden, die aber immerhin noch für jeden tragbar sind. Soweit Geldbußen bis jetzt nicht entrichtet sind, werden sie auch durch das Entnazifizierungs-Schlußgesetz nicht gestrichen.

Wir versäumen nicht, den Vertretern aller politischen Parteien den Dank auszusprechen für die Geduld, mit welcher sie sich dieser schweren, wohl nicht beneidenswerten Arbeit unterzogen haben. Auch die als Vorsitzende tätigen Richter und Rechtsanwälte hatten es gegenüber den ihrer Rechte bewußten Laienrichtern vielfach nicht so leicht, dem Gesetz und der Gerechtigkeit gleichwohl Rechnung zu tragen, jedenfalls nicht leichter, als der Verteidiger, der bei manchen Betroffenen sehr hoch honoriert wurde. Es ist daher wohl nicht gerecht, wenn man diesen an verantwortungsvoller Stelle stehenden Mitarbeitern immer wieder ihre standesgemäßen Gehälter vorwirft.

Unsere viel größere Sorge aber war und ist immer nur diese, alle Personen, die bei der politischen Säuberung mitgewirkt haben, ebenfalls wieder in Arbeit zu bringen. In diesem Zusammenhang sei auf eine Zeitungsnotiz hingewiesen, nach welcher die ehemaligen Angestellten der Entnazifizierungsbehörden in Stuttgart sich sogar an den amerikanischen Landeskommissar wandten, um Hilfe für ihre Arbeitsvermittlung zu erbitten. Dies gibt zum Denken Anlaß. Diese Personen haben alle mitgeholfen, die Betroffenen wieder ihren Arbeitsplätzen zuzuführen, und sie selbst stehen teilweise noch außerhalb eines solchen und sind teilweise schon auf die Fürsorgeunterstützung angewiesen. Es sollte daher auch die vornehmste Pflicht der Parteien sein, in dem Sinne mitzuwirken, daß diese Mißstände abgeschafft werden. Die Landesregierung hat ihrerseits immer wieder geholfen. Aber wir sind doch wohl alle darin einig, daß nicht jeder Angestellte der politischen Säuberung »Staatsbeamter« werden kann oder soll. Wir dürfen nun aber an diesen ernsten Gedankengängen nicht vorbeigehen, wenn wir ein Abschlußgesetz vorbereiten, wonach fast allen ehemaligen Nationalsozialisten die vollen politischen und bürgerlichen Rechte zurückgegeben werden sollen. ...

VII. Maßnahmen zur Aufrechterhaltung der demokratischen Ordnung in Deutschland

Aus unseren Ausführungen mit den genauen Einzelangaben, die bis jetzt noch nicht allgemein bekannt waren, kann entnommen werden, daß die politische Säuberung in Baden in vielen Punkten seit langem Wege geht, wie sie in den übrigen deutschen Ländern als richtungweisend jetzt vorgeschlagen werden. Es ist das Verdienst der Landesregierung, diesen Weg schon lange bei uns eingeschlagen zu haben.

Dem Ziele, die politische Säuberung noch weiter zu vereinfachen und bald zu beenden, soll uns das geplante Schlußgesetz näherbringen, ohne daß dabei die eigentlichen Schuldigen straffrei ausgehen können. Dem Antrag einer der politischen Parteien an die Bundesregierung, die Entnazifizierung ganz einzustellen und auch keine Überprüfung der Schuldigen-Fälle mehr durchzuführen, dürfte wohl kaum entsprochen werden können und wohl auch schwerlich mit dem Grundgesetz und dem Besatzungsstatut in Einklang zu bringen sein. Es kann nicht der Sinn des Abschlußgesetzes sein, allen mehr oder weniger schwer belasteten Personen, die sich bisher versteckt oder gut getarnt irgendwo aufgehalten haben, wieder freien Anlauf zu neuer politischer Betätigung im Sinne der Naziideologie zu geben. Sicherlich wird wohl auch niemand mehr die kleinen »Fragebogenfälscher« politisch bestraft wissen wollen. Diese werden durch die Bonner Amnestie straffrei ausgehen, wenn sie sich bis zum 31.3.1950 melden werden. Aber gibt es darunter nicht auch Aktivisten reinster Prägung, die bisher allerdings Geduld zum Schweigen und Sichbescheiden geübt haben und nun aber dann nach diesem Zeitpunkt des großen »Vergebens« ohne Scheu sich wieder in das politische Rampenlicht stellen und die Öffentlichkeit mit ihren »Reden« beglücken? Ist der kürzlich aufgedeckte Mordplan nicht ein Alarmzeichen? Ein Prozeß aus allerjüngster Vergangenheit beweist, daß es leider nicht immer möglich ist, politische Hetzer aufgrund der bestehenden Strafgesetze als schuldig zu überführen. Die Landesverordnung zur Befreiung vom Nationalsozialismus und Militarismus vom 29. März 1947 bietet hierzu die Möglichkeit (siehe Artikel 1 und 5). ...

So sehr die Bereitwilligkeit der jetzigen politischen Parteien besteht, alle aufbauwilligen demokratischen Kräfte in ihre Reihen aufzunehmen, können sie andererseits nicht auf alle Sicherungen für eine demokratische Entwicklung und Entfaltung unserer noch recht jungen Bundesrepublik verzichten. Dies beweist ein vor kurzem an den Bundestag von einer politischen Partei eingebrachter Initiativantrag für ein Gesetz gegen die Feinde der Demokratie. In diesen Paragraphen werden eigentlich die Artikel 1 und 5 unserer Landesverordnung vom 29.3.1947 auf breiter Basis weiter entwikkelt und näher formuliert. – Daß diesen Bestrebungen auch von alliierter Seite größte Aufmerksamkeit geschenkt wird, kommt in der von einem Hochkommissar der Besatzungsmächte kürzlich gehaltenen Rede zum Ausdruck. Das deutsche Volk, das erst vor so kurzer Zeit einen Mißbrauch persönlicher Freiheit erleben mußte, der in der Geschichte einer der schwersten ist, muß stets auf der Hut sein. Durch den Ernst der Erfahrungen muß jeder Deutsche, nicht nur ein paar Mutige, seine eigene Verantwortung für den Schutz der persönlichen Freiheiten und den Weg der Gerechtigkeit erkennen. Es muß dafür Sorge getragen werden, nazistischen Einfluß und nazistische Führung aus dem politischen, wirtschaftlichen und kulturellen Leben für die Zukunft auszuschalten.

VIII. Schlußbemerkungen

Zum Abschluß der gesamten Darlegungen möchte der Hoffnung Ausdruck verliehen werden, daß für die Durchführung des Abschlußgesetzes die politischen Parteien ihre besten Vertreter der politischen Säuberung zur Verfügung stellen. Denn es handelt sich im wesentlichen jetzt nicht nur um die Abwicklung der noch wenigen Schuldigen-Fälle, sondern um die Überwachung der Sicherheit unseres demokratischen Staatsgefüges, wobei wir nochmals auf die Artikel 1 und 5 unserer Landesverordnung vom 29.3.1947 hinweisen.

Die Landesregierungen werden nicht darauf verzichten können, diesen Problemen die größte Aufmerksamkeit zu schenken und geeignete Maßnahmen zu treffen, um den Frieden und die Demokratie für die Zukunft zu sichern. Sie werden selbstverständlich bereit sein, allen Personen, die an dem neuen Staatsaufbau mitzuarbeiten wünschen, die Hand zur Versöhnung zu reichen. Es wäre wohl unser aller Wunsch, wenn unserem deutschen Volk in seiner Gesamtheit recht bald ein würdiger Platz im Rate der Völker eingeräumt würde.

Dr. Nunier, Staatskommissar.

Die Tätigkeit der antifaschistischen Ausschüsse

a) Aufruf der Antifaschisten Freiburgs zur Zusammenarbeit aller antifaschistischen Kräfte beim Aufbau eines freiheitlichen, demokratischen Deutschland, August 1945

Archiv der SPD Rastatt.

Das Dritte Reich, dem von seinen Gründern eine Lebensdauer von 1000 Jahren vorausgesagt wurde, ist durch eine katastrophale militärische Niederlage vollständig zusammengebrochen. Das auf Lug und Trug, Unterdrückung, materielle und geistige Versklavung aufgebaute Gebäude des Nationalsozialismus ist vernichtet. Der preußisch-deutsche Militarismus hat die größte Katastrophe aller Zeiten erlebt! Der wirtschaftliche Trümmerhaufen, den das fluchwürdige System des Nazismus hinterlassen hat, ist furchtbar! Unerhört sind die seelischen und materiellen Leiden, die das zusammengebrochene System im eigenen Lande und in allen während des Krieges besetzten Ländern verschuldet und zu verantworten hat. Verheerend sind die geistigen Verirrungen in großen Kreisen des deutschen Volkes und insbesondere der Jugend, die auf das Schuldkonto der verlogenen und sittlich entarteten Propaganda der nationalsozialistischen Gewaltherrschaft kommt.

Angesichts der Ruinen und lernend aus den Fehlern der Vergangenheit erkennen heute alle antifaschistischen Gruppen, daß nicht eine Gruppe allein imstande ist, das Chaos zu meistern und das deutsche Volk einer wirklich freiheitlichen und demokratischen Zukunft entgegenzuführen. Aufgrund dieser Erkenntnis haben die drei antifaschistischen Gruppen der Kommunisten, Sozialdemokraten und des Zentrums sich in einer Arbeitsgemeinschaft vereinigt und sich als erstes die Aufgabe gestellt, eine Antifaschistische Vereinigung für ein freiheitliches demokratisches Deutschland zu schaffen.

Diese Vereinigung soll umfassen alle antifaschistischen Männer, Frauen, die das Wahlalter erreicht haben, gleich welcher politischen oder religiösen Überzeugung, alle Stände und Schichten der Freiburger Bevölkerung.

Für die antifaschistische Vereinigung hat die Arbeitsgemeinschaft der drei Gruppen folgende allgemeine Grundsätze aufgestellt:

1. Kampf für die völlige Ausmerzung des nazistisch-militaristischen Geistes und die Haftbarmachung und gerechte Bestrafung aller Schuldigen an den Kriegsverbrechen am eigenen Volke. Nicht Terror, sondern Gerechtigkeit und Freiheit sollen wieder herrschen. Bei aller Entschiedenheit des

Kampfes gegen den Faschismus muß die Schaffung einer wahren Demokratie oberstes Gesetz sein. Rehabilitierung der politisch Verfolgten.

2. Für eine Personalpolitik in der öffentlichen Verwaltung und privaten Wirtschaft, die den Aufbau eines grundlegend fundierten demokratischen Staates gewährleistet.

3. Kampf für demokratische Rechte und Freiheiten. Gewerkschaftsfreiheit und Freiheit antifaschistischer demokratischer Parteien. Errichtung von gemeindlichen und provinzialen Verwaltungen auf demokratischer Grundlage.

4. Für Erziehung und Bildung der Jugend, die den nationalsozialistisch-militärischen Geist tötet, mit dem das verantwortungs- und gewissenlose System der 12 Jahre die Seele unserer Jugend vergiftete.

5. Für sittliche und soziale Grundsätze zum Schutze der körperlich und geistig schaffenden Volksschichten in der öffentlichen und privaten Verwaltung und Wirtschaft.

6. Für eine Ernährungs- und Wohnungspolitik, die, wenn auch nur allmählich, uns dem Abgrund entrückt, an dem wir uns befinden. Strengste Durchführung des Grundsatzes: Der Antifaschist hat vor dem ehemaligen Nazi Anspruch auf eine eigene Wohnung.

7. Für die geistige Vorbereitung des Bodens, auf dem allein die Achtung und das Vertrauen der Völker Europas und der Welt wiedergewonnen werden können, die das zusammengebrochene verbrecherische System vernichtet hat.

8. Für eine großzügige Verständigung der Völker Europas und der Welt, die die Grundlage einer Wirtschafts- und Friedensorganisation bildet, die jeden Völkerhaß und gewaltsame Lösung von Konflikten ausschließt und einen dauernden Weltfrieden gewährleistet.

Bürger und Bürgerinnen von Freiburg!

Eine ungeheure Arbeit steht vor uns, die von uns selbst bewältigt werden muß. Trotz des furchtbaren Elends, das der Faschismus über uns gebracht hat, können wir dann hoffnungsvoll in die Zukunft blicken, wenn alle antifaschistischen Kräfte mit ehrlichem Gewissen und einer gut fundierten Überzeugung zusammenarbeiten. Mit vereinten Kräften wird und muß es uns gelingen, aus dem Elend herauszukommen und ein wirklich freiheitliches und demokratisches Deutschland aufzubauen, das mit allen Völkern in Frieden und Freundschaft lebt.

b) Bericht der »Freiburger Nachrichten« über die erste antifaschistische Kundgebung in Freiburg, 25. November 1945

Freiburger Nachrichten vom 27. November 1945.

Die Antifaschistische Arbeitsgemeinschaft, in welcher drei politische Gruppen - die Sozialdemokraten, der Christlich-soziale Volksbund und die Kommunisten - zusammengeschlossen sind, hat die Freiburger Bevölkerung auf den letzten Sonntag zum ersten Mal seit dem Zusammenbruch des Nationalsozialismus zu einer politischen Kundgebung aufgerufen. Wie sehr das Volk auf ein politisches, freies Wort und auf politische Führung wartet, das bewies der Andrang zum Gemeindesaal von »Maria Hilf«, der gar nicht alle fassen konnte, die Einlaß begehrten. Männer und Frauen aus allen Schichten und allen Altersstufen waren gekommen, um sich zu orientieren über die politischen Wege, die zum Neuaufbau von Volk und Staat führen, um ein wahres Bild der Vergangenheit, in der das Volk so viel belogen worden war, zu erhalten und Klarheit darüber zu gewinnen, wie der Nationalsozialismus auch von seinen letzten Resten überwunden werden kann.

Die drei Redner hatten auf die Frage, was heute zuerst nötig ist, die gleiche Antwort: Einigkeit, Zusammenleben und Arbeiten! Das Bestehen der Antifaschistischen Arbeitsgemeinschaft ist selbst ein lebendiges Vorbild für die Losung. In kameradschaftlicher Arbeit sind die Männer der Arbeitsgemeinschaft sofort nach der Befreiung von den Nazis ans Werk gegangen, um gemeinsam die Not des Volkes zu steuern, soviel in ihren Kräften steht, um die Verheerungen, die der Nationalsozialismus und der Krieg angerichtet haben, nach Möglichkeit wieder zu beseitigen und um den unheilvollen Geist des Faschismus und Militarismus zu vernichten, wo immer er noch sein Unwesen treibt.

Der Beifall der aufmerksam den Reden folgenden Zuhörer zeigte, daß sie ihre Zustimmung zur gemeinsamen Arbeit der drei politischen Gruppen geben und den Willen zur Einigkeit bejahen. So wird ein neues Volk für eine neue Zeit werden! Das ist der beglückende Eindruck dieser ersten politischen Kundgebung der Freiburger Bevölkerung.

Der Präsident des Landesarbeitsamtes, Martzloff, begrüßte die Versammlung. Zum ersten Mal könne die Antifa Verbindung zum Volke aufnehmen. Obwohl die drei Parteien noch nicht offiziell zugelassen seien, könne ihre demokratische Arbeitsgemeinschaft erstmals vor die Freiburger Öffentlichkeit treten. Gleichzeitig teilte Präsident Martzloff mit, daß neben dem Christlich-sozialen Volksbund, der Sozialdemokratischen und Kommunistischen Partei sich nunmehr in Freiburg auch die Demokratische Partei neu gebildet habe. Er betonte den Willen der Parteien, eine neue, bessere Demokratie aufzubauen.

Nach diesen Begrüßungsworten nahm als erster Redner der Sprecher des Christlich-sozialen Volksbundes, Telegrafenobersekretär Vogel, das Wort. Er stellte unter Hinweis auf die furchtbaren Zerstörungen, die der Krieg in Deutschland und in anderen Ländern hinterlassen hat, die entscheidende Frage: »Wem haben wir dies alles zu verdanken?« Er antwortete unter Bezugnahme auf die bekannten Spruchbänder, aber, so bemerkte der Redner mit Recht, nicht nur dem einen Mann, sondern auch allen seinen stummen Helfershelfern, ist es zu verdanken. Ihre Schuld ist es, daß Hitler unser Volk und die Welt so weit ins Unglück treiben konnte. Der Redner verschwieg aber auch die Fehler des Staates von 1918 bis 1933 nicht, der zu human und zu tolerant war und zu wenig Mut und Kraft hatte, die Republik und ihre führenden Männer zu schützen vor jenen Mächten, die ihn beseitigen wollten: Reaktion, Junkertum, preußischer Militarismus, große Teile der Bürokratie, der Bankwelt und Großindustrie, leider auch manche Vertreter der Hochschulen. Diese asozial denkenden Kreise störten die friedliche Politik Brünings. Der Redner betonte in diesem Zusammenhang die Notwendigkeit einer sozialen Linie für den künftigen Aufbau. Jene Wirtschaftsführer, die Hitler moralisch und finanziell stützten um ihres eigenen Profites willen, seien viel schuldiger als der kleine Mann aus dem Volk, der aus Angst um sein Brot sich betören ließ. Es dürfe daher jetzt nicht heißen: »Die Kleinen hängt man, die Großen läßt man laufen«. Der Redner forderte gerechte Sühne und auch Wiedergutmachung für die Opfer der Naziherrschaft. Nachdem er vor allem die große Verantwortung der Erzieher der Jugend gekennzeichnet hatte, sprach der Redner über die Zusammenarbeit der in der Antifaschistischen Arbeitsgemeinschaft verbundenen Männer der verschiedensten demokratischen Richtungen, die gewillt und entschlossen sind, auch in der Zukunft nicht zu vergessen, was sie gemeinsam erlitten und ertragen und was sie miteinander geschaffen haben.

Der kommunistische Redner, Stadtrat Alfred Fülier, betonte mit Nachdruck die große Mitschuld und Mitverantwortung aller an dem furchtbaren Elend, das die Henker der Menschheit über die Weltgeschichte gebracht haben. Die Uneinigkeit der demokratischen Parteien habe dem Faschismus geholfen, die Macht an sich zu reißen. Der Redner erklärte, daß er nicht die Mitschuld des einzelnen meine, denn es habe Millionen Männer und Frauen gegeben, die nichts mit den Nazis gemein hatten, sondern er spreche von der kollektiven Schuld des deutschen Volkes. Der Redner gedachte dann in Ehrfurcht und Stolz aller, die im Kampf für die Freiheit und den Frieden ihr Leben gegeben haben, und der mutigen Menschen, die wegen ihrer politischen oder religiösen Anschauung verfolgt oder mißhandelt wurden. Aus der furchtbaren Lage, in die wir gekommen seien, führe nur ein Weg: ehrliche Arbeit.

Der eigenen Jugend unseres Volkes gegenüber hätten wir ebenfalls eine Schuld und die Pflicht, sie im wahren und demokratischen Geiste zu erziehen. Vor allem müßten wir aber bei uns selbst die verderblichen militaristischen und faschistischen Ideologien ausrotten. Erst dann seien wir in der Lage, ein Deutschland aufzubauen, in dem wir alle frei von Furcht, frei von Not, geduldet von unserem Nachbarn, in Frieden leben können. Um die zu den politischen Aufgaben hinzukommenden schweren wirtschaftlichen Aufgaben zu lösen, müssen wir zusammenstehen und eine auf Freiheit beruhende, von ehrlichem und offenem Willen getragene antifaschistische Gemeinschaft bilden. Zum Problem der Wohnungsfrage bemerkte der Redner, daß es eine Selbstverständlichkeit sei, daß in erster Linie diejenigen zusammenrücken müssen, die Hitler bis an das Ende gefolgt sind, um denjenigen Platz zu machen, die durch die Erfindung des totalen Krieges um Haus und Hof gekommen sind. Zum Schluß kam er auf die Zusammenarbeit der ehrlichen und aufbauwilligen Kräfte zu sprechen, die in der Antifaschistischen Arbeitsgemeinschaft ehrlich und offen in gegenseitigem Vertrauen die schwere Arbeit des Neuaufbaues eines besseren und freien Deutschlands beginnen.

Im Namen der Sozialdemokratie sprach Bürgermeister Geiler. Er gab zunächst persönliche Erinnerungen an seinen Kampf in Freiburg im Februar und März 1933 gegen den Nationalsozialismus und führte den Zuhörern noch einmal den Weg der letzten zwölf Jahre vor Augen. Das Volk müsse aus diesen furchtbaren Fehlern lernen, politisch zu denken. Bürgermeister Geiler zitierte einen Satz aus »Mein Kampf«: »Man soll sich nicht Gott und die Welt zum Feinde machen« (!) und legte dar, daß dieser Fehler von den Deutschen schon vor 1914 gemacht worden sei. Die Nazis hätten schon vor 1933 klar und deutlich gesagt, was von ihnen zu erwarten sei, so daß alle hätten wissen können, wohin dieses System führen müsse, dieses System der geistigen Knute, des Spitzel- und Denunziantentums.

Aus diesem System sind wir nun heraus. Der körperlich und geistig Schaffende muß die Grundlage des neuen demokratischen Staates sein. Allerdings dürfe die deutsche Arbeiterklasse nicht wieder in ihre Grundfehler verfallen, bloß an sich zu denken, sie müsse vielmehr an die Menschheit denken und Ideale haben. Dies sagt er aber auch den Beamten, die in den letzten Jahren nicht an die Massen der darbenden Mitmenschen gedacht hätten. Nicht die Atombombe dürfe die Weltsicherheit garantieren, sondern die Überzeugung, daß der Krieg das größte Verbrechen ist. Es gelte auch die wirtschaftlichen Voraussetzungen für diesen Weltfrieden zu schaffen. Der soziale Charakter müsse mehr in den Vordergrund gerückt werden, ebenso die Erkenntnis, daß das kapitalistische System uns wieder in die Katastrophe geführt habe. In der ganzen Welt müsse eine Gesellschaftsordnung mit dem Grundsatz des sozialen Ausgleichs geschaffen werden.

Bürgermeister Geiler schloß seine temperamentvolle Ansprache mit dem programmatischen Satz des französischen Sozialisten Jaurès: »Das Vaterland den Leuten entreißen, die das Vaterland gepachtet haben, den Kasten des Militarismus und den Räuberbanden der Finanz – allen Nationen die unbegrenzte Entwicklung zur Demokratie gestatten, das heißt, nicht nur der Internationale und dem internationalen Proletariat dienen, das heißt, dem Vaterland selbst dienen!«

Oberbürgermeister Hoffmann sprach anschließend erstmals zur Freiburger Bevölkerung. Er betonte, daß in der Zeit von 1918 bis 1933 zu viel theoretisiert worden sei und daß jetzt die demokratische Tat folgen müsse. Dr. Hoffmann sieht die Fehler der Weimarer Verfassung vor allem in dem Einkammersystem und den unbegrenzten Parteimöglichkeiten, so daß Weimar zum Spott werden mußte. So konnten die Nazis alle Unzufriedenen sammeln. Wir stünden vor Ruinen, jetzt gelte es aber nicht »wieder aufzubauen«, sondern »neu aufzubauen«. Der Weg sei der, eine Front der Demokratie zu bilden, in die kein Einbruch geduldet würde und in der praktische Arbeit zu leisten sei. Das Ziel sei, für die Angehörigen aller Stände soziales Glück zu schaffen und statt der Armut und des Reichtums einen durchschnittlichen Wohlstand zu erringen. Die politische Arbeitsgemeinschaft, die in Freiburg zustande gekommen sei, beweise durch die Tat, daß es keinen Parteihader mehr geben müsse.

Dann ging Dr. Hoffmann auf das Wohnungsproblem ein und betonte, daß er zwar auch den Nazis gegenüber gerecht sein wolle, daß aber die formelle Zugehörigkeit zu dieser Partei dem Wohnungsamt Ausweis genug sei. Die Maßnahmen des Wohnungsamtes seien ohne aufschiebende Wirkung, so daß er hoffe, der Freiburger Bevölkerung den letzten Raum zur Verfügung stellen zu können.

In der Zusammenarbeit mit der Besatzungsmacht müsse den Tatsachen Rechnung getragen werden. Es müsse aber auch einmal öffentlich gesagt werden, daß man mit dem gegenseitig größten Vertrauen der Schwierigkeiten Herr zu werden versucht. Wir fänden beim Gouvernement Militaire Vertrauen und bräuchten nicht mit Pessimismus an die gestellten Probleme zu gehen. Er hoffe, mit Frühlingsbeginn energisch den Neuaufbau der Stadt vorwärtstreiben zu können und ermahnte, mit einem gesunden Optimismus die schweren Aufgaben anzupacken.

In einem Schlußwort faßte Philipp Martzloff noch einmal den Weg Deutschlands in den letzten zwölf Jahren zusammen und ermahnte, vereint und gemeinsam für die Zukunft zu arbeiten.

Der Wiederaufbau der Gewerkschaften

a) Verfügung Nr. 6 der französischen Militärregierung zur Durchführung der Verordnung Nr. 6 über die Wiederherstellung des Gewerkschaftsrechts im französischen Besatzungsgebiet, 10. September 1945

Stadtarchiv Offenburg, Journal Officiel du Commandement en Chef Français, Amtsblatt der Militärregierung Baden.

Abschnitt I:
Hauptpunkte der Verfassung und Zweck der Gewerkschaften

Art. 1 Die Gewerkschaften müssen hinsichtlich ihrer Grundlage, Verfassung und Betätigung demokratischen Charakter tragen. Ihr alleiniges Ziel darf nur die Wahrnehmung der beruflichen Interessen ihrer Mitglieder sein.

Art. 2 Mitglieder der Gewerkschaften dürfen nur Personen des gleichen, eines ähnlichen oder eines mit ihrem Berufe zusammenhängenden Faches sein. Jedoch können diejenigen, die, sei es aufgrund einer Anordnung, sei es infolge der Tätigkeit der nationalsozialistischen Partei, ihren Beruf haben aufgeben müssen, der Gewerkschaft ihres Faches beitreten, auch wenn sie zur Zeit beschäftigungslos sind. - Der Zusammenschluß von Arbeitgebern und Arbeitnehmern ist verboten.

Art. 3 Jede berufstätige Person im Alter von mindestens 18 Jahren hat das freie Recht des Beitritts zu einer Gewerkschaft. Jedes Mitglied hat das freie Recht jederzeitigen Austritts aus der Gewerkschaft, der es angehört.

Art. 4 Die Verwaltungs- und Vorstandsmitglieder jeder Gewerkschaft müssen deutscher Staatsangehörigkeit und mindestens 30 Jahre alt sein. Sie werden von der Generalversammlung gewählt. Sämtliche Beschlüsse werden im Wege der Abstimmung gefaßt und bedürfen einer Mehrheit von über der Hälfte der abgegebenen Stimmen.

Art. 5 Keine Gewerkschaft darf in einem Bezirk errichtet werden, solange in diesem der Wirtschaftszweig, dem ihre Mitglieder angehören, seine Tätigkeit noch nicht aufgenommen hat.

Abschnitt II:
Gründung von Gewerkschaften

Art. 6 Wer die Gründung einer Gewerkschaft beabsichtigt, muß ein Gesuch um Genehmigung zur Einberufung einer Gründungsversammlung beim Bürgermeister des Sitzes der zukünftigen Gewerkschaft einreichen.

Die Gesuchsteller müssen den in Absatz 1 Artikel 4 dieser Verfügung festgesetzten Bedingungen entsprechen. Das Gesuch ist gemäß dem dieser Verfügung beigefügten Muster abzufassen.

Art. 7 Der Bürgermeister hat die bei ihm eingereichten Gesuche nebst den Fragebogen der Gesuchsteller, versehen mit einer begründeten Stellungnahme, binnen 3 Tagen an die Militärregierung weiterzuleiten.

Art. 8 Die Gründungsversammlung darf erst nach der Bekanntgabe der schriftlichen Genehmigung der Militärregierung durch die Bürgermeister an die Gesuchsteller zusammentreten.

Art. 9 Die Gründungsversammlung wählt ihren Vorstand, bestehend aus einem Präsidenten und zwei Besitzern. Sie schreitet sodann zur Prüfung und Annahme der Statuten. Diese haben die Bestimmungen für die Tätigkeit der Gewerkschaft, insbesondere die Zusammensetzung ihres Vorstandes, festzulegen. Die Gründungsversammlung wählt die Mitglieder des vorläufigen Vorstandes der Gewerkschaft.

Nach Schluß der Versammlung hat der Präsident der Gründungsversammlung beim Bürgermeister einzureichen:

1. fünf Exemplare des Berichts über die Gründungsversammlung, 2. fünf Exemplare der Statuten, 3. fünf Exemplare der Liste der Mitglieder des vorläufigen Vorstandes der Gewerkschaft, 4. die Fragebogen eines jeden Mitglieds des vorläufigen Vorstandes der Gewerkschaft.

Diese Schriftstücke sind vom Bürgermeister unverzüglich der Militärregierung zu übermitteln.

Art. 10 Die endgültige Gründung der Gewerkschaften kommt erst nach Billigung der Statuten und der Liste der Vorstandsmitglieder durch die Militärregierung zustande. Diese Billigung wird den Beteiligten schriftlich durch Vermittlung des Bürgermeisters bekanntgegeben werden.

Abschnitt III:
Vorschriften für die Tätigkeit der Gewerkschaften

Art. 11 Jede Änderung in der Zusammensetzung des Vorstandes oder in den Statuten muß dem Bürgermeister in drei Exemplaren spätestens drei Tage nach der Versammlung, die sie beschlossen hat, angezeigt werden. Dieser Anzeige sind die Fragebogen der neugewählten Mitglieder beizufügen. Gleiches gilt hinsichtlich aller Gewerkschaftsmitglieder, die zur Ausübung einer verantwortlichen Tätigkeit außerhalb des Vorstandes bestellt werden.

Art. 12 Die Bürgermeister haben die Meldungen und alle sonstigen Schriftstücke, die sie von den Gewerkschaften erhalten, unverzüglich der Militärregierung zu übermitteln.

Art. 13 Die Gewerkschaften haben das Recht, die zur Führung ihres Betriebes notwendigen beweglichen und unbeweglichen Sachen entgeltlich oder unentgeltlich zu erwerben.

Art. 14 Die Gewerkschaften sind berechtigt, einen Teil ihrer Geldmittel zum Erwerb von Gelände für Arbeitergärten, körperliche Ertüchtigung, Sport oder Gesundheitspflege zu verwenden. Sie können nach ihrem Ermessen gewerbliche Stiftungen für soziale Erziehung unterhalten oder unterstützen. Sie sind auch berechtigt, Produktions- und Konsumvereine zu unterstützen.

Art. 15 Die Gewerkschaften müssen sich jeglicher Kontrolle unterwerfen, die von der Militärregierung für notwendig gehalten wird.

Abschnitt IV:
Vereinigung von Gewerkschaften

Art. 16 Die Vereinigung von Gewerkschaften bleibt einer späteren Regelung vorbehalten.

Abschnitt V:
Strafen

Art. 17 Die Nichtbefolgung der gesetzlichen Vorschriften kann die Auflösung der Gewerkschaft zur Folge haben.

Art. 18 Die Teilnehmer an einer, die gesetzlichen Vorschriften überschreitenden gewerkschaftlichen Betätigung setzen sich der Bestrafung nach den Gesetzen der Militärregierung aus.

Art. 19 Der Directeur Général de l'Économie et des Finances und der Directeur Général des Affaires Administratives sind, jeder für seinen Bereich, mit Durchführung dieser Verordnung beauftragt, die im Amtsblatt des französischen Oberkommandos in Deutschland zu veröffentlichen ist.

b) Musterstatuten der Freiburger Gewerkschaften (Auszug), September 1945

DGB Freiburg, Dokumente zur Geschichte der Gewerkschaft im DGB-Kreis Freiburg 1945-1949, II.

Eintritt, Austritt und Ausschluß

Die Mitgliedschaft ist eine freiwillige. Mitglied können alle in der benannten Fachgruppe beschäftigen oder angestellten Arbeitnehmer beiderlei Geschlechts werden, die das 18. Lebensjahr vollendet und keinen Dienstgrad in einer Gliederung oder eine Funktion in der [nationalsozialistischen] Partei innegehabt hatten.

Der Beitritt erfolgt durch schriftliche Anmeldung des Beitretenden gegen Entrichtung eines Beitrittsgeldes von 2,00 RM für männliche und 1,00 RM für weibliche Personen.

Mit der Anmeldung, der Entrichtung des Beitrittgeldes und eines Wochenbeitrages erkennt das Mitglied das Statut der Gewerkschaft als für sich verbindlich an. Als Ausweis erhält das Mitglied eine Beitragskarte (Buch), welche Eigentum der Gewerkschaft bleibt.

Mitglieder, welche aus der Gewerkschaft austreten, haben dies schriftlich, unter Rückgabe der Beitragskarte (Buch) und der Statuten dem Vorstand oder den Betriebsvertrauensleuten zu melden.

Verlorengegangene Beitragskarten (Buch) werden auf Kosten des betreffenden Mitgliedes ersetzt.

Aus der Gewerkschaft ausgeschlossen können Mitglieder werden, die bei der Aufnahme ihre Funktion in der NSDAP oder ihrer Gliederungen und der DAF verschweigen, sich weiter in nationalsozialistischem Sinne betätigen, den Interessen der Gewerkschaft zuwiderhandeln, die Statuten und Beschlüsse der Mitgliederversammlungen mißachten, sich Unterschlagung von Gewerkschaftsgeldern oder sonstiger unehrlicher Handlungen schuldig machen oder mit ihren Beiträgen länger als 6 Wochen rückständig bleiben.

Zweck und Ziel

Die Gewerkschaft trägt in ihrer Grundlage, Verfassung und Betätigung demokratischen Charakter und hat als Ziel:

1. Mithilfe zur Verständigung der Völker untereinander und Zusammenarbeit mit den Gewerkschaftsbewegungen der Welt.
2. Die restlose Reinigung des gesamten Wirtschaftslebens von allen nationalsozialistischen und militaristischen Tendenzen und deren Auswirkungen. Ausmerzung aller führenden und sonstigen Persönlichkeiten, die dieses System aktiv gestützt und gefördert haben.
3. Die völlige Gleichberechtigung der werktätigen Bevölkerung in Wirtschaft, Staat und Gesellschaft.
4. Die Wahrung und Förderung der wirtschaftlichen, sozialen und geistigen Interessen der Mitglieder, unter Ausschluß aller politischen und religiösen Fragen.
5. Mitwirkung beim Wiederaufbau der Wirtschaft und der Wiedergutmachung.
6. Erzielung möglichst günstiger Lohn- und Arbeitsbedingungen durch Abschluß von Tarifverträgen. Mitbestimmungsrecht in der Erzeugung durch die gewählten Betriebsvertretungen.
7. Aufklärung der Mitglieder über den Stand der Sozialpolitik, Arbeitsrecht und Schlichtungswesen.
8. Aufklärung und Erweiterung des Schutzes für Jugendliche und Frauen.
9. Gewährung von Rechtsschutz in Streitigkeiten, die sich aus dem

Tarifvertrag der Kranken-, Invaliden-, Angestellten- und Unfallversicherung ergeben.

10. Unterstützung der Sport- und Körperkultur, der Gesundheitspflege, Jugenderziehung, sozialer Einrichtungen und Produktions-, Konsum- und Baugenossenschaften.

Pflichten der Mitglieder

Jedes Mitglied ist verpflichtet:

a. für die Ausbreitung der Gewerkschaft, für die Erreichung der Ziele und für die Reinhaltung der Gewerkschaft von allen unsauberen Elementen zu wirken;

b. die Statuten und Beschlüsse der Mitgliederversammlungen rückhaltlos anzuerkennen und die Verordnungen der Militärregierung zu beachten;

c. sich schriftlich an- und abzumelden, die Beiträge pünktlich zu entrichten und sich bei Inanspruchnahme der Gewerkschaft als Mitglied auszuweisen;

d. jeden Wohnungs-, Orts- oder Betriebswechsel dem Vorstand mitzuteilen.

Rechte der Mitglieder

a. Den Mitgliedern steht uneingeschränktes Wahlrecht zu. Wählbar sind alle Mitglieder, die das 30. Lebensjahr erreicht haben, nicht Mitglied der NSDAP oder einer ihrer Gliederungen waren und in der DAF keine Funktionen ausgeübt haben.

b. Den Mitgliedern steht ein Kontrollrecht über die Tätigkeit des Vorstandes, der Verwaltung und der Anlegung der Gewerkschaftsgelder zu.

c. Jedes Mitglied ist berechtigt, die noch zu schaffenden Unterstützungseinrichtungen der Gewerkschaft in Anspruch zu nehmen.

c. Anspruch auf Rechtsschutz und Vertretungen, die sich aus Lohn- und Arbeitsstreitigkeiten ergeben, werden nach einer Beitragsleistung von 8 Wochen gewährt.

e. Die Mitglieder haben volles Mitbestimmungsrecht bei Abschluß von Lohn- und Arbeitsverträgen.

Beiträge

a. Die für Gewerkschaftszwecke notwendigen Mittel werden durch Beiträge erhoben, welche etwa 2 Prozent des Bruttoeinkommens betragen sollen.

b. Nachweisbar kranke und arbeitslose Mitglieder zahlen zur Aufrechterhaltung ihrer Mitgliedschaft einen Beitrag von 0,10 RM wöchentlich.

c. Die Beitragsleistung wird durch Stempel oder Beitragsmarken quittiert und durch Unterkassierer erhoben.

d. Verlorengegangene Quittungen oder Beitragsmarken werden nicht ersetzt und müssen nachbezahlt werden.

Verwaltung der Gewerkschaft

a. Die Verwaltung der Gewerkschaft besteht aus einem Vorsitzenden, einem Schriftführer, einem Kassier und zwei Revisoren, welche alljährlich in der Generalversammlung gewählt werden. Sie dürfen nicht der NSDAP oder einer ihrer Gliederungen angehört haben oder Funktionär der DAF gewesen sein. Sie müssen das 30. Lebensjahr erreicht haben und einen unbescholtenen Leumund besitzen.

b. Der Vorstand ist verpflichtet, die Gewerkschaft nach innen und außen zu vertreten, die Interessen der Gewerkschaft wahrzunehmen und die Einhaltung der Satzungen sowie die Anweisungen der Militärregierung zu überwachen.

c. Der Vorstand ist verpflichtet, in vierteljährlichen Mitgliederversammlungen Bericht zu erstatten. Zu den Beratungen können die Branchenleiter oder Vertrauensleute hinzugezogen werden.

d. Rechtsgeschäfte der Gewerkschaft bedürfen der Unterschrift von zwei Vorstandsmitgliedern. Der Vorstand ist verpflichtet, alle zur Durchführung der laufenden Geschäfte notwendigen Maßnahmen zu treffen, besoldete Geschäftsführer und Hilfskräfte anzustellen. Alle Maßnahmen sind der Mitglieder- bzw. Generalversammlung zu unterbreiten.

Verwendung und Anlegung von Gewerkschaftsgeldern

Die Gelder der Gewerkschaft werden verwendet für die Durchführung der im Statut vorgesehenen Aufgaben, der Unterhaltung und Finanzierung eines Büros und besoldeten Bürokräften, der später zu errichtenden Unterstützungseinrichtungen und der sonstigen laufenden Ausgaben.

Alle nicht zu den laufenden Anforderungen notwendiger Gelder müssen gewissenhaft und zinsbar angelegt werden. Den Genossenschaften ist der Vorzug zu gewähren.

Zur Kündigung oder Abhebung von Gewerkschaftsgeldern bedarf es der Unterschrift von dem Vorsitzenden und dem Kassierer.

Vierteljährlich haben die Revisoren eine genaue Prüfung der Einnahmen und Ausgaben der Gewerkschaft vorzunehmen sowie die Anlegung der Gelder und Wertbestände zu prüfen und der Mitgliederversammlung Bericht zu erstatten.

Auflösung der Gewerkschaften

Eine Auflösung der Gewerkschaft kann nur durch die Generalversammlung unter Zustimmung von mindestens 75 Prozent aller anwesenden Stimmen erfolgen.

Das vorhandene Inventar fällt gleichartigen Organisationen und den von der Gewerkschaft unterstützten Wohlfahrtsorganisationen zu. Die vorhandenen Barmittel sollen anteilgemäß nach Mitgliedsdauer an die Mitglieder zurückerstattet werden.

Änderung der Statuten

Notwendig werdende Änderungen und Erweiterungen der Satzungen können durch Mehrheitsbeschluß der Generalversammlung herbeigeführt werden. Sie bedürfen der Genehmigung der Militärregierung.

Anträge dieser Art müssen schriftlich dem Vorstand zur Stellungnahme eingereicht werden.

c) Verfügung Nr. 59 der französischen Militärregierung zur Durchführung der Verordnung Nr. 6 vom 10. September 1945 über die Errichtung von Orts- und Landesgruppen der Gewerkschaften, 12. April 1946

Der Badische Gewerkschaftler, Nr. 1, Juni 1946.

Der Administrateur Général Adjoint für die Militärregierung der französisch besetzten Zone erläßt auf Vorschlag des Directeur Général de l'Économie et des Finances nach Anhörung des Comité Juristique unter Bezugnahme auf den Erlaß vom 15. Juni 1945 über die Bildung eines Commandement en Chef in Deutschland, abgeändert durch den Erlaß vom 18. Oktober 1945, die Verordnung Nr. 6 über die Wiederherstellung des Gewerkschaftsrechts im französischen Besatzungsgebiet, den Artikel 16 der Verfügung Nr. 6 zur Durchführung der Verordnung Nr. 6 vom 10. September 1945 über die Wiederherstellung des Gewerkschaftsrechts im französischen Besatzungsgebiet folgende Verfügung:

Abschnitt I: Ortsgruppen oder Vereinigungen von Gewerkschaften

Art. 1 Die Errichtung von Ortsgruppen oder Vereinigungen von Gewerkschaften ist in jedem Ort erlaubt, in dem mehrere Gewerkschaften entsprechend den Vorschriften der Verordnung Nr. 6 vom 10. September 1945 und der zu ihrer Durchführung erlassenen Verfügung Nr. 6 gegründet worden sind.

Art. 2 Die Gründung von Ortsgruppen oder Vereinigungen von Gewerkschaften soll durch eine Gründungsversammlung entschieden werden, welche aus den Vorstandsmitgliedern der ordnungsgemäß errichteten Gewerkschaft besteht, die in diese Vereinigung eintreten wollen.

Diese Gründungsversammlung soll die Satzungen der gewerkschaftlichen Ortsgruppen oder Vereinigungen ausarbeiten und eine geheime Wahl der Vorstandsmitglieder durchführen.

Vorstandsmitglieder können nur solche Personen sein, die die in Artikel 4, Absatz 1 der Verfügung Nr. 6 vom 10. September 1945 vorgesehenen Bedingungen erfüllen.

Abschnitt II: Landesgruppen oder Verbände der Gewerkschaften

Art. 3 Die Gewerkschaften des gleichen Industriezweiges oder der angeschlossenen oder ähnlichen Industrien können innerhalb jeden Landes eine Landesgruppe oder einen Landesverband der Gewerkschaften errichten.

Art. 4 Der Aufbau dieser gewerkschaftlichen Landesgruppen oder Verbände sowie die Aufteilung der Gewerkschaften auf diese verschiedenen Gruppen werden durch Vertreter der gewerkschaftlichen Ortsgruppen oder Vereinigungen bestimmt, die als Prüfungskommission für die Errichtung der gewerkschaftlichen Landesgruppen oder Verbände zusammentreten. Die Ergebnisse der Arbeit dieser Prüfungskommission, welche insbesondere die Grenzen der beruflichen Zuständigkeit der gewerkschaftlichen Ortsgruppen oder Verbände festlegen sollen, müssen umgehend durch den Administrateur Général dem Gouvernement Militaire de la Délégation Supérieure des Landes zur Prüfung vorgelegt werden. Sobald diese Vorschläge genehmigt sind, sollen die verschiedenen genehmigten gewerkschaftlichen Landesgruppen oder Verbände ihre Satzungen ausarbeiten und ihren Vorstand unter den in vorstehendem Artikel 2 Absatz 2 und 3 genannten Voraussetzungen bezüglich der Ernennung des vorläufigen Vorstandes der gewerkschaftlichen Ortsgruppen oder Vereinigungen ernennen.

Art. 5 Die beruflichen Landesgruppen oder Verbände der Gewerkschaften können eine überberufliche Landesgruppe oder eine Landesvereinigung der gewerkschaftlichen Verbände gründen unter den für die Gründung der Ortsvereinigung festgesetzten Bedingungen.

Abschnitt III: Gemeinsame Bestimmungen

Art. 6 Der Beitritt der Gewerkschaften zu den Orts- und Landesgruppen ist frei; er wird durch Abstimmung der Mitglieder jeder Gewerkschaft in einer Generalversammlung entschieden. Der Austritt vollzieht sich in gleicher Weise; er ist außerdem noch den besonderen, in den Statuten vorgesehenen Bedingungen unterworfen.

Art. 7 Die Gewerkschaftsgruppen haben ebenso wie die Gewerkschaften nur den einzigen Zweck, die beruflichen Interessen ihrer Mitglieder wahrzunehmen.

Art. 8 Die Bedingungen der Bestätigung der gewerkschaftlichen Orts- und Landesgruppen und die Grundsätze ihrer finanziellen Verwaltung werden in ihren Satzungen festgelegt. Das gleiche gilt für die Zusammensetzung ihres Vorstandes und die Bedingungen seiner Neuwahl.

Art. 9 Die Orts- und Landesgruppen der Gewerkschaften sind erst dann endgültig errichtet, wenn ihre Satzungen und ihr Vorstand vom Administrateur Général genehmigt sind.

Art. 10 Die Anträge auf Errichtung von gewerkschaftlichen Orts- und Landesgruppen müssen schnellstens in doppelter Ausfertigung dem Bürgermeister des Ortes eingereicht werden, in dem die Gründungsversammlung abgehalten wurde. Es sind ihnen folgende Unterlagen beizufügen:
1. Bericht über die Gründungsversammlung,
2. Satzungen,
3. Verzeichnis der Gewerkschaften, die der Gruppe beitreten wollen,
4. Verzeichnis der Mitglieder des vorläufigen Vorstandes unter Angabe der Gewerkschaft, der sie angehören,
5. Die Fragebogen derjenigen Mitglieder, die nicht dem Vorstand einer der betreffenden Gewerkschaften angehören.

Diese Unterlagen sollen sofort in doppelter Ausfertigung dem délégué des Kreises durch die Bürgermeisterämter vorgelegt werden.

Art. 11 Die Zusammensetzung der Vorstände der Orts- und Landesgruppen muß jedesmal geändert werden, wenn 3 neue Gewerkschaften beitreten; die bisherigen Vorstandsmitglieder sind wieder wählbar.

Art. 12 Jede Änderung bei der Herausgabe der Satzungen oder bei der Zusammensetzung der Vorstände der gewerkschaftlichen Orts- und Landesgruppen muß innerhalb 3 Tagen dem Bürgermeisteramt mitgeteilt werden. Laut Artikel 10 Absatz 5 sind dieser Mitteilung die Fragebogen der neu gewählten Mitglieder beizufügen.

Art. 13 Die Orts- und Landesgruppen der Gewerkschaften genießen dieselben Rechte wie die Gewerkschaften, sowie sie insbesondere in den Artikeln 13 und 14 der Verfügung vom 10. September 1945 festgelegt sind.

Abschnitt IV: Strafen

Art. 14 Die Vorschriften der Artikel 17 und 18 der Verfügung Nr. 6 vom 10. September gelten auch für die Orts- und Landesgruppen der Gewerkschaften.

Art. 15 Der Directeur Général de l'Economie et des Finances ist mit der Durchführung dieser Verfügung beauftragt, welche im Amtsblatt der französischen Besatzungszone zu veröffentlichen ist.

d) Satzung der Landesvereinigung der Gewerkschaften der Metallarbeiter in der französisch besetzten Zone Badens, 18. August 1946

DGB Freiburg, Dokumente zur Geschichte der Gewerkschaft im DGB-Kreis Freiburg 1945-1949, II.

Die in der französisch besetzten Zone Badens bisher durch die Militärregierung genehmigten örtlichen Gewerkschaften der Metallarbeiter und -arbeiterinnen haben sich zu einer Landesvereinigung für die oben genannte Zone zusammengeschlossen und auf einer am 18.8.1946 in Offenburg stattgefundenen Gründungsversammlung die vorliegende Satzung angenommen.

1. Name, Sitz und Gebiet

Die Vereinigung führt den Namen: Landesvereinigung der Gewerkschaft Industriegruppe Metall. Ihr Sitz ist in Freiburg im Breisgau. Sie umfaßt die gesamte französisch besetzte Zone Badens.

2. Zielsetzung und Befugnisse

Die Vereinigung vertritt die gemeinschaftlichen Berufsinteressen der ihr angeschlossenen Gewerkschaften und regelt einheitlich ihre Tätigkeit ohne jede politische oder religiöse Stellungnahme.

a. Sie hat zur Aufgabe, ihren Mitgliedern alle beruflichen und wirtschaftlichen Auskünfte zu erteilen und sie in allen Rechtsfragen zu beraten oder als Rechtsbeistand vor allen Institutionen und Behörden zu vertreten.

b. Eine ständige Prüfungsstelle für wirtschaftliche, berufliche und statistische Fragen zu schaffen.

c. An der Schaffung von Lohn- und Arbeitsverträgen örtlicher und gebietsmäßiger Zuständigkeit mitzuwirken.

d. Mitzuwirken an der Ausgestaltung des Lehrlingswesens und der Berufsausbildung und den Schutz der jugendlichen Arbeiter und Arbeiterinnen sowie der Frauenarbeit in der Metallindustrie zu überwachen.

e. Die Agitation in den örtlichen Gewerkschaften zu unterstützen und die Schaffung von neuen Gewerkschaften gleicher Art zu fördern.

f. Sozial- und sonstige Unterstützungseinrichtungen jeglicher Art zugunsten ihrer Mitglieder zu schaffen oder zu fördern und auf diesem Gebiet die Tätigkeit der örtlichen Gewerkschaften, welche Mitglieder der Vereinigung sind, einzuordnen.

Sie hat die Aufgabe, für eine ordnungsmäßige Geschäfts- und Kassenführung innerhalb der ihr angeschlossenen Gewerkschaften zu sorgen und regelmäßige Tätigkeitsberichte anzufordern.

3. Zugehörigkeit und Austritt

Jede Gewerkschaft, welche der Metallverarbeitenden Industrie angehört, kann in einer Generalversammlung beschließen, der Vereinigung beizutreten. Der Beitritt gilt als vollzogen mit der schriftlichen Beitrittserklärung. Der Austritt ist ebenfalls in einer Generalversammlung zu beschließen, kann aber nur zum Jahresende erfolgen und muß drei Monate vorher angemeldet werden. Der Ausschluß einer Gewerkschaft kann erfolgen, wenn dieselbe mit der Beitragsleistung zu den Verwaltungskosten der Vereinigung länger als 6 Monate im Verzug ist oder sich in Wort und Tat mit der Mehrheit der der Vereinigung angeschlossenen Gewerkschaften im Gegensatz befindet und beharrt. Ein Ausschluß kann nur in der Generalversammlung der Vereinigung erfolgen.

4. Beitragsleistung

Die Verwaltungskosten der Vereinigung werden gedeckt durch finanzielle Leistungen der angeschlossenen Gewerkschaften, welche monatlich 25 Prozent ihrer Beitragseinnahmen an die Vereinigung abzuführen haben.

Zur Errichtung eines Unterstützungsfonds für alle Mitglieder der angeschlossenen Gewerkschaften führen die angeschlossenen Gewerkschaften einen weiteren Prozentsatz ihrer Beiträge an die Vereinigung ab. Die Höhe desselben wird auf der Generalversammlung der Vereinigung durch Mehrheitsbeschluß festgelegt.

5. Verwaltungsorgane der Vereinigung

Die Verwaltungsorgane der Vereinigung sind: Der Vorstand, der Beirat, die Vertretertagung.

Der Vorstand besteht aus dem Ersten Vorsitzenden, dem Stellvertretenden Vorsitzenden, dem Kassier, dem Schriftführer und 4 Beisitzern.

Der Vorsitzende, der Kassierer und Schriftführer und ein Beisitzer werden auf der Vertretertagung gewählt. Die übrigen Vorstandsmitglieder werden durch die Gewerkschaft gewählt, welche sich am Ort der Landesvereinigung oder in unmittelbarer Nähe derselben befindet, und zwar in der nächsten, auf die Vertretertagung folgenden Mitgliederversammlung. Die Amtsdauer beträgt ein Jahr, Wiederwahl ist zulässig. Der Wahlmodus wird vom Beirat festgelegt. Das Amt des Sekretärs und Kassierers kann, wenn es die Verhältnisse gestatten, vereinigt werden.

6. Beirat

Zur wirksamen Unterstützung des Vorstandes wird ein Beirat gebildet, welcher aus 10 Mitgliedern besteht und welche auf der Vertreterversammlung gewählt werden. Der Beirat hat die Aufgabe, den Vorstand in allen seinen Maßnahmen zu unterstützen, seine Geschäftsführung zu überprüfen, in Fragen der Tarifpolitik und der Verwaltung Beschlüsse zu fassen sowie nötigenfalls zu allen organisatorischen Fragen Stellung zu nehmen und

Richtlinien aufzustellen. Der Beirat tritt nach Bedarf, mindestens aber zweimal jährlich, zusammen und wird vom Vorstand einberufen.

7. Vertretertagung

Die Vertretertagung findet alljährlich statt. Ihre Aufgabe ist folgende: Entgegennahme des Geschäfts- und Kassenberichtes des Vorstands; Information über den Stand der Landesvereinigung und der ihr angeschlossenen Gewerkschaften; Genehmigung der Jahresabrechnung; Festsetzung der prozentualen Beiträge für die Verwaltungskosten der Vereinigung sowie für den Unterstützungsfond; Beschlußfassung über eingegangene Anträge und Beschwerden; Änderung der Satzungen; Wahl des Vorstandes und des Beirates.

8. [Die Zusammensetzung der Vertretertagung]

Die Vertretertagung setzt sich zusammen aus den Mitgliedern des Beirates und aus den von den Mitgliedern der angeschlossenen Gewerkschaften gewählten Vertretern. Es entfallen auf Gewerkschaften bis zu 200 Mitgliedern 2 Delegierte; von 201 bis 500 Mitglieder 3 Delegierte, von 501 bis 1000 Mitgliedern 4 Delegierte; auf je weitere 1000 Mitglieder oder Teile derselben ein weiterer Delegierter.

Die Delegierten sind in Generalversammlungen zu wählen. Ein außerordentlicher Vertretertag muß einberufen werden, wenn 50 Prozent der angeschlossenen Gewerkschaften dies beantragt.

Alle Anträge der Vertretertagung müssen mit Stimmenmehrheit beschlossen werden. Bei Stimmengleichheit wird der betreffende Antrag dem Vorstand und Beirat zur weiteren Behandlung und Beratung überwiesen.

9. Auflösung der Vereinigung

Die freiwillige Auflösung der Vereinigung kann nur durch eine Vertretertagung erfolgen und nur dann, wenn drei Viertel ihrer Mitglieder anwesend sind und der Beschluß mit Zweidrittelmehrheit gefaßt wird. Über das vorhandene Vermögen und deren Verwendung beschließt die letzte Vertretertagung. Es darf jedoch nur an gleichartige Vereinigungen [übertragen werden] oder im Interesse der Arbeiterbewegung Verwendung finden.

10. Durchführungsbestimmung

Die Vereinigung wird erst nach Genehmigung vorstehender Satzung durch das Gouvernement Militaire endgültig gebildet. Jede Änderung der Satzung oder des Vorstandes ist dem Gouvernement Militaire zur Genehmigung vorzulegen.

e) Schreiben des Chef de la Section Travail an das Badische Arbeitsministerium, 2. September 1946

Der Badische Gewerkschaftler, Nr. 4, September 1946.

Die Schaffunng der örtlichen Gewerkschaften, die durch den Erlaß Nummer 6 vom 10. September 1945 genehmigt sind, nimmt einen günstigen Fortgang. Man kann damit rechnen, daß in einigen Wochen alle örtlichen Gewerkschaften, die in der französischen Zone geschaffen werden können, auch wirklich gebildet sein werden. Die Bildung der Ortsausschüsse nimmt ebenfalls einen günstigen Verlauf, aber es wäre angebracht, die Übersendung der Gründungsunterlagen soweit als möglich zu beschleunigen, damit dieselben in der Lage sind, ihre Tätigkeit in kürzester Frist aufzunehmen.

Die dritte Phase des gewerkschaftlichen Wiederaufbaues muß in nächster Zeit in das Stadium der tatsächlichen Verwirklichung treten durch Bildung von Provinzial- oder Landesverbänden der einzelnen Berufszweige.

Man hat jedoch feststellen müssen, daß einzelne Gewerkschafter, die zwar vom besten Willen beseelt sind, noch nicht richtig die Richtlinien erfaßt haben, nach denen die Neuerrichtung dieser Provinzial- oder Landesverbände vorgenommen werden soll.

I. Ortsausschüsse der Gewerkschaften

a. Gebietsmäßige Zuständigkeit

Die Entwürfe, welche von einigen Gewerkschaftern vorgelegt wurden, lassen annehmen, daß diese der Ansicht sind, daß die Ortsausschüsse den Bereich eines festumrissenen Verwaltungsbezirks umfassen müßten, z.B. den Bereich eines Arbeitsamtsbezirkes.

In Wirklichkeit kann aber in jedem Ort, wo mehrere örtliche Gewerkschaften vorhanden sind, ein Ortsausschuß gegründet werden. Es steht aber nichts im Wege, aus wirtschaftlichen Gründen verhältnismäßig nahe beieinander liegende Orte, wo Gewerkschaften vorhanden sind, zu einem Ortsausschuß zusammenzufassen. Mindestens drei örtliche Gewerkschaften müssen vorhanden sein, um einen Ortsausschuß zu bilden. Die gebietsmäßige Zuständigkeit eines solchen Ortsausschusses muß aber genau festgelegt werden, damit keine Überschneidungen mit dem Wirkungsbereich eines anderen Ortsausschusses stattfinden.

b. Vorstände der Ortsausschüsse

Die Vorstände der Ortsausschüsse sind zuständig für die Behandlung der verschiedenen Fragen, welche in ihren Statuten festgelegt sind, aber es ist eine Selbstverständlichkeit, daß jede Berufsgewerkschaft in ihrer eigenen

Geschäftsführung die größte Selbständigkeit besitzt. Es kann also nicht durch den Ortsausschuß vorgeschrieben werden, daß die einzelnen Gewerkschaften einheitliche Beiträge erheben oder daß der Vorstand der Ortsausschüsse die finanziellen Fragen der einzelnen Berufsgewerkschaft regelt.

c. Benennung

Es muß auch der Vorschlag abgelehnt werden, nach welchem die Ortsausschüsse die Bezeichnung »Allgemeiner Gewerkschaftsbund« annehmen; diese haben sich vielmehr: Ortsausschuß der Gewerkschaften von (Name der Stadt) und eventuell »und Umgebung« zu nennen. Ebenso darf der Ausdruck »Frei« nicht vor das Wort »Gewerkschaft« gesetzt werden, da dieser Ausdruck an den früheren Aufbau der Gewerkschaftsbewegung mit politischer Tendenz erinnert, und die wiedererstandenen Gewerkschaften ein neutrales Verhalten in religiöser und politischer Beziehung einnehmen müssen.

d. Die Beiträge der Gewerkschaften an die Ortsausschüsse

Einige Vorschläge gingen darauf hinaus, die an die Ortsausschüsse zu leistenden Beiträge auf 2% des Bruttoverdienstes des Gewerkschaftlers festzusetzen. Dieses Verfahren deckt sich jedoch nicht mit den Bestimmungen, die eingehalten werden müssen.

Der Gewerkschaftsbeitrag ist ein für alle Mal in den Grundstatuten der örtlichen Gewerkschaft festgelegt. Es ist Sache der Ortsausschüsse in ihren Statuten den Prozentsatz festzusetzen, den die angeschlossenen Gewerkschaften zur Unterhaltung des Ortsausschusses leisten sollen. Ein Prozentsatz von 30% scheint annehmbar. Die Kosten für die Durchführung der Aufgaben der noch zu gründenden Provinz- oder Landesverbände der Berufsgewerkschaften werden gleicherweise durch eine prozentuale Entnahme aus dem Beitragsaufkommen der örtlichen, dem Provinz- oder Landesverband angeschlossenen örtlichen Berufsgewerkschaften gedeckt.

II. Provinzial- oder Landesverbände der Berufsgewerkschaften

a. Bildung der Studienkommission

Die Vorschriften für die Bildung von Studienkommissionen für die Abgrenzung der örtlichen und provinzialen Gewerkschaften in bezug auf den Mitgliederkreis sind festgelegt in Artikel 4 des Erlasses Nummer 59 vom 12. April 1946. Die Übersetzung dieses Textes wurde in der Juninummer 1946 »Der Badische Gewerkschaftler« veröffentlicht. Jedoch kann ein Übersetzungsfehler Anlaß zu Mißverständnissen geben. Es wurde dort gesagt, daß die Struktur der provinzialen Gewerkschaftsverbände der Berufszweige und ebenso die Abgrenzung der Zuständigkeit der Gewerkschaften der verschiedenen Gewerkschaften für die einzelnen Berufszweige bestimmt werde durch die in der Prüfungskommission zusammengefaßten Vertreter der örtlichen Gewerkschaften oder Vereinigungen derselben. Die Übersetzung lautet wörtlich also: »Vertreter der gewerkschaftlichen Ortsgruppen oder Vereinigungen.« Diese Fassung muß ersetzt werden durch »Vertreter der Ortsausschüsse der Gewerkschaften«. Das heißt, daß jeder ordnungsgemäß gebildete Ortsausschuß nach Maßgabe der ihm angeschlossenen Mitgliederzahl Vertreter in diese oben erwähnte Studienkommission entsenden kann. Hierbei könnte folgendes System der Vertretung angewandt werden: 2 Vertreter für die Ortsausschüsse, die weniger als 1000 Mitglieder haben, 3 Vertreter für diejenigen, die mehr als 1000 Mitglieder, aber unter 2000 haben und 1 Vertreter mehr für jedes weitere Tausend.

Es ist Ihnen belassen, nachdem Sie mit den alten Gewerkschaftern die notwendige Fühlung erreicht haben, eine genaue Regelung in dieser Hinsicht herbeizuführen.

b. Zusammentritt der Studienkommission

Die in Artikel 4 oben erwähnte Studienkommission wird nur Vertreter der Ortsausschüsse aufweisen dürfen, die kommissarisch vom Gouvernement Militaire genehmigt sind.

Zu diesem Zwecke übersendet Ihnen das Gouvernement 14 Tage vor dem vorgesehenen Zeitpunkt des Zusammentrittes dieser Kommission eine Liste der Ortsausschüsse, die befugt sind, Vertreter in diese Kommission zu entsenden.

c. Zuständigkeit der Kommission

Sie hat die Aufgabe:

1. Die Abgrenzung und die Zuständigkeit der verschiedenen provinzialen Gewerkschaftsverbände für die verschiedenen Berufs- oder Industriezweige festzustellen. Nach den mir unterbreiteten Unterlagen hat man die Bildung von 14 oder 16 provinzialen Verbänden ins Auge gefaßt. Es ist jedoch Sache der Kommission, über diesen Punkt zu entscheiden.
2. Richtlinien festzusetzen, die in den verschiedenen Statuten der provinzialen Verbände grundsätzlich festgesetzt sein müssen. Ich lege Ihnen ein Musterstatut eines provinzialen Verbandes bei, das zum Vorbild dienen soll.

Ich betone, daß die demokratische Vertretung jeder Gewerkschaft in der aufgrund dieses Statuts zusammengetretenen Verbandsversammlung folgendermaßen gewährleistet werden muß: eine Gewerkschaft, die weniger als 200 Mitglieder aufweist, entsendet 3 Vertreter; eine Gewerkschaft von 200 bis 500 4 Vertreter; von mehr als 1000 Mitgliedern 5 Vertreter und für jedes weitere 1000 zusätzlich 1 Vertreter.

d. Anschluß der Angestellten an die örtlichen Gewerkschaften und Berufsverbände

Es wird festgestellt, daß, da die Zugehörigkeit zur Gewerkschaft frei ist, auch die Wahl der Gewerkschaft in bezug auf die Berufstätigkeit in gleicher Weise freisteht.

Die Durchführung dieser allgemeinen Bestimmungen hat gewisse Schwierigkeiten hinsichtlich der Angestellten auftreten lassen.

Da es sich aber um Angestellte handelt, die verschiedenartigen Betrieben angehören (Textil, Metall, Holz, etc. ...) haben diese das Recht, entweder der Gewerkschaft beizutreten, die für die betreffenden Industriebetriebe zuständig ist oder einer Angestelltengewerkschaft, die sich im Speziellen mit der Vertretung der Interessen der Angestellten befaßt, welche den kaufmännischen Berufen, der Versicherungsbranche oder Industrie angehören.

Diese örtlichen Angestelltengewerkschaften können auch ihrerseits einen provinzialen Angestelltengewerkschaftsverband bilden. Es darf aber keinerlei Zwang ausgeübt werden, um die Angstellten zu veranlassen, der Industrie- oder Berufsgewerkschaft beizutreten, die für den Betrieb zuständig ist, in welcher sie tätig sind. Ebensowenig darf die Zulassung der örtlichen Angestelltengewerkschaften zu dem zu bildenden provinzialen Angestelltenverband davon abhängig gemacht werden, daß dieselben nur Mitglieder aus den rein kaufmännischen Betrieben haben dürfen, sondern auch die Angestelltengewerkschaften mit teilweise in Industriebetrieben tätigen Angestellten haben das Recht des Anschlusses.

Ich möchte Sie bitten, diesen Angaben die größtmögliche Verbreitung zu geben und dafür Sorge zu tragen, daß die alten Gewerkschafter sich dieselben bei ihrer Tätigkeit zum Vorbild werden lassen.

f) Bericht des Vorsitzenden der Metallarbeitergewerkschaft Freiburgs, Spindler, über den Stand des Wiederaufbaus der Gewerkschaften in Baden, Oktober 1946

DGB Freiburg, Dokumente zur Geschichte der Gewerkschaft im DGB-Kreis Freiburg 1945–1949, II.

Wenige Tage nach dem Einmarsch der französischen Truppen in Freiburg im Breisgau traten einige frühere Kollegen der Gewerkschaften zusammen, um zu den nun schwebenden Tagesfragen Stellung zu nehmen und mit dem Befehlshaber der französischen Truppen in Fühlung bzw. in Verhandlungen zu treten. Zusammenkünfte aller Art waren untersagt, trotzdem aber wurden unsererseits alle Vorbereitungen getroffen, um im Falle der Erlaubniserteilung unsere Leute bei der Hand zu haben. Die erste Bildung bestand aus antifaschistischen Aufbaugruppen, die sich aus Sozialdemokraten, Kommunisten und Gewerkschaftern zusammensetzten, denen sich später auch Anhänger und Mitglieder der ehemaligen Zentrumspartei anschlossen. Diesen Aufbaugruppen oblag die schwierige Aufgabe, aus dem Chaos der Übergangszeit das bestmöglichste für die Bevölkerung der Stadt bezüglich der Lebensmittelversorgung, der Wohnfrage, der Ruhe und Ordnung, der Wiederingangsetzung der lebenswichtigen Betriebe, der Krankenversorgung und dergleichen zu tun, und es war für uns in der damaligen Zeit keine leichte Arbeit.

Nach wochen- und monatelanger unermüdlicher Arbeit konnten wir dann dazu übergehen, feste Gebilde zu schaffen. Aus den Aufbaugruppen entstand eine antifaschistische Arbeitsgemeinschaft, dann die Arbeiterwohlfahrt und die ersten Vorkehrungen für die neu zu gründenden Gewerkschaften. Nach dem Vorbild der Aachener Beschlüsse gingen auch wir Gewerkschafter dazu über, in den in der Zwischenzeit in Gang gesetzten Betrieben die Mitglieder zu werben. In sehr mühseliger Kleinarbeit ohne jegliche Mittel, ohne jegliches Material, denn alles was einst den Gewerkschaften gehörte und der Naziorganisation der Deutschen Arbeitsfront zur Verfügung stand, war verschwunden und von diesem Verbrecherpack verschoben oder vernichtet worden. Kein Federhalter, kein Bleistift war mehr vorhanden, alles mußte neu beschafft und gespendet werden, und so gingen wir an den Neuaufbau unserer derzeitigen Gewerkschaften. Bis zum Oktober 1945 arbeiteten alle unsere Vertrauensleute ehrenamtlich, und erst dann konnten durch freiwillige Spenden die nötigen Anschaffungen gemacht und kleine Aufwandsentschädigungen gezahlt werden.

Mit der Wiederherstellung des Gewerkschaftsrechtes durch die französische Besatzungsarmee wurden unsererseits 12 Gewerkschaften gegründet, d. h. beantragt. Die Vorschriften und Formalitäten mit all ihren Erschwerungen sind dortseits ohne Zweifel bekannt, so daß es sich erübrigt, näher hierauf einzugehen. Beantragt zur Abhaltung von Gründungsversammlungen wurden unsererseits: die Gewerkschaft der Chemie- und Fabrikarbeiter, die Gewerkschaft der Metallarbeiter, die Gewerkschaft der Holzarbeiter, die Gewerkschaft der Nahrungsmittel- und Getränkearbeiter, die Gewerkschaft der Textil- und Bekleidungsarbeiter, die Gewerkschaft der Gemeinde- und Staatsarbeiter, die Gewerkschaft der Verkehrs- und Transportarbeiter, die Gewerkschaft der Bauarbeiter, die Gewerkschaft der Eisenbahner, die Gewerkschaft der Musiker und verwandte Berufe, die Gewerkschaft der Angestellten, die Gewerkschaft der Post- und Polizeibeamten. Letztere Gründung wurde durch die Militärregierung untersagt, bis zur endgültigen Entnazifizierung der Behörden.

Ähnlich so wurde in der gesamten französisch besetzten Zone Badens verfahren. Die gegründeten Gewerkschaften haben sich nun zu Ortsausschüssen zusammengeschlossen und bilden nun den Ortsausschuß der Freien Gewerkschaften. Die Gewerkschaften zählen zur Zeit in der französisch besetzten Zone Südbadens ungefähr 26 000 Mitglieder, davon entfallen für Freiburg ca. 6 000 Mitglieder. (Zahlen sind noch unvollständig, da genaue Unterlagen noch ausstehen).

Wirtschaftliche Betrachtungen

Die wirtschaftliche Ankurbelung läßt sehr viel zu wünschen übrig. Das Fehlen von Rohmaterial, von Brennstoff, Baustoffen und der Rohmaterialien auf allen Gebieten macht sich sehr stark bemerkbar. Hinzu kommt das Fehlen von Verkehrsfahrzeugen, und vor allen Dingen ist für die Wirtschaft äußerst beeinträchtigend die strenge Zonenabsperrung. Diese Mängel der Wirtschaftsankurbelung sind aber in ganz Deutschland vorhanden und ja im In- und Ausland hinreichend bekannt, so daß an dieser Stelle wenig dazu gesagt werden braucht.

In wirtschaftspolitischer Beziehung können wir sagen, daß wir in dieser Beziehung zufrieden sein können. Ist es uns doch gelungen, durch unsere Aktivität das badische Arbeitsministerium, das Wirtschaftsministerium, das Landesarbeitsamt und den politischen Arbeitseinsatz von unseren Kollegen zu besetzen. Auch örtlich sind eine Reihe von maßgebenden Posten in unserem Besitz. Zur Zeit sind wir nun dabei, die Industrie- und Handelskammer, die Handwerkskammer und die Innungen paritätisch zu besetzen, obwohl wir hier noch einige Schwierigkeiten zu überwinden haben. Aber wir hoffen, den Widerstand der Arbeitgeber auch in dieser Frage brechen zu können. Im großen und ganzen gesehen gleicht sich das Wirtschaftsbild und die politischen Verhältnisse dem allgemeinen Stand in Deutschland an und muß hier unsererseits noch viel getan werden, um einigermaßen wieder gesunde Verhältnisse zu schaffen. Aber was in 12jähriger verbrecherischer und verantwortungsloser Raubbauwirtschaft vernichtet wurde, kann selbstverständlich nicht in 18 Monaten wiederaufgebaut werden. Hierzu kommt, daß wir als Antifaschisten und Antimilitaristen in vielen Beziehungen bei der französischen Besatzungsbehörde wenig oder gar kein Verständnis finden. Angefangen bei der Ernährung haben wir die schlechteste Quote in ganz Deutschland. Über 700 Kalorien täglich sind wir seit Januar d. J. noch nicht hinausgekommen, so daß wir für die Zukunft die größten Bedenken in allen Beziehungen haben. Die Untergrundbewegung erhält durch die Kurzsichtigkeit oder durch die bewußte Interessenlosigkeit der Besatzung ihren stärksten Auftrieb, und alle Aufklärung in Wort und Schrift verhallt ungehört, weil der Glaube an Aufrichtigkeit verlorengeht und man der sogenannten Flüsterpropaganda Herz und Ohr öffnet. Eine am 15. 6. 1946 eingereichte Denkschrift lege ich bei, ebenso den Wortlaut eines offenen Briefes, der allerdings anonym auf unseren Schreibtisch geriet, aber der Wahrheit entspricht.

Bezüglich der Entnazifizierung das gleiche Lied! Während wir, die Gewerkschaften und Linksparteien, uns die größte Mühe geben, die städtischen und staatlichen Behörden mit einwandfreien und politisch nicht belasteten Gegnern der Nazibewegung zu besetzen sowie die Wirtschaft von nazistischen Elementen zu säubern, stellen sich sehr oft französische Dienststellen vor belastete Elemente und nehmen sie in Schutz. In den meisten Fällen sind Offiziere der Besatzung bei belasteten Nazis in Wohnung und unterstützen dieselben mit allen Dingen des täglichen Lebens. An Lebens- und Genußmitteln, an Feuerzeug, Gas und Strom, an Wohnungseinschränkung und all den üblichen Dingen, worunter der größte Teil der Bevölkerung zu leiden hat, haben diese Herrschaften noch keine Not gelitten; und oft taucht in den Reihen unserer standhaften Kameraden die ernsthafte Frage auf, ob denn unser Kampf um den Aus- und Aufbau eines wirklich demokratischen Staates einen Zweck hat, wenn in dieser Beziehung das Gegenteil erreicht wird.

Was uns zu dieser Klage treibt, ist nicht blinde Rache, sondern nur die gerechte Forderung, die belasteten Elemente zum Wiederaufbau des durch ihre Mitschuld in das furchtbare Unglück geführte Land heranzuziehen. Hoffen wir, daß durch die baldige Genehmigung einer Zivilregierung diesem Mißstand ein Ende bereitet wird und der Glaube an eine wahre Demokratie wieder mehr Achtung gewinnt.

Zur Lohn- und Preispolitik muß ich schon sagen, daß die Löhne in keinem Verhältnis mehr zu den Preisen stehen. Aber durch den nun einmal festgesetzten Lohnstopp ist es unmöglich, dieselben in Einklang miteinander zu bringen. Wir sind vielmehr zur Zeit daran, alles zu tun, um eine Reduzierung der Preise auf den Stand von 1938 zurückzuführen, um dadurch eine Inflation mit ihren furchtbaren Begleiterscheinungen zu vermeiden. Anträge an die zuständigen Stellen zur aktiven Mitarbeit bei den Preisprüfungs- und Überwachungsstellen sind durch die Gewerkschaften gestellt, und hoffen wir auch hier durch unsere Tätigkeit ersprießliche Arbeit zu leisten.

In der Tarif- und Urlaubsfrage stehen wir zur Zeit zwecks Verbesserungen mit den Arbeitgebern in Verhandlungen und hoffen auch hier gute

Ergebnisse zu erzielen. Es wird uns möglich sein, so wie die Verhandlungen stehen, einen vollbezahlten jährlichen Mindesturlaub von 12 Arbeitstagen durchzusetzen, was zweifellos einen guten Fortschritt bedeuten würde, da in den meisten Industrien der Mindesturlaub nur 6 Arbeitstage vorsieht. Betriebsräte- und Arbeitsgerichtsgesetz, obwohl schon längst vom alliierten Kontrollrat in Berlin veröffentlicht, sind von unserer Militärregierung noch nicht herausgegeben und müssen deren Ausführungsbestimmungen abwarten. Wir hinken eben in all diesen Fragen gegenüber den anderen Zonen um längere Zeit hintennach.

In der Sozialvericherungsgesetzgebung und deren Umgestaltung zu einer einheitlichen Versicherungsanstalt sind wir aktiv beteiligt und erhoffen auch hier Erfolge im Interesse der Arbeitnehmerschaft.

Der Jugendfrage unsere ganze Aufmerksamkeit zu widmen, ist für uns eine der vordringlichsten Aufgaben. Gilt es doch einen Nachwuchs zu schaffen, der später in der Lage ist, unser begonnenes Werk fortzusetzen und für Menschheitsideale zu kämpfen. Jetzt gilt es aber, erst alle Schlakken und Überreste des Nazitums aus den jungen Herzen und Hirnen zu entfernen und sie zu brauchbaren Menschen zu erziehen, ohne Schulmeister zu sein. Dieses Ziel zu erreichen, liegt nicht nur im Interesse der ganzen Welt, weil hierdurch jede Völkerverhetzung vermieden und im Keim erstickt werden kann.

Auch der Bodenreform, der Sozialisierung der Betriebe, der Errichtung von sozialisierten Baubetrieben, der Wiedererstarkung der Genossenschaften und all den sportlichen und kulturellen Bestrebungen der Arbeiterschaft widmen wir unsere Aufmerksamkeit und dürfen trotzdem nicht an den oft kleinlichen Sorgen des täglichen Lebens unserer Kollegen vorübergehen und ihnen mit Rat und Tat zur Seite stehen.

Dies wäre nun ein kurzer Bericht über die Entwicklung der neu gegründeten Deutschen Freien Gewerkschaften, deren Ziele und Aufgaben in der Gegenwart und Zukunft.

g) Rundschreiben des vorläufigen Vorstands des Badischen Gewerkschaftsbundes an die Vorstände der örtlichen Gewerkschaften, 16. Januar 1947

Der Badische Gewerkschaftler, 2. Jg., Nr. 2, Februar 1947.

Werte Kollegen! Als Abschluß des Aufbaues der Gewerkschaften in der französisch besetzten Zone Badens haben die Vorsitzenden der bis jetzt genehmigten Landesvereinigungen in einer Sitzung vom 30. Dezember 1946 in Freiburg beschlossen, sich zu einem Gewerkschaftsbund zu vereinigen. Damit dürfte der vorläufige Schlußstein beim Aufbau der Gewerkschaftsbewegung in der französisch besetzten Zone Badens gesetzt sein. Nun gilt es, an den möglichst einheitlichen Ausbau der Gewerkschaften und ihrer Landesvereinigungen zu gehen und durch ihre zentrale Stelle – den »Badischen Gewerkschaftsbund« – die Forderungen der Arbeitnehmerschaft gegenüber Landesverwaltung, Behörden und Industrie zu Gehör und zur Geltung zu bringen.

Dies kann natürlich nicht geschehen ohne den gemeinsamen Willensausdruck aller gewerkschaftlich organisierten Arbeitnehmer. Die Vorsitzenden der Landesvereinigungen halten sich nicht für befugt, von sich aus über den Kopf ihrer Mitgliedschaften eine Institution arbeiten zu lassen, ohne die Vollmachten zu besitzen. Irgendwo aber muß ein Anfang gemacht werden, um die Vorarbeiten zu leisten, die notwendig sind, den Mitgliedern die Möglichkeit zu dieser Willensäußerung zu geben.

Aus diesen Gründen wurde in einer Sitzung der Vorsitzenden der genehmigten Landesvereinigungen am 9. Januar 1947 ein provisorischer Vorstand gebildet, der mit tunlichster Beschleunigung die Vorarbeiten zur Einberufung der Gründungsversammlung zu leisten und einen Satzungsentwurf auszuarbeiten hat. Die Gründungsversammlung, die sich aus den Gesamtvorständen der genehmigten Landesvereinigungen zusammensetzen wird, hat dann die Aufgabe, den endgültigen Vorstand zu wählen, die Satzungen zu beraten und dem Bundesvorstand die Richtlinien zu geben, nach denen er zu arbeiten hat. Unabhängig hiervon müssen aber jetzt schon verschiedene dringende Fragen bearbeitet werden, die im Interesse der Arbeitnehmer keinen Aufschub gestatten. Die Unterstützung der Gewerkschaften zur Bildung der noch fehlenden Landesvereinigungen ist mit eine Aufgabe, der sich der Bundesvorstand annehmen soll. Außerdem muß das Betriebsrätegesetz in einem Entwurf vorbereitet werden, um ihn der beratenden Landesversammlung als die Willensäußerung der Gewerkschaften vorzulegen. Der Entwurf wird deshalb vom vorläufigen Vorstand des Gewerkschaftsbundes bearbeitet und wird so aussehen müssen, daß er einen wirklichen Wert für die Arbeitnehmerschaft besitzt. Die gewählten Vertreter des badischen Volkes werden zu beweisen haben, ob sie das richtige Verständnis gegenüber den Forderungen der Arbeitnehmer aufbringen oder ob sie sich von eigennützigen und privatkapitalistischen Beweggründen leiten lassen, für die unseres Erachtens im heutigen Deutschland kein Platz mehr sein dürfte.

Dasselbe gilt für die Schaffung der Landesverfassung als der wichtigsten Grundlage für die weitere Gesetzgebung. Dieser Verfassungsentwurf wird die besondere Aufmerksamkeit der Gewerkschaften finden, und sie werden ihren ganzen Einfluß geltend zu machen wissen, um diesem Werk den Inhalt zu geben, den es benötigt, um in wahrhaft demokratischer Weise den wirtschaftlichen und sozialen Aufbau unserer engeren Heimat vornehmen zu können.

Der Bundesvorstand wird diese Arbeit nicht allein erledigen. Er kann auf die Mitarbeit aller befähigten Kollegen, der »Spezialisten«, nicht verzichten und hofft, daß sie auch bereitwilligst sich zur Verfügung stellen.

h) Satzung des Badischen Gewerkschaftsbundes (Auszug), 1./2. März 1947

DGB Offenburg, Schriftverkehr des Ortsausschusses Lahr mit dem Badischen Gewerkschaftsbund, 1946–1949.

§ 1 Name, Sitz und Umfang

Die Organisation führt den Namen: „Badischer Gewerkschaftsbund". Sein Sitz ist Freiburg (Breisgau). In ihm vereinigen sich die Landesvereinigungen der Gewerkschaften und die Landesgewerkschaften der französisch besetzten Zone zu einem gemeinsamen Bund.

§ 2 Zweck und Aufgaben des Bundes

Dem Gewerkschaftsbund obliegt die gewerkschaftliche Interessenvertretung der ihm angehörenden Landesvereinigungen und Landesgewerkschaften auf allen Gebieten der Sozial- und Wirtschaftspolitik, des Arbeitsrechts, der Sozialversicherung, der Arbeitsvermittlung und des allgemeinen gewerkschaftlichen Aufbaus.

In konfessionellen und parteipolitischen Fragen hat der Gewerkschaftsbund strengste Neutralität zu wahren.

Die Aufgaben des Gewerkschaftsbundes sind folgende:

a. Wahrnehmung und Vertretung von gewerkschaftlichen Forderungen gegenüber der Öffentlichkeit, den Behörden und den gesetzgebenden Körperschaften »zur Hebung der wirtschaftlichen und sozialen Lage«. Sie erstrebt die Aufhebung jeder Form kapitalistischer Ausbeutung mit dem Ziel einer sozialistischen Ordnung der Wirtschaft.

Mitarbeit des Bundes unter Einbeziehung aller angeschlossenen Landesvereingungen und Landesgewerkschaften bei der Liquidierung bestehender Kartell- und Monopolbetriebe, Verhinderung der Bildung unerlaubter Unternehmerorganisationen, Mitarbeit bei der Durchführung der Bodenreform und Überführung geeigneter Betriebe in Gemeinde-, Staats- oder Genossenschaftseigentum, sofern der Wirtschaftszweck besser erfüllt werden kann.

b. Sammlung und Verwendung von sozial- und wirtschaftspolitischem Material;

c. Aufnahme aller den Zwecken der Gewerkschaften dienenden Statistiken;

d. Herausgabe von Veröffentlichungen und Agitationsschriften. – Herausgabe einer Gewerkschaftszeitung;

e. Schaffung von Zentralstellen für Betriebsräte, Arbeitersekretariate, Arbeits- und Gesundheitsschutz, Bildungsfragen, Jugend- und Frauenbewegung innerhalb der Gewerkschaften;

f. Erlaß von Richtlinien zur Führung von Lohn- und Tarifbewegungen;

g. Erlaß von Richtlinien für die gleichberechtigte Mitwirkung der Gewerkschaften in der Wirtschaft;

h. Mitwirkung bei der Schaffung eines einheitlichen Arbeitsrechts, Verteidigung und Ausbau der sozialen Versicherungen;

i. Erlaß von Anweisungen zur Durchführung der Wahlen zu den sozialen Körperschaften;

k. Erlaß von Richtlinien für eine einheitliche Gestaltung der gewerkschaftlichen Verwaltungs- und Unterstützungseinrichtungen sowie für die Finanzverwaltung;

l. Erlaß von Richtlinien über einheitliche Lohn- und Arbeitsbedingungen für die in der Gewerkschaftsbewegung beschäftigten Angestellten;

m. Bekämpfung nationalsozialistischer und militaristischer Einflüsse. Förderungen und Pflege von demokratischen und freiheitlichen Formen in Wirtschaft und Gesellschaft;

n. Pflege des Geistes friedlicher Völkerverständigung durch Zusammenarbeit mit dem Weltgewerkschaftsbund;

o. Schaffung von Erholungs- und Ferienheimen.

§ 3 Mitgliedschaft

Jede in der französisch besetzten Zone Badens genehmigte Landesvereinigung oder Landesgewerkschaft kann Mitglied des Badischen Gewerkschaftsbundes werden. Es ist Pflicht der im Gewerkschaftsbund vereinigten Landesvereinigungen und Landesgewerkschaften, ein gegenseitig gedeihliches Zusammenwirken zu fördern. Die Mitglieder des Gewerkschaftsbundes haben die Satzungen des Bundes einzuhalten. Satzungen der Landesvereinigungen und Landesgewerkschaften, welche denen des Bundes zuwiderlaufen, müssen geändert werden.

Ehemalige Funktionäre der DAF, frühere Mitglieder der NSDAP oder ihrer Gliederungen und Anhänger des Nationalsozialismus oder Militaristen dürfen keinerlei Amts- oder Vertrauensstellungen in den Gewerkschaften innehaben und können nicht gewählt werden.

Falls ehemalige Mitglieder der NSDAP oder ihrer Gliederungen amnestiert oder rehabilitiert sind, können sie als Funktionäre innerhalb der örtlichen Gewerkschaften tätig sein.

§ 4 Abgrenzung

Im Badischen Gewerkschaftsbund bestehen folgende Landesvereinigungen oder Landesgewerkschaften:

1. Landesvereinigung der Gewerkschaft der Angestellten und freien Berufe.
2. Landesvereinigung der Industriegewerkschaft Bau.
3. Landesgewerkschaft Bergbau.
4. Landesvereinigung der Industriegewerkschaft Chemie-, Gummi-, papiererzeugende Industrie.
5. Einheitsgewerkschaft der Eisenbahner.
6. Landesvereinigung der Gewerkschaften des Graphischen Gewerbes.
7. Landesvereinigung der Industriegewerkschaft Holz.
8. Landesgewerkschaft Land und Forst.
9. Landesgewerkschaft Leder.
10. Landesvereinigung der Industriegewerkschaft Metall.
11. Landesvereinigung der Musiker und Bühnenkünstler.
12. Landesvereinigung der Industriegewerkschaft Nahrung und Genuß.
13. Landesvereinigung der Gewerkschaften der Öffentlichen Betriebe, Behörden und Verwaltungen.
14. Landesgewerkschaft Post und Fernmeldewesen.
15. Landesvereinigung der Industriegewerkschaft Textil und Bekleidung.
16. Landesgewerkschaft Verkehr und Transport.

Als Abgrenzung des Geltungsbereiches der einzelnen Gewerkschaften gilt das vom Bundestag anerkannte Industriegruppenverzeichnis.

Änderungen können zwischen den beteiligten Landesvereinigungen oder Landesgewerkschaften getroffen werden unter Verständigung des Bundesvorstandes. ...

§ 7 Ortsausschüsse

Zur wirksamen Unterstützung des Bundesvorstandes, der angeschlossenen Gewerkschaften sowie zur Wahrung gewerkschaftlicher Gesamtinteressen am Orte werden nach Bedarf Ortsausschüsse gebildet, wenn mindestens 3 örtliche selbständige Gewerkschaften bestehen.

In jeder Kreisstadt soll ein Ortsausschuß gebildet werden. Dieser kann im Kreise Unterausschüsse bilden, wenn das Bedürfnis vorhanden ist und keine 3 selbständige örtliche Gewerkschaften bestehen.

Die Ortsausschüsse sind Organe des Bundes zur Durchführung und Unterstützung der gewerkschaftlichen Aufgaben und Gesamtinteressen am Orte und im Kreise. Ihre Aufgaben sind:

a. Aufklärung der Arbeitnehmer über ihre wirtschaftliche und soziale Lage durch Versammlungen, Schulungskurse usw. Beratung und Betreuung in rechtlicher Hinsicht;

b. Pflege der gewerkschaftlichen Statistik im Einvernehmen mit den Industrieverbänden und dem Bundesvorstand;

c. Überwachung und Durchführung der Wahlen für die sozialen Körperschaften;

d. Förderung der Kultur- und Bildungsarbeiten;

e. Jugendausbildung. - Errichtung und Unterhaltung von Lehrlings- und Jugendabteilungen im Einvernehmen mit den Industrieverbänden und dem Bundesvorstand;

f. Unterhaltung einer Rechtsauskunftsstelle oder eines Arbeitersekretariats;

g. außerdem kann die Erledigung der Verwaltungs- und Kassengeschäfte wie: Führung der Mitgliedskartei, Einkassierung der Verbandsbeiträge, Auszahlung von Unterstützungen und die Abrechnung mit der Verbandskasse im Einverständnis mit dem Bundesvorstand und den Industrieverbänden angestellten Kräften der Ortsausschüsse übertragen werden.

Zur Durchführung der Aufgaben erläßt der Bundesvorstand Richtlinien für die Ortsausschüsse. Die Satzungen der Ortsausschüsse sind einheitlich zu gestalten. Änderungen bedürfen der Zustimmung des Bundesvorstandes.

Die Finanzierung der Ortsausschüsse erfolgt durch die angeschlossenen Gewerkschaften. Als Beitrag sind monatlich bis zu 15 Prozent pro Mitglied zu erheben.

Der Bundesvorstand, der Bund oder ein anderes Organ des Bundes haften für die Rechtsgeschäfte oder Unternehmungen der Ortsausschüsse nur, wenn solche durch ausdrücklichen Beschluß des Bundesvorstandes genehmigt worden sind. ...

§ 13 Finanzierung des Bundes

Die Mittel für die Verwaltung und die Durchführung der Aufgaben des Bundes werden durch die angeschlossenen Landesvereinigungen und Landesgewerkschaften aufgebracht.

Die Landesvereinigungen und Landesgewerkschaften zahlen zu diesem Zweck einen Beitrag an den Gewerkschaftsbund, der vom Bundestag festgesetzt wird.

Überschüsse aus dem Verkauf der Gewerkschaftszeitung dürfen nur für kulturelle und Schulungszwecke der Mitglieder des Bundes verwendet werden. Hierzu ist die Zustimmung des Bundesausschusses erforderlich.

Das amtliche Organ des Badischen Gewerkschaftsbundes ist: »Der Badische Gewerkschaftler«

Abrechnung der Bundeskasse vom 1. Januar bis 30. Juni 1947

Einnahmen:		Ausgaben:	
Von Zeitungskasse			
pro verkaufte Nr. 0,03	9494,76	Verwaltungskosten	
an Bundesbeiträgen		a) persönliche	5174,67
a) Landesvereinigungen	4034,70	b) sachliche	907,45
b) örtliche Gewerkschaften	1579,60	Porto	294,19
Für Bundesschule	1000,00	Sonstiges	2542,75
Sonstiges	239,65	Vermögen am 1.7.1947	7429,65
	16348.71		16348.71

Abrechnung der Zeitungskasse »Der Badische Gewerkschaftler«
vom 24. Januar bis 30. Juni 1947

Einnahmen:		Ausgaben:	
Vermögen am 24.1.1947	10979,09	Druck	6936,24
Zeitungen	29131,30	Honorar	1261,40
Broschüren	704,06	Porto	239,02
Darlehen	1000,00	Sonstiges	10405,55
Sonstiges	1871,06	Vermögen am 1.7.1947	24843,30
	43685,51		43685,51

§ 14 Mitgliederbeiträge

Beiträge: Der Beschluß der Studienkommission von Offenburg bleibt grundsätzlich bestehen. Um aber den vielseitigen Anregungen auf Anpassung an die Nettolöhne näher zu kommen, beschließt der Bundestag folgende Normung für alle Gewerkschaften bindend festzulegen:

Kl.	Stundenlohn	Wochenlohn	Monatslohn	wöchentlich	monatlich
1	bis 0,40	bis 20,-	bis 80,-	0,30	1,25
2	0,41 - 0,50	21,- - 25,-	81,- - 100,-	0,40	1,50
3	0,51 - 0,60	26,- - 30,-	101,- - 120,-	0,40	2,--
4	0,61 - 0,75	31,- - 35,-	121,- - 140,-	0,55	2,50
5	0,76 - 0,90	36,- - 42,-	141,- - 170,-	0,70	3,--
6	0,91 - 1,--	43,- - 48,-	171,- - 200,-	0,80	3,50
7	1,01 - 1,20	49,- - 54,-	201,- - 240,-	0,90	4,--
8	1,21 - 1,40	55,- - 70,-	241,- - 300,-	1,10	4,50
9	1,41 - 1,70	71,- - 85,-	301,- - 380,-	1,25	5,--
10	1,71 - 2,--	86,- - 100,-	381,- - 500,-	1,50	6,--
			und darüber	2,--	8,--
	Lehrlinge, Arbeitslose, Invaliden			0,10	0,50

Kurzarbeiter sind beitragfrei bei einer Wochenarbeitszeit bis einschließlich 24 Stunden: jede 2. Woche; bis einschließlich 32 Stunden: jede 3. Woche; bis einschließlich 39 Stunden: jede 4. Woche. Beträgt die Arbeitszeit 40 Stunden und mehr, dann ist der volle Beitrag zu entrichten.

a. Den örtlichen Gewerkschaften, ausgenommen den Ortsverwaltungen der Landesgewerkschaften, verbleiben einschließlich der Finanzierung der Ortsausschüsse 40%.

b. Die übrigen Mittel sind an die Landesverbände mit 60% abzuführen.

c. Diese 60% werden wie folgt Verwendung finden und aufgespalten: 1. Verwaltung der Landesverbände 20%; 2. Verwaltung des Bundes 10%; 3. Die restlichen 30% sind ein Reservefonds für noch aufzubauende Unterstützungen und Sonderaufgaben.

i) Ansprache des Vorsitzenden des Badischen Gewerkschaftsbundes, Wilhelm Reibel, zur Eröffnung des 1. Bundestages in Freiburg, 18. Juli 1947

Der Badische Gewerkschaftler, 2. Jg., Nr. 11, 15. August 1947.

Herr Gouverneur!
Hohe Militärregierung, Herr Staatspräsident!
Meine Herren der Badischen Regierung!
Liebe Kolleginnen und Kollegen!

Am 2. Mai 1933 hat der Faschismus die in Deutschland noch vorhandene stärkste Stütze der Demokratie - die Gewerkschaften - aufgelöst, ihre Häuser und Gelder gestohlen, Tausende ihrer Funktionäre verhaftet, in Gefängnisse und Konzentrationslager geschleppt und viele hingemordet. Zwölf Jahre lang sehnte die demokratisch gesinnte Bevölkerung, besonders die Arbeiterschaft, den Tag herbei, an welchem sie von diesem Terror befreit wurde, an welchem die für unser und der Welt Unglück Verantwortlichen zur Rechenschaft gezogen werden.

Wir wußten, daß dieser Tag kommen mußte. Es war deshalb kein Wunder, wenn unmittelbar nach der Zulassung der Gewerkschaften alle ehemaligen Gewerkschaftsfunktionäre sich vorbehaltlos für den Neuaufbau der Gewerkschaften einsetzen. Aber nicht nur die ehemaligen Funktionäre, auch bis dahin unbekannte Kolleginnen und Kollegen haben sich zur Verfügung gestellt.

Die Gründung der Gewerkschaften fiel in das letzte Viertel des Jahres 1945. Die Zahl der Mitglieder betrug am 1. Juli 1946 bereits 39 000 und stieg bis heute auf fast 65 000. Gewiß ein Beweis, daß die Arbeitnehmer die Notwendigkeit des gewerkschaftlichen Zusammenschlusses erkannt haben. Die Stärke der Gewerkschaften beruht jedoch nicht allein auf der Zahl der Mitglieder. Gegenüber der Zersplitterung der Gewerkschaftsbewegung vor 1933 haben wir heute eine Einheit - und diese Einheit ist unsere Stärke.

Der Grundstein zu unserem Aufbau wurde gelegt durch rastlose Kleinarbeit der Ortsausschüsse und örtlichen Gewerkschaften. Aus den örtlichen Gewerkschaften entwickelten sich bereits im Oktober 1946 die ersten Landesvereinigungen und am Ende des Jahres 1946 provisorisch der Badische Gewerkschaftsbund.

Am 1. und 2. März 1947 haben die Vertreter der bis dahin genehmigten Landesvereinigungen dieses Provisorium abgelöst, indem sie durch die demokratischen Neuwahlen den Vorstand des Gewerkschaftsbundes endgültig bestimmten. Damit hat der Gewerkschaftsbund die Vertretung der Interessen aller Mitglieder und darüber hinaus die wirtschaftliche und soziale Interessenvertretung auch der Gewerkschaftsbewegung noch Fernstehender, kurz, der gesamten arbeitenden badischen Bevölkerung übernommen. Diese Interessenvertretung beschränkt sich nicht nur auf materielle Dinge.

Wir wissen, daß das Wohl der Arbeitnehmer eng mit der wirtschaftlichen Entwicklung verknüpft ist. Die Existenz Badens und darüber hinaus ganz Deutschlands steht und fällt je nach der Entwicklung unserer Wirtschaft. Wir haben die Überzeugung, daß die Aufwärtsentwicklung kommen muß, wenn uns von allen Seiten das nötige Verständnis entgegengebracht wird. Diese Aufwärtsentwicklung darf dann aber nicht zu einer Profitwirtschaft einzelner Betriebsinhaber führen. Die Produktion muß sich nach dem Bedarf richten.

Deshalb auch unsere Forderung auf Mitbestimmung in den Betrieben. Der Arbeitnehmer darf nicht mehr derjenige sein, der für die Betriebsleitung arbeitet, sondern er muß das Recht erhalten, durch seine Betriebsvertretung verantwortlich mit der Betriebleitung und ihren Organen zu arbeiten.

Ebenso muß den Gewerkschaften das Recht zugestanden werden, befähigte Mitglieder in die Institutionen aller wirtschaftlichen und sozialen Körperschaften zu entsenden, wobei wir den Grundsatz der unbedingten Gleichberechtigung vertreten. Wir haben in den zwei Jahren des Bestehens loyal am Neuaufbau unserer Wirtschaft mitgearbeitet. Wir haben uns auch für die demokratische Erziehung - besonders unserer Jugend - eingesetzt. Der Generalrat des Weltgewerkschaftsbundes hat auf seiner Tagung in Prag die Aufnahme der deutschen Gewerkschaften in den Weltgewerkschaftsbund beschlossen. Das beweist, welches Vertrauen unsere ausländischen Kollegen der deutschen Gewerkschaftsbewegung entgegenbringen. Sie erblicken in ihr den besten Bürgen einer echten demokratischen Entwicklung und das stärkste Bollwerk zur Verhinderung faschistischer und militaristischer Umtriebe.

Die Gewerkschaften stehen vor schwierigen Zukunftsaufgaben. Die Lösung dieser Aufgaben kann und darf nicht Sache einzelner Personen sein. Mit den vorhanden Problemen beschäftigt sich auch der ehrenamtlich tätige Funktionär, der Betriebsrat und nicht zuletzt das einzelne Mitglied. Ihre Gedankengänge, Vorschläge und Schlußfolgerungen haben wir zu beachten!

Die Delegierten haben morgen und übermorgen Gelegenheit, auf unserem 1. ordentlichen Bundestag die Meinung dieser Kollegen zum Ausdruck zu bringen. Sie haben die Aufgabe, gemeinsam die Wege zu suchen, die geeignet sind, uns unseren gewekschaftlichen Zielen ein Stück näher zu bringen. Die Delegierten werden auch die bis jetzt geleistete Arbeit der Bundesleitung überprüfen und ihr Richtlinien für die weitere Arbeit geben. Sie werden Verbesserungen im organisatorischen Aufbau des Badischen Gewerkschaftsbundes schaffen und darüber hinaus Fragen der Wirtschafts- und Sozialpolitik behandeln.

Wir hoffen, daß sich die Beratungen so abwickeln, wie wir es von erfahrenen und verantwortungsbewußten Gewerkschaftlern erwarten und daß sich die Delegierten bei den Beratungen nur von dem Gedanken leiten lassen: Die Einheit der Gewerkschaftsbewegung zu wahren und Beschlüsse zu fassen, welche sich zum Wohl der Gewerkschaftsbewegung und der arbeitenden Bevölkerung auswirken.

In diesem Sinne begrüßen wir Sie alle und wünschen den Delegierten nach angestrengter Arbeit auch Stunden der Erholung.

Wir freuen uns, heute auch die Herren Vertreter der Militärregierung, an ihrer Spitze Herrn Gouverneur Pène, begrüßen zu dürfen.

Herr Gouverneur, wir danken Ihnen, sowie den Herren Ihrer Umgebung recht herzlich für diesen Besuch. Ich darf hier feststellen, daß das Verhältnis zwischen Gewerkschaften und Militärregierung das denkbar beste ist und daß wir für unsere Wünsche jederzeit volles Verständnis fanden. Überall wurden wir in unserer Gewerkschaftsarbeit unterstützt. Auch Herr Direktor Grosse von Baden-Baden hat zur Entwicklung unserer Gewerkschaften hervorragend beigetragen. Ihnen allen, meine Herren, darf ich im Namen der Gewerkschaftsfunktionäre und Delegierten sowie im Namen unserer Mitglieder herzlichen Dank sagen. Ihnen aber, Herr Gouverneur, gilt unser besonderer Dank. Das badische Volk leidet schwer unter den Auswirkungen des Krieges. Es bedarf aller Anstrengung, um die Produktion nicht weiter absinken zu lassen. Die Folgen mangelhafter Ernährung zeigen sich immer mehr. Wenn trotzdem die Arbeiterschaft bis heute ihre Pflicht erfüllt hat, so deshalb, weil sie auf den guten Erfolg der Zusammenarbeit zwischen Ihnen, Herr Gouverneur, und den Gewerkschaftsvertretern das größte Vertrauen setzt.

Die kritischen Tage im Monat Juni haben die Disziplin der gewerkschaftlich organisierten Arbeiterschaft bewiesen. Sie haben uns aber auch gezeigt, daß Sie, Herr Gouverneur, für die Notlage der Bevölkerung Verständnis haben und daß Sie sich für die Milderung dieser Notlage einsetzen. Die Gewerkschaften sind bereit, im Rahmen des Möglichen zur Wiedergutmachung beizutragen. Sie sind bereit, für das große Ziel der Menschheit, die Erhaltung des Friedens, einzutreten. Wir wünschen eine Verständigung mit Frankreich, mit dem Land, das in zwei aufeinanderfolgenden Kriegen schwer gelitten hat. Die Verständigung wird um so leichter gemacht, wenn die Arbeiterschaft empfindet, daß sich die Militärregierung auch ihrer Sorgen und Nöte annimmt. Wir hoffen alle zuversichtlich, die schweren Wunden, die der Faschismus den Völkern zugefügt hat, langsam aber sicher heilen zu können. In diesen Fragen mit der Militärregierung eng zusammenzuarbeiten, das soll am heutigen Tage unser Wunsch sein.

Gestatten Sie, Herr Gouverneur, daß wir Sie und die mit Ihnen erschienenen Herren in unserer Mitte nochmals herzlich willkommen heißen. Ebenso herzlich heiße ich willkommen den Herrn Staatspräsidenten Wohleb, Herrn Staatssekretär Dr. Leibbrandt vom Badischen Wirtschaftsministerium, Herrn Ministerialdirektor Martzloff von der Direktion Arbeit, Herrn Landrat Pfister und Herrn Dr. Brandel als Vertreter des Herrn Oberbürgermeisters der Stadt Freiburg.

Herr Staatspräsident! Die Delegierten der Gewerkschaften werden in den kommenden zwei Tagen nicht nur zur Frage des Gewerkschaftsaufbaues und der Gewerkschaftstaktik Stellung nehmen. Sie werden auch festlegen müssen, wie sich ihr Verhältnis zu Staat und Wirtschaft zu gestalten hat. Deutschland ist dank der verbrecherischen Politik Hitlers bettelarm geworden. Jeder, der am Neuaufbau mitarbeitet, trägt eine ungeheure Verantwortung. Ich glaube, hier sagen zu dürfen, daß Staat und Gewerkschaft diese Verantwortung fast zu gleichen Teilen zu tragen haben.

Damit soll jedoch nicht der Anschein erweckt werden, als ob wir eine gewerkschaftliche Nebenregierung ausüben wollten. Unsere Aufgabe liegt auf einem anderen Gebiet. Wir haben das Bestreben, dafür zu sorgen, daß die Arbeitskraft dem Staat erhalten bleibt, denn sie ist das einzige Kapital, das wir noch besitzen. Wir haben auch die Aufgabe, die Arbeiterschaft, besonders die Jugend, in das Wesen echter Demokratie einzuführen. Demokratie kann nur bestehen, wenn der Staat jedem einzelnen Gerechtigkeit widerfahren läßt, und diese Gerechtigkeit wünscht besonders die Arbeiterschaft. Wenn deshalb die Gewerkschaften verlangen, gleichberechtigt in den vorhandenen und noch zu schaffenden Körperschaften mitbestimmen zu können, wenn sie fordern, daß die Möglichkeit geschaffen wird, auch den Minderbemittelten Gelegenheit zu geben, höhere Schulen zu besuchen, sofern sie die Fähigkeit dazu besitzen, so ist dies keine unbillige Forderung, sondern das Bestreben, zur wahren Demokratie zu kommen.

Der Anfang hierzu ist getan. Ich denke dabei an den Landwirtschaftsrat, an die Vertretung der Gewerkschaften in den Industrie- und Handelskammern. Ich denke dabei auch an die monatlichen Besprechungen mit der Direktion Arbeit. Doch dies alles ist ein Provisorium. Die Arbeiterschaft wünscht, daß dieses Provisorium baldigst durch gesetzliche Regelung abgelöst wird, wobei wir hoffen, daß den Gewerkschaften in den einzelnen Institutionen volle Parität eingeräumt wird. Ich darf bei dieser Gelegenheit auch bemerken, daß die Arbeiterschaft es begrüßen würde, wenn die Direktion Arbeit endlich, entsprechend ihrer Bedeutung, wie in den anderen Ländern, in ein selbständiges Sozial- und Arbeitsministerium umgewandelt würde. Die Zusammenarbeit der einzelnen Ministerien mit den Gewerkschaften war bis jetzt gut, und wir haben das Bestreben, diese Zusammenarbeit auch weiterhin fortzusetzen. Die Regierung darf überzeugt sein, daß die Gewerkschaften jederzeit bereit sind, sie beim demokratischen Neuaufbau von Staat und Wirtschaft zu unterstützen. Und wenn dabei einmal unsere Ansichten von denen der Regierung abweichen, so denken Sie bitte daran, daß dies nicht aus Opposition gegen die Regierung geschieht, sondern deshalb, weil wir die Interessen der arbeitenden Bevölkerung zu schützen haben. Hoffen wir, daß wir in gemeinsamer Arbeit die Grundlage für eine Zukunft schaffen, die besser und friedlicher ist als die Vergangenheit und die auch der Arbeitnehmerschaft eine sichere Existenz gewährleistet.

Zum Schluß darf ich nun noch unsere Kollegen begrüßen, welche als Gewerkschaftsvertreter der übrigen Zonen zu uns gekommen sind. Kollegen! Wir danken Euch herzlich für diesen Besuch. Sind wir auch durch Landes- und Zonengrenzen getrennt, im Vertrauen auf unsere Stärke, im Vertrauen auf die Kraft unserer Bewegung gehen wir an die Arbeit, an eine Arbeit, die wir leisten in dem Bewußtsein, dem Wohle der Allgemeinheit zu dienen.

j) Die wirtschaftspolitischen Grundsätze im Grundsatzprogramm des Deutschen Gewerkschaftsbundes, 12.–14. Oktober 1949

Protokoll des Gründungskongresses des Deutschen Gewerkschaftsbundes, München 12.–14. Oktober 1949, Köln 1950, S. 318 ff.

Die Gewerkschaften als Organisationen der Arbeiter, Angestellten und Beamten nehmen die wirtschaftlichen, sozialen und kulturellen Interessen aller Werktätigen wahr. Sie setzen sich für eine Wirtschaftsordnung ein, in der die soziale Ungerechtigkeit und wirtschaftliche Not beseitigt und jedem Arbeitswilligen Arbeit und Existenz gesichert wird. Die Wirtschaftspolitik ist eines der wichtigsten Mittel zur Steigerung der wirtschaftlichen Gesamtleistung. Sie ist zugleich ein Kampfplatz, auf dem sich entscheidet, wieviel die einzelnen Interessengruppen an Arbeit und Leistung für die

Gesamtheit aufzubringen haben und in welchem Umfange sie am volkswirtschaftlichen Ertrag beteiligt werden. Von diesen Tatsachen ausgehend, erheben die Gewerkschaften die folgenden Grundsatzforderungen:

I. Eine Wirtschaftspolitik, die unter Wahrung der Würde freier Menschen die volle Beschäftigung aller Arbeitswilligen, den zweckmäßigsten Einsatz aller volkswirtschaftlichen Produktivkräfte und die Deckung des volkswirtschaftlich wichtigen Bedarfs sichert.

II. Mitbestimmung der organisierten Arbeitnehmer in allen personellen, wirtschaftlichen und sozialen Fragen der Wirtschaftsführung und Wirtschaftsgestaltung.

III. Überführung der Schlüsselindustrien in Gemeineigentum, insbesondere des Bergbaues, der Eisen- und Stahlindustrie, der Großchemie, der Energiewirtschaft, der wichtigen Verkehrseinrichtungen und der Kreditinstitute.

IV. Soziale Gerechtigkeit durch angemessene Beteiligung aller Werktätigen am volkswirtschaftlichen Gesamtertrag und Gewährung eines ausreichenden Lebensunterhaltes für die infolge Alter, Invalidität oder Krankheit nicht Arbeitsfähigen.

Eine solche wirtschaftspolitische Willensbildung und Wirtschaftsführung verlangt eine zentrale volkswirtschaftliche Planung, damit nicht private Selbstsucht über die Notwendigkeiten der Gesamtwirtschaft triumphiert.

Volkswirtschaftliche Planung hat nichts gemein mit der Zwangswirtschaft der vergangenen Jahre. Die kriegswirtschaftliche Zielsetzung verhinderte nach dem Motto »Kanonen statt Butter« die Erzeugung wichtigster Konsumgüter und führte durch die Bevorzugung der unproduktiven Rüstungspolitik trotz Anspannung aller Kapazitäten zwangsläufig zur Bewirtschaftung aller knappen Wirtschaftsgüter. Die nach dem Kriege verbliebene Zwangswirtschaft vermochte an diesem Notstand zunächst nichts zu ändern, da alle produktiven Kräfte erschöpft, die staatlichen Zusammenhänge zerrissen waren und die deutsche Währung vernichtet war.

Die Zwangswirtschaft der vergangenen Jahre war nicht mehr als eine Notstandsmaßnahme zur Verteilung lebenswichtiger Güter, die zur Vollversorgung nicht ausreichten und ohne Zwangsbewirtschaftung zum Untergang der nicht zahlungsfähigen Bevölkerung geführt hätte. Wo der Gütermangel behoben ist, verlieren Bezugscheine und Rationierungskarten für Konsumgüter ihren Sinn. Die ausreichende Güterversorgung wird um so schneller herbeigeführt und dauernd gesichert, je besser durch volkswirtschaftliche Planung die Ausnutzung aller produktiven Kräfte erreicht wird.

Volkswirtschaftliche Planung steht aber auch im Gegensatz zu der chaotischen Marktwirtschaft, die in Deutschland seit der Währungsreform herrscht und zu ungeheurer Kapitalverschwendung durch Fehlinvestitionen und Erzeugung von Luxusgütern, zur Ausbeutung der Verbraucher durch ungerechtfertigt hohe Preise, zu Kurzarbeit und Arbeitslosigkeit und sozialer Unsicherheit sowie zu einem weitgehenden Verfall der Wirtschaftseinheit geführt hat. Derartige wirtschaftliche Zustände sind nicht unabwendbares Schicksal, sondern Folgen einer fehlerhaften Wirtschaftsordnung und einer falschen Wirtschaftsführung.

Als die Wirtschaftswissenschaft die Gesetze der freien Marktwirtschaft niederschrieb, rechnete sie nicht mit der immer stärkeren Enwicklung jener Großunternehmungen, Trusts, Konzerne und Kartelle, die die Gesetze der freien Marktwirtschaft aufhoben. Heute ist die Marktwirtschaft weder frei noch sozial. Heute verhindert sie die freie Entfaltung; sie verschärft die ohnehin schon großen Gegensätze zwischen Reich und Arm. Sie ist unsozial und durch ihre Planlosigkeit unfähig, den schwierigen Aufgaben des Wiederaufbaues in Deutschland gerecht zu werden.

Volkswirtschaftliche Planung ist durchaus vereinbar mit den Grundrechten der menschlichen Freiheit. Die für die Mehrzahl der Menschen wichtigste Freiheit, die von Not und der Furcht vor Not, wird durch sie erst erreicht werden. Volkswirtschaftliche Planung und die freie Konsumwahl, das Recht auf den Wechsel des Arbeitsplatzes und die Freiheit der Berufswahl sind keine Gegensätze. Der privaten Initiative und dem Leistungswettbewerb der Betriebsleitungen verbleibt im Rahmen der Lenkungsmaßnahmen eine weiter Spielraum.

Die Gewerkschaften fordern, daß der Auflösung des deutschen Wirtschaftslebens mit allen zur Verfügung stehenden Kräften entgegengearbeitet wird. Nur eine einheitlich geplante deutsche Wirtschaftspolitik kann den Wiederaufbau und die Existenzsicherung des schaffenden Volkes gewährleisten.

1. Volkswirtschaftlicher Gesamtplan

Jede konstruktive Wirtschaftsführung braucht einen volkswirtschaftlichen Gesamtplan, hinter dem der Wille stehen muß, alle Mittel der modernen Wirtschaftspolitik zur Durchführung des Planes einzusetzen. Eines der wichtigsten Mittel ist die Geld- und Kreditpolitik, die in die staatliche Konjunktur- und Investitionsplanung einzuordnen ist. Als Vertreter des Produktionsfaktors Arbeit haben die Gewerkschaften ein Anrecht darauf, an allen Planungs- und Lenkungsorganen maßgeblich beteiligt zu sein. Das Bankwesen ist entsprechend seiner gemeinwirtschaftlichen Aufgabe neu zu ordnen.

Die Organisation der Wirtschaftsverwaltung, insbesondere der verwaltungsmäßige Aufbau der Bundesregierung und der übrigen Bundes- und Landesbehörden, muß eine einheitliche und geschlossene Wirtschaftspolitik durch Koordination aller beteiligten Stellen, insbesondere der Wirtschafts-, Ernährungs-, Finanz- und Arbeitsministerien sowie der Zentralbankleitung gewährleisten.

In dem Maße, wie in der Wirtschaft die Willkür des freien Spiels der Kräfte durch bewußte Planung und Lenkung überwunden wird, müssen sich auch die Aufgaben und Funktionen der staatlichen Finanzpolitik verändern. Bisher beschränkt auf fiskalische Aufgaben, wird sie zu einem wichtigen Instrument der Wirtschaftsführung, insbesondere durch Regulierung der Kapitalbildung, Steuerung der Selbstfinanzierung und Lenkung der Investitions- und Betriebskredite. In einer planmäßig geführten Wirtschaft ist die staatliche Finanzpolitik in der Lage, mit dem Mittel der Krediterweiterung brachliegende produktive Kräfte und Mittel zum Einsatz zu bringen, ohne inflatorische Schäden herbeizuführen.

2. Überführung der Schlüsselindustrien in Gemeineigentum

Lenkungsmaßnahmen allein reichen zur Sicherung einer einheitlichen Wirtschaftspolitik nicht aus, nachdem die Entwicklung der modernen Industriestaaten - insbesondere im Kohlenbergbau, in der Eisen- und Stahlindustrie sowie in der Großchemie - zur Zusammenballung von Großunternehmungen und damit zur Schaffung von Machtgebilden geführt hat, die das gesamte gesellschaftliche Leben durchdringen und unter bestimmten Voraussetzungen in der Lage sind, Parteien, Parlamente und Regierungen unter ihre Botmäßigkeit zu zwingen.

Die Gewerkschaften fordern daher, gestützt auf Artikel 14 und 15 des Grundgesetzes, die Vergesellschaftung der gewerblichen Urproduktion (Kohle-, Eisen- und Ölgewinnung), der Basisindustrien (Eisen- und Stahlerzeugung, Industrien chemischer Grundstoffe), der Energiewirtschaft, der Versorgungsbetriebe, der wichtigen Verkehrseinrichtungen und der Kreditinstitute. Die Überführung in Gemeineigentum soll nur in Ausnahmefällen, in denen dies besonders zweckmäßig erscheint, durch Verstaatlichung erfolgen. Im allgemeinen sind besondere Körperschaften der wirtschaftlichen Selbstverwaltung zu bilden. In allen Aufsichts- und Verwaltungsorganen ist den Gewerkschaften ein maßgeblicher Einfluß einzuräumen. Nur so ist es möglich, die Produktion der Grundstoffindustrien zu lenken; die Kapazitäten dieser Industrien dem Bedarf anzupassen und entsprechend auszunutzen; die Verteilung der entscheidenden Grundstoffe auf die volkswirtschaftlich zweckmäßigste Weise vorzunehmen; eine demokratische Kontrolle dieser Unternehmungen zu sichern, deren Vorstände heute keiner wirklichen Kontrolle unterliegen; die privatwirtschaftliche Ausnutzung dieser Schlüsselpositionen, z. B. in Form unangemessener Monopolpreise, zu verhindern; den politischen Mißbrauch wirtschaftlicher Machtstellungen, z. B. die Korruption der öffentlichen Meinung, der Parteien und des Staatsapparates mit Hilfe finanzieller Zuwendungen, unmöglich zu machen.

In den Bereichen, die schon im größeren Umfange unter der Kontrolle der öffentlichen Hand stehen - z. B. Elektrizitäts-, Gas- und Verkehrswirtschaft - müssen die volkswirtschaftlichen Gesichtspunkte gegenüber allen regionalen, fachlichen, privatwirtschaftlichen und sonstigen Sonderinteressen durchgesetzt werden. Dies erfordert u. a. den zentralen Ausgleich von Elektrizitätsversorgung und -verbrauch sowie die organisatorische Zusammenfassung von Schienen-, Binnenschiffahrts- und Straßenverkehr.

3. Demokratisierung der Wirtschaft notwendig

Die Erfahrungen der Jahre 1918 bis 1933 haben gelehrt, daß die formale politische Demokratie nicht ausreicht, eine echte demokratische Gesellschaftsordnung zu verwirklichen. Die Demokratisierung des politischen Lebens muß deshalb durch die Demokratisierung der Wirtschaft ergänzt werden. Soweit der Staat im Interesse einer vernünftigen Dezentralisierung öffentliche Funktionen auf Organe der Selbstverwaltung der Wirtschaft überträgt, dürfen dies nur paritätisch besetzte Organe sein, in denen Arbeitnehmer und Unternehmer gleichberechtigt sind.

Die Betriebe als Zellen der Volkswirtschaft arbeiten nicht zum Selbstzweck, sondern müssen auf das gemeinsame Wohl der gesamten Bevölkerung abgestellt sein. Ihre Existenz ist nicht in erster Linie eine Frage des vorhandenen Kapitals, sondern entscheidend abhängig vom Faktor Arbeit. Das Kapital kann nur durch die Arbeit des Menschen eine nützliche und wirksame Rolle spielen; es kann deshalb in den Betrieben nicht alleinbestimmend sein. Wir fordern daher die verantwortliche soziale, personelle und wirtschaftliche Mitbestimmung der Arbeitnehmer in allen Betrieben der Wirtschaft.

Die Entwicklung unseres Gesellschaftsrechtes hat im übrigen gezeigt, daß bei den Großunternehmungen der Kapitalträger - oft aufgeteilt in Tausende von Aktionären - nicht mehr in der Lage und gewillt ist, die Unternehmungen unmittelbar zu beeinflussen, sondern die Leitung immer mehr angestellten Direktoren überlassen hat, die deshalb heute in der Großindustrie die entscheidende Rolle spielen. Die Gewerkschaften verlangen daher, daß die Aufsichts- und Verwaltungsorgane der Großindustrie nicht mehr ausschließlich durch die Vertreter des Kapitals bestimmt, sondern daß Vertreter der Arbeitnehmerschaft durch ihre gewerkschaftlichen Organisationen maßgeblich eingeschaltet werden. Eine demokratische Führung der Wirtschaft darf nicht durch privatwirtschaftliche kartell- und monopolartige Einrichtungen und Abreden untergraben werden. Daher wird die staatliche Kontrolle derartiger Gebilde unter Beteiligung der Gewerkschaften gefordert.

Die Sicherung einer demokratischen Wirtschaftsverfassung ist nicht nur eine Frage der Wirtschaftsordnung, sondern ebensosehr eine Frage der vorbehaltlosen, schnellen Unterrichtung der Öffentlichkeit über alle entscheidenden wirtschaftlichen Zustände und Vorgänge. Die Kenntnis dieser Zusammenhänge darf nicht das Monopol einer kleinen Gruppe wirtschaftlicher Machthaber sein. Die Gewerkschaften fordern deshalb eine wesentlich erweiterte Publizität der wirtschaftspolitischen und wirtschaftspraktischen Arbeit von Verwaltung, Wirtschaft und Finanz durch Statistik, ausführliche Bilanzveröffentlichungen und sonstige geeignete Maßnahmen.

4. Gesamtproblem: Volkwirtschaftliche Rationalisierung

Planmäßig und mit aller Energie ist die volkswirtschaftliche Rationalisierung als Gesamtproblem voranzutreiben. Der industrielle Produktionsapparat ist durchgreifend zu überholen und damit auf den höchstmöglichen Leistungsgrad zu bringen. Forschung und Entwicklung bedürfen einer planmäßigen Unterstützung und Förderung. Der Verteilungs- und Verkehrsapparat muß rationalisiert werden. Die Bauwirtschaft bedarf angesichts eines Fehlbestandes von fünf Millionen Wohnungen einer völligen Umstellung und Industrialisierung.

Die Rationalisierung in der kapitalistischen Wirtschaft führt zur Freisetzung von Menschen durch Maschinenkräfte und damit zur Gefahr hartnäckiger Arbeitslosigkeit. In der planmäßig gelenkten Wirtschaft erstreckt sich die Rationalisierung auf den gesamten Wirtschaftsprozeß, damit alle Kräfte und Mittel dem Ziele einer optimalen wirtschaftlichen Gesamtleistung dienen. Sie erstrebt Vollbeschäftigung aller Arbeitswilligen, damit höchstmögliche Erzeugung und steigende Kaufkraft zur Hebung des allgemeinen Lebensstandards beitragen.

Besondere Anstrengungen sind erforderlich, um die Produktivität der deutschen Landwirtschaft zu steigern. Rückständige Betriebe müssen, unter Umständen unter genossenschaftlicher Bewirtschaftung, auf einen Produktionsstand gebracht werden, der den Erkenntnissen der modernen Agrarwirtschaft enspricht.

5. Flüchtlingsproblem - Wohnungselend

Die schwierigsten, aber auch dringlichsten Probleme erwachsen der deutschen Wirtschaftsführung aus der Not der Heimatlosen und dem Wohnungselend.

Die Heimatvertriebenen haben ein Recht auf Wohnung und Arbeit. Die Zukunft der deutschen Demokratie ist davon abhängig, daß sie als vollwertige Bürger in die Gemeinschaft ihrer neuen Heimat hineinwachsen. Ihre Arbeitslosigkeit ist keine Konjunkturerscheinung, die man nur mit konjunkturpolitischen Mitteln bekämpfen könnte. Sie kann nur beseitigt werden durch entsprechende Änderungen der deutschen Wirtschaftsstruktur. Die Heimatvertriebenen müssen beschleunigt in das wirtschaftliche Leben eingegliedert werden; diesem Zweck hat auch der Lastenausgleich zu dienen. Unter Hintansetzung aller eigensüchtigen Länderinteressen muß dafür gesorgt werden, daß die Heimatlosen ihrer Eignung entsprechend durch Umsiedlung an die Arbeitsstätten herangebracht werden.

Die deutsche Wirtschaftskraft wurde im Kriege durch die Zerstörung der Wohnstätten der arbeitenden Bevölkerung entscheidend getroffen. Der Wiederaufbau der Wirtschaft verlangt nunmehr die massierte Wiedererrichtung von Arbeiterwohnstätten. Ein Fehlbestand von fünf Millionen Wohnungen kann nicht passiv hingenommen werden. Die außerordentliche Schwere des Wohnungselends verlangt außerordentliche Mittel. Die

Gewerkschaften fordern daher: die Aufstellung eines Wohnungsbauprogramms, dessen Größenordnung der Schwere der Wohnungsnot entspricht; die Koordinierung aller Wohnungsbaubehörden unter einer zentralen Bundesinstanz für den sozialen Wohnungsbau; Beschaffung und planmäßige Lenkung ausreichender Finanzierungsmittel einschließlich der Kreditschöpfung; stärkste Industrialisierung der Bauwirtschaft mit dem Ziele der Kostensenkung, der Zeitersparnis und der Überwindung des Saisoncharakters der Bauwirtschaft.

6. Sicherung der Reallöhne

Ein angemessener Lohn kann durch die Lohnpolitik zwar angestrebt, aber nicht unter allen Umständen gesichert werden. Jede Erhöhung der Löhne kann durch Steigerung der Lebenshaltungskosten zunichte gemacht werden. Die Gewerkschaften fordern deshalb, daß eine aktive Preispolitik die Reallöhne der abhängigen Erwerbstätigen sichert. Die wichtigsten Güter des Existenzbedarfs der Werktätigen sind unter Preiskontrolle zu halten. Bei normaler Versorgungslage, die oberstes Ziel einer Politik der Vollbeschäftigung ist, genügt eine auf das Wichtigste beschränkte, elastische Preiskontrolle mit geringem Aufwand. Gewinne dürfen nur einer echten wirtschaftlichen Leistung zufallen.

Die Ordnung des Steuerwesens muß auf die Sicherung eines auskömmlichen Lohnes für jede Arbeit abgestellt werden. Die Steuerfreigrenze ist heraufzusetzen, die steuerliche Belastung von Gütern des Massenkonsums auf das äußerste einzuschränken.

7. Für europäische Wirtschaftsgemeinschaft

Die Existenz des deutschen Volkes hängt entscheidend von der Gestaltung der außenwirtschaftlichen Beziehungen ab. Die Gewerkschaften fordern, daß die Einfuhr ausländischer Waren durch volkswirtschaftliche Notwendigkeiten, nicht aber durch privatwirtschaftliches Gewinnstreben und die Ansprüche der kaufkräftigen Schichten bestimmt wird. Die Ausfuhr muß von ausländischen Reglementierungen befreit und mit dem Ziele einer sinnvollen Eingliederung in den Welthandel systematisch gefördert und gesteigert werden. Die Gewerkschaften bekennen sich zur europäischen Wirtschaftsgemeinschaft; sie fordern deshalb die positive Mitarbeit von Staat und Wirtschaft in einer europäischen Gesamtplanung und die Förderung aller Bestrebungen, die auf europäische Gemeinschaftsarbeit gerichtet sind. Dem Wiederaufbau des innereuropäischen Handels, in dem der Handel mit Ost- und Südosteuropa ein unerläßlicher Bestandteil ist, ist die größte Aufmerksamkeit zu schenken.

Die europäischen Handels- und Zahlungsbilanzen sind völlig unausgeglichen. Das gilt insbesondere für die deutsche Handels- und Zahlungsbilanz. Für eine echte, europäische Wirtschaftsplanung sind bisher kaum

Ansatzpunkte vorhanden. Die Gewerkschaften begrüßen daher die Hilfe, die das amerikanische Volk durch den Marshall-Plan gewährt. Der Marshall-Plan enthält die stärkste Triebkraft für die Organisation einer europäischen Gemeinschaftsarbeit. Der wirtschaftliche Wiederaufbau und die Eingliederung Deutschlands in die europäische und internationale Gemeinschaft der demokratischen Staaten erfordern, daß auch Deutschland die unabdingbaren Rechte eines jeden freien und demokratischen Staates zuerkannt werden. Dazu gehört das Recht des deutschen Volkes, in Freiheit über sein wirtschaftliches und politisches Gesamtschicksal zu entscheiden. Die Aufspaltung Deutschlands in eine östliche und westliche Zone mit verschiedenen Sozialordnungen muß fallen. Dazu gehört aber auch die Freiheit von jeder wirtschaftlichen Bevormundung durch andere Staaten, mit denen Deutschland im wirtschaftlichen Wettbewerb steht. Überstaatliche Einrichtungen, denen sich Deutschland niemals verschließen darf, müssen einen wirklich internationalen Charakter tragen, so daß ein wirtschaftlicher Mißbrauch durch die Wettbewerber auf dem Weltmarkt ausgeschlossen ist. Nur dann ist Deutschland in der Lage, den größtmöglichen Beitrag zur europäischen Wirtschaftsgemeinschaft und damit zum Weltfrieden zu leisten.

Die Herstellung einer Ordnung, in der der arbeitende Mensch Subjekt und nicht nur Objekt wirtschaftlichen Geschehens ist, ist die Voraussetzung für den Bestand einer freiheitlichen Demokratie. Sie gewährleistet erst jedem Menschen ohne Unterschied des politischen Bekenntnisses, des Glaubens und der Rasse ein freies und menschenwürdiges Leben; sie ist die Grundlage gesellschaftlichen und kulturellen Fortschrittes und sichert die friedliche Zusammenarbeit der Völker.

Seit ihren Anfängen hat die Gewerkschaftsbewegung diesen hohen Zielen gedient. Heute ist die Zeit reif für ihre Verwirklichung. Das Tempo der Verwirklichung hängt ab von der Erkenntnis und Einigkeit derer, die mehr als alle anderen Volksschichten ein unmittelbares Interesse an der Schaffung und Sicherung einer gerechten und sozialen Wirtschaftsordnung, einer freien Demokratie und friedlichen Zusammenarbeit aller Völker haben müssen.

In diesen entscheidenden Jahren nach dem Zusammenbruch des volksfeindlichen Systems des Terrors und der Diktatur rufen die deutschen Gewerkschaften alle Werktätigen auf, geeint im Wollen und bewußt ihrer Verpflichtung, für diese großen Ziele tatkräftig und unerschrocken zu wirken.

Die Wiederzulassung der Parteien

a) Verordnung Nr. 23 des Commandant en Chef, P. Koenig, zur Gründung politischer Parteien demokratischer und anti-nationalsozialistischer Richtung im französischen Besatzungsgebiet, 29. November 1945

Stadtarchiv Offenburg, Journal Officiel du Commandement en Chef Français, Amtsblatt der Militärregierung Baden.

Verordnung

Art. 1 Die Gründung politischer Parteien demokratischen und anti-nationalsozialistischen Charakters wird gestattet.

Art. 2 Die Parteien dürfen ihre Tätigkeit nur nach besonderer Genehmigung durch das Gouvernement Militaire ausüben.

Art. 3 Die genehmigten Parteien haben das Versammlungsrecht und das Recht der Propaganda, vorbehaltlich allgemeiner und besonderer Bestimmungen, die die öffentliche Ordnung notwendig machen. Die Ausübung des Versammlungsrechts unterliegt der vorherigen Zustimmung des Gouvernement Militaire.

Art. 4 Die Organisationen, deren Gründung die Parteien sich veranlaßt sehen ins Auge zu fassen, müssen den sich hierauf beziehenden Vorschriften entsprechen.

Art. 5 Jede Zuwiderhandlung gegen die bestehende Regelung und jede Änderung des Charakters einer Partei können die Zurückziehung der Genehmigung zur Folge haben, unbeschadet der strafrechtlichen Ahndungen, denen sich gegebenenfalls die leitenden Personen aussetzen.

Art. 6 Der Administrateur Général Adjoint pour le Gouvernement Militaire de la Zone Française d'Occupation wird mit der Durchführung dieser Verordnung beauftragt, die im Amtsblatt des französischen Oberkommandos in Deutschland zu veröffentlichen ist.

b) Grundzüge des Programms der Sozialistischen Partei Badens, Februar 1946

Badische Zeitung vom 7. Februar 1946.

Der staatliche, provinzielle und gemeindliche Aufbau erfolgt nach demokratischen Gesichtspunkten. Alle leitenden Stellen in der gesamten öffentlichen Verwaltung müssen mit Personen besetzt sein, die den nazistischen und militaristischen Geist stets grundsätzlich ablehnten. Von diesem Geiste muß auch die Gesetzgebung erfüllt sein.

Zum Schutze der Arbeitskraft muß ein einheitliches Arbeitsrecht und ein großzügiges, die sozialen Versicherungsgesetze zusammenfassendes Versicherungswerk geschaffen werden. Die Gewerkschaften sind Träger des Arbeitsvertrages und die berufenen Organe zur Mitarbeit an einer produktionellen Um- und Neugestaltung der Wirtschaft im Interesse der Gesamtheit des schaffenden Volkes.

Es darf kein Bildungsprivileg der Besitzenden mehr gegeben. Alle Erziehungs- und Bildungseinrichtungen müssen der Jugend und den Erwachsenen nach Bedürfnis und Fähigkeit zugänglich sein. Das Schul- und Bildungswesen ist nach einheitlichen Grundsätzen zu gestalten. Kirche und Staat haben verschiedene Aufgabengebiete und sollen daher grundsätzlich getrennt sein. Die Freiheit religiöser Betätigung ist gesetzlich zu gewährleisten.

Die Steuergesetzgebung muß den Grundsatz der wirtschaftlichen Leistungsfähigkeit berücksichtigen und von sozialem Geiste erfüllt sein.

Bodenschätze, Energie und Kraftquellen, Banken und Produktionsstätten, die der kapitalistischen Interessenpolitik dienen, sind in das Eigentum der Allgemeinheit zu überführen. Der Großgrundbesitz ist in rationeller Weise aufzuteilen. Eine großzügige landwirtschaftliche Produktionspolitik muß die Grundlage unseres Aufbaues im Interesse der Landwirtschaft und Verbraucher bilden.

Die Sozialistische Partei vertritt die großen Gedanken der Völkerversöhnung und eines Weltfriedens, der auf dem festen Fundament der Erkenntnis der Völker beruht, daß die Wirtschafts- und Kulturgüter der Erde nur dem Fortschritt der Menschheit und nicht ihrem Untergang dienen dürfen. Deshalb ist die Sozialistische Partei auch von der Notwendigkeit einer organischen Einheit aller körperlich und geistig Schaffenden, die auf dem Boden der sozialistischen Weltanschauung stehen, und einer vorbildlichen Zusammenarbeit der Sozialisten aller Länder in einer sozialistischen Internationale überzeugt.

Die Gründer der Partei:
Ph. Martzloff, F. Geiler, Dr. F. Leibbrandt,
F. Schieler, K. Ruf, E. Schmalz, W. Engler.

c) Grundzüge des Programms der Kommunistischen Partei Badens, Februar 1946

Badische Zeitung vom 7. Februar 1946.

Das Hitlersystem ist geschlagen. Not und Elend hat es uns hinterlassen. Obwohl die deutsche Kommunistische Partei ihren Kampf gegen das Hitlerregime nie aufgab und ungeheure Opfer bringen mußte, können wir leider nicht behaupten, daß wir Deutsche spürbar dazu beitrugen, dieses verfluchte System zu stürzen. Es waren die alliierten Truppen Frankreichs, Englands, Amerikas und vor allem die Rote Armee der Sowjetunion, die Hitler zu Fall brachten.

Nun hat die französische Besatzungsbehörde der Kommunistischen Partei wieder die Legalität gegeben. Dadurch haben wir die Möglichkeit, unserer Bevölkerung die unmittelbaren Forderungen der Kommunistischen Partei klarzulegen, deren Durchführung dringend notwendig ist, um aus den chaotischen Zuständen herauszukommen:

Schaffung einer wirklich demokratischen Republik, die die Fehler von 1918 nicht wiederholen darf. Rede-, Presse- und Versammlungsfreiheit, Glaubens- und Gewissensfreiheit.

Radikale Säuberungen in allen öffentlichen und privaten Stellen von aktiven und getarnten Nazis. Bildung einer Regierung, die aus den antinationalsozialistischen Parteien hervorgehen muß.

Einheitliche Lebensmittelverteilung in unserer Zone und darüber hinaus im gesamten deutschen Gebiet. Jedmögliche Unterstützung der Bauern durch Lieferung von Düngemitteln und anderen Produkten zur Steigerung der landwirtschaftlichen Produktion. Enteignung des Großgrundbesitzes von über 100 Hektar.

Beschaffung von Wohnraum, um das Wohnungselend zu meistern.

Instandsetzung der Betriebe und Sicherstellung von Rohstoffen zur Steigerung der Gebrauchsartikelerzeugung. Kontrolle der Produktion durch die Gewerkschaften.

Aufbau eines freien kulturellen Lebens.

Beschlagnahme der Vermögen aller großen Naziaktivisten und Kriegsgewinnler. Einführung eines Steuersystems mit progressiver Steigerung.

Austausch der Kriegsgefangenen gegen Naziaktivisten.

Anbahnung eines freundschaftlichen Verhältnisses mit den Völkern der freien Nationen.

Die restlose Durchführung der obengenannten Punkte macht die Einheit der Arbeiterklasse zum dringendsten Gebot der Stunde. Schaffen wir die Einheit der Arbeiterklasse, dann sichern wir die Zukunft unseres Volkes.

Alfred Müller, Jakob Treffeisen, Urban Keller,
Erich Hoske, Hans Judas, Walter Krebs.

Der Kampf um die politische Einheit der Arbeiterbewegung

a) Resolution der Konferenz zur Vorbereitung der Neugründung der Sozialdemokratischen Partei Südbadens, 2. Dezember 1945

Der Neue Tag vom 17. Juli 1946.

Ausgehend von der alten sozialistischen Erkenntnis und den seit Ende des Ersten Weltkriegs gesammelten Erfahrungen, gibt die am 2. Dezember 1945 in Freiburg i. Br. tagende Konferenz zur Vorbereitung der Neugründung der Sozialdemokratischen Partei der Überzeugung Ausdruck, daß die Schaffung einer einheitlichen sozialistischen Partei, wie sie bis Mitte der Jahre des Ersten Weltkriegs bestand, durchaus möglich ist. Die großen sozialistischen Grundsätze und Menschheitsideale zur Schaffung einer Gesellschaftsorganisation, die die kapitalistische Wirtschaftsanarchie nicht mehr kennt und die Arbeit adelt, können nur verwirklicht werden, wenn die werktätigen Volksmassen, soweit sie zur Erkenntnis ihrer Klassenlage gekommen sind, eine einheitliche sozialistische Kampffront bilden. Für diese sozialistische Einheitsfront den Boden vorzubereiten, dazu dient die antifaschistische Bewegung, in der nach den Grundsätzen der Demokratie Sozialisten und Kommunisten zur Überwindung der furchtbaren Katastrophe, die das Hitler-Regime verschuldet hat, eine geschlossene Einheit bilden.

b) Resolution der Landeskonferenz der Sozialistischen Partei Südbadens in Villingen (Auszug), 16./17. Februar 1946

VVN-BdA Kreis Freiburg (Hrsg.): Verfolgung, Widerstand, Neubeginn in Freiburg 1933–1945, Freiburg 1981, S. 203 f.

Die Landeskonferenz gibt der Überzeugung Ausdruck, daß die organisatorische Vereinigung der auf dem Boden des Sozialismus stehenden Volksschichten die Voraussetzung bildet zur Lösung der schwierigen Aufbauprobleme im Geiste der sozialen Demokratie zur völligen Ausrottung des verbrecherischen nazistischen Geistes... Die bewährten programmatischen Grundsätze des Sozialismus bilden die Grundlage der Einigung und Vereinigung aller deutschen Sozialisten, die guten Willens sind und die Notwendigkeit der Einheitsfront aus den Erfahrungen der vergangenen 25 Jahre erkannt haben. ...

Die Schaffung der sozialistischen Einheitsfront ist aber an eine Voraussetzung gebunden. Die deutsche Kommunistische Partei muß sich zu der Erkenntnis durchringen, daß die Sozialisten eines jeden Landes ihre programmatischen Grundsätze und Aufgaben, die auf dem Weg zum gemeinsamen Endziel des Sozialismus liegen, völlig unabhängig von fremden Einflüssen bestimmen müssen. ...

c) Resolution der Kreiskonferenz der Kommunistischen Partei Freiburg, 3. März 1946

VVN-BdA Kreis Freiburg (Hrsg.): Verfolgung, Widerstand, Neubeginn in Freiburg 1933–1945, Freiburg 1981, S. 202.

Der Wiederaufbau von Staat und Wirtschaft und die restlose Demokratisierung Deutschlands erfordert die Ablehnung jeder Form von Separatismus. Die Kommunistische Partei steht auf dem Boden der politischen, wirtschaftlichen und sozialen Einheit des Reichsgebietes. Unsere Politik richtet sich ausschließlich nach den Interessen der deutschen Bevölkerung, die mit den nationalen Interessen Deutschlands voll und ganz übereinstimmt. Deshalb verfolgen wir aufmerksam die Entwicklung in der östlichen Zone Deutschlands. Wir Kommunisten begrüßen das Bestreben der Sozialdemokratischen und der Kommunistischen Partei, sich zu einer einheitlichen »Sozialistischen Partei« zu verschmelzen. Mit der Verschmelzung dieser beiden Parteien wäre die Überwindung der Spaltung der Arbeiterklasse endgültig eingeleitet und die erste Lehre aus Hitlers Machtangriff gezogen. Unverständlich bleibt nur, daß es immer noch bestimmte Persönlichkeiten der Arbeiterbewegung gibt, die mit längst abgedroschenen Argumenten versuchen, die Einigung der Arbeiterschaft auch weiterhin zu durchkreuzen. Trotzdem setzen sich aber auch bei uns sozialdemokratische und kommunistische Arbeiter immer stärker für die Einheit der Arbeiterklasse ein. Hängt von der Einheit der Arbeiterklasse doch alles ab, um die Bestrebungen reaktionärer Elemente zunichte zu machen und damit die Hindernisse, die sich dem Wiederaufbau Deutschlands in den Weg stellen, weggeräumt werden. Aus diesem Grunde werden wir Kommunisten unsere Bemühungen verstärken, um die Einheit der Arbeiterklasse und darüber hinaus mit allen aufbauwilligen Kräften auch bei uns herzustellen. In den Betrieben, in Versammlungen und überall muß diese

Frage gemeinsam mit unseren sozialdemokratischen Genossen geklärt werden. Dadurch wird eine gemeinsame Arbeit zustande kommen, denn davon hängt die Zukunft Deutschlands ab.

d) Beschluß der Landesvorstände der Sozialistischen Partei und der Kommunistischen Partei Badens, 7. März 1946

Heiko Haumann (Hrsg.): Vom Hotzenwald bis Wyhl. Demokratische Traditionen in Baden, Köln 1977, S. 185.

Die Landesvorstände der Sozialistischen Partei und der KPD, Land Baden (französische Zone), bilden einen Ausschuß zur Beratung aller wichtigen Fragen des Aufbaus der neuen Demokratie und zur Vorbereitung der Vereinigung beider Parteien, die die Voraussetzung ist für den Sieg des Sozialismus.

Freiburg im Breisgau, den 7. März 1946

Für den Landesvorstand der Sozialistischen Partei (SP):
Philipp Martzloff, Fritz Schieler,
Franz Geiler, Wilhelm Engler.

Für den Landesvorstand der Kommunistischen Partei (KPD):
Erwin Eckert, Max Faulhaber,
Dr. Karl Bittel, Gerhard Wohlrath.

e) Resolution der Betriebsräte der Tuchfabrik Lörrach AG zur politischen Einheit der Arbeiterbewegung, 22. März 1946

VVN-BdA Kreis Freiburg (Hrsg.): Verfolgung, Widerstand, Neubeginn in Freiburg 1933-1945, Freiburg 1981, S. 201.

Die im März d. J. herausgegebene Resolution der SPD und KPD über die Zusammenarbeit und einen späteren Zusammenschluß haben wir mit Interesse gelesen und fand unsere völlige Billigung. Als Betriebsräte der Tuchfabrik Lörrach AG begrüßen wir diesen Gedanken auf das wärmste. In diesem Zusammenhang erklären wir, daß schon seit unserer Ernennung dieser Grundsatz praktisch durchgeführt wird zum Nutzen der Belegschaft. In allen betrieblichen Fragen haben wir seither in völliger Übereinstimmung im Interesse der Belegschaft gehandelt und mit Erfolg durchgeführt. Wir würden es daher begrüßen, wenn diese Zusammenarbeit auch nach oben hin sich abzeichnen würde bis zum völligen Zusammenschluß der beiden Arbeiterparteien.

f) Resolution der Belegschaftsversammlung der Firma Rhodiaseta, Freiburg, zur politischen Einheit der Arbeiterbewegung, 27. März 1946

VVN-BdA Kreis Freiburg (Hrsg.): Verfolgung, Widerstand, Neubeginn in Freiburg 1933–1945, Freiburg 1981, S. 201.

Die Belegschaftsversammlung begrüßt die vom Landesvorstand der Sozialistischen Partei und die vom Landesausschuß der Kommunistischen Partei Badens eingeleiteten Verhandlungen zur Verschmelzung der beiden Arbeiterparteien zu einer einheitlichen »Sozialistischen Partei«, wie sie in der in den »Badischen Nachrichten« veröffentlichten Entschließung zum Ausdruck kommt. Die Geschlossenheit der Arbeiterparteien ist heute eine Lebensnotwendigkeit aller Schaffenden. Dadurch wäre die Spaltung der Arbeiterschaft beseitigt und die wichtigste Voraussetzung für ein wirklich demokratisches Deutschland geschaffen.

g) Entschließung des Landesparteitages der Kommunistischen Partei Südbadens in Singen zur Vorbereitung der Gründung der Sozialistischen Einheitspartei, 30./ 31. März 1946

VNN-BdA Kreis Freiburg (Hrsg.): Verfolgung, Widerstand, Neubeginn in Freiburg 1933–1945, Freiburg 1981, S. 203.

Die Landeskonferenz der Sozialistischen Partei Badens (französische Zone), die am 17. Februar 1946 in Villingen stattfand, äußerte in ihrer Entschließung über die Schaffung einer sozialistischen Einheitsfront den Wunsch, von der Kommunistischen Partei Badens (französische Zone) die Bestätigung zu erhalten, daß die Kommunisten ihren Kampf um die sozialistische Ordnung »völlig unabhängig von fremdem Einfluß führen, damit die Voraussetzung des organisatorischen Zusammenschlusses beider Parteien in sehr naher Zeit gegeben sei«.

Die Kommunistische Partei Badens hat bereits am 10. März auf ihrem Parteitag in Karlsruhe hierauf eine klare Antwort erteilt und erklärt, daß die Kommunistische Partei, wie in ganz Deutschland, so auch in Baden, ihre Ziele frei und unabhängig von jeder fremden Macht und jedem fremden Einfluß verfolgt.

Die Landeskonferenz der Kommunistischen Partei Südbadens wiederholt und unterstreicht die eindeutige Stellungnahme des Badischen Parteitages zu dieser Frage. Sie gibt der Erwartung Ausdruck, daß der inzwischen am 7. März in Freiburg von den Landesvorständen beider Parteien gebildete Ausschuß nunmehr unverzüglich die Vereinigung beider Parteien zur »Sozialistischen Einheitspartei« vorbereitet und den Entwurf eines vorläufigen Programms und Statuts der Einheitspartei fertigstellt.

Als nächsten Schritt zur Verwirklichung der Vereinigung schlagen wir folgende Maßnahmen vor:

1. Bildung örtlicher Ausschüsse. Gemeinsame Besprechungen über Gemeinde- und Kreisangelegenheiten, engste Zusammenarbeit in Verwaltung und Betrieben.
2. Monatliche gemeinsame Mitgliederversammlung mit Referaten sozialistischer und kommunistischer Genossen.
3. Gemeinsame öffentliche Versammlungen, zu denen beide Parteien einladen, gleichgültig ob ein SP- oder KP-Genosse spricht. Zumindesten sollte bei jeder öffentlichen Versammlung eine Begrüßung der veranstaltenden Partei durch eine Abordnung der Bruderpartei stattfinden.
4. Gemeinsame Funktionärsschulung, Herausgabe von Informationsmaterial und eine gemeinsame Zeitung.
5. Vorbereitung von Listen der »Sozialistischen Einheitspartei« für die kommenden Gemeindewahlen, gemeinsame Wahlplakate, Kundgebungen.
6. Gleiche Aufnahmebedingungen, gegenseitige Informationen über abgelehnte Aufnahmegesuche.
7. Gemeinsame Vorschläge zur Umbildung der badischen Ministerialbeamtenverwaltung in eine von den politischen Parteien getragene Regierung.
8. Sofortige Aufgabe: Vorbereitung der gemeinsamen Kundgebungen am 1. Mai 1946 zusammen mit den Gewerkschaften. Gemeinsame Maiausschüsse zur Vorbereitung der Demonstrationen, Arbeitsruhe und Veranstaltungen.

Die Landeskonferenz der Kommunistischen Partei Südbadens ist überzeugt, daß die sofortige Inangriffnahme der Vereinigung der Kommunistischen und der Sozialistischen Partei in der Arbeiterschaft und bei allen aufrechten Antifaschisten Badens große Zustimmung und Freude auslösen wird, weil durch die starke Sozialistische Einheitspartei die Garantie für die Verwirklichung einer wahren, sozialen Demokratie gegeben sein wird, für die Ausschaltung des offenen und geheimen Einflusses nationalsozialistischer und reaktionärer Kräfte in Verwaltung und Wirtschaft, für das Mitbestimmungsrecht der Werktätigen in der Produktion und bei der Verteilung der Güter, für die Sicherung der Ernährung, der Kleidung, des Wohnraums für die Bedürftigen und die Fürsore für die Kriegs- und Naziopfer, die Ausgesiedelten, die Invaliden, Kranken und Alten unseres Volkes.

Die Landeskonferenz der Kommunistischen Partei Südbadens schlägt daher der Sozialistischen Bruderpartei vor, durch den am 7. März in Freiburg gebildeten Enheitsausschuß noch in der ersten Hälfte des Monats April eine gemeinsame Konferenz der erweiterten Parteileitungen nach Freiburg einzuberufen, die über das Statut und das vorläufige Programm der »Sozialistischen Einheitspartei« beraten und Beschlüsse fassen soll.

h) Resolution der ersten allgemeinen öffentlichen Mitgliederversammlung der Kommunistischen Partei Freiburg, 13. April 1946

VVN-BdA Kreis Freiburg (Hrsg.): Verfolgung, Widerstand, Neubeginn in Freiburg 1933–1945, Freiburg 1981, S. 203.

Von der Erkenntnis durchdrungen, daß die durch den totalen politischen und wirtschaftlichen Zusammenbruch des Faschismus geschaffene Lage in Deutschland und die sich hieraus ergebenden großen historischen Aufgaben nur gemeistert werden können durch den Einsatz der geeinten, geballten Kraft aller Werktätigen, begrüßt die Mitgliederversammlung der Kommunistischen Partei Freiburg die Bestrebungen der Parteileitung, durch gemeinsame Besprechungen mit der Sozialistischen Partei, die Voraussetzungen zur Bildung einer einheitlichen sozialistischen Partei (Sozialistische Einheitspartei) vorzubereiten. Die große historische Stunde verlangt nicht ein gegenseitiges Kräftemessen, sondern ein einiges, geschlossenes Handeln. Schon beginnt die geschlagene Reaktion sich zu rühren; nichts deutet darauf hin, daß sie sich mit ihrer Niederlage abgefunden hat. Mit allen Mitteln, von der scheinheiligen Loyalitätserklärung bis zur offenen Sabotage, ist die Reaktion am Werke, um ihre Positionen in Staat und Wirtschaft zu verteidigen und wieder zu festigen. Die politische Säuberung an den entsprechenden Stellen ist kaum in Angriff genommen. Vieles ist noch zu tun, um Staat und Wirtschaft vom Nazigeist zu säubern. Deshalb ist die Einigung der Arbeiterklasse, der politische und organisatorische Zusammenschluß in einer einheitlichen sozialistischen Partei das Gebot der Stunde und die einzige Garantie, daß die Absichten der Reaktion zunichte gemacht werden und der Aufbau einer freiheitlichen, demokratischen Republik, in der der Wille des Volkes oberstes Gesetz ist, verwirklicht werden kann.

i) Appell eines Initiativkreises an die Landesvorstände der Sozialistischen und der Kommunistischen Partei Badens zur sofortigen Vereinigung, Sommer 1946

VVN-BdA Kreis Freiburg (Hrsg.): Verfolgung, Widerstand, Neubeginn in Freiburg 1933-1945, Freiburg 1981, S. 205.

Für die »Sozialistische Einheitspartei Badens«

Die furchtbare Not, in die uns die verbrecherische Hitlerdiktatur gestürzt hat, kann nur überwunden werden durch die Aufrichtung eines antifaschistisch-demokratischen Staates, durch die Ausmerzung jedes faschistischen, militaristischen und reaktionären Einflusses, durch eine planvolle Wirtschaftsordnung und die aufrichtige Bereitschaft zu Frieden und Völkerversöhnung.

Die Fundamentierung der neuen Demokratie aber, die Durchführung des wirtschaftlichen Aufbaus, die Vorbereitung einer friedlichen Zukunft setzt den politischen Zusammenschluß aller Sozialisten auch im Lande Baden voraus.

Ohne sozialistische Einheit keine wirkliche Demokratie, ohne Sozialistische Einheitspartei keine Sicherung des Wiederaufbaus, ohne Sozialismus keine sinnvolle Gestaltung des Lebens.

Aus dieser Erkenntnis haben die Landesvorstände der Sozialistischen und der Kommunistischen Partei Badens schon am 7. März dieses Jahres einen Ausschuß zur Vorbereitung der Vereinigung beider Parteien gebildet.

Die Unterzeichneten sind der Ansicht, daß die Durchführung der Verschmelzung beider Parteien ein Gebot der Stunde ist. Sie fordern darum die Vorstände der Sozialistischen und Kommunistischen Partei auf, zu handeln und alle Männer und Frauen, die sich zum Kampf um die sozialistische Ordnung bekennen, in der »Sozialistischen Einheitspartei Badens« zu vereinigen, die Partei aller Schaffenden in Stadt und Land, die Partei der Arbeiter und Bauern, der Angestellten und Beamten, der Techniker und Ingenieure, der Wissenschaftler und Künstler zu gründen.

Die Unterzeichneten erklären sich ausdrücklich und freiwillig bereit, der neu zu gründenden »Sozialistischen Einheitspartei Badens« sofort als Mitglieder beizutreten.

j) Mitteilung der französischen Militärbehörde an die Initiatoren der »Sozialistischen Einheitspartei Badens« über das Verbot von Druck und Verbreitung ihres Appells, Sommer 1946

VVN-BdA Kreis Freiburg (Hrsg.): Verfolgung, Widerstand, Neubeginn in Freiburg 1933–1945, Freiburg 1981, S. 206.

Ich habe die Ehre, Ihnen mitzuteilen, daß die Militärregierung weder Druck noch Verbreitung unter einer anderen Form des Textes gestattet, welcher dem oben erwähnten Schreiben beigefügt war. Dies hat folgenden Grund: Es gibt in Baden keine Sozialistische Einheitspartei. Nur die ordnungsgemäß genehmigten Parteien haben laut Verordnung Nr. 23 das Recht, eine Werbetätigkeit zu entfalten.

Fourcault de Pavant

114 — April 1946 – Oktober 1952

Der Kampf der Gewerkschaften um Mitbestimmung im Betrieb und bei der Reorganisation der Wirtschaft

a) Kontrollratsgesetz Nr. 22 (Betriebsrätegesetz), 10. April 1946

Herbet Michaelis/Ernst Schraepler (Hrsg.): Ursachen und Folgen, Bd. XXIII, Berlin o.J., S. 361ff.

Artikel I

Zur Wahrnehmung der beruflichen, wirtschaftlichen und sozialen Interessen der Arbeiter und Angestellten in den einzelnen Betrieben wird hiermit die Errichtung und Tätigkeit von Betriebsräten in ganz Deutschland gestattet.

Artikel II

1. Der Betriebsrat eines Betriebes ist lediglich aus dem Kreise von Personen zu bilden, die tatsächlich in diesem Betriebe tätig sind.

2. Funktionäre der früheren Deutschen Arbeitsfront oder Mitglieder der Nationalsozialistischen Partei können nicht Mitglieder des Betriebsrats sein.

Artikel III

1. Die Wahl der Mitglieder des Betriebsrats muß unter Anwendung demokratischer Grundsätze und mittels geheimer Abstimmung erfolgen.

2. Die Mitglieder des Betriebsrats üben ihr Amt für höchstens ein Jahr aus, jedoch ist Wiederwahl zulässig.

Artikel IV

1. Die Arbeiter und Angestellten eines Betriebs können einen vorbereitenden Ausschuß zu dem Zwecke bilden, Vorschläge über die Zusammensetzung des Betriebsrats und die Durchführung der Wahl von Betriebsratsmitgliedern zu machen. Diese Vorschläge bedürfen der Zustimmung der Arbeiter und Angestellten des Betriebes, die durch Mehrheitsbeschluß zu geben ist.

2. Anerkannte Gewerkschaften können an der Bildung von vorbereitenden Ausschüsssen und an der Organisation von Wahlen zu Betriebsräten teilnehmen und Kandidaten für den Betriebsrat aus den Reihen der Arbeiter und Angestellten des betreffenden Betriebes aufstellen.

Artikel V

1. Soweit nicht anderweitige gesetzliche Regelungen oder Beschränkungen bestehen, hat der Betriebsrat grundsätzlich die folgenden, den Schutz der Interessen der Arbeiter und Angestellten eines Betriebes betreffenden Aufgaben:

a. mit den Arbeitgebern über Anwendung der Tarif-(Kollektiv-)Verträge und der internen Betriebsordnung auf die einzelnen Betriebe zu verhandeln;

b. mit den Arbeitgebern über Vereinbarungen für den Erlaß von Betriebsordnungen zum Zwecke des Arbeitsschutzes einschließlich der in das Gebiet der Unfallverhütung, ärztlichen Betreuung, betriebshygienischen und sonstigen Arbeitsbedingungen, Regelung von Einstellungen und Entlassungen und Abstellung von Beschwerden fallenden Angelegenheiten zu verhandeln;

c. dem Arbeitgeber Vorschläge für die Verbesserung der Arbeitsmethoden und Produktionsweise zur Vermeidung von Arbeitslosigkeit zu unterbreiten;

d. Beschwerden zu untersuchen und mit dem Arbeitgeber zu besprechen; Arbeitern, Angestellten und Gewerkschaften bei der Vorbereitung von Fällen, die den Gewerbeaufsichtsbeamten, den Sozialversicherungs- und Arbeitsschutzbehörden, den Arbeitsgerichten und anderen Behörden, die für die Schlichtung von Arbeitsstreitigkeiten zuständig sind, unterbreitet werden sollen, behilflich zu sein;

e. mit den Behörden bei der Verhinderung aller Rüstungsindustrie und bei der Denazifizierung von öffentlichen und privaten Betrieben zusammenzuarbeiten;

f. an der Schaffung und Leitung von sozialen Einrichtungen, die der Wohlfahrt der Arbeiter eines Betriebes dienen sollen, unter Einschluß von Kinderheimen, ärztlicher Fürsorge, Sport und ähnlichen Einrichtungen mitzuwirken.

2. Die Betriebsräte bestimmen im Rahmen dieses Gesetzes selbst ihre Aufgaben im einzelnen und die dabei zu befolgenden Verfahren.

Artikel VI

1. Der Betriebsrat oder dessen Vertreter haben das Recht, Zusammenkünfte im Betrieb abzuhalten und von dem Arbeitgeber oder dem von ihm bestimmten Vertreter gehört zu werden, um mit ihm über zu ihrer Zuständigkeit gehörende Angelegenheiten verhandeln zu können.

2. Der Arbeitgeber hat dem Betriebsrat in regelmäßigen Zeitabständen alle Unterlagen, die zur Durchführung seiner grundsätzlichen Aufgaben erforderlich sind, zu unterbreiten.

3. Der Betriebsrat und der Arbeitgeber treffen ein Übereinkommen über den Inhalt der dem Betriebsrat zu unterbreitenden Berichte und über Tag und Stunde von Zusammenkünften. Ein solches Übereinkommen kann die Anwesenheit von Vertretern des Betriebsrates bei Zusammenkünften des aufsichtführenden Organs des Betriebes zu Informationszwecken vorsehen.

Artikel VII

Die Betriebsräte führen ihre Aufgaben in Zusammenarbeit mit den anerkannten Gewerkschaften aus.

Artikel VIII

Die Betriebsräte müssen neben ihren regelmäßigen Zusammenkünften mindestens einmal im Vierteljahr in einer Generalversammlung der Arbeitgeber und Angestellten ihres Betriebes einen vollen Tätigkeitsbericht ablegen.

Artikel IX

Der Arbeitgeber darf weder die Errichtung von Betriebsräten in seinem Betrieb verhindern, noch deren Tätigkeit stören oder Mitglieder des Betriebsrates benachteiligen.

Artikel X

Die Behörden der Militärregierung können Betriebsräte auflösen, wenn deren Tätigkeit den Zielen der Besatzungsmächte entgegengerichtet ist oder gegen Bestimmungen dieses Gesetzes verstößt.

Artikel XI

Die Bestimmungen dieses Gesetzes gelten auch für solche Betriebsräte, welche bereits vor dem Inkrafttreten dieses Gesetzes bestanden haben.

Artikel XII

Alle deutschen Gesetze, welche zu diesem Gesetz in Widerspruch stehen, werden aufgehoben oder gemäß den Bestimmungen dieses Gesetzes geändert.

Artikel XIII

Dieses Gesetz tritt mit dem Tage seiner Verkündung in Kraft.

b) Schreiben des Ortsausschusses der Freiburger Gewerkschaften an das Badische Wirtschaftsministerium betreffend die Entsendung von Gewerkschaftsvertretern in die dem Wirtschaftsministerium unterstellten Ausschüsse, 18. Juli 1946

Staatsarchiv Freiburg, A 7, Nr. 249, Az 531.

In der Ortsausschußsitzung der Freiburger Gewerkschaften vom 17. d.M. wurde besprochen, daß eine größere Vertretung der Interessen der Berufstätigen in den einzelnen Stellen des Landeswirtschaftsministeriums gewahrt werden solle. Wir denken dabei an die Entsendung von Gewerkschaftsvertretern in die dem Wirtschaftsministerium unterstellten Kammern bzw. Ausschüsse oder Innungsverbände. In Frage kommt ganz besonders eine Bildung von Ausschüssen bei der Industrie- und Handelskammer, der Handwerkskammer sowie den Handwerksinnungen. Diese Entsendung von Vertretern liegt im Interesse eines reibungslosen und schnellen Wiederaufbaues unserer Wirtschaft sowie in der Wahrung der Belange der Werktätigen in diesen Körperschaften. Wir haben feststellen müssen, daß dort mitunter weltfremde Entscheidungen getroffen werden, entgegen dem Willen nicht nur der Gewerkschaften, sondern auch der Arbeitgeber. Wir verweisen hier auf folgenden Vorfall, wonach bezüglich der Umschulung von Arbeitern zu Bauarbeitern die Handwerkskammer an einer Lehrzeit von 3 Jahren festhält, obwohl die Vertreter der Arbeitgeber sowie der Gewerkschaft der Bauarbeiter für eine Herabsetzung dieser Lehrzeit eingetreten sind. Es kann keinem zugemutet werden, sich zur Umschulung nochmals einer Lehrzeit zu unterziehen, die für einen Personenkreis festgesetzt ist, der aus der Schule entlassen wird und nicht so aufnahmefähig ist als Menschen, die bereits älter sind.

Auch für die Preisübersichtsstelle oder Preiskommission zur Preisbildung oder Preisüberwachung von Industrieprodukten wünschen die Gewerkschaften eine Vertretung zu haben, und sind sie bereit, nach Rückfrage Personen dafür namhaft zu machen.

Im Amtsblatt Nr. 10 des Staatssekretariats für das französisch besetzte Gebiet Württemberg-Hohenzollern ist eine Rechtsanordnung über die Organisation der Wirtschaft erlassen worden. Wir wissen nicht, ob für die französisch besetzte Zone Badens eine ähnliche oder dieselbe Anordnung erlassen wird, in der die Organisation der Wirtschaft und die Aufgabengebiete den einzelnen Dienststellen zugeteilt ist. In dieser Rechtsanordnung sind die einzelnen Stellen, in welche die Gewerkschaften Vertreter entsenden können, benannt, und haben wir ein großes Interesse daran, auch beim Badischen Wirtschaftsministerium eine starke Vertretung durch die Gewerkschaften durchführen zu können.

Wir bitten Sie hierdurch höflichst um Rückäußerung, in welcher Form die Organisation der Wirtschaft in Baden vom Badischen Wirtschaftsministerium gedacht ist.

c) Entschließung der Mitgliederversammlung des Chemie- und Fabrikarbeiterverbandes Freiburg, 22. August 1946

Staatsarchiv Freiburg, A 7, Nr. 249, Az 531.

Die Mitgliederversammlung des Chemie- und Fabrikarbeiterverbandes in Freiburg stimmte folgender Entschließung einstimmig zu:

Die Lage des werktätigen Volkes nimmt als Folge der Hitlerischen Katastrophenpolitik von Tag zu Tag schlimmere Formen an. Die Arbeiter können in den Fabriken ihre Leistungsnormen nicht mehr aufrechterhalten, weil die derzeitigen Ernährungssätze bei weitem nicht ausreichen, um das Leben auf die Dauer zu erhalten. Die Gewerkschaften als die berufenen Vertreter, die Lohn- und Lebensbedingungen der werktätigen Bevölkerung zu verbessern, sehen mit großer Sorge dem Kommenden entgegen. Die Preisentwicklung und die rapid steigenden Lebenshaltungskosten sind heute für die breitesten Kreise nicht mehr tragbar.

Wir verlangen daher das Mitbestimmungsrecht der Gewerkschaften bei der Preiskontrolle und die Rückführung der Preise auf ein dem Lohn entsprechendes Niveau.

Wir verlangen von den deutschen zuständigen Behörden und Ämtern die bessere Erfassung und gerechte Verteilung der vorhandenen Lebensmittel, insbesondere die Sicherung der Obst- und Gemüseversorgung der badischen Städte.

Wir verlangen die energische und wirksame Bekämpfung des Schwarzhandels, der gewerbsmäßigen Hamsterer, die sich vor dem Arbeitseinsatz drücken und täglich aufs Land fahren.

Die Versammlung bedauert das Fehlen eines Vorparlamentes, um die breiteste demokratische Mitarbeit des Volkes zu sichern. Sie sieht in dieser Mitarbeit der Parteien und vor allem in dem Mitbestimmungsrecht der Gewerkschaften in der Wirtschaft, die wesentlichste Voraussetzung zum Neuaufbau und zur Verbesserung der Wirtschaft. Der so nötige Lebensmittelimport erfordert die Schaffung der dazu notwendigen Exportindustrie, welche nur auf der Grundlage unserer wirtschaftlichen Einheit verwirklicht werden kann.

d) Entschließung der Betriebsrätekonferenz des Landkreises Lörrach, 13. Dezember 1946

Staatsarchiv Freiburg, A 7, Nr. 249, Az 531.

Die am 13. Dezember in Lörrach versammelten Betriebsräte des gesamten Landkreises haben mit Interesse die Referate über die Rechte und Aufgaben der Betriebsräte entgegengenommen. Sie sind einmütig der Auffassung, daß die Betriebsräte heute im Neuaufbau der Wirtschaft eine bevorrechtigte Stellung einnehmen, und beanspruchen das Recht, in den Betrieben, bei der Erfüllung der wirtschaftlichen Zwecke und zur Wahrung der Belange der Werktätigen mitbestimmend tätig zu sein.

Notwendig dazu ist es, daß der Verschlechterung der Lage der Arbeitnehmer Einhalt geboten wird, daß die Betriebe nicht mehr dem Profitinteresse der Unternehmer und Aktionäre zu dienen haben, sondern der Versorgung und dem Bedarf des Volkes. Voraussetzung dafür ist die Entfernung aller Nazi-Aktivisten und Saboteure aus leitenden Stellungen der Wirtschaft und Verwaltungen.

Die versammelten Betriebsräte sind bereit, willig und loyal am Aufbau einer neuen demokratischen Wirtschaft mitzuarbeiten und stellen dazu folgende Forderungen:

1. Entschädigungslose Übereignung der unter Paragraph 52 fallenden Betriebe an Gemeinden und Selbstverwaltungen.

2. Auflösung der Trusts, Konzerne, Kartelle und Syndikate.

3. Mitbestimmungsrecht der Betriebsräte und Gewerkschaften in Betrieben und Wirtschaftsorganisationen. Demokratische Zusammensetzung der Industrie- und Handelskammer auf der Parität ein Drittel Unternehmer, ein Drittel Gewerkschaftler, ein Drittel Behörden.

4. Sicherstellung einer ausreichenden Ernährung der Schaffenden. Die heutigen Rationen sind unzureichend, der Gesundheitszustand ist ein äußerst schlechter und wirkt sich katastrophal auf die Arbeitskraft der Werktätigen aus.

Es ist erforderlich, auf dem Ernährungssektor alle Anstrengungen zu machen, um die restlose Erfassung der vorhandenen Lebensmittel zu sichern, die Ablieferung zu steigern und eine gerechte Verteilung der erfaßten Lebensmittel zu gewährleisten.

Durch Wegfall der wirtschaftlichen Zonengrenzen ist ein erleichterter Austausch von Lebensmitteln mit anderen Gebieten anzustreben und durch Einfuhr weiterer Lebensmittel die Ernährungsgrundlage zu verbessern.

5. Zur vollen Ausschöpfung der Möglichkeiten in unserem heimischen Gebiet verlangen wir Überprüfung der Anbauflächen, um statistisch einwandfreie Unterlagen zur Planung und Erfassung zu haben. Durch die Unterlassung der Prüfung der tatsächlichen Anbauflächen war es bisher möglich, Erzeugnisse der Landwirtschaft in die Kanäle der Schieber und Wucherer zu leiten.

Die Konferenz lenkt die Aufmerksamkeit der verantwortlichen Stellen auf die zu einem erheblichen Teil noch schlechte Milchanlieferung und die dadurch bedingte Gefährdung der Frischmilch und Fettversorgung.

Wir fordern vom Ernährungsamt Kontrolle der Milcherzeugung durch Probemelkungen und strengste Maßnahmen gegen alle Säumigen. Etwa 50% des Kreises Lörrach liegen unter 80% ihres Milchablieferungssolls.

Zur Deckung des Frischfleischbedarfes sind jene Gemeinden mit schlechter Milchablieferung bei der Abgabe von Schlachtvieh besonders heranzuziehen.

6. Gleichzeitig bittet die Konferenz die Militärregierung zur Deckung ihres Schlachtviehbedarfs auch Schlachttiere der C- und D-Klasse zu akzeptieren.

Durch die ökonomische Struktur Südbadens ist es nicht möglich, die Bewohner aus der eigenen Landwirtschaft zu ernähren. Aus dieser Tatsache heraus erachtet es die Konferenz unbedingt für notwendig, daß zur Ernährung der Bevölkerung Lebensmittelimporte gegen Exporte von Industrieerzeugnissen gemacht werden.

In Anbetracht der katastrophalen Kartoffelversorgung und Senkung der Brotration, bittet die Betriebsrätekonferenz die Militärregierung um wohlwollende Überprüfung der laufenden Entnahmen für den Militärsektor, sowie eine tragbare Verteilung der pflichtgemäßen 5%igen Umlage auf die gesamten französischen Gebiete.

7. Die Konferenz fordert, einen einheitlichen Ernährungssatz aller Schaffenden in der französisch besetzten Zone anzustreben und zu gewährleisten, im Interesse der Solidarität mit jenen Industriearbeitern, die nicht in einer Prioritätsstadt ihrer Arbeit nachgehen. Im Interesse der Zusammenarbeit aller Kräfte im Landkreis und in unserer Zone muß jede Autarkiepolitik im einzelnen Kreis oder zwischen den Kreisen vermieden werden.

e) Entschließung einer öffentlichen Kundgebung des Ortsausschusses der Schopfheimer Gewerkschaften, 19. Januar 1947

Staatsarchiv Freiburg, A 2, Nr. 89.

Die am 19. Dezember 1947 im »Pflugsaal« in Schopfheim stattgefundene öffentliche Kundgebung der Gewerkschaften von Schopfheim und Umgebung nimmt mit Entrüstung Kenntnis von der reaktionären Einstellung der Unternehmer in der Frage des Mitbestimmungsrechtes der Betriebsräte. Die Versammlung ist der Auffassung, daß die Arbeiterschaft mit dem Bauerntum der wichtigste Träger des neuen demokratischen Deutschland ist.

Im Artikel 39 der badischen Verfassung ist das Mitbestimmungsrecht der Arbeitnehmer an der Gestaltung und Verwaltung der Betriebe festgelegt. Die in der Kundgebung vollzählig versammelten Belegschaften der Betriebe von Schopfheim und Umgebung erwarten von der Regierung und vom badischen Landtag die alsbaldige Annahme des vom Badischen Gewerkschaftsbund ausgearbeiteten und veröffentlichten Betriebsrätegesetzentwurfes.

Die Arbeiterschaft ist der Auffassung, daß die Forderung, in der Wirtschaftsgestaltung mitzuwirken, eine der wesentlichsten Voraussetzungen für eine gesunde Entwicklung ist. Sie protestiert deshalb mit allem Nachdruck gegen die von den Unternehmern beabsichtigte Boykottierung unserer, in der Verfassung festgelegten Rechte.

f) Schreiben des Badischen Gewerkschaftsbundes an den Ortsausschuß Lahr betreffend den Abschluß von Betriebsvereinbarungen, 29. Juli 1947

DGB Offenburg, Schriftverkehr des Ortsausschusses Lahr mit dem Badischen Gewerkschaftsbund 1946–1949.

Seit Monaten bemühen sich die Gewerkschaften durch die Betriebsräte zum Abschluß von betrieblichen Vereinbarungen über das Mitbestimmungsrecht in der Verwaltung und Gestaltung der Betriebe zu kommen. Die Unternehmer haben in den letzten Wochen alles versucht, den Abschluß dieser Betriebsvereinbarung zu verhindern und zu verschleppen. Schon Ende letzten Jahres haben die Gewerkschaften begonnen, in jedem Kreis eine Betriebsrätekonferenz durchzuführen. Das Ergebnis war äußerst zufriedenstellend. Auf die Initiative der Betriebsräte hin wurden Hunderte von Betriebsvereinbarungen den einzelnen Unternehmern vorgelegt. Die ablehnende Haltung wurde von den Betriebsleitungen meistens mit dem Fehlen gesetzlicher Bestimmungen begründet. Dies trifft keineswegs zu. Wir haben das Kontrollratsgesetz Nr. 22, das für ganz Deutschland gültig ist. Desweiteren haben wir die Verfügung der Französischen Militärregierung vom 29. Juli 1946 (veröffentlicht in der Broschüre »Das Recht der Betriebsräte«), wonach Teile des Betriebsrätegesetzes vom 4. Februar 1920 als Ausführungsbestimmungen zum Betriebsrätegesetz Nr. 22 bis zur weiteren Entscheidung durch den Landtag wieder in Kraft gesetzt werden.

In dem Artikel 66 werden, im Rahmen des Kontrollratsgesetzes Nr. 22, die Aufgaben der Betriebsräte in 13 Punkten zusammengefaßt. Und in Artikel 75 wird auf die Vereinbarung einer Betriebsordnung laut §66 Abschnitt 5 hingewiesen und bei Streitigkeiten auf die bindende Entscheidung des Schlichtungsausschusses aufmerksam gemacht.

In der Nummer 8 und 9 »Der badische Gewerkschaftler« hat Dr. Hessel ebenfalls in einem dementsprechenden Artikel Fragen der Betriebsvereinbarungen behandelt.

Der Vorstand des Badischen Gewerkschaftsbundes schlägt in Anbetracht des hartnäckigen Widerstandes der Unternehmer den Ortsausschüssen vor, sofort mit den Betriebsräten in Verbindung zu treten und ihnen zu empfehlen, ihren Betriebsleitungen die Anrufung des Schlichtungsausschusses bekannt zu machen. Zu dieser Entscheidung ist ein Beschluß des Betriebsrates und die Bekanntgabe desselben an die Belegschaft notwendig. Wir erwarten die unmittelbare Inangriffnahme dieser Maßnahmen und eine starke Initiative der Ortsausschüsse, damit den berechtigten Forderungen der Gewerkschaften der nötige Nachdruck gegeben und den Herren Unternehmern die führende Rolle der organisierten Arbeiter und Angestellten bewußt wird.

Die in den Betriebsratssitzungen protokollarisch festgelegten Anträge an den Schlichtungsausschuß ersuchen wir, uns durch die Ortsausschüsse schnellstens zuzuleiten, damit wir sie dem Vorsitzenden des Schlichtungsausschusses einreichen können.

g) Schreiben der Landesvereinigung der Gewerkschaften, Industriegruppe Metall Südbaden, an das Badische Wirtschaftsministerium betreffend den Abschluß von Betriebsvereinbarungen, 13. August 1947

Staatsarchiv Freiburg, A 7, Nr. 249, Az 531.

Die Betriebsräte der Metallindustrie sowie verschiedener anderer Industriezweige haben aufgrund des Kontrollratsgesetzes Nr. 22 versucht, mit ihren Arbeitgebern eine Betriebsvereinbarung abzuschließen, und sind zu diesem Zweck schon teilweise in Verhandlungen eingetreten. Nun aber schalten sich in diese rein betriebliche Angelegenheit die Industrie- und Handelskammern ein, und ist von seiten der Industrie- und Handelskammer Baden-Baden bereits ein Rundschreiben an sämtliche im Bezirk Rastatt gelegenen Betriebe ergangen, worin die betreffenden Betriebe aufgefordert werden, jeden Abschluß von Betriebsvereinbarungen oder Verhandlungen abzulehnen. Eine am 6.8.1947 in Gaggenau stattgefundene Betriebsrätevollversammlung hat bereits zu dieser Angelegenheit Stellung genommen und beiliegende Entschließung einstimmig angenommen.

Wir erblicken nun auch in dem Vorgehen der Industrie- und Handelskammer nicht nur einen Übergriff, sondern einen direkten Verstoß gegen das Kontrollratsgesetz Nr. 22 und gegen die Badische Verfassung, da die Industrie- und Handelskammer weder als Arbeitgebervereinigung noch als Interessenvertretung derselben den Arbeitnehmern gegenüber befugt ist, hemmend in Verhandlungen einzugreifen.

Um noch eine Wiederholung derartiger Vorkommnisse zu vermeiden, bitten wir freundlichst, die Industrie- und Handelskammer veranlasssen zu wollen, besagtes Rundschreiben zurückzuziehen, um dadurch die Ruhe innerhalb der Betriebe wiederherzustellen. Gleichzeitig werden wir uns gestatten, unsere Forderung auf paritätische Zusammensetzung der Kammern zu erheben und bitten uns, Ort und Zeit der Unterredung mitteilen zu wollen.

h) Schreiben der Landesgemeinschaft der industriellen Fachvereinigungen Südbadens an das Badische Ministerium für Wirtschaft und Arbeit betreffend den Entwurf zum Badischen Betriebsrätegesetz, 4. November 1947

DGB Freiburg, Dokumente zur Geschichte der Gewerkschaft im DGB-Kreis Freiburg 1945-1949, II.

In der Anlage überreichen wir Ihnen den Entwurf zu einem Betriebsrätegesetz für das Land Südbaden. Wir verweisen darauf, daß infolge der Kürze der uns zur Verfügung stehenden Zeit dieser Entwurf keinerlei Anspruch auf Vollständigkeit und gute Durcharbeitung erheben kann und erlauben uns daher, Ihnen die grundsätzlichen Gedanken, die uns bei der Abfassung dieses Entwurfes geleitet haben, darzutun. Wir bitten Sie, dieselben bei der Abfassung des dem Landtag zu bringenden Entwurfes in vollem Umfange zu berücksichtigen.

Nach den grundsätzlichen Bestimmungen des Kontrollratsgesetzes ist der Betriebsrat berufen zur Wahrnehmung der beruflichen, wirtschaftlichen und sozialen Interessen der Arbeitnehmer in den einzelnen Betrieben. Wir legen den größten Wert darauf, daß auch tatsächlich der Betriebsrat und nicht lediglich Vertreter der organisierten Arbeitnehmerschaft in den einzelnen Betrieben als Vertreter der Belegschaft auftreten. Der Betriebsrat soll ein getreues Spiegelbild der Belegschaft des Betriebes darstellen; er vertritt lediglich die oben bezeichneten Belange der Arbeitnehmer des Betriebes. Es ist aus diesem Grunde nur folgerichtig, wenn ausschließlich der Betriebsrat in den Angelegenheiten des Betriebes mit der Betriebsleitung verhandelt. Wir halten es für unzweckmäßig und das gute Einvernehmen zwischen Arbeitnehmer und Arbeitgeber gefährdend, wenn sich in die Angelegenheiten des Betriebes Organisationen der Arbeitgeber und Arbeitnehmer einschalten. Es käme dadurch in die Betriebe ein Geist der Polemik und politischen Propaganda, der der sachlichen Arbeit unzuträglich wäre. Der ins Feld geführten geringeren Erfahrenheit und Gewandtheit der Vertreter des Betriebsrates sowie der laut Kontrollratsgesetz bestehenden Verpflichtung zur Zusammenarbeit der Betriebsräte mit den Gewerkschaften kann dadurch Rechnung getragen werden, daß sich die Vertreter des Betriebsrates außerhalb des Betriebes von den Gewerkschaften beraten lassen. Die bei diesen Besprechungen angegebenen Richtlinien müssen die Betriebsräte dann den Arbeitnehmern ihres Betriebes vortragen und sie in Übereinstimmung mit deren Willensmeinung der Betriebsleitung gegenüber vertreten. Denn der Betriebsrat soll ja »der Interessenvertreter der Arbeitnehmer seines Betriebes« sein, und nicht etwa ein Exponent der Gewerkschaften.

Die Zubilligung des Wahlrechtes für die Lehrlinge und Anlernlinge im Alter bis zu 18 Jahren halten wir, besonders im Hinblick auf die mittleren und kleineren Betriebe, für nicht tragbar. Die Lage ist hier in den meisten Fällen so, daß einer verhältnismäßig kleinen Zahl von Arbeitern und Meistern eine größere Gruppe von in der Ausbildung befindlichen jugendlichen Personen gegenübersteht. Hierdurch würde eine wesentliche Einflußnahme der Jugendlichen zu Ungunsten der älteren und erfahreneren Arbeiter Platz greifen, die sich unerwünscht auswirken könnte. Durch die Wahl eines Vertrauensmannes der Jugendlichen wäre die Wahrung ihrer Interessen sichergestellt.

Die Stellung eines gewerkschaftlichen Vertrauensmannes und die Vertretung des Betriebsrates durch einen Beauftragten der Gewerkschaft innerhalb des Betriebes muß aus den einleitend dargelegten grundsätzlichen Erwägungen abgelehnt werden.

Hinsichtlich der §§ 18 ff. verweisen wir auf unsere Ausführungen in der Sitzung vom 30. Oktober a.c. Wir stellen nochmals fest, daß wir einem Mitwirkungs- und Mitbestimmungsrecht der Arbeitnehmer auf sozialem Gebiete das Wort reden, aber im Rahmen der bestehenden Gesetze keine Möglichkeit sehen, ein Mitbestimmungsrecht auf wirtschaftlichem Gebiete anzuerkennen. Wir verkennen nicht, daß dem Wunsche der Arbeitnehmer, als vollwertige Mitarbeiter anerkannt und gewertet zu werden, Rechnung getragen werden muß, und halten es für angebracht und zweckmäßig, daß ein Anhörungsrecht der Arbeitnehmer in diesem Gesetz verankert wird. Wir halten auch ein Mitbestimmungsrecht des Betriebsrates bei Entlassungen von Arbeitnehmern unter Anerkennung des berechtigten Wunsches der Arbeitnehmer auf Sicherung ihrer Existenz für angemessen und vertretbar.

Die Beilegung von Streitigkeiten soll, wenn irgend möglich, durch friedliche Vereinbarung innerhalb des Betriebes erfolgen. Sollte dies zu keinem Erfolg führen, so soll bei Streitigkeiten sozialpolitischen Charakters der vereinbarte Sozialausschuß und sodann der Landesschlichtungsausschuß, bei arbeitsrechtlichen Streitigkeiten zunächst das Schiedsgericht und dann erst das Arbeitsgericht eine Regelung herbeiführen. Im Interesse des allgemeinen Arbeitsfriedens halten wir die Einfügung einer allgemeinen Friedensklausel in den Rahmen des Gesetzes für dringend erforderlich.

Wir stellen nochmals ausdrücklich fest, daß nach unserer Auffassung die volle Aufrechterhaltung des Direktionsrechtes des Arbeitgebers die unerläßliche Voraussetzung für ein reibungsloses Funktionieren der Wirtschaft bedeutet und daß die in dem von uns vorgelegten Entwurf gemachten Zugeständnisse in der Frage der Mitwirkung der Betriebsvertretung das äußerste Entgegenkommen darstellen, das zur Aufrechterhaltung einer eindeutigen Verantwortung des Arbeitgebers möglich ist. Es sollen deshalb auch in den noch abzuschließenden Betriebsvereinbarungen von Arbeitnehmerseite weitergehende Rechte nicht gefordert werden dürfen.

i) Offener Brief des Badischen Gewerkschaftsbundes an die industriellen Fachvereinigungen Südbadens betreffend den Entwurf zum Badischen Betriebsrätegesetz, 26. November 1947

Staatsarchiv Freiburg, A 7, Nr. 249, Az 531.

Der Badische Gewerkschaftsbund hat den Entwurf zu einem Betriebsrätegesetz der Öffentlichkeit übergeben. Er wurde auf zahlreichen Gewerkschafts- und Betriebsrätekonferenzen vollinhaltlich gutgeheißen und hat bei der Arbeiterschaft ein gutes Echo gefunden. In bisher noch nie gekannter Entschlossenheit und im einheitlichen Willen wird er nun zum Mittelpunkt des Kampfes der Schaffenden um das Recht der Mitbestimmung an der Verwaltung und Gestaltung der Betriebe werden.

Die bitteren Erfahrungen der Vergangenheit, der Nachkriegsjahre von 1918, der Inflation und der großen Wirtschaftskrise von 1929 mit allen ihren verheerenden Folgen der Arbeitslosigkeit, des Bauernruins und der Verarmung der Mittelstandskreise haben uns veranlaßt, gestützt auf das Kontrollratsgesetz Nr. 22 und den Artikel 39 der Badischen Verfassung, das Mitbestimmungsrecht zu fordern, weil wir glauben, dadurch auch der Gefahr eines neuen Krieges vorzubeugen. Die Geschichte würde sich nur wiederholen, wenn wir das alleinige Direktionsrecht in den Händen der Arbeitgeber lassen würden.

Sie haben sich nun veranlaßt gefühlt, einen Betriebsrätegesetzentwurf als Fachvereinigungen einzureichen. Dieses Recht hierzu sprechen wir Ihnen ab. In einem Begleitschreiben lehnen Sie das Mitbestimmungsrecht der Arbeitnehmer ab und wollen die Gewerkschaften ausschalten. Sie schreiben unter anderem:

»Wir halten es für unzweckmäßig und das gute Einvernehmen zwischen Arbeitnehmer und Arbeitgeber gefährdend, wenn sich in die Angelegenheiten des Betriebes Organisationen der Arbeitgeber und Arbeitnehmer einschalten. Es käme dadurch in die Betriebe ein Geist der Polemik und politischen Propaganda, der der sachlichen Arbeit unzuträglich wäre.«

Zum Schluß schreiben Sie: »Wir stellen nochmals ausdrücklich fest, daß nach unserer Auffassung die volle Aufrechterhaltung des Direktionsrechts des Arbeitgebers die unerläßliche Voraussetzung für ein reibungsloses Funktionieren der Wirtschaft bedeutet und daß die in dem von uns vorgelegten Entwurf gemachten Zugeständnisse in der Frage der Mitwirkung der Betriebsvertretung das äußerste Entgegenkommen darstellen, das zur Aufrechterhaltung einer eindeutigen Verantwortung des Arbeitgebers möglich ist. Es sollen deshalb auch in den noch abzuschließenden Betriebsvereinbarungen von Arbeitnehmerseite weitergehende Rechte nicht gefordert werden dürfen.«

Sie haben durch diesen Brief den Beweis erbracht, daß sie aus der Geschichte nichts gelernt haben. Unter den größten Entbehrungen haben die Arbeitnehmer die Betriebe neu aufgebaut und die Produktion in Gang gehalten. Nun wollen Sie das Mitbestimmungsrecht der Arbeitnehmer in der Produktion ablehnen! Sie wollen die Gewerkschaften ausschalten!

Können Sie uns nachweisen, daß wir auch in nur einem Fall gegen das Wohl des Volksganzen oder die Gesamtinteressen der Wirtschaft verstoßen haben? Können Sie uns nachweisen, daß wir unsere Mitglieder irgendwie parteipolitisch beeinflußt oder aus irgendwelchen Gründen bis jetzt zu Maßnahmen aufgefordert haben, welche den Unternehmern zum Schaden gereicht hätten?

Bei Maschinenentnahmen und in den Fragen der Ernährung haben Sie vielmals die Unterstützung der Gewerkschaften direkt gewünscht!

Wir haben erwartet, daß Sie genügend Gründe hätten, um aus der Geschichte zu lernen. Wir haben erwartet, daß Sie endlich begriffen hätten, daß nur mit den Gewerkschaften und den Arbeitnehmern insgesamt die Gesundung einer demokratischen Wirtschaft gewährleistet werden kann. Sie aber sind immer noch die Vertreter einer überholten kapitalistischen Wirtschaftsordnung, die dazu beigetragen haben, daß der größte Teil der Bevölkerung heute elend und hungernd der Arbeit nachgehen muß.

Wir wissen, daß ein großer Teil der Arbeitgeber mit Ihrer Politik nicht einig geht, deshalb verlangen Sie wohl, daß diesen fortschrittlichen Arbeitgebern gesetzlich untersagt wird, in den Betriebsvereinbarungen den Arbeitnehmern weitergehende Rechte zu bewilligen. Ihr Verlangen steht in krassem Gegensatz zum Kontrollratsgesetz.

Denken Sie nicht, dieses Spiel nochmals von vorn anfangen zu können. Wenn Sie der Arbeitnehmerschaft das Mitbestimmungsrecht trotz des Artikels 39 der Badischen Verfassung verweigern und die Gewerkschaften ausschalten wollen, dann versuchen Sie es. Die Verantwortung haben Sie zu tragen.

Der Vorstand des Badischen Gewerkschaftsbundes:
Reibel, Faulhaber, Vogel.

j) Aufruf des Badischen Gewerkschaftsbundes zum Kampf für die Verwirklichung des Mitbestimmungsrechts, November 1947

DGB Freiburg, Dokumente zur Geschichte der Gewerkschaft im DGB-Kreis Freiburg, 1945-1949, II.

Arbeitnehmer aufgepaßt!

Der umseitig abgedruckte Brief zeigt, daß ein großer Teil der Arbeitgeber noch nichts gelernt hat. Seit dem Zusammenbruch ist die Arbeitnehmerschaft mit den Gewerkschaften bemüht, unsere Produktion aufrechtzuerhalten. In vielen Fällen wurde von Arbeitgeberseite die Unterstützung durch die Gewerkschaften direkt gewünscht. Heute versucht man, den Arbeitnehmern das Mitbestimmungsrecht abzusprechen und die Gewerkschaften auszuschalten. ...

Es soll den Betriebsräten verboten werden, in Betriebsvereinbarungen das Mitbestimmungsrecht zu verankern, auch dann, wenn Arbeitgeber hierzu bereit sein sollten!

Es soll verboten werden, daß Gewerkschaftsvertreter an Betriebsratssitzungen oder Betriebsversammlungen teilnehmen!

Es wird den Gewerkschaften unterschoben, in den Betrieben politische Tendenzen zu verfolgen!

Wollt Ihr auf das Euch nach Artikel 39 der Badischen Verfassung zugestandene Recht der Mitbestimmung an der Verwaltung und Gestaltung der Betriebe verzichten? Wollt Ihr, daß die Gewerkschaften in den Betrieben ausgeschaltet werden? Wenn Ihr das nicht wollt, dann zeigt, daß es Euch ernst ist mit der Verwirklichung des Mitbestimmungsrechts. Deshalb hinein in die Gewerkschaften! Zeigt, daß Ihr nicht gewillt seid, die Gewerkschaften als die berechtigten Interessenvertreter der Arbeitnehmer ausschalten zu lassen.

Stärkt Eure Gewerkschaft! Haltet Disziplin!

Der Vorstand des Badischen Gewerkschaftsbundes

k) Monatsbericht des Badischen Arbeitsministeriums über die Tätigkeit der Betriebsräte und Gewerkschaften in Südbaden, 11. Dezember 1947

Staatsarchiv Freiburg, A 7, Nr. 726, Az 5522.

I. Betriebsräte

Die Versuche, aufgrund des Kontrollratsgesetzes vom 10.4.1946 Betriebsvereinbarungen abzuschließen, haben nur noch in einigen Betrieben Erfolg gehabt. Im Holzgewerbe haben in der letzten Woche zwischen Vertretern der betreffenden Fachvereinigung und Gewerkschaftsvertretern der Holzarbeitergewerkschaft Verhandlungen über eine Muster-Betriebsvereinbarung für die ganze Industrie stattgefunden, die wahrscheinlich in absehbarer Zeit zu einem Erfolg führen werden.

Zur Frage des zu schaffenden Betriebsrätegesetzes: Eine vom Ministerium der Wirtschaft und Arbeit für den 20. November anberaumte Zusammenkunft von Vertretern der Fachvereinigungen, die sich zu einer »Landesgemeinschaft der industriellen Fachvereinigungen Südbadens« zusammengeschlossen haben, und Vertretern der Gewerkschaften sollte sich mit den Grundlinien für ein Betriebsrätegesetz befassen. Die Sitzung verlief nach kurzer Dauer ergebnislos. Die Arbeitgeber unterbreiteten nämlich eingangs der Besprechungen den Gewerkschaftsvertretern ein gedrucktes Schreiben, in welchem unter anderem folgende Bemerkungen enthalten waren:

»...Wir legen den größten Wert darauf, daß auch tatsächlich der Betriebsrat und nicht lediglich Vertreter der organisierten Arbeitnehmerschaft in den einzelnen Betrieben als Vertreter der Belegschaft auftreten. Der Betriebsrat soll ein getreues Spiegelbild der Belegschaft des Betriebes darstellen; er vertritt lediglich die oben bezeichneten Belange des Betriebs. Es ist aus diesem Grunde nur folgerichtig, wenn ausschließlich der Betriebsrat in den Angelegenheiten des Betriebes mit der Betriebsleitung verhandelt. Wir halten es für unzweckmäßig und das gute Einvernehmen zwischen Arbeitnehmer und Arbeitgeber gefährdend, wenn sich in die Angelegenheiten des Betriebes Organisationen der Arbeitgeber und Arbeitnehmer einschalten. Es käme dadurch in die Betriebe ein Geist der Polemik und politischen Propaganda, der der sachlichen Arbeit unzuträglich wäre. Der ins Feld geführten geringen Erfahrenheit und Gewandtheit der Vertreter des Betriebsrates sowie der laut Kontrollratsgesetz bestehenden Verpflichtung zur Zusammenarbeit der Betriebsräte mit den Gewerkschaften kann dadurch Rechnung getragen werden, daß sich die Vertreter des Betriebsrates außerhalb des Betriebes von den Gewerkschaften beraten lassen. Die bei diesen Besprechungen angegebenen Richtlinien müssen die Betriebsräte dann den Arbeitnehmern ihres Betriebes vortragen und sie in Übereinstimmung mit deren Willensmeinung der Betriebsleitung gegenüber vertreten. Denn der Betriebsrat soll ja 'der Interessenvertreter der Arbeitnehmer seines Betriebes' sein, und nicht etwa ein Exponent der Gewerkschaften. ...«

Dann weiter: »Die Stellung eines gewerkschaftlichen Vertrauensmannes und die Vertretung des Betriebsrates durch einen Beauftragten der Gewerkschaft innerhalb des Betriebes muß aus den einleitend dargelegten grundsätzlichen Erwägungen abgelehnt werden... Wir stellen nochmals fest, daß wir einem Mitwirkungs- und Mitbestimmungsrecht der Arbeitnehmer auf sozialem Gebiete das Wort reden, aber im Rahmen der bestehenden Gesetze keine Möglichkeit sehen, ein Mitbestimmungsrecht auf wirtschaftlichem Gebiete anzuerkennen. Wir verkennen nicht, daß dem Wunsche der Arbeitnehmer, als vollwertige Mitarbeiter anerkannt und gewertet zu werden, Rechnung getragen werden muß, und halten es für angebracht und zweckmäßig, daß ein Anhörungsrecht der Arbeitnehmer in diesem Gesetz verankert wird. Wir halten auch ein Mitbestimmungsrecht des Betriebsrates bei Entlassungen von Arbeitnehmern unter Anerkennung des berechtigten Wunsches der Arbeitnehmer auf Sicherung ihrer Existenz für angemessen und vertretbar. ...

Wir stellen nochmals ausdrücklich fest, daß nach unserer Auffassung die volle Aufrechterhaltung des Direktionsrechtes des Arbeitgebers die unerläßliche Voraussetzung für ein reibungsloses Funktionieren der Wirtschaft bedeutet und daß die in dem von uns vorgelegten Entwurf gemachten Zugeständnisse in der Frage der Mitwirkung der Betriebsvertretung das äußerste Entgegenkommen darstellen, das zur Aufrechterhaltung einer eindeutigen Verantwortung des Arbeitgebers möglich ist. Es sollen deshalb auch in den noch abzuschließenden Betriebsvereinbarungen von Arbeitnehmerseite weitergehende Rechte nicht gefordert werden dürfen.«

Die Gewerkschaftsvertreter erklärten daraufhin, daß unter diesen Umständen ein Verhandeln keinen Wert habe, und verließen die Sitzung.

Die ablehnende Stellungnahme der Arbeitgeber zur Frage des Mitbestimmungsrechtes der Betriebsräte läßt befürchten, daß der Kampf um das neu zu schaffende Betriebsrätegesetz schärfere Formen annehmen wird. Die Gewerkschaften haben schon in einem Offenen Brief in der Presse zu der Sache Stellung genommen, und eine Antwort der Arbeitgeber darauf ist auch derselben zugegangen.

II. Gewerkschaft

a. Tätigkeit derselben im Betrieb

Die Frage der unzureichenden Ernährung und Bekleidung, Schuhversorgung usw. spielt bei der Arbeiterschaft eine große Rolle und erschwert die Erfassung weiterer Mitglieder für die Gewerkschaften. Die gewerkschaftlichen Vertrauensleute im Betrieb erhalten immer den Vorwurf, daß die

Gewerkschaften in diesen Fragen nicht das Nötige tun würden. Gerade in den Betrieben, die keine Priorität besitzen, sind Vorwürfe besonders stark, und dieser Gegensatz wird auch in den Gewerkschaftsversammlungen zum Ausdruck gebracht.

Die unzureichende Entlohnung, so besonders in der Textilindustrie, Kartonagenindustrie usw., führt immer wieder zu Versuchen, betrieblich eine Lohnverbesserung durchzusetzen, wobei den Gewerkschaften der Vorwurf gemacht wird, daß sie durch ihr passives Verhalten diese Bestrebungen sabotieren würden.

b. Allgemeines

Von gewisser Seite wird versucht, die Gewerkschaften für parteipolitische Zwecke einzuspannen. Bis jetzt ist es dem Bundesvorsitzenden Reibel gelungen, auf der durch die Statuten festgelegten Linie zu bleiben.

Die Stellung könnte noch mehr gegenüber den Mitgliedern gestärkt werden, wenn der Bundesleitung gegenüber noch mehr wie bisher in den Fragen der Ernährung, Bekleidung, der Demontage, der Lohnfrage usw. entgegengekommen würde. Der radikaleren Richtung könnte dadurch die Agitationsmöglichkeit entzogen werden.

l) Aufruf des Badischen Gewerkschaftskartells des Kreises Wolfach zur Protestversammlung gegen den von Arbeitgeberseite dokumentierten »Herr-im-Hause-Standpunkt«, Januar 1948

DGB Offenburg, Die ersten Schritte der Gewerkschaftsbewegung im Kreise Wolfach nach 1945.

An alle Arbeitnehmer!

Den Gewerkschaften wurde zur Auflage gemacht, einen Entwurf zum Betriebsrätegesetz einzureichen. Um die Demokratisierung der Wirtschaft herbeiführen zu können und auf die Preisgestaltung Einfluß zu gewinnen, wurde darin das Mitbestimmungsrecht der Betriebsräte niedergelegt. Obwohl in der Badischen Verfassung dies verankert und im Kontrollratsgesetz zugestanden ist, versuchen die nun in einer Landesgemeinschaft zusammengeschlossenen Unternehmer diese Rechte zu schmälern. In einem an ihre Mitglieder ergangenen Schreiben wird von einem Anhörungsrecht gesprochen. Wenn wir als gleichberechtigte Partner in der Wirtschaft gelten sollen und verhindern wollen, daß nicht nochmals eine Aufrüstung, die unweigerlich zum Krieg führt, möglich wird, dann dürfen wir uns die in der Verfassung garantierten Rechte nicht nehmen lassen.

Der Badische Gewerkschaftsbund ruft deshalb alle Arbeitnehmer auf, in Massenversammlungen gegen den von Arbeitgeberseite dokumentierten »Herr-im-Hause-Standpunkt« zu protestieren.

In unserer am Montag, dem 12. Januar 1948, nachmittags, ½5 Uhr in der Stadthalle in Hornberg stattfindenden Protestversammlung spricht unser 1. Bundesvorsitzender, Kollege Reibel, Freiburg. Besucht restlos die Versammlung und bekundet damit, Euch die in der Verfassung festgelegten Grundrechte nicht nehmen zu lassen.

Der Kreisausschuß des
Gewerkschaftskartells des Kreises Wolfach

m) Entschließung einer Großkundgebung der Arbeitnehmer in Lahr zur Verankerung des Mitbestimmungsrechts im Badischen Betriebsrätegesetz, 27. Januar 1948

DGB Offenburg, Schriftverkehr des Ortsausschusses Lahr mit dem Badischen Gewerkschaftsbund 1946–1948.

Die heute in der Lahrer Stadthalle vereinigten Arbeitnehmer des Kreises Lahr protestieren gegen den Versuch der Unternehmer, das im Artikel 39 der Badischen Verfassung verankerte Mitbestimmungsrecht der Betriebsräte streitig zu machen.

Die Versammlung verlangt mit aller Entschiedenheit, daß an dem verfassungsmäßig garantierten Recht unter allen Umständen festgehalten und der vom Badischen Gewerkschaftsbund eingereichte Entwurf als Grundlage zu dem zu erlassenden Betriebsrätegesetz genommen wird.

Die Arbeiter des Kreises Lahr erwarten vom Badischen Gewerkschaftsbund, daß er den Kampf um das Mitbestimmungsrecht der Betriebsräte kompromißlos weiterführt, bis der Entwurf als Gesetz angenommen ist. Unter Einsatz der letzten gewerkschaftlichen Mittel muß dies Ziel erreicht werden, zur Sicherung der Rechte der Arbeiterschaft.

n) Entschließung der Betriebsversammlung der Firma Rhodiaseta, Freiburg, zum Betriebsrätegesetz und zum Gesetz zur Schaffung von Fachkommissionen, 21. Juli 1948

Staatsarchiv Freiburg, A 2, Nr. 89.

Anläßlich unserer Betriebsversammlung am Mittwoch, den 21. Juli d.J., nachmittags, 16 Uhr wurden u.a. die Themen: »Betriebsrätegesetz und Gesetz zur Schaffung von Fachkommissionen«, »Gesetz zur Schaffung von Arbeitsgerichten« und »Beisitzer in den Industrie- und Handelskammern« behandelt und dabei folgende Entschließung beantragt und von der überwältigenden Mehrheit angenommen:

Die Versammlung nimmt mit Befremden und tiefer Beunruhigung davon Kenntnis, daß in den o.a. ausgesprochenen Sozialangelegenheiten, die für uns Werktätige von elementarster Bedeutung sind, von der Badischen Landesregierung bzw. dem Badischen Landtag bisher keinerlei gesetzlichen Regelungen getroffen sind, obschon durch die Alliierten Militärbehörden (Kontrollrat) die Schaffung solcher Gesetze bereits seit 30 Monaten gestattet wurden, wie z.B. das Betriebsrätegesetz des Kontrollrates am 10.4.1946, das Gesetz zur Schaffung von Arbeitsgerichten am 30.3.1946, die Stellung von Beisitzern aus Arbeitnehmerkreisen in die Industrie- und Handelskammer durch eine Anordnung Ende 1947.

Ein Vorschlag zu einem Betriebsrätegesetz wurde im Spätjahr 1947 durch unsere zuständige Gewerkschaft eingereicht, ein neuerer im März d.J. zwischen Fachvereinigungen und Gewerkschaften abgeschlossen und ebenso wie der beidseitig getroffene Entwurf zur Errichtung der Fachkommission der Direktion Arbeit als Regierungsdienststelle übergeben.

Zur Schaffung von Arbeitsgerichten haben unsere Gewerkschaften unzählige Male Forderungen nach schnellster Einsetzung dieser Institutionen erhoben, die gerade jetzt nach der Währungsreform von dringendster Notwendigkeit wären und die z.B. in Rheinland-Pfalz noch vor der Geldreform entstanden.

Die Beisitzer in den Industrie- und Handelskammern sind von den Gewerkschaften aus unseren Reihen schon vor 7 Monaten benannt worden, ohne daß bisher diese Beisitzer überhaupt in Tätigkeiten zu treten gehabt hätten.

Für uns Arbeitnehmer ist die gesetzliche Regelung der o.a. Fragen vor allem jetzt, wo sich unsere gesamte Lebenshaltung durch die ansteigenden Preise, die niemals durch die vorgesehene 15prozentige Lohnerhöhung auch nur annähernd ausgeglichen werden könnte, von fundamentalster Bedeutung.

Diese Sozialgesetze sind für uns so wichtig und so unerläßlich, wie z.B. für unsere Regierungen ein Besatzungsstatut, denn ohne klare gesetzliche

Grundlagen, die Rechte und Pflichten genau festlegen und abgrenzen, können weder Regierungen noch Gewerkschaften oder wir Betriebsräte zum Wohle und Nutzen der anvertrauten Mitbürger oder Kollegen tätig sein.

Es soll nicht verkannt werden, daß die verantwortlichen Stellen mit gesetzgeberischer Tätigkeit stark belastet sind. Wir Arbeitnehmer müssen jedoch mit tiefstem Bedauern feststellen, daß gerade die für uns unerläßlichen und vorteilhaften Sozialgesetze unendlich lange auf sich warten lassen, während sich für uns ungünstig auswirkende Gesetze, wie z. B. Lockerung des Preisstopps, Auflösung der Privatkrankenkassen u. a. m., oder für uns unwesentliche Gesetze, wie z. B. das Feiertagsgesetz, erstaunlich schnell ausgearbeitet und in Kraft gesetzt wurden.

Die durch die Währungsreform entstandene Lage erfordert nunmehr gebieterisch die schnellstmögliche gesetzliche Regelung der o. a. Probleme, wenn Arbeitsfriede und Arbeitswille weiterhin aufrecht erhalten bleiben und wenn ein weiteres Absinken der Arbeitsmoral vermieden werden soll.

Die Versammlung beschließt deshalb, ihren Forderungen dadurch Nachdruck zu verleihen, daß eine aus ihrer Mitte gewählte 6köpfige Delegation bei der Staatsregierung in dieser Sache vorstellig wird.

Schnabel, Betriebsratsvorsitzender;
W. Traub, Albrecht, Ehret, D. Grabe, N. Delinger.

o) Entschließung der Versammlung der Gewerkschaftsfunktionäre der Landesvereinigungen, der Ortsausschüsse und des Badischen Gewerkschaftsbundes in Freiburg, 9. August 1948

DGB Freiburg, Dokumente zur Geschichte der Gewerkschaft im DGB-Kreis Freiburg, 1945–1949, II.

Die am 9. August 1948 im Gewerkschaftshaus Freiburg versammelten Gewerkschaftsfunktionäre der Landesvereinigungen, der Ortsausschüsse und des Gewerkschaftsbundes sehen mit großer Sorge auf die weitere Entwicklung des wirtschaftlichen und sozialen Lebens in Westdeutschland. Vor 3 Jahren begannen wir mit dem Aufbau der Gewerkschaften in der Erkenntnis, daß nur durch die Ausschaltung des Großkapitalismus eine neue Entwicklung angebahnt werden kann. Wir entwickelten ein Wirtschaftsprogramm, das das Mitbestimmungsrecht garantieren sollte, um den notwendigen Wiederaufbau auf der Grundlage einer demokratischen Bedarfsdeckungswirtschaft zu sichern. Schon bei den Verfassungskämpfen forderten wir die Überführung der Grundstoffindustrie (Bergbau, Eisen-

und Stahlerzeugung, Energiewirtschaft, Grundchemie etc.) in die Hände des Staates. Bis heute konnten wir diese Forderungen nicht realisieren, statt ihrer Verwirklichung erfolgte erneute weitere Volksausplünderung, die mit der Währungsreform kraß in Erscheinung trat, wie es das deutsche Volk noch nie erlebte. Alle Rechte des Volkes auf Mitbestimmung, wie sie in den Verfassungen festgelegt sind, werden mit Füßen getreten.

Die Badische Verfassung sagt unter anderem im §41: »Es ist ein Arbeitsrecht zu schaffen, das dem Arbeitnehmer einen gerechten Lohn, ausreichende Freizeit und Urlaub gewährleistet.« Das Arbeitsentgelt muß zum Lebensbedarf für die Arbeitenden und seiner Unterhaltung berechtigt ausreichen. Anstatt dessen sehen wir willkürliche Preisfestsetzungen und Entlassungen von Arbeitern und Angestellten von seiten der Unternehmer, desweiteren liegen, nachdem an den gesetzwidrigen Warenhortungen Millionen DM verdient wurden, zahlreiche Versuche von Lohnkürzungen vor. Die Regierung war nicht imstande, diese Entwicklung aufzuhalten. Das Volk ist empört, daß gewisse Kreise trotz größter Not sich wiederum bereichern konnten, während die Menschen, die um ihre wertschaffende Arbeitskraft diese gehorteten Güter erzeugten, restlos enteignet werden.

Die Entwicklung der wirtschaftlichen Lage der Arbeitenden in Westdeutschland zeigt eindeutig, daß nur durch die Verwirklichung des vollen Mitbestimmungsrechts der Werktätigen ein weiteres Abgleiten der sozialen Lage der Schaffenden und die katastrophale Entwicklung von Lohn und Preis aufzuhalten sind.

Die Gewerkschaften protestieren mit aller Entschiedenheit gegen die Verschleppung der Verabschiedung des Betriebsrätegesetzes, worin sie eine Vorenthaltung der verfassungsmäßigen Rechte durch die Regierung erblickt. Die Folge ist eine Stärkung der reaktionären Kräfte in der Wirtschaft. Um dieser folgenschweren Entwicklung zu begegnen, fordern wir folgende Sofortmaßnahmen:

Sofortige Festsetzung von Höchstpreisen von Lebens- und Bedarfsgütern und Mitwirkung der Kontrolle der Gewerkschaften, des landwirtschaftlichen Hauptverbandes und der Handwerksorganisationen.

Strengste Maßnahmen gegen Preiswucher durch Entzug der Handelserlaubnis und Beschlagnahme der Betriebe.

Sofortige Anpassung der Löhne und Gehälter an die bereits vollzogene Preiserhöhung.

Abschöpfung aller Währungsgewinne durch Sonderbesteuerung.

Die bisherige Entwicklung zeigt mit aller Deutlichkeit, daß ohne Anwendung der erprobten gewerkschaftlichen Kampfmittel in Zusammenarbeit mit dem landwirtschaftlichen Hauptverband und aller schaffenden Schichten in Stadt und Land an eine Verwirklichung der gerechten Forderungen nicht zu denken ist.

p) Resolution einer Protestkundgebung der Lörracher Gewerkschaften, 2. September 1948

Staatsarchiv Freiburg, A 2, Nr. 167.

Die am Donnerstag, den 2. September 1948 auf dem Marktplatz in Lörrach vereinigten zwei- bis dreitausend Teilnehmer der Protestkundgebung haben mit größtem Interesse die Darlegungen des Gewerkschaftsvertreters entgegengenommen.

Sie bringen einheitlich ihre Empörung gegen die seit der Währungsreform vor sich gegangene Preisbewegung zum Ausdruck. Sie verlangen gebieterisch, daß sofort Maßnahmen ergriffen werden, um jede ungerechtfertigte Preiserhöhung zu verhindern.

Sie fordern mit Dringlichkeit die Beseitigung des Lohnstopps. Sie verlangen, daß für die Gewerkschaften zur Austragung der im Wirtschaftsleben entstehenden Rechtsstreitigkeiten sofort, wie in allen anderen Zonen Deutschlands, die Arbeitsgerichte eingeführt werden.

Sie verlangen insbesondere die sofortige Verabschiedung des schon seit langem hingehaltenen Betriebsrätegesetzes.

q) Landesgesetz über die Bildung von Betriebsräten: »Betriebsrätegesetz« (Auszug), 24. September 1948

Badisches Gesetz- und Verordnungsblatt (Regierungsblatt der Landesregierung Baden), Freiburg i. Br., 3. Jg., Nr. 42, 15. Dezember 1948.

§ 21

(1) In personellen und sozialen Angelegenheiten hat der Betriebsrat ein unmittelbares Mitbestimmungsrecht:

a. Bei Einstellung: Der Arbeitgeber hat die Absicht der Einstellung eines Arbeitnehmers rechtzeitig mit dem Betriebsrat zu besprechen. Wird eine Einigung über die Einstellung nicht erzielt, so kann der Arbeitgeber den Neueinzustellenden nur für eine Probezeit einstellen. Der Betriebsrat kann in diesem Falle innerhalb einer Woche nach erfolgter Einstellung das Arbeitsgericht als Schiedsstelle anrufen. Das Arbeitsgericht ist verpflichtet, innerhalb eines Monats nach Eingang des Einspruchs eine Entscheidung zu treffen. Gibt das Arbeitsgericht dem Antrag des Betriebsrats statt, so ist der Neueingestellte auf den nächsten gesetzlich zulässigen Kündigungstermin zu entlassen.

b. Bei Versetzung und Beförderung: Versetzungen und Beförderungen von Arbeitnehmern bedürfen der Zustimmung des Betriebsrats. Als Versetzung gilt nicht der Wechsel des Arbeitsplatzes innerhalb der gleichen Betriebsabteilung oder des gleichen Betriebes am selben Ort bei gleichen Arbeitsbedingungen sofern mit dem Arbeitsplatzwechsel eine wesentliche Schlechterstellung des Arbeitnehmers nicht verbunden ist.
c. Bei Entlassung: Zur Vornahme der Kündigung eines Arbeitnehmers bedarf der Arbeitgeber der vorherigen Zustimmung des Betriebsrats. Dies gilt nicht bei Kündigungen, die aus einem Grund erfolgen, der zur fristlosen Lösung des Arbeitsverhältnisses oder Lehrverhältnisses berechtigt. Kommt zwischen dem Arbeitgeber und dem Betriebsrat eine Einigung nicht zustande, so entscheidet das Arbeitsgericht auf Antrag des Arbeitgebers. Der Arbeitnehmer muß gehört werden.
d. Bei der Regelung sozialer Angelegenheiten: Der Betriebsrat hat ferner ein Mitbestimmungsrecht insbesondere beim Erlaß der Betriebsordnung, der Regelung der tariflichen und betrieblichen Lohn- und Arbeitsbedingungen, der Betriebshygiene- und Unfallverhütungsvorschriften sowie bei sonstigen Maßnahmen des Arbeitsschutzes, bei der Schaffung und Verwaltung von Wohlfahrtseinrichtungen, von Werksküchen und Werkswohnungen, bei Verhandlungen zur Beilegung von Beschwerden und Streitigkeiten und der Festsetzung von Bußen, die in der Betriebsordnung vorgesehen sind.

(2) Alle personellen Maßnahmen dürfen weder von einer politischen, konfessionellen oder gewerkschaftlichen Betätigung der Arbeitnehmer, noch von deren Zugehörigkeit oder Nichtzugehörigkeit zu bestimmten Vereinigungen abhängig gemacht werden.

(3) In wirtschaftlichen Angelegenheiten hat der Betriebsrat ein unmittelbares Mitbestimmungsrecht:
a. bei der Einführung neuer Arbeitsmethoden,
b. bei der Festlegung von Kalkulationsgrundlagen,
c. bei der Änderung des Betriebsumfanges mit der Folge einer Arbeitseinschränkung,
d. bei der Betriebsstillegung,
e. zur Verhinderung konzernmäßiger, monopolistischer Bindungen und einer Rüstungsproduktion,
f. bei der Zusammenlegung von Betrieben.
Für die Betriebsräte in Betrieben der öffentlichen Hand gilt bezüglich des Mitbestimmungsrechts in wirtschaftlichen Angelegenheiten §26 Abs. 2.

§22

(1) Dem Betriebsrat steht im übrigen in allen wirtschaftlichen Fragen ein Informations-, Beratungs- und Vorschlagsrecht zu, inbesondere dann, wenn der Unternehmer
a. Anschaffungen und Veräußerungen von Betriebseinrichtungen,

b. Betriebserweiterungen oder
c. Kapitalanlagen
beabsichtigt.

(2) Lehnt der Arbeitgeber Vorschläge des Betriebsrates ab oder kommt eine Einigung nicht zustande, so kann der Betriebsrat über die zuständigen Landesgewerkschaften die Entscheidung der zuständigen Fachkommission anrufen. Die Fachkommission entscheidet endgültig.

§ 23

(1) Das Mitbestimmungsrecht der Arbeitnehmer
a. bei der Festlegung der Art und des Umfanges der Produktion,
b. bei der Festlegung und der Kontrolle des Produktionsprogramms,
c. bei der Lenkung und der Kontrolle des Warenabsatzes
wird durch Beauftragte der Betriebsräte und durch Vertreter der zuständigen Landesgewerkschaften innerhalb der zuständigen Fachkommissionen ausgeübt.

(2) Die Fachkommissionen entscheiden, unbeschadet der in §22 vorgesehenen Fälle, auf Antrag der Arbeitnehmergruppe oder der Arbeitgebergruppe.

(3) Dieses Mitbestimmungsrecht der Arbeitnehmer muß auch dann in vollem Umfang und ohne Unterbrechung gesichert bleiben, wenn die Fachkommissionen aufgehoben oder in ihren Rechten eingeschränkt werden.

§ 24

(1) Der Betriebsrat hat bei der Wahrnehmung seiner Aufgaben dahin zu wirken, daß von beiden Seiten Forderungen und Maßnahmen unterlassen werden, die das Gemeininteresse schädigen. Er soll in Zusammenarbeit mit der Betriebsleitung die Erfüllung des Betriebszwecks fördern, um dadurch gemeinsam mit ihr einen möglichst hohen Stand der Betriebsleistungen zu erreichen.

(2) Die Bestimmungen der §§ 21, 22 und 23 finden keine Anwendung auf Betriebe, die politischen, gewerkschaftlichen, konfessionellen, karitativen, künstlerischen oder ähnlichen Bestrebungen dienen, soweit die Eigenart dieser Bestrebungen es bedingt. In Zweifelsfällen entscheidet auf Antrag der zuständigen Landesgewerkschaften das zuständige Landesarbeitsgericht.

(3) Bei Betrieben, die nur einen Betriebsobmann haben, findet §21 Abs. 3 mit der Maßgabe Anwendung, daß an Stelle des Mitbestimmungsrechts ein Mitberatungsrecht tritt. § 22 Abs. 2 und § 23 finden keine Anwendung.

r) Aufruf des Ortsausschusses der Lahrer Gewerkschaften an alle Betriebsräte und Betriebsobmänner des Kreises Lahr zur Mitarbeit an den bevorstehenden Betriebsrätewahlen, 31. März 1949

DGB Offenburg, Schriftverkehr des Ortsausschusses Lahr mit dem Badischen Gewerkschaftsbund 1946–1948.

Werte Kollegen! Wie Ihr aus den Veröffentlichungen des Badischen Gewerkschaftsbundes und der Presse wohl ersehen habt, wurde die Wahlordnung für die Betriebsrätewahlen vom Kabinett verabschiedet und uns nun endlich die Möglichkeit gegeben, die lang erwarteten Betriebsratswahlen durchzuführen.

In zähem und hartem Kampfe erhielten die Werktätigen Südbadens ein Betriebsrätegesetz, das als das fortschrittlichste Gesetz in ganz Deutschland angesehen werden kann. Jetzt gilt es aber, dem Gesetz Leben zu verleihen; und das können nur Betriebsräte, die das entsprechende Fachwissen, aber auch den Mut haben, für ihre Kollegen einzustehen. Das Gesetz gibt uns die Möglichkeit, unsere Belange weit besser als bisher vertreten zu können. Es liegt nun an den Schaffenden selbst, sich die richtigen Kollegen als ihre Betriebsvertretung zu wählen.

Vom Badischen Gewerkschaftsbund wurde der Montag, der 4. April 1949, als Anfangstag für die Betriebsrätewahlen festgelegt. Die ganze Wahlhandlung dauert 20 Tage und dürfte Ende April abgeschlossen sein. Wir geben Euch in der Anlage die Wahlordnung bekannt, damit Ihr die notwendigen Vorbereitungen treffen könnt. Formulare für Wahlausschreiben und Wahlniederschriften erhaltet Ihr auch in den nächsten Tagen.

Werte Kollegen! Harte wirtschaftliche Auseinandersetzungen stehen vor der Tür. Es gibt eine Klasse, eine Schicht von Menschen in Deutschland, die das ganze Elend, das uns der verlorene Krieg brachte, auf die Schultern der werktätigen Massen abwälzen möchte. Nur im Kampfe werden wir das Schlimmste von uns abwenden können. Starke Gewerkschaften werden notwendig sein! Wir müssen sie uns schaffen und den letzten Arbeiter, Angestellten und Beamten in unsere Reihen aufnehmen. Besonders an unsere Jungkolleginnen und Jungkollegen müssen wir dabei denken und ihnen den Sinn, Ziel und Zweck der Gewerkschaften klarmachen. Wir müssen ihnen helfen, daß sie begreifen lernen, daß nur die organisatorische Kraft aller Schaffenden in der Lage sein wird, ihre Not zu beseitigen.

Das neue Betriebsrätegesetz gibt uns die Möglichkeit, junge Kolleginnen und Kollegen in der Betriebsjugendvertretung in die Gewerkschaftsarbeit einzuführen und sie zu schulen. Sie werden in der praktischen Arbeit in den Betrieben die Notwendigkeit der Gewerkschaften und die Wichtigkeit, daß alle Schaffenden organisiert sein müssen, erkennen können.

Diese Erkenntnis vieler junger Kolleginnen und Kollegen wird uns einen aufrechten Stamm junger Menschen in die Gewerkschaften führen.

Der Auftakt zur Jugendarbeit innerhalb der Betriebe wird die am 6. April 1949, nachmittags, 15 Uhr im »Lahrer Haus« (Marktstraße) stattfindende Betriebsjugendversammlung sein. Kollegen sorgt dafür, daß möglichst alle Jungarbeiterinnen und Jungarbeiter Eures Betriebes, alle Lehrlinge, zumindest aber eine starke Vertretung der Jungkollegen anwesend sein werden. Habt Verständnis dafür, daß die Versammlung während der Arbeitszeit sein wird, denn nur so besteht die Möglichkeit, unser Wollen fruchtbringend an die große Masse der Jugendlichen heranzutragen.

s) Landesgesetz über die Errichtung wirtschaftlicher Fachkommissionen, 21. März 1951

Badisches Gesetz- und Verordnungsblatt (Regierungsblatt der Landesregierung Baden), Freiburg i. Br., 6. Jg., Nr. 11, 28. März 1951.

Das Badische Volk hat durch den Landtag am 24. Februar 1951 folgendes Gesetz beschlossen:

I. Errichtung, Zweck und Mitgliedschaft

§ 1 (1) Zur Ordnung bestimmter wirtschaftlicher Angelegenheiten des Landes werden wirtschaftliche Fachkommissionen gemäß Artikel 44 der Badischen Verfassung (künftig nur »Fachkommissionen« genannt) errichtet.
(2) Die Zahl der Fachkommissionen und die Abgrenzung ihrer fachlichen Zuständigkeit bestimmt im Rahmen der gesetzlichen Vorschriften im Benehmen mit den Vereinigungen der Arbeitgeber und den Gewerkschaften das Badische Ministerium der Wirtschaft und Arbeit.

§ 2 (1) Jede Fachkommission setzt sich aus je der gleichen Anzahl von Arbeitgebervertretern und Arbeitnehmervertretern der betreffenden Fachzweige zusammen.
(2) Die Arbeitgebervertreter müssen Betriebsinhaber oder Vorstandsmitglieder (bei Aktiengesellschaften und Genossenschaften) oder Geschäftsführer (bei Gesellschaften mit beschränkter Haftung), die Arbeitnehmervertreter müssen Beauftragte der Betriebsräte sein. Die Beauftragten der Betriebsräte müssen Arbeitnehmer im Sinne des Betriebsrätegesetzes sein.
(3) Jeder Fachkommission gehören ferner je ein Vertreter der zuständigen

Vereinigung der Arbeitgeber und der zuständigen Gewerkschaft an. Sind mehrere Vereinigungen oder Gewerkschaften beteiligt, so einigen sie sich auf einen oder mehrere Vertreter, jedoch so, daß die Parität gewahrt bleibt. Kommt eine Einigung nicht zustande, so entscheidet das Badische Ministerium der Wirtschaft und Arbeit.

(4) Für Handwerk und Handel sind besondere Fachkommissionen zu errichten.

(5) Die Gesamtmitgliederzahl einer Fachkommission soll 20 nicht überschreiten.

(6) Die Arbeit in den Fachkommissionen ist ehrenamtlich.

§ 3 (1) Die Mitglieder der Fachkommissionen werden von ihren zuständigen Vereinigungen der Arbeitgeber und Gewerkschaften bestellt und abberufen. Sie bedürfen zu ihrer Amtsführung der Bestätigung durch das Badische Ministerium der Wirtschaft und Arbeit.

(2) Über die Zuständigkeit einer Vereinigung oder Gewerkschaft zur Bestellung der Beauftragten entscheidet in Zweifelsfällen das Badische Ministerium der Wirtschaft und Arbeit nach Anhörung der beteiligten Organisationen.

§ 4 (1) Die Arbeitgebervertreter und die Arbeitnehmervertreter bilden je eine Gruppe innerhalb der Fachkommissionen. Sie wählen aus ihrer Mitte je einen Obmann und einen stellvertretenden Obmann.

(2) Jede Fachkommission wählt aus ihrer Mitte einen Vorsitzenden und einen stellvertretenden Vorsitzenden, die nicht der gleichen Gruppe angehören dürfen.

(3) Die Vorsitzenden und stellvertretenden Vorsitzenden werden auf die Dauer von zwei Jahren gewählt. Sofern durch die Satzung nichts anderes bestimmt ist, wechseln sie im zweiten Jahr der Amtsperiode ihre Ämter.

(4) Die Fachkommissionen können für bestimmte Verhandlungen auch einen unparteiischen Vorsitzenden bestellen. Der unparteiische Vorsitzende hat kein Stimmrecht.

(5) An den Sitzungen der Fachkommissionen können Vertreter des Badischen Ministeriums der Wirtschaft und Arbeit teilnehmen; sie haben kein Stimmrecht.

II. Aufgaben

§ 5 Die Fachkommissionen haben alle Aufgaben zu erfüllen, die ihnen durch das Betriebsrätegesetz und andere Gesetze übertragen sind oder übertragen werden.

§ 6 Über die Zuständigkeit der Fachkommissionen entscheidet in Zweifelsfällen das Badische Ministerium der Wirtschaft und Arbeit nach Anhörung der Beteiligten.

III. Beschlüsse

§ 7 (1) Die Sitzungen der Fachkommissionen werden vom Vorsitzenden oder bei dessen Verhinderung vom stellvertretenden Vorsitzenden einberufen.
(2) Auf Antrag einer Gruppe oder auf Verlangen des Badischen Ministeriums der Wirtschaft und Arbeit muß eine Sitzung einberufen werden.
(3) Die Einberufung einer Sitzung muß mindestens eine Woche vorher unter Mitteilung der zu beratenden Gegenstände erfolgen.

§ 8 (1) Die Beschlüsse der Fachkommissionen kommen durch Einigung der beiden Gruppen zustande. Vor der Beschlußfassung muß auf Antrag eines Obmanns oder eines Viertels der Mitglieder den Gruppen die Möglichkeit einer gesonderten Beratung gegeben werden. Die Gruppen geben ihre Erklärungen durch den Obmann, bei dessen Verhinderung durch den stellvertretenden Obmann ab.
(2) Mitglieder der Fachkommissionen, die in einem Wettbewerbsbetrieb tätig sind, können im Einzelfall abgelehnt werden, wenn ihnen im Verfahren wettbewerbsmäßig wichtige Belange einer Partei zur Kenntnis gebracht werden würden. Wird die Berechtigung der Ablehnung von der Fachkommission nicht anerkannt, so entscheidet das Badische Ministerium der Wirtschaft und Arbeit.

§ 9 (1) Kommt ein gültiger Beschluß über eine Angelegenheit, die sich aus § 23 des Betriebsrätegesetzes ergibt, nicht zustande, so entscheidet auf Antrag der Arbeitgeber- oder Arbeitnehmergruppe oder beider Gruppen der Landesschlichtungsausschuß. In diesem Falle sind die Beisitzer unter Berücksichtigung der zur Entscheidung stehenden Angelegenheit auszuwählen und zu berufen.
(2) Kommt ein gültiger Beschluß über andere gesetzliche Aufgaben, die sich nicht aus dem Betriebsrätegesetz ergeben, nicht zustande, so entscheidet nach erneuter ergebnisloser Beratung das Badische Ministerium der Wirtschaft und Arbeit.

§ 10 (1) Die Beschlüsse der Fachkommissionen haben bindende Kraft; sie sind den Beteiligten schriftlich mitzuteilen.
(2) Die Durchführung der Beschlüsse obliegt den vom Badischen Ministerium der Wirtschaft und Arbeit beauftragten Dienststellen und Einrichtungen.

IV. Satzungen

§ 11 (1) Die Fachkommissionen geben sich ihre Satzungen und ihre Geschäftsordnung selbst.
(2) Die Satzungen bedürfen der Bestätigung durch das Badische Ministerium der Wirtschaft und Arbeit.

V. Aufbringung der Mittel

§ 12 (1) Die Mittel werden durch die dem betreffenden Fachzweig angehörenden Betriebe im Wege des Umlageverfahrens aufgebracht. Das Nähere wird durch die Satzung bestimmt.
(2) Betriebe, auf welche die §§22 Abs. 2 und 23 des Betriebsrätegesetzes keine Anwendung finden, dürfen zur Aufbringung der Mittel nicht herangezogen werden.

VI. Durchführungsbestimmungen

§ 13 Die Durchführungsbestimmungen zu diesem Gesetz erläßt die Landesregierung.

VII. Sonderbestimmungen für Land- und Forstwirtschaft

§ 14 Soweit es sich um Angelegenheiten der Land- und Forstwirtschaft handelt, übt das Badische Ministerium der Wirtschaft und Arbeit die ihm durch dieses Gesetz übertragenen Befugnisse und Aufgaben im Einvernehmen mit dem Badischen Ministerium der Landwirtschaft und Ernährung aus.

VIII. Schlußbestimmungen

§ 15 Mit Inkrafttreten dieses Gesetzes tritt die Anordnung des Badischen Wirtschaftsministeriums über die Bildung von Fachkommissionen vom 25.7.1946 (Amtsblatt der Landesverwaltung Baden, S. 60) außer Kraft.

t) Betriebsverfassungsgesetz (Auszug), 11. Oktober 1952

Bundesgesetzblatt I, S. 681ff.

Erster Teil: Allgemeine Vorschriften

§ 1 In den Betrieben werden Betriebsräte nach Maßgabe dieses Gesetzes gebildet.

§ 2 Die Aufgaben der Gewerkschaften und der Vereinigungen der Arbeitgeber werden durch dieses Gesetz nicht berührt.

§ 3 Nebenbetriebe und Betriebsteile gelten nur dann als selbständige Betriebe, wenn sie räumlich weit vom Hauptbetrieb entfernt oder durch Aufgabenbereich und Organisation eigenständig sind.

§ 4 (1) Arbeitnehmer im Sinne dieses Gesetzes sind Arbeiter und Angestellte sowie die zu ihrer Berufsausbildung Beschäftigten.
(2) Als Arbeitnehmer im Sinne dieses Gesetzes gelten nicht
a. in Betrieben einer juristischen Person die Mitglieder des Organs, das zur gesetzlichen Vertretung der juristischen Person berufen ist;
b. die Gesellschafter einer offenen Handelsgesellschaft oder die Mitglieder einer anderen Personengesamtheit in deren Betrieben;
c. die leitenden Angestellten, wenn sie zur selbständigen Einstellung und Entlassung von im Betrieb oder in der Betriebsabteilung beschäftigten Arbeitnehmern berechtigt sind oder wenn ihnen Generalvollmacht oder Prokura erteilt ist oder wenn sie nicht angestelltenversicherungspflichtig sind und Aufgaben wahrnehmen, die regelmäßig wegen ihrer Bedeutung für den Bestand und die Entwicklung des Betriebs nur aufgrund besonderen persönlichen Vertrauens des Arbeitgebers bestimmten Personen im Hinblick auf deren besondere Erfahrungen und Kenntnisse übertragen werden ...

Zweiter Teil: Der Betriebsrat

Erster Abschnitt: Zusammensetzung und Wahl

§ 6 Wahlberechtigt sind alle Arbeitnehmer, die das 18. Lebensjahr vollendet haben und im Besitz der bürgerlichen Ehrenrechte sind.

§ 7 (1) Wählbar sind alle Wahlberechtigten, die das 21. Lebensjahr vollendet haben, ein Jahr dem Betrieb angehören und das Wahlrecht für den Deutschen Bundestag besitzen. Von den Voraussetzungen der einjährigen Betriebsangehörigkeit und des Wahlrechts für den Deutschen Bundestag kann in Ausnahmefällen Abstand genommen werden, wenn zwischen der Mehrheit der Arbeitnehmer und dem Arbeitgeber hierüber eine Verständigung herbeigeführt wird.
(2) Besteht der Betrieb weniger als ein Jahr, so sind in Abweichung von der Vorschrift in Absatz 1 über die einjährige Betriebszugehörigkeit diejenigen Arbeitnehmer wählbar, die bei der Einleitung der Betriebsratswahl im Betrieb beschäftigt sind und die übrigen Voraussetzungen für die Wählbarkeit erfüllen.

§ 8 (1) In allen Betrieben, die in der Regel mindestens fünf ständige wahlberechtigte Arbeitnehmer beschäftigen, von denen drei wählbar sind, werden Betriebsräte gebildet. ...

§ 10 (1) Arbeiter und Angestellte müssen entsprechend ihrem zahlenmäßigen Verhältnis im Betriebsrat vertreten sein, wenn dieser aus mindestens drei Mitgliedern besteht. ...

§ 12 (1) Die Verteilung der Mitglieder des Betriebsrats auf die Gruppen kann abweichend von § 10 geregelt werden, wenn beide Gruppen dies vor der Wahl in getrennten und geheimen Abstimmungen beschließen.

(2) Jede Gruppe kann auch Angehörige der anderen Gruppe wählen. In diesem Falle gelten die Gewählten insoweit als Angehörige derjenigen Gruppe, die sie gewählt hat.

§ 13 (1) Der Betriebsrat wird in geheimer und unmittelbarer Wahl gewählt.

(2) Besteht der Betriebsrat aus mehr als einer Person, so wählen die Arbeiter und Angestellten ihre Vertreter (§ 10) in getrennten Wahlgängen, es sei denn, daß die wahlberechtigten Angehörigen beider Gruppen vor der Neuwahl in getrennten, geheimen Abstimmungen die gemeinsame Wahl beschließen. ...

§ 19 (1) Die Wahl des Betriebsrats darf von niemand behindert werden. Insbesondere darf kein Arbeitnehmer in der Ausübung des aktiven und passiven Wahlrechts beschränkt werden.

(2) Die Wahl des Betriebsrats darf nicht durch Zufügung oder Androhung von Nachteilen oder durch Gewährung oder Versprechen von Vorteilen beeinflußt werden.

(3) Die sächlichen Kosten der Wahl trägt der Arbeitgeber. Notwendige Versäumnis von Arbeitszeit infolge des Wahlrechts, der Teilnahme an der ... Betriebsversammlung oder der Betätigung im Wahlvorstand berechtigt den Arbeitgeber nicht zur Minderung des Arbeitsentgelts.

§ 20 ... (2) Die Arbeitnehmer unter 18 Jahren wählen in Betrieben, in denen mindestens 5 Jugendliche beschäftigt sind, eine Jugendvertretung. ...

§ 29 ... (4) Der Arbeitgeber nimmt an den Sitzungen, die auf sein Verlangen anberaumt sind, und an den Sitzungen, zu denen er ausdrücklich eingeladen ist, teil. Er kann einen Vertreter der Arbeitgebervereinigung, der er angehört, hinzuziehen. ...

§ 31 Auf Antrag von einem Viertel der Mitglieder des Betriebsrats ist ein Beauftragter einer im Betriebsrat vertretenen Gewerkschaft zu den Sitzungen mit beratender Stimme hinzuzuziehen. ...

§ 37 (1) Die Mitglieder des Betriebsrats führen ihr Amt unentgeltlich als Ehrenamt.

(2) Versäumnis von Arbeitszeit, die nach Umfang und Art des Betriebs zur ordnungsmäßigen Durchführung der Aufgaben des Betriebsrats erforderlich ist, berechtigt den Arbeitgeber nicht zur Minderung des Arbeitsentgelts.

(3) Mitglieder des Betriebsrats sind von ihrer beruflichen Tätigkeit freizustellen, wenn und soweit es nach Umfang und Art des Betriebs zur ordnungsmäßigen Durchführung ihrer Aufgaben erforderlich ist. ...

Vierter Abschnitt: Betriebsversammlung

... § 42 (1) Der Betriebsrat hat einmal in jedem Kalendervierteljahr in einer Betriebsversammlung den Tätigkeitsbericht zu erstatten. Der Arbeit-

geber ist hierzu unter Mitteilung der Tagesordnung einzuladen. Er ist berechtigt, in der Betriebsversammlung zu sprechen.
(2) Der Betriebsrat ist berechtigt und auf Wunsch des Arbeitgebers oder von mindestens einem Viertel der wahlberechtigten Arbeitnehmer verpflichtet, eine Betriebsversammlung einzuberufen und den beantragten Beratungsgegenstand auf die Tagesordnung zu setzen. Vom Zeitpunkt der Versammlungen, die auf Wunsch des Arbeitgebers stattfinden, ist dieser rechtzeitig zu verständigen.

§ 43 (1) Die in § 42 Abs. 1 bezeichneten und die auf Wunsch des Arbeitgebers einberufenen Betriebsversammlungen finden während der Arbeitszeit statt, soweit nicht die Eigenart des Betriebs eine andere Regelung zwingend erfordert. Durch die Teilnahme an der Betriebsversammlung entsteht den Arbeitnehmern kein Ausfall an Arbeitsentgelt.
(2) Sonstige Betriebsversammlungen finden außerhalb der Arbeitszeit statt. Hiervon kann im Einvernehmen mit dem Arbeitgeber abgewichen werden.

§ 44 Die Betriebsversammlung kann dem Betriebsrat Anträge unterbreiten und zu seinen Beschlüssen Stellung nehmen; sie darf nur Angelegenheiten behandeln, die den Betrieb oder seine Arbeitnehmer berühren.

§ 45 An allen Betriebsversammlungen können Beauftragte der im Betrieb vertretenen Gewerkschaften beratend teilnehmen. Nimmt der Arbeitgeber gemäß § 42 an Betriebsversammlungen teil, so kann er einen Beauftragten der Arbeitgebervereinigung, der er angehört, hinzuziehen.

Dritter Teil: Der Gesamtbetriebsrat

§ 46 Besteht ein Unternehmen aus mehreren Betrieben, so kann durch Beschlüsse der einzelnen Betriebsräte neben diesen ein Gesamtbetriebsrat errichtet werden. Die Errichtung ist abhängig von der Zustimmung der Betriebsräte aus den Betrieben, in denen insgesamt mindestens 75 vom Hundert der Arbeitnehmer des Unternehmens beschäftigt sind. ...

§ 48 (1) Der Gesamtbetriebsrat ist nur zuständig für die Behandlung von Angelegenheiten, die das Gesamtunternehmen oder mehrere Betriebe betreffen und nicht durch die einzelnen Betriebsräte innerhalb ihrer Betriebe geregelt werden können. Er ist den einzelnen Betriebsräten nicht übergeordnet. ...

Vierter Teil: Mitwirkung und Mitbestimmung der Arbeitnehmer

Erster Abschnitt: Allgemeines

§ 49 (1) Arbeitgeber und Betriebsrat arbeiten im Rahmen der geltenden Tarifverträge vertrauensvoll und im Zusammenwirken mit den im Betrieb vertretenen Gewerkschaften und Arbeitgebervereinigungen zum Wohle

des Betriebs und seiner Arbeitnehmer unter Berücksichtigung des Gemeinwohls zusammen.
(2) Arbeitgeber und Betriebsrat haben alles zu unterlassen, was geeignet ist, die Arbeit und den Frieden des Betriebs zu gefährden. Insbesondere dürfen Arbeitgeber und Betriebsrat keine Maßnahmen des Arbeitskampfes gegeneinander durchführen. Arbeitskämpfe tariffähiger Parteien werden hierdurch nicht berührt.
(3) Arbeitgeber und Betriebsrat sollen einmal im Monat zu einer gemeinschaftlichen Besprechung zusammentreten. Sie haben über strittige Fragen mit dem ernsten Willen zur Einigung zu verhandeln und sich gegenseitig Vorschläge für die Beilegung von Meinungsverschiedenheiten zu machen.
(4) Die Anrufung von Schiedsstellen und Behörden ist erst zulässig, nachdem eine Einigung im Betrieb nicht erzielt wurde. ...

§ 51 Arbeitgeber und Betriebsrat haben darüber zu wachen, daß alle im Betrieb tätigen Personen nach den Grundsätzen von Recht und Billigkeit behandelt werden, insbesondere, daß jede unterschiedliche Behandlung von Personen wegen ihrer Abstammung, Religion, Nationalität, Herkunft, politischen oder gewerkschaftlichen Betätigung oder Einstellung oder wegen ihres Geschlechts unterbleibt. Arbeitgeber und Betriebsrat haben jede parteipolitische Betätigung im Betrieb zu unterlassen. ...

§ 55 (1) Alle Mitglieder oder Ersatzmitglieder des Betriebsrats sind verpflichtet, über vertrauliche Angaben oder Betriebs- und Geschäftsgeheimnisse, die ihnen wegen ihrer Zugehörigkeit zum Betriebsrat bekanntgeworden und vom Arbeitgeber ausdrücklich als geheimzuhalten bezeichnet worden sind, Stillschweigen auch nach dem Ausscheiden aus dem Betriebsrat zu wahren. Diese Schweigepflicht gilt nicht gegenüber Mitgliedern des Betriebsrats. ...

Zweiter Abschnitt: Soziale Angelegenheiten

§ 56 (1) Der Betriebsrat hat, soweit eine gesetzliche oder tarifliche Regelung nicht besteht, in folgenden Angelegenheiten mitzubestimmen:
a. Beginn und Ende der täglichen Arbeitszeit und der Pausen;
b. Zeit und Ort der Auszahlung der Arbeitsentgelte;
c. Aufstellung des Urlaubsplans;
d. Durchführung der Berufsausbildung;
e. Verwaltung von Wohlfahrtseinrichtungen, deren Wirkungsbereich auf den Betrieb oder das Unternehmen beschränkt ist, ohne Rücksicht auf ihre Rechtsform;
f. Fragen der Ordnung des Betriebs und des Verhaltens der Arbeitnehmer im Betrieb;
g. Regelung von Akkord- und Stücklohnsätzen;
h. Aufstellung von Entlohnungsgrundsätzen und Einführung von neuen Entlohnungsmethoden. ...

§ 57 Durch Betriebsvereinbarung können insbesondere geregelt werden:

a. Maßnahmen zur Verhütung von Betriebsunfällen und Gesundheitsschädigungen;
b. Errichtung von Wohlfahrtseinrichtungen, deren Wirkungsbereich auf den Betrieb oder das Unternehmen beschränkt ist, ohne Rücksicht auf ihre Rechtsform.

§ 58 (1) Der Betriebsrat hat auf die Bekämpfung von Unfall- und Gesundheitsgefahren zu achten, die Gewerbeaufsichtsbeamten und die sonstigen in Betracht kommenden Stellen bei dieser Bekämpfung durch Anregung, Beratung und Auskunft zu unterstützen sowie sich für die Durchführung der Vorschriften über den Arbeitsschutz einzusetzen.
(2) Der Betriebsrat ist bei Einführung und Prüfung von Arbeitsschutzeinrichtungen und bei Unfalluntersuchungen, die vom Arbeitgeber, den Gewerbeaufsichtsbeamten oder sonstigen in Betracht kommenden Stellen vorgenommen werden, zuzuziehen.

§ 59 Soweit Arbeitsentgelte und sonstige Arbeitsbedingungen üblicherweise durch Tarifvertrag geregelt werden, sind Betriebsvereinbarungen nicht zulässig, es sei denn, daß ein Tarifvertrag den Abschluß ergänzender Betriebsvereinbarungen ausdrücklich zuläßt.

Dritter Abschnitt: Personelle Angelegenheiten

§ 60 (1) In Betrieben mit in der Regel mehr als zwanzig Arbeitnehmern hat der Betriebsrat nach Maßgabe der Vorschriften dieses Abschnitts in personellen Angelegenheiten mitzuwirken und mitzubestimmen.
(2) Personelle Angelegenheiten im Sinne dieses Gesetzes sind: Einstellungen, Umgruppierungen, Versetzungen und Entlassungen.
(3) Als Versetzung gilt nicht die Zuweisung eines anderen Arbeitsplatzes innerhalb der gleichen selbständigen Betriebsabteilung oder des gleichen Betriebs am selben Ort bei gleichen Arbeitsbedingungen, wenn damit eine Schlechterstellung des Arbeitnehmers nicht verbunden ist. Werden Arbeitnehmer nach der Eigenart ihres Arbeitsverhältnisses üblicherweise nicht ständig am gleichen Ort beschäftigt, so gilt die Bestimmung des Ortes, an dem jeweils die Arbeit zu leisten ist, nicht als Versetzung im Sinne dieses Gesetzes. Das Nähere kann durch Tarifvertrag oder Betriebsvereinbarung bestimmt werden.

§ 61 (1) Der Arbeitgeber hat bei jeder geplanten Einstellung dem Betriebsrat rechtzeitig den für den Bewerber in Aussicht genommenen Arbeitsplatz mitzuteilen und Auskunft über die Person des Bewerbers zu geben.
(2) Hat der Betriebsrat gegen eine Einstellung Bedenken, so hat er diese unter Angabe von Gründen innerhalb einer Woche dem Arbeitgeber schriftlich mitzuteilen. Erfolgt keine Verständigung, so ist der Arbeitgeber zur vorläufigen Einstellung berechtigt. Der Betriebsrat kann jedoch innerhalb einer Frist von zwei Monaten das Arbeitsgericht anrufen zur Feststel-

lung, daß ein Grund zur Verweigerung der Zustimmung (Absatz 3) vorliegt.
(3) Der Betriebsrat kann die Zustimmung nur verweigern, wenn
a. die Einstellung einen Verstoß gegen ein Gesetz, eine Verordnung oder gegen eine Bestimmung in einem Tarifvertrag oder in einer Betriebsvereinbarung oder gegen eine gerichtliche Entscheidung oder eine behördliche Anordnung darstellen würde oder
b. der durch bestimmte Tatsachen begründete Verdacht besteht, daß die Einstellung eines für den Arbeitsplatz nicht geeigneten Bewerbers nur mit Rücksicht auf persönliche Beziehungen erfolgen soll, oder
c. der durch bestimmte Tatsachen begründete Verdacht besteht, daß die Einstellung erfolgt, um andere geeignete Arbeitnehmer oder Bewerber aus Gründen der Abstammung, Religion, Nationalität, Herkunft, des Geschlechts, politischer oder gewerkschaftlicher Betätigung oder Einstellung zu benachteiligen, oder
d. die durch bestimmte Tatsachen begründete Besorgnis besteht, daß der Bewerber den Betriebsfrieden durch unsoziales oder gesetzwidriges Verhalten stören würde. ...

§ 65 Vor Einstellungen und personellen Veränderungen der in § 4 Abs. 2 Buchstabe c genannten Personen ist dem Betriebsrat rechtzeitig Mitteilung zu machen.

§ 66 (1) Der Betriebsrat ist vor jeder Kündigung zu hören.
(2) Ist zu erwarten, daß in Betrieben a) mit in der Regel mehr als 20 und weniger als 50 Arbeitnehmern mehr als 5 Arbeitnehmer, b) mit in der Regel mindestens 50 und weniger als 500 Arbeitnehmern 10 vom Hundert der im Betrieb regelmäßig beschäftigten Arbeitnehmer oder aber mehr als 25 Arbeitnehmer, c) mit in der Regel mindestens 500 Arbeitnehmern mindestens 50 Arbeitnehmer eingestellt werden können oder entlassen werden müssen, so hat der Arbeitgeber dies so früh wie möglich dem Betriebsrat mitzuteilen und mit ihm über Art und Umfang der erforderlichen Einstellungen oder Entlassungen sowie über die Vermeidung von Härten bei Entlassungen zu beraten.
(3) Die Bestimmungen des Kündigungsschutzgesetzes vom 10. August 1951 (Bundesgesetzblatt I, S. 499) bleiben unberührt.
(4) Hat ein Arbeitnehmer wiederholt durch unsoziales oder gesetzwidriges Verhalten den Betriebsfrieden ernstlich gestört, so kann der Betriebsrat vom Arbeitgeber die Entlassung oder Versetzung des Arbeitnehmers verlangen. Entspricht der Arbeitgeber dem Verlangen des Betriebsrats nicht, so kann der Betriebsrat beim Arbeitsgericht die Feststellung beantragen, daß sein Verlangen begründet ist. Gibt das Arbeitsgericht dem Antrag des Betriebsrats statt, so hat der Arbeitgeber die vom Betriebsrat beantragte Maßnahme unverzüglich unter Berücksichtigung der Kündigungsfristen durchzuführen. ...

Vierter Abschnitt: Wirtschaftliche Angelegenheiten

§ 67 (1) Um eine vertrauensvolle Zusammenarbeit zwischen Betriebsrat und Unternehmer zu fördern und eine gegenseitige Unterrichtung in wirtschaftlichen Angelegenheiten sicherzustellen, wird in allen Unternehmen mit in der Regel mehr als einhundert ständigen Arbeitnehmern ein Wirtschaftsausschuß gebildet.
(2) Der Wirtschaftsausschuß hat Anspruch auf Unterrichtung über die wirtschaftlichen Angelegenheiten des Unternehmens an Hand der Unterlagen, soweit dadurch nicht die Betriebs- und Geschäftsgeheimnisse des Unternehmens gefährdet werden. Die Mitglieder des Wirtschaftsausschusses haben über Angelegenheiten, die die Wettbewerbsfähigkeit des Unternehmens berühren können, Stillschweigen zu bewahren. ...

§ 68 (1) Der Wirtschaftsausschuß besteht aus mindestens vier und höchstens acht Mitgliedern, die dem Unternehmen angehören müssen, darunter mindestens einem Betriebsratsmitglied. Die Mitglieder müssen die zur Erfüllung ihrer Aufgaben erforderliche fachliche und persönliche Eignung besitzen ...

§ 69 (1) Der Wirtschaftsausschuß soll monatlich einmal zusammentreten.
(2) Auf Antrag von zwei Mitgliedern des Wirtschaftsausschusses hat der Unternehmer zur Sitzung des Wirtschaftsausschusses, wenn er oder sein Vertreter nicht selbst teilnimmt, den zuständigen Abteilungsleiter oder Sachbearbeiter zur Erläuterung bestimmter Fragen zu entsenden.
(3) Der Unternehmer hat zusammen mit dem Wirtschaftsausschuß und dem Betriebsrat mindetens einmal in jedem Kalendervierteljahr den Belegschaftsmitgliedern Kenntnis von der Lage und von der Entwicklung des Unternehmens zu geben.
(4) Der Jahresabschluß ist dem Wirtschaftsausschuß unter Beteiligung des Betriebsrats zu erläutern. ...

§ 72 (1) Bei geplanten Betriebsänderungen, die wesentliche Nachteile für die Belegschaft oder erhebliche Teile der Belegschaft zur Folge haben können, hat der Betriebsrat in Betrieben mit in der Regel mehr als zwanzig wahlberechtigten Arbeitnehmern ein Mitbestimmungsrecht. Als Betriebsänderungen im Sinne des Satzes 1 gelten:
a. Einschränkung und Stillegung des ganzen Betriebes oder von wesentlichen Betriebsteilen;
b. Verlegung des ganzen Betriebs oder von wesentlichen Betriebsteilen;
c. Zusammenschluß mit anderen Betrieben;
d. grundlegende Änderungen des Betriebszwecks oder der Betriebsanlagen, soweit sie nicht offensichtlich auf einer Veränderung der Marktlage beruhen;
e. Einführung grundlegend neuer Arbeitsmethoden, soweit sie nicht offensichtlich dem technischen Fortschritt entsprechen oder ihm dienen.

Fünfter Abschnitt: Beteiligung der Arbeitnehmer im Aufsichtsrat

§ 76 (1) Der Aufsichtsrat einer Aktiengesellschaft oder einer Kommanditgesellschaft auf Aktien muß zu einem Drittel aus Vertretern der Arbeitnehmern bestehen. ...
(6) Auf Aktiengesellschaften, die Familiengesellschaften sind und weniger als fünfhundert Arbeitnehmer beschäftigen, finden die Vorschriften über die Beteiligung der Arbeitnehmer im Aufsichtsrat keine Anwendung. Als Familiengesellschaften gelten solche Aktiengesellschaften, deren Aktionäre eine einzelne natürliche Person ist oder deren Aktionäre untereinander im Sinne von § 10 Ziff. 2 bis 5 des Steueranpassungsgesetzes vom 16. Oktober 1934 verwandt oder verschwägert sind. Dies gilt entsprechend für Kommanditgesellschaften auf Aktien. ...

115 **Mai 1946 - August 1948**

Die Demontage in Südbaden

a) Eingabe des Ortsausschusses der Freiburger Gewerkschaften an die französische Militärbehörde, Mai 1946

Der Badische Gewerkschaftler, Nr. 1, Juni 1946.

In den Kreisen der gewerkschaftlich organisierten Arbeiterschaft ist in der letzten Zeit eine große Beunruhigung entstanden durch die Beschlagnahme von Maschinen in einer ganzen Reihe von badischen Fabriken und durch beabsichtigte Schließung von vorher ganz oder teilweise der Rüstungsindustrie gedient habender Betriebe. Die Arbeiterschaft weiß, daß durch die räuberischen Maßnahmen der früheren deutschen Besatzungsbehörden besonders in Frankreich die Industrie einen großen Teil ihres Maschinenparkes verloren hat und durch die Kriegsereignisse sehr viele Industrieanlagen zerstört wurden. Es ist deshalb nicht zu vermeiden, daß vor allem die französische Industrie zur Auffüllung dieser Lücken auf die noch vorhandenen deutschen Maschinen zurückgreift. So schmerzvoll es auch für die in Betracht kommenden Arbeiter ist, auf diese Weise ihre seit Jahrzehnten innegehabte Arbeitsstelle zu verlieren, wissen sie, daß sie sich mit dieser Tatsache abfinden müssen. Aber auf der anderen Seite könnte diese Maßnahme, nämlich die Beschlagnahme von Maschinen und die Zerstörung der vorhandenen Rüstungsindustrie, für die Arbeiterschaft erträglicher gestaltet werden, wenn folgende Punkte bei der Durchführung der beabsichtigten und teilweise schon in Gang befindlichen Maßnahmen berücksichtigt würden:

Die in den letzten Jahren für die Rüstungsindustrie herangezogenen Betriebe ließen sich mit Leichtigkeit auf ihre frühere friedensmäßige Fertigung wieder umstellen. In den Maschinen- und sonstigen Metallwarenfabriken wären die sogenannten »Schlüsselmaschinen«, das heißt, die Maschinen, die Werkzeugmaschinen und Teile dazu herstellen, wenn irgend möglich zu belassen. Werden diese Maschinen entfernt, so stockt die ganze Produktion und eine Neuanfertigung von Werkzeugmaschinen und Werkzeugen, die Frankreich für seinen industriellen Aufbau unbedingt braucht, ist unmöglich. In den meisten anderen Fabriken bedeutet die Herausnahme einer wichtigen Maschine aus dem fortlaufenden Fertigungsprozeß, z.B. in der Holz- oder Metallbranche, wo eine Maschine auf das Erzeugnis der anderen angewiesen und eingestellt ist, eine vollständige Stockung und Unmöglichmachung des gesamten Produktionsprozesses.

In der Textilindustrie, wo in der letzten Zeit die Ablieferung von Tausenden von Spindeln vorgesehen ist, auch in Betrieben, die fortlaufend kontraktlich mit großen Lieferungen für Frankreich beschäftigt sind, kommt die Wegnahme der Maschinen einer Unterbindung der gesamten Lieferungsverpflichtung gleich, während auf der andern Seite die Militärregierung die Textilarbeiter durch Rundschreiben auffordert, eine Steigerung der Produktion unter allen Umständen vorzunehmen und zu unterstützen durch vermehrte Arbeitsleistung. Die Arbeiter, die auch unter dem Naziregime immer die Benachteiligten waren, verlieren durch die genannten Maßnahmen ihre seit Jahren innegehabte Arbeitsstelle, müssen durch die Stillegung der Betriebe versuchen, anderweitig Arbeit zu finden. In den meisten Fällen müssen sie ihre Heimat verlassen, wo manche gerade auf dem Lande sehr oft ein kleines Eigentum besitzen, was sie sich durch Sparsamkeit und Fleiß im Laufe von Jahrzehnten erarbeitet haben. Auf der anderen Seite wird es in den wenigsten Fällen möglich sein, in anderen Orten Wohnung für die Familie zu finden, da die Wohnverhältnisse infolge des Krieges und seiner Auswirkungen überall gleich katastrophal sind.

Diese angeführten Gründe lassen es angezeigt erscheinen, bei der beabsichtigten Schließung von Rüstungsbetrieben und bei der Beschlagnahme von Maschinen in anderen Betrieben die Belange der Arbeiterschaft mehr zu berücksichtigen, da andernfalls sich der Betroffenen eine wahre Verzweiflungsstimmung bemächtigen wird, was für den von den Alliierten gewünschten demokratischen Aufbau in Deutschland sich verhängnisvoll auswirken kann.

b) Entschließung der Generalversammlung der Landesvereinigung der Gewerkschaften Chemie, Gummi, papiererzeugende Industrie und verwandte Betriebe in Freiburg, 23. Februar 1947

Staatsarchiv Freiburg, A 7, Nr. 249, Az 531.

Die Lage in Südbaden ist gekennzeichnet durch das Wiedererstarken reaktionärer Kreise, die heute bereits die Rechte des schaffenden Volkes untergraben. Sie versuchen den Forderungen der Arbeiterschaft, den Gewerkschaften die größten Schwierigkeiten zu bereiten: sei es in der Frage der Mitbestimmungsrechte der Betriebsräte, in allen Fragen der Produktion, der Verteilung und der Preisbildung oder durch die Belassung von ehemaligen Nazis und Militaristen auf leitenden Posten bei Behörden und in Ämtern und ganz besonders in führenden Positionen der Industrie und der Wirtschaft. Auch auf dem Lande sind die Erfassungsausschüsse noch nicht demokratische Organe von Produzenten und Konsumenten, die in der Lage wären, durch bessere Erfassung der Kartoffeln, Getreide und Milch unsere Ernährungsschwierigkeiten zu vermindern.

Der Forderung der Auflösung der Kartelle, Monopole und Trusts und der Übernahme dieser sowie der Betriebe der Kriegsschuldigen und Naziaktivisten in die Hände der Gemeinde, der Kreisverwaltungen oder des Staates wurde noch nicht realisiert.

Trotz der wiederholten Hinweise der Gewerkschaften, die Unternehmerorganisationen auf keinen Fall zuzulassen, sehen wir bereits schon wieder die Machenschaften dieser Kreise bei der Besetzung der Industrie-, Handels- und Handwerkskammern. Sie beabsichtigen, die Gewerkschaften auszuschalten und bieten ihnen ein Viertel der Sitze an. Die Arbeiterschaft ist nicht gewillt, sich mit dieser 25%igen Beteiligung abspeisen zu lassen und verlangt die paritätische Zusammensetzung.

Zur Verbesserung der Lebensbedingungen der Arbeiter fordern die über 6000 in der Landesvereinigung organisierten Chemie- und Fabrikarbeiter die Einrichtung einer das Existenzminimum sichernde Kurzarbeiterunterstützung; die gleiche Lebensmittelzuteilung an Normalverbraucher in Stadt und Land.

Das Verhältnis der Löhne zu den Preisen ist heute katastrophal. Durch die Anordnung Nr. 14 des Kontrollrates können die Löhne der Frauen und Jugendlichen erhöht werden. Wir verlangen die sofortige Realisierung.

Jegliche Bevorzugungen (Priorität) auf Kosten anderer Volksschichten müssen unterbleiben.

Arbeitseinsatz, Dienstverpflichtungen dürfen nur im Einvernehmen mit den Gewerkschaften, den Betriebsräten durchgeführt werden.

Die Demontage in unserer Industrie macht das Weiterarbeiten der Belegschaften unmöglich. Wir sind der Meinung, die Reparationsverpflichtungen müssen aus der laufenden Produktion entnommen werden, um dadurch dem deutschen Arbeiter die Produktionsstätten zum Aufbau einer Friedensproduktion zu erhalten und andererseits unseren Wiedergutmachungswillen beweisen zu können.

Die Betriebsrätewahlen sind bis heute bei den Behörden und in den Verwaltungen noch nicht durchgeführt worden. Die Gewerkschaften legen den größten Wert darauf, daß die Interessenvertretung der Angestellten durch die Betriebsräte gesichert und die Demokratisierung der Verwaltungen beschleunigt wird.

Die Not unseres Volkes mahnt zur Tat, die Bombenanschläge, die Sabotage der Reaktion bei der Wiederankurbelung der Wirtschaft, bei der Entnazifizierung zeigen dem werktätigen Volke, daß es an der Zeit ist, die schon längst erhobene Forderung zu realisieren. Nur so kann eine friedliche Entwicklung in Deutschland gesichert werden, wird die politische und wirtschaftliche Einheit Deutschlands Tatsache und werden die Völker der vereinten Nationen bereit sein, Deutschland wieder in das Weltgefüge einzureihen.

c) Resolution der Betriebsrätekonferenz in Offenburg, 27. März 1947

Staatsarchiv Freiburg, A 7, Nr. 249, Az 531.

Die in Offenburg am 27.3.1947 tagende Betriebsrätekonferenz sieht mit großem Bedenken die rückläufige Entwicklung unserer südbadischen Industrie. Sie fordert die zuständigen Ministerien und Behörden auf, alles zu tun, um eine planvolle Wirtschaft zu gestalten und zu sichern. Durch Beschreitung neuer Wege muß die Existenz des schaffenden Volkes garantiert werden. Die Versammelten setzen das Vertrauen in alle politischen Parteien der Badischen Beratenden Landesversammlung, daß sie in der kommenden Landesverfassung den Arbeitern und Angestellten durch ihre gewählten Betriebsräte das Mitbestimmungsrecht in der Wirtschaft garantieren.

Sie geben weiter der Erwartung Ausdruck, daß alle Maßnahmen eingeleitet werden, damit die von den Entnazifizierungskammern erlassenen Urteile schnellstens realisiert und alle Belasteten aus führenden Positionen in Wirtschaft und bei Behörden entfernt und dem Arbeitseinsatz zur Verfügung gestellt werden.

Die gewählten Betriebsräte der Belegschaften haben mit großer Sorge Kenntnis genommen von der weiteren Entnahme von 2 000 Maschinen aus der südbadischen Wirtschaft. Sie sehen darin einen Widerspruch zu der neuerdings vertretenen Auffassung, daß Deutschland seine industrielle Produktion um das Dreifache erhöhen muß, um einen mittleren Lebensstandard zu erreichen. Sie schlagen folgende Maßnahmen vor:

1. Die Entmachtung der Konzernherren, anderer Kriegsverbrecher und Naziaktivisten in der Wirtschaft; die Überführung ihrer Unternehmen im landeseigenen Besitz.
2. Die Verstaatlichung der Schlüsselindustrien.
3. Säuberung der staatlichen Wirtschaftsämter von Nazis und anderen aktiven Verfechtern der faschistischen Kriegspolitik und die Besetzung dieser Stellen mit fortschrittlichen Kräften.
4. Volles Mitbestimmungsrecht der Betriebsräte und Gewerkschaften auf sozialpolitischem Gebiet sowie in allen Fragen der Planung, der Verwaltung, der Erzeugung und Verteilung.
5. Auflösung der alten Wirtschaftsverbände, die in den Westzonen getarnt unter dem Namen demokratischer Wirtschaftsvereinigungen wieder auftauchen.
6. Paritätische Besetzung der Industrie- und Handelskammern unter Beteiligung der Arbeiterschaft. Entfernung aller früheren Nazis und Vertreter des Monopolkapitals aus Präsidium und Geschäftsführung.

d) Stellungnahme der Betriebsräte des Kreises Wolfach, 27. November 1947

DGB Offenburg, Die ersten Schritte der Gewerkschaftsbewegung im Kreise Wolfach nach 1945.

Vom Kreisgewerkschaftskartell wurden die Betriebsräte der auf der Demontageliste stehenden sechs Betriebe des Kreises zu einer Besprechung der Lage nach Haussach zusammengerufen. Kreiskartellvorsitzender Käser und Geschäftsführer Däuble gaben den Kollegen Aufschluß über die dem Wirtschaftsministerium und Gouvernement Wolfach diesbezüglich gepflogenen Verhandlungen. Im Augenblick ist die Lage noch ungeklärt. Die Betriebsräte der betroffenen Betriebe haben das größte Interesse, die Arbeitsplätze den Arbeitern zu erhalten. Es kam zum Ausdruck, man solle von seiten der Besatzungsmacht Wert darauf legen, den Betriebsräten Kontrolle über die Produktion einzuräumen und jede Gefahr der Unsicherheit ist damit gebannt.

Käme es zur Demontage, würden im Kreis Wolfach 432 Beschäftigte erfaßt. Selbst bei einer Berufsveränderung könnte das Arbeitsamt nur einen geringen Teil hiervon anderweitig vermitteln. Abgesehen von der

Härte, seinen erlernten Beruf aufgeben zu müssen, muß noch berücksichtigt werden, daß die Arbeiter in unserem Gebiet bodenständig sind.

Jeder der benannten Betriebe mußte ja bereits bei der Maschinenentnahme seinen Teil beitragen, und daß die Produktion weitergeführt werden kann, liegt nicht zuletzt am Fleiß und der Einsatzbereitschaft der Arbeiter, durch Produktion von Maschinen und Werkzeugen sowie Gebrauchsartikel zur Gesundung ganz Europas seinen Teil beizutragen. Eine Arbeiterschaft, die sich ihrer Arbeitsplätze, die mehr oder weniger dem einzelnen zum Lebensunterhalt geworden sind, beraubt sieht, hat für Erklärungen, von welcher Seite sie auch kommen mögen, kein Verständnis; und im Innern dürfte etwas sitzen bleiben, das leider für die weitere zu wünschende Entwicklung nicht dienlich ist. Möge man dies neben den anderen Argumenten auch berücksichtigen.

Die Betriebsräte ersuchen die Gewerkschaften, alles zu unternehmen, um diese einschneidenden Maßnahmen zu verhindern, stichhaltiges Material bei eigener Augenscheinnahme von den Betrieben sich vorlegen zu lassen und es an den Gewerkschaftsbund zur Verwertung vorzulegen.

e) Erklärung des Bundesausschusses des Badischen Gewerkschaftsbundes, 22. August 1948

DGB Offenburg, Schriftverkehr des Ortsausschusses Lahr mir dem Badischen Gewerkschaftsbund, 1946–1949.

Der Bundesausschuß des Badischen Gewerkschaftsbundes hat von der angeordneten sofortigen Durchführung von weiteren Demontagen in der badischen Exportindustrie Kenntnis genommen. Diese Maßnahmen stehen im strikten Gegensatz zu den Bemühungen, der deutschen Wirtschaft durch verstärkten Export die Einfuhr der notwendigen Rohstoffe und Lebensmittel zu ermöglichen, wie es der Marshall-Plan vorsieht.

Die erschreckenden materiellen und psychologischen Auswirkungen auf die betroffene Arbeiterschaft und darüber hinaus auf die gesamte Bevölkerung stärken die schon vorhandenen chauvinistischen und reaktionären Kreise, machen dadurch die von den Gewerkschaften dringend gewünschte Verständigung mit dem Nachbarvolk zunichte und begünstigen die Bestrebungen zur Entfesselung eines neuen Krieges.

Es ist eine unbestrittene Tatsache, daß die entnommenen Fabrikanlagen der ausländischen Konkurrenz zur Verfügung gestellt werden und dadurch die Wiederaufnahme eines Exports mit den eingangs erwähnten Auswirkungen verhindert wird. Die beabsichtigte Demontage hat nichts mit der auch von den Gewerkschaften gutgeheißenen Wiedergutmachung zu tun, sondern ist in erster Linie eine Begünstigung privatkapitalistischer ausländischer Interessen. Die Entnahme der Fabrikanlagen trifft auch nicht die wirklich Schuldigen am Krieg, sondern die Arbeiterschaft, die dadurch ihre Existenzgrundlage verliert.

Die bei der Ruhrbesetzung 1923 gemachten Erfahrungen veranlassen den Bundesausschuß seinerseits, vorläufig von größeren Aktionen abzusehen. Die badischen Gewerkschaften hoffen, daß auch die Militärregierungen im Hinblick auf die damaligen Auswirkungen die beabsichtigten Maßnahmen nicht durchführen, weil sonst die reaktionären Kriegstreiber die Nutznießer wären und die Arbeiterschaft gegen ihren Willen für nationalistische Zwecke mißbraucht würde.

Da es sich bei der Demontage um eine Angelegenheit des gesamten Volkes handelt, verlangt der Bundesausschuß, daß die Badische Staatsregierung mit aller Energie sich bei der Militärregierung weiter für die Aufhebung der angeordneten Maßnahmen einsetzt und die betroffenen Arbeiter sowie ihre Familien in jeder Weise unterstützt und vor jedem Schaden bewahrt, wenn es in Verfolg dieser Maßnahmen zu Weiterungen kommt. Der Badische Gewerkschaftsbund stellt sich in jedem Falle hinter die in Frage kommende Arbeiterschaft und wird sie mit allen Kräften unterstützen.

Die Proteste gegen die Lohn- und Preispolitik und die sozialen Folgen der Währungsreform

a) Entschließung der Delegierten der »Badischen zugelassenen Ortsausschüsse« zur Ernährungslage in Baden, 20. Oktober 1946

DGB Offenburg, Schriftverkehr des Ortsausschusses Lahr mit dem Badischen Gewerkschaftsbund, 1946-1949.

Die am 20. Oktober in Offenburg anläßlich der Beratungen der Studienkommission über die Gewerkschaftsabgrenzung versammelt gewesenen Delegierten der »Badischen zugelassenen Ortsausschüsse« befaßten sich auch mit der unhaltbar gewordenen Lage der werktätigen Bevölkerung in der Frage der Ernährung und Bekleidung. Das Ergebnis der Aussprache kam in nachfolgender Entschließung zum Ausdruck:

Die derzeitige Ernährungslage und die Versorgung mit Arbeitskleidung und Schuhen in der französisch besetzten Zone zwingt die Gewerkschaften als die berufenen Vertreter der schaffenden Bevölkerung, die Aufmerksamkeit der zuständigen Stellen und der französischen Militärregierung auf dieses sehr ernste Problem hinzulenken. Die im Arbeitsprozeß stehenden und mehr als ihre Pflicht erfüllenden Menschen sind infolge ungenügender Ernährung trotz bestem Willen nicht mehr in der Lage, ihre Arbeitskraft voll einzusetzen. Dazu fehlt es an Schuhen und Arbeitskleidung. Eine Steigerung der Produktion ist so nicht zu erreichen - im Gegenteil ist zu befürchten, daß sie erheblich herabsinken wird.

Die den Normalverbrauchern zugestandenen Rationen können meistens nicht verteilt werden. So sind z. B. in Freiburg im Monat September statt 320 g Fett nur 250 g verteilt worden, statt 10 kg Kartoffeln nur 3 kg. Käse ist überhaupt nicht mehr zur Ausgabe gelangt. Auch im ersten Drittel des Monats Oktober wurden keine Kartoffeln ausgegeben, obwohl nach dem veröffentlichten Ernährungsplan 15 kg im Monat zugeteilt werden sollen.

Mit besonderem Ernst weisen die Vertreter der Gewerkschaften auf die vollkommen unzureichende Versorgung der Kleinkinder mit Kindernährmitteln hin. Infolge Fehlens einer eigenen Kindernährmittelindustrie der französisch besetzten Zone Badens sind wir auf die Einfuhr aus den anderen Zonen angewiesen. Die Lieferanten in Nordwürttemberg und Bayern sind bereit, auch ohne Kompensation Kindernährmittel zu liefern, sofern die Genehmigung der amerikanischen Militärregierung eingeholt wird. Die Vertreter der Badischen Ortsausschüsse sind der Auffassung, daß nur die Aufhebung der Zonengrenzen und die Wiederherstellung der Wirtschaftseinheit Deutschlands die Möglichkeit ungehemmten Warenaustausches und eines Ausgleichs an Lebensmitteln herbeiführen kann und bitten die französische Militärregierung, alles zu tun, daß die Zonengrenzen aufgehoben werden und dadurch eine Verbesserung der Gesamternährung der Bevölkerung der französisch besetzten Zone Badens herbeigeführt werden kann. Die werktätige Bevölkerung, zusammengefaßt in den Gewerkschaften, bekundet erneut ihren entschlossenen ernsten Willen, an dem Neuaufbau eines demokratischen Deutschlands loyal und aufrichtig mit der französischen Militärbehörde zusammenzuarbeiten. Sie bittet aber auch andererseits, daß ihre Wünsche und Anregungen auf eine Verbesserung der Ernährung und eine ausreichende Versorgung mit Schuhen und Arbeitskleidung in absehbarer Zeit erfüllt werden.

b) Schreiben der Holzarbeitergewerkschaft des Landkreises Wolfach an das Badische Arbeitsministerium betreffend den Nahrungs- und Bekleidungsmangel, 27. Oktober 1946

Staatsarchiv Freiburg, A 7, Nr. 715, Az 5506.

Nach der furchtbarsten Niederlage, welche je ein deutsches Volk in seiner Geschichte erleben mußte, wie sie jetzt das deutsche Volk durchmachen muß, ist der Arbeiter, welcher ja mit gutem Gewissen sagen kann, daß er die geringste Schuld an diesem unheilvollen Elend, welches über Deutschland durch die Wahnsinnsdiktatur Hitlers und seiner Trabanten gekommen ist, trägt, seiner Arbeit mit zäher Verbissenheit und gewohntem Fleiß nachgegangen, in der Hoffnung, in Bälde wieder ein freies Deutschland auf demokratischer Grundlage aufzubauen. Mit dankbarem Herzen blickte er zu seinen in den siegreichen Armeen stehenden ausländischen Arbeitskameraden und ihren Führern empor, welche die deutschen Arbeiter von dem Hitler-Joch befreiten. Daß die Arbeit hart und schwer sein wird, war jedem von uns begreiflich, und ebenso begreiflich ist es uns, daß wir für die nahe Zukunft noch sehr viel durchzumachen haben, bis wir unser Ziel erreicht haben. Die Arbeit wurde verrichtet in der Hoffnung, daß uns im Herbst 1946 nach jahrelangem Hungern eine bessere Ernährung zuerkannt wird.

Nun müssen wir aber die Feststellung machen, daß das Gegenteil der Fall ist. Es sei hier ausdrücklich festgestellt, daß z. B. im Landkreis Wolfach unter anderem kein Zucker auf die Schwerarbeiter - Gruppe 2 - zur Ausgabe kam. Auf mein Vorstelligwerden beim Ernährungsamt Wolfach wurde mir mitgeteilt, daß die Schuld hierfür beim Landesernährungsamt in Freiburg liege, in allen anderen Landkreisen sei Zucker für diese Gruppe zur Verteilung gekommen. Bereits noch schlimmer verhält es sich mit der Bekleidung bei den Arbeitern in der Sägewerksindustrie, wo doch der Sägewerksarbeiter immer bei Wind und schlechtestem Wetter seine Arbeit stets im Freien zu verrichten hat: kein ganzer Schuh, die Hosen und Hemden aufs erbärmlichste zerrissen, kein Flickzeug vorhanden - und in diesem Zustand soll der Sägewerksarbeiter diesen Winter seine Arbeit verrichten. Hier gibt es nur ein Wort: »Unmöglich!«

Sollte in dieser Beziehung in Bälde keine durchgreifende Besserung eintreten, so muß der Führer der Holzarbeitergewerkschaft jede hieraus entstehenden Folgen ablehnen. Denn es kann dem Sägewerksarbeiter unmöglich zugemutet werden, diesen Winter mit zerrissenen Schuhen und Kleidern bei der schlechtesten Witterung weiter seine Arbeit zu verrichten, und ist deshalb notgedrungen gezwungen, zu Hause zu bleiben. Wie dann die auferlegten Kontingente erfüllt werden, ist leider unvorstellbar. Wir Gewerkschaftsführer haben vor der Machtübernahme warnend unsere Stimme erhoben, man hat unsere Warnungen nicht beachtet; das Schlimmste ist eingetreten, und so scheint es auch hier wieder der Fall zu sein. Ich bitte deshalb dringend, daß hier baldmöglichst Abhilfe geschaffen wird.

Der Vorsitzende der
Holzarbeitergewerkschaft des Landkreises Wolfach:
Markus Faisst.

c) Antwortschreiben des Badischen Arbeitsministeriums an die Holzarbeitergewerkschaft des Landkreises Wolfach, 15. November 1946

Staatsarchiv Freiburg, A 7, Nr. 715, Az 5506.

Eine Abschrift des dortigen Schreibens vom 27.10.46 habe ich anläßlich einer Vorsprache bei Gouverneur Pène, dem Delegué superieur du Pays de Bade, mit mehreren anderen derartigen Zuschriften unterbreitet. In dieser Aussprache sind alle die Klagen der Arbeiterschaft zum Ausdruck gebracht worden. Die Besatzungsbehörde schiebt aber alle Verantwortung für die Ernährungsgrundlage auf die deutschen Behörden ab, während diese wieder sagen, daß ihnen die Hände gebunden seien durch andere Maßnahmen.

In bezug auf die Zuteilung von Arbeitsschuhen und Arbeitskleidung wurde vom Gouverneur Pène zugesagt, daß, wenn irgend möglich, eine Freigabe etwa vorhandener Bestände vorgenommen würde. Es liegt eben an der Aktivität der zuständigen Wirtschaftsämter bzw. Landräte, damit berücksichtigt zu werden.

Wir kämpfen hier mit den Gewerkschaften mit den gleichen Schwierigkeiten, weil eben das Vorhandene zu wenig und der Bedarf zu groß ist.

Wegen der Zuteilung von Zucker an Schwerarbeiter wird wohl inzwischen bei Euch die Sache nachgeholt worden sein - oder nicht?

Was von hier aus und von seiten der Gewerkschaften zur Behebung der Notlage der Arbeiterkreise geschehen kann, geschieht. Leider sind die Verhältnisse in der ganzen Welt infolge des Krieges und des vorangegangenen Nazisystems so furchtbar, daß eine baldige Besserung kaum möglich ist, am allerwenigsten hier bei uns.

d) Stellungnahme der Betriebsräte und der Industriegewerkschaften Metall des Wirtschaftsgebietes Lörrach an das Badische Wirtschaftsministerium zur Versorgungslage, 25. März 1947

Staatsarchiv Freiburg, A 7, Nr. 249, Az 531.

Auf allgemeines Verlangen der Betriebsräte unserer Metallbetriebe im Landkreis Lörrach wurde am Dienstag, den 25.3.1947 in Lörrach eine Funktionärsbesprechung der Metallarbeitergewerkschaften und der Betriebsräte aus den Metallbetrieben des Wirtschaftsgebietes Lörrach durchgeführt. Zweck der Zusammenkunft war, zu der geradezu unhaltbar gewordenen Ernährungs- und Versorgungslage in unserem Landkreis Stellung zu nehmen. Die Gesamtbevölkerung des Landkreises steht in einer direkten Hungersnot, die für die Werktätigen in den Betrieben sich soweit entwikkelt hat, daß die weitere Aufrechterhaltung der Arbeit direkt gefährdet ist. Da von keiner Seite irgendwelche Anzeichen sichtbar sind, die auf eine Wendung zum Besseren hindeuten, wurde in ergiebiger Aussprache über die Möglichkeiten zur Besserung der Lage beraten. Da von seiten französischer Wirtschaftsstellen eine große Anzahl von Produktionszweigen zu sogenannten Prioritätsbetrieben erhoben wurden, ergibt sich das Bild einer ungerechten Lösung der Ernährungs- und Versorgungsgrundlage.

Durch die Tatsache, daß insbesondere bei der Verteilung von Schuhen, Fahrradbereifungen und Arbeitskleidung die Prioritätsbereiche eine absolute Sonderstellung einnehmen, sehen sich insbesondere die Metallbetriebe, die in der Priorität nicht anerkannt sind, mit Recht äußerst benachteiligt. Die Metallbetriebe sind als Maschinenbaubetriebe Zubringerbetriebe für die gesamte übrige Industrie. Weder die Textilindustrie noch die übrigen Industrien könnten ihre Betriebe aufrecht erhalten, wenn z.B. nicht die Gießereien die benötigten Reparaturteile zur Erhaltung des Maschinenparkes herstellen würden. Ebenso verhält es sich bei der wirtschaftlichen Beurteilung z.B. eines Brückenbaubetriebes, dessen Arbeit von erstrangiger Bedeutung für die Aufrechterhaltung des Verkehrs und somit der Wirtschaft allgemein als besonders vordringlich bewertet werden muß. Ähnlich liegen die Verhältnisse bei allen übrigen Betrieben unserer heimischen Metallindustrie. Besonders hervorgehoben muß werden, daß gerade bei diesem Berufszweig die körperliche und geistige Beanspruchung an die in ihm Beschäftigten besonders hohe Anforderungen stellt.

Die anwesenden Betriebsräte der gesamten Metallbetriebe des Wirtschaftsgebietes Lörrach erwarten von den zuständigen Wirtschaftsstellen eine sofortige Stellungnahme zu der ernsten Frage der Versorgung der Angehörigen der Metallberufe. Da es ohne weiteres feststeht, daß von einer Befriedigung unserer Ernährungsbedürfnisse aus den Möglichkeiten unserer Zone keine Rede sein kann, erwarten wir von den zuständigen Stellen eine sofortige energische Prüfung der Frage, wieweit aus den Erzeugnissen der heimischen Metallindustrie auf dem Wege des direkten Austausches oder der Devisenbeschaffung die Möglichkeit besteht, Lebensmittel zur Versorgung der Berufstätigen heranzuschaffen.

Wie aus den augenblicklich geführten Verhandlungen in Moskau hervorgeht, ist es ganz klar, daß die Möglichkeit geschaffen werden muß, zur Steigerung unseres industriellen Austausches die Voraussetzungen zur Erhaltung unserer Arbeitskraft zu schaffen.

Die Gewerkschaften der Metallarbeiter sowohl wie die Betriebsräte der Metallbetriebe verlangen deshalb, daß aus ihrer Produktion, insbesondere derjenigen, die ohnehin zum Export bestimmt ist, ein Anteil von 20% angesetzt wird, der für die Ausgleichung der Ernährung in unserem Wirtschaftsgebiet Verwendung finden kann.

Im Hinblick auf die in Offenburg in Aussicht stehende Landeskonferenz der Metallarbeiter erwarten sie eingehende Stellungnahme zu dieser ernsten Frage und entsprechende Beschlußfassung.

e) Stellungnahme des Ortsausschusses der Lahrer Gewerkschaften, 9. Juli 1948

DGB Offenburg, Schriftverkehr des Ortsausschusses Lahr mit dem Badischen Gewerkschaftsbund, 1946–1949.

Wir Gewerkschaften stellen mit großer Sorge fest, daß die Währungsreform sich in der Tabakindustrie äußerst nachteilig auswirkt. Durch die hohen Steuersätze (geplante Steuersenkung erst am 1. Dezember) und die geschwächte Kaufkraft liegt der Handel mit Tabakwaren fast vollständig lahm. Durch die niedrigen Tabakkontingente ist die Produktionskapazität schon lange Zeit nicht mehr voll ausgenutzt. Da die Bizone Auslandstabake einführt und dadurch ihre Qualität und ihre Produktion steigert, dürfte der Absatz in der Bizone zum Stocken kommen.

In der Tabakindustrie sind ungefähr 6 000 Arbeiter(innen) beschäftigt, davon im Kreis Lahr ca. 3 000. Diese Arbeiter gehören schon lange zu den schlechtbezahltesten, zudem arbeiten sie schon jahrelang zum Teil verkürzt, so daß sie in sozial mißlichen Verhältnissen leben. Diesen Arbeitern droht nun Arbeitslosigkeit oder noch größere Kurzarbeit. Eine breite Schicht der Arbeiter in der französischen Zone und vor allem in Südbaden, dabei wird der Kreis Lahr am härtesten betroffen, stehen vor katastrophalen Verhältnissen.

Aus diesen Gründen heraus schlagen wir vor, daß hier die Regierung eingreift durch sofortige Durchführung der auf den 1. Dezember 1948 festgelegten Senkung der Tabaksteuer und durch Stundung der Steuer für Banderolen auf eine angemessene Zeit. Wir hoffen dadurch eine Erhöhung des Tabakwarenumsatzes, während bei den hohen Steuersätzen die Verbraucherkreise nicht in der Lage sind, die Zuteilungen für Monat Juni zu kaufen. Durch Bereitstellung von Krediten zur Zahlung von Löhnen und Gehältern kann eine Stillegung der Betriebe und die damit verbundene Arbeitslosigkeit vermieden werden.

Wir verlangen schnellste Abhilfe, da sonst unabsehbare Folgen entstehen.

f) Stellungnahme des Vorstandes des Badischen Gewerkschaftsbundes an den Badischen Landtag, 16. Juli 1948

Staatsarchiv Freiburg, A 1, Nr. 4431.

Sehr geehrte Herren Abgeordnete!

Wir erlauben uns hiermit die Ansicht der Badischen Gewerkschaften zur gegenwärtigen Lage mitzuteilen.

Aus Zuschriften und persönlichen Vorsprachen von führenden Gewerkschaftern aus dem ganzen Lande geht hervor, daß die Auswirkungen der Währungsreform allgemein als unsozial empfunden werden.

Das Vermögen der Sozialversicherung, das seit Mai 1945 aus Beiträgen der Arbeitnehmer neu angesammelt wurde, ist auf Null zusammengestrichen, im Gegensatz zu der Reform in der Ostzone, wo den Sozialversicherungsträgern die Hälfte ihres Vermögens belassen wurde. Als furchtbare Härte bedeutet vom sozialen Standpunkt aus gesehen, daß die Reform bei den Spargeldern keine Freigrenze gebracht hat und durch die Anrechnung der Kopfquote, die für Notfälle und für den Lebensabend gesparten Groschen der Reform zum Opfer gefallen sind. Diese furchtbare Härte hat eine Verzweiflungsstimmung, Verbitterung und Hoffnungslosigkeit erzeugt sowie jedes Vertrauen in die demokratische Idee und Staatsform dadurch zerstört.

Ebenso sind die Gewerkschaftsgelder im Gegensatz zur sowjetischbesetzten Zone 10:1 abgewertet, während dort die Umwechslung 1:1 erfolgte.

Wir haben als Gewerkschaften schon rechtzeitig auf die Notwendigkeit einer sozialen Währungsreform hingewiesen und entsprechende Vorschläge unterbreitet. Leider wurde die Hoffnung, daß entsprechende Maßnahmen getroffen würden, enttäuscht. Um so mehr fühlen wir uns veranlaßt, Parlament und Staatsregierung aufzufordern, alles zu tun, um einen gerechten sozialen Ausgleich herbeizuführen; sei es durch Vorstellungen bei den zuständigen Stellen der Militärregierung oder entsprechende gesetzliche Maßnahmen. Als die berufenen Vertreter des schaffenden Volkes fühlen sich die Gewerkschaften verpflichtet, rechtzeitig und dringend zu warnen, vor Entwicklungen, die sich ergeben könnten, wenn auf diesem Gebiet nicht rechtzeitig das Erforderliche getan wird. Die Gewerkschaften wollen allen Ernstes den sozialen und politischen Frieden, damit das schaffende Volk in Ruhe die dringend notwendige und langwierige Aufbauarbeit vollziehen kann. Bereits im Mai 1946 wurden durch die badische Bevölkerung die Abgeordneten zum Landtag gewählt. Von seinen Vertretern erwartete die badische Wählerschaft energische Maßnahmen, welche ihre Hoffnungen auf baldige Besserung des wirtschaftlichen, kulturellen und sozialen Lebens verwirklichen würden. Die Gewerkschaften müssen im Interesse der arbeitenden Bevölkerung auf die Verabschiedung einer Reihe sozialpolitischer Gesetze durch den Landtag dringen. Das Arbeitsgerichtsgesetz, Urlaubsgesetz, das Arbeitslosenversicherungsgesetz sowie die Verabschiedung des Betriebsrätegesetzes sind von zwingender Notwendigkeit. Dieses soll dazu berufen sein, das Wirtschaftsgefüge in eine neue Form zu gießen. Es schafft die Möglichkeit, daß Fehler und Mängel der Wirtschaft, wie sie in der Vergangenheit aufgetreten sind, ausgeschaltet werden. Der Existenzkampf stellt die arbeitenden Menschen vor viel schwierigere Aufgaben als je zuvor, da nach der Währungsreform die alten wirtschaftlichen Mächte des vergangenen Regimes unter Hilfestellung ausländischer Geldgeber dazu übergehen werden, ihre verlorengegangenen Positionen zurückzugewinnen. Sie sind es, welche unserer Wirtschaft einen Monopolcharakter geben. Die Einordnung der badischen Industrie im Rahmen eines Weststaates läßt heute schon Merkmale einer solchen Entwicklung erkennen.

Die Sicherung des Rechtes auf Arbeit, die maßgebende Beteiligung des arbeitenden Volkes, das Eingreifen bei Lohnfestsetzungen und Preisbildungen wird mehr denn je die Aufgabe der Gewerkschaften sein. Das Fehlen der angeführten Gesetze zum Nachteile der arbeitenden Bevölkerung sowie genügender Schutzmaßnahmen zur Sicherung eines Existenzminimums wird dazu führen, daß gewerkschaftliche Kämpfe die unausbleiblichen Folgen sein werden.

Zu allen Sozialgesetzen haben die Gewerkschaften ihre Vorschläge unterbreitet. Das Betriebsrätegesetz ist bereits von allen interessierenden Kreisen beraten worden, ihre Vorschläge wurden in Form von Vereinbarungen an das Ministerium weitergeleitet. Die beschleunigte Verabschiedung dieser Gesetze ist daher das Gebot der Stunde. Der Badische Gewerkschaftsbund wendet sich an die Herren Abgeordneten, alles zu tun, um diese Sozialgesetze zu verabschieden.

Der Vorstand des Badischen Gewerkschaftsbundes:
Max Faulhaber, J. Vogel.

g) Entschließung der Metallarbeiter Freiburgs, 26. Juli 1948

Staatsarchiv Freiburg, A 7, Nr. 715, Az 5506.

Die am 26.7.1948 in der »Harmonie« Freiburg versammelten Metallarbeiter nahmen zur wirtschaftlichen und sozialen Entwicklung Stellung, wie sie sich nach Durchführung der Währungsreform ergeben hat.

Einmütig und mit großer Entrüstung wurde der durchaus unsoziale Charakter dieser Reform gebrandmarkt, derzufolge die Existenz von Millionen arbeitsunfähiger Menschen, Sozial- und Kleinrentner ernsthaft gefährdet ist. Die in harter Arbeit mühsam zusammengetragenen Spargroschen vieler Millionen Kleinsparer, die schon einmal nach dem Ersten Weltkrieg durch die Inflation restlos enteignet wurden, stehen nun wiederum vor einem Nichts. Auf der anderen Seite konnten die Sachwertbesitzer dank der entgegenkommenden Haltung seitens der Regierungsstellen große Mengen an Gebrauchsgütern zurückhalten und horten, so daß diese Kreise, die noch niemals Not gelitten, schon wieder innerhalb kurzer Zeit größere Vermögen ansammeln konnten.

Die Versammlung stellt fest, daß dieser große Volksbetrug mit bewirtschafteten Gütern nur möglich war, weil ihn die verantwortlichen Regierungsstellen durch ihre sträfliche Passivität indirekt unterstützten. Angesichts der auf allen Gebieten eingetretenen Preiserhöhungen einerseits und der durch Lohnstopp zwangsweise sehr niedrig gehaltenen Löhne andererseits ist die Kaufkraft der arbeitenden Bevölkerung auf einen unerträglichen Tiefstand gesunken. Eine derartige katastrophale Entwicklung hat mit demokratischer Wirtschaftsgestaltung nicht das geringste zu tun! Die Geduld der Arbeitnehmer hat einen Grad erreicht, der bei anhaltender Dauer diese Verelendungserscheinung wie ein Funke im Pulverfaß wirken muß. Die in ihrer Gewerkschaft zusammengeschlossenen Arbeitnehmer des Metallgewerbes verwahren sich mit aller Entschiedenheit gegenüber allen Versuchen seitens kapitalistischer Wirtschaftskreise und deren Beauftragten in Parlament und Regierung, alle Lasten des verlorenen Krieges auf die schwachen Schultern der Arbeitermassen abzuwälzen. Sie fordern daher:

1. Sofortige Verstärkung der Preiskontrollorgane und deren verschärfte Tätigkeit mit dem Ziel, auf allen für die Arbeitnehmer wesentlichen Gebieten die Preise auf den Stand vom Jahre 1944 herabzusetzen.

2. Der bevorstehende Lastenausgleich ist derart sozial zu gestalten, daß der wirtschaftlich Schwache, der bereits schon täglich große Opfer bringen muß, von weiteren Opfern verschont bleibt, dafür aber den wirtschaftlich Starken mit all seinem Vermögen einschließlich Sachwertbesitz dermaßen belastet, daß sich daraus auch ein tatsächliches Opfer für diesen ergibt.

Die Anwesenden geloben, im Kampf um die Hebung des Lebensstandards aller Schaffenden nicht zu erlahmen, und sind bereit, die geballte Kraft ihrer gewerkschaftlichen Organisationen in diesem Kampf voll und ganz einzusetzen.

h) Resolution der Belegschaft der Firma J. R. Geigy AG in Grenzach zur Preissteigerung und Lohnentwicklung, 11. August 1948

Staatsarchiv Freiburg, A 7, Nr. 4431.

Die Belegschaft der Firma J. R. Geigy AG, Grenzach/Baden, fordert in der heutigen Belegschaftsversammlung, daß die Gewerkschaftsleitung unverzüglich die Badische Regierung auffordert, die gegenwärtigen Preissteigerungen abzustoppen und die Löhne wieder dem Existenzniveau anzupassen, desgleichen dafür zu sorgen, daß die Gewerkschaft den Landtag veranlaßt, endlich das Betriebsrätegesetz, das den Betriebsräten und Gewerkschaften das volle Mitbestimmungsrecht zusichert, zu verabschieden.

i) Stellungnahme des Ortsausschusses der Lahrer Gewerkschaften zur Lohn- und Preispolitik, 19. August 1948

DGB Offenburg, Schriftverkehr des Ortsausschusses Lahr mit dem Badischen Gewerkschaftsbund, 1946–1949.

Der Ortsausschuß der Lahrer Gewerkschaften hat in seiner gestrigen Sitzung zu der zur Zeit bestehenden Lohn- und Preisentwicklung Stellung genommen. Dabei wurde einmütig der Beschluß gefaßt, alles zu tun, was eine Änderung der bestehenden Verhältnisse herbeiführen kann. Insbesondere wird vom Badischen Gewerkschaftsbund in Freiburg verlangt, daß so schnell wie möglich eine Landesbetriebsräteprotestkundgebung in Freiburg durchgeführt wird, auf welcher die Richtlinien für in allen Orten durchzuführende Protestkundgebungen gegeben werden. Dieselbe Versammlung soll durch eine Demonstration vor den Landtag bzw. der Badischen Regierung von derselben verlangen, daß auf dem schnellsten Wege das Betriebsrätegesetz, das Arbeitsgerichtsgesetz sowie Gesetze zur Herbeiführung von Preissenkungen verabschiedet werden. Die badische Arbeiterschaft hat nun lange genug der Verschleppungstaktik der maßgebenden Stellen zugesehen und duldet keinerlei weitere Verzögerungen mehr.

Durch die immer mehr und schneller steigenden Preise ist das Existenzminimum der arbeitenden Bevölkerung dermaßen gefährdet, daß nur eine sofortige Änderung der Verhältnisse die völlige Verelendung verhindern und der Zusammenbruch der Wirtschaft vermieden werden kann. Es ist nun lange genug verhandelt worden. Die Arbeiterschaft will den Kampf um ihre Existenz, wenn es nicht anders geht, unter Einsetzung der letzten gewerkschaftlichen Kampfmittel.

Die angekündigte Lohnerhöhung von 15% auf die Löhne des 8. Mai 1945 ist völlig unzureichend und würde eher zu einer Verschlechterung der Lage führen. Keine Lohnerhöhung, sondern Stabilisierung der bestehenden Löhne und Durchführung von Preissenkungen auf die Höhe von 1937 ist unsere Forderung, denn eine Lohnerhöhung hat bis jetzt immer eine Preissteigerung zur Folge, wodurch das Realeinkommen der Arbeitenden nicht verbessert werden konnte.

Wir müssen endlich dazu übergehen, den Staat zu zwingen, aufgrund der großen Zahl der werktätigen Bevölkerung, die wir in unseren Reihen vereinigen, den Massen der Schaffenden die laut Verfassung zustehenden Rechte zuzubilligen.

Unter gleichzeitiger Aufforderung an die Bevölkerung, nicht alles zu kaufen, was in den Geschäften angeboten wird, sondern mit dem Geld sparsam umzugehen, hoffen wir, daß die am 22. August 1948 tagende Bundesausschußsitzung entsprechende Maßnahmen beschließt, die allein Erfolg versprechen werden.

j) Forderungen des Bundesausschusses des Badischen Gewerkschaftsbundes an die Lohn- und Preispolitik der Landesregierung, 21./22. August 1948

Staatsarchiv Freiburg, A 1, Nr. 4431.

1. An einem bestimmten Tag und einer bestimmten Stunde wird der Bundesvorstand bei der Regierung vorstellig, um folgende Forderungen zu erheben:
a. Aufhebung des Lohnstopps,
b. strenge Kontrolle der Preise unter Mitwirkung der Wirtschaftsorganisationen,
c. scharfe Maßnahmen gegen Preiswucher,
d. um den Weg zum Verbraucher zu verkürzen, sind durch Anordnung der

Badischen Regierung alle hemmenden Verkaufs- und Preisbindungen des unmittelbaren Bezuges beim Erzeuger als ungesetzlich zu erklären bzw. bestehende Anordnungen aufzuheben,
e. unverzügliche Verabschiedung des Betriebsrätegesetzes und des Arbeitsgerichtsgesetzes.

2. Um diesen Forderungen Nachdruck zu verleihen, tritt zur gleichen Stunde in allen Betrieben des Landes Betriebsruhe ein.

3. Während der Betriebsruhe verlassen alle Werktätigen die Betriebe und begeben sich zu den öffentlichen Protestkundgebungen.

4. Für die Durchführung dieser Kundgebungen sind die Ortsausschüsse verantwortlich.

k) Forderungen des Badischen Gewerkschaftsbundes an die Preispolitik der Landesregierung, 2. September 1948

Staatsarchiv Freiburg, A 2, Nr. 167.

Die Gewerkschaften erlauben sich, der Badischen Staatsregierung die Forderungen zu übermitteln, welche nach ihrer Ansicht geeignet sind, die überhöhten Preise auf das richtige Maß zurückzuführen und auch dem Preiswucher Einhalt zu gebieten:

1. Strengste Preisüberwachung durch Einsetzen von Kontrollausschüssen mit der Befugnis, die Preise auf ihre Richtigkeit nachzuprüfen. Begründung: Die Erfahrung nach der Währungsreform hat gelehrt, daß die Preise in Industrie sowie beim Handel die unterschiedlichste Höhe haben. Wir haben Fälle festgestellt, wo vom tatsächlichen Preis bis zum verlangten Preis große Differenzen vorhanden sind. Wenn Preiskontrollausschüsse eingesetzt werden, welche das Recht haben, die Belange nachzuprüfen und im Falle nachgewiesener Preisüberhöhung Anzeige bei einem neu zu errichtenden Schnellgericht zu erstatten, in schweren Fällen die sofortige Schließung des betreffenden Geschäftes anzuordnen, so glauben wir, daß schon damit eine gesunde Preisstellung erzielt würde. Die Kontrollausschüsse könnten so gebildet werden, daß sämtliche beteiligten Kreise mit je einem Vertreter berücksichtigt werden. Preiskontrollen würden in solchen Fällen stattfinden, wo eine Anzeige erstattet wird. Die Gewerkschaften haben die Absicht, bei sämtlichen Ortsausschüssen Beschwerdestellen zu bilden, bei denen die Anzeige erstattet werden könnte. Diese Anzeigen würden dann dem Preiskontrollausschuß zur Nachprüfung zugeleitet.

2. Verbot von Preisabreden zwecks Ausschaltung der Konkurrenz.

Begründung: Es wird immer wieder festgestellt, daß bestimmte Wirtschaftszweige bindende Anordnungen getroffen haben, um das Unterbieten von Preisen zu verhindern. Dadurch bekommen diese Preise monopolartigen Charakter. Die gesunde Konkurrenz wird ausgeschaltet. Das muß durch ein Verbot verhindert werden.

3. Aufhebung bestimmter Anordnungen und Abreden, welche den unmittelbaren Bezug vom Erzeuger unterbinden. Begründung: Durch die bestehende Marktordnung und durch Abreden privater Natur wird zwangsläufig der Weg vom Erzeuger zum Verbraucher verlängert. Es muß versucht werden, jede Ware auf kürzestem Weg zum Verbraucher zu bringen, um dadurch die die Ware verteuernde Umsatzsteuer und die Zwischenhandelsgewinne möglichst auszuschalten. Die über dem Großhandel stehenden Gruppen- und Versandverteilungsstellen sind aufzulösen.

4. Neufestsetzung der Handelsspannen. Begründung: Nachdem bei fast allen Artikeln die Herstellerpreise infolge der allgemeinen Verhältnisse bereits das Doppelte und noch mehr des Standes von 1938 betragen, ist es nicht gerechtfertigt, daß die Handelsspannen in derselben prozentualen Höhe geblieben sind. Der Verdienst des Handels ist dadurch bei ein und demselben Artikel vielfach um 100–150% gestiegen.

5. Erteilung der Großhandelserlaubnis an die Konsumgenossenschaften. Begründung: Nach der Badischen Verfassung ist es Aufgabe des Staates, das Genossenschaftswesen bevorzugt zu unterstützen. Die Verbrauchergenossenschaften haben in der Vergangenheit deshalb preisregulierend wirken können, weil sie die Großhandelserlaubnis hatten. Dieser frühere Zustand müßte unbedingt wiederhergestellt werden.

6. Unterstützung der Forderung der Gewerkschaften auf Aufhebung des Lohnstopps. Begründung: Wir sind uns bewußt, daß infolge der Verhältnisse auf dem Weltmarkt und der Abhängigkeit Deutschlands vom Auslande mit den oben geforderten Maßnahmen eine fühlbare Preissenkung nicht erreicht werden kann. Um die Existenz der Arbeitenden zu sichern und die Kaufkraft in ein gesundes Verhältnis mit den Preisen zu bringen, genügt die vom Kontrollrat zugestandene Erhöhung der Tariflöhne von 1945 um 15% nicht. Gewerkschaften und Arbeitgeber haben bereits gemeinsam Schritte zur Aufhebung des Lohnstopps unternommen. Von einer Unterstützung durch die Regierung versprechen wir uns einen größeren Erfolg.

7. Sofortige Errichtung der Arbeitsgerichte. Begründung: Die Praxis hat erwiesen, daß arbeitsrechtliche Klagen von den Amtsgerichten nicht zufriedenstellend entschieden werden, da Arbeitnehmer und Arbeitgeber als Beisitzer fehlen. Es muß daher mit größter Beschleunigung das Arbeitsgerichtsgesetz in Kraft gesetzt werden, damit eine fachmännische Behandlungsart und Entscheidung von eingebrachten Klagen gewährleistet ist.

8. Unveränderte Verabschiedung des Betriebsrätegesetzes. Begründung: Der Betriebsrätegesetzentwurf enthält die Mitbestimmung der Arbeitnehmer auch bei der Festsetzung der Kalkulationsgrundlagen. Um auch in der

Industrie ungerechtfertigte hohe Profitspannen zu unterbinden, ist es notwendig, daß die gesetzliche Handhabe, welche das Betriebsrätegesetz hierzu bietet, so schnell als möglich Gesetzeskraft erhält. Auch die Mitbestimmung in Einstellungs- und Entlassungsfragen und die Mitbestimmung bei Einführung neuer Produktionszweige gibt uns das Mittel in die Hand, unrentable Produktionszweige auszuschalten.

Wir haben im Schreiben vom 25.8.1948 den Herrn Staatspräsidenten gebeten, alle interessierten Kreise zu einer Besprechung über die angeführten Fragen einzuladen und bitten, diese Besprechung im Laufe nächster Woche durchzuführen. Der Termin müßte noch festgelegt werden.

l) Bericht des »Badischen Gewerkschaftlers« über die Massenkundgebungen zur Währungsreform, 2. September 1948

Der Badische Gewerkschaftler, 3. Jg., Nr. 17, 15. September 1948.

Kampf gegen die Ausbeutung des Menschen durch den Menschen

Die für die große Masse der Bevölkerung immer schlechter und unerträglicher gewordenen wirtschaftlichen Verhältnisse nach der Währungsreform hatten den Bundesausschuß des Badischen Gewerkschaftsbundes in seiner am 21./22. August abgehaltenen Sitzung den Beschluß fassen lassen, zu einer großen, sich über ganz Südbaden erstreckenden Protest- und Massenkundgebung aufzurufen. Am Donnerstag, den 2. September wurde dieser Beschluß in die Tat umgesetzt. Überall ruhte ab 3 Uhr nachmittags die Arbeit und die Massen zogen zu den meistens unter freiem Himmel gelegenen Versammlungsplätzen. In den großen und kleinen Orten beherrschten um diese Zeit die Demonstranten das Straßenbild und keiner konnte sich dem Eindruck entziehen, daß etwas Besonderes los sei. Die gesamte Presse ohne Unterschied nahm eingehend Stellung zu diesem ersten Mal seit dem Zusammenbruch des Naziregimes im Freien stattfindenden Aufmarsch der Massen der Werktätigen, und überall kam die Anerkennung über die Disziplin und die imponierende Haltung der Teilnehmer an den imposanten Kundgebungen zum Ausdruck. Vom Bundesvorstand war Wert darauf gelegt worden, daß in erster Linie am Ort ansässige und direkt im Arbeitsprozeß stehende Redner die Forderungen der Gewerkschaften zum Ausdruck bringen sollten. Es wurden dadurch die Versammlungen wirklich zu Willenskundgebungen der arbeitenden Massen, da sozusagen aus ihnen heraus zu den aktuellen Problemen Stellung genommen wurde. Gegen die unberechtigten und unreellen Preissteigerungen, gegen den Preiswucher, für ausreichende Löhne und Aufhebung des Lohnstopps, für baldige parlamentarische Erledigung der noch ausstehenden sozialpolitischen Gesetze, – besonders des Betriebsräte- und Arbeitsgerichtsgesetzes – das waren die hauptsächlichsten Punkte, welche behandelt wurden.

Um die gleiche Stunde, wo Tausende und Abertausende den Worten der Redner lauschten und durch Beifallsstürme unterstrichen, hatte der Bundesvorstand bei der Badischen Regierung vorgesprochen und war vom Staatspräsidenten im Beisein der zuständigen Minister empfangen worden. Die gleichen Forderungen wurden dort vorgebracht und eingehend begründet. Der Bundesvorstand wußte sich in dieser Stunde einig mit den über 8 000 Teilnehmern an der Kundgebung auf dem Freiburger Münsterplatz, mit den Tausenden, die in Offenburg in den Réeanlagen, in Lörrach auf dem Friedrich-Neff-Platz, in Lahr auf dem Sonnenplatz versammelt waren, mit den Massen, die in Rastatt, im Murgtal, Emmendingen, Waldkirch-Kollnau, Neustadt, Donaueschingen, St. Georgen, Villingen, Hornberg, Triberg und anderen Orten des Schwarzwaldes die Versammlungsplätze füllten, im oberen Rheintal, so in Rheinfelden, Grenzach, Waldshut, Säckingen usw., im Wiesental in den Industrieorten, im Seekreis in Singen, Konstanz, Gottmadingen, Engen, Überlingen und anderen Orten zur Stelle waren, in Baden-Baden, Achern, Bühl usw. aufmarschierten. Alle waren in Gedanken in Freiburg und einig mit dem dort an maßgebender Stelle ihre Interessen vertretenden Bundesvorstand. Mit einem Wort: Die Massen sind zur Stelle, wenn sie gerufen werden, um für ihre Interessen zu kämpfen. Besonders die Gewerkschaftler wissen eben, daß ohne Kampf kein Erfolg erreicht werden kann. Dieser »Kampf gegen die Ausbeutung der Menschen durch den Menschen«, wie ein Redner auf der Freiburger Kundgebung treffend sagte, muß bis zur letzten Konsequenz durchgeführt werden. Die am Schluß der Freiburger Kundgebung von den über 8 000 Teilnehmern unter starkem Beifall angenommene Entschließung drückt wohl das in kurzen Worten aus, was die Teilnehmer aller Kundgebungen vom Badischen Gewerkschaftsbund erwarten, wenn es dort heißt:

»Die heute, am 2. September, auf dem Münsterplatz in Freiburg stattgefundene Massenkundgebung der Freiburger Werktätigen stellt sich geschlossen hinter die vom Badischen Gewerkschaftsbund aufgestellten Forderungen, die energischen Kampf gegen die ungerechtfertigten Preissteigerungen und den Preiswucher, ein ausreichendes Einkommen für alle Werktätigen und die baldige parlamentarische Erledigung der sozialpolitischen Gesetze, vor allem des Betriebsrätegesetzes, verlangen. Die Versammelten erwarten vom Badischen Gewerkschaftsbund, daß er diesen Kampf bis zur letzten Konsequenz durchführen wird, um die Lage der Werktätigen endlich menschenwürdig zu gestalten.«

Voraussetzung für den Erfolg dieses Kampfes ist aber, daß alles getan werden muß, um die Gewerkschaften zu stärken. Nur mit einer starken, die Mehrzahl der Werktätigen umfassenden Gewerkschaftsbewegung ist es möglich, die berechtigten Forderungen desselben gegen alle Widerstände durchzusetzen. Wird diese Voraussetzung erfüllt, wird der Vorstand des Badischen Gewerkschaftsbundes das in ihn gesetzte Vertrauen nicht enttäuschen.

m) Entschließung des Ortsausschusses der Gewerkschaften von Vöhrenbach/ Schwarzwald zur Preis- und Lohnpolitik, 5. Dezember 1949

Staatsarchiv Freiburg, A 7, Nr. 713, Az 5504.

Zur Sicherung der Lebensexistenz aller Arbeitnehmer stellen die Gewerkschaften von Vöhrenbach und Umgebung an die Regierung unseres Landes und an den Landtag die dringende Forderung, daß sofort Maßnahmen ergriffen werden zur Herabsetzung der Preise auf allen Gebieten, um damit eine Erhöhung des Realeinkommens zu erreichen. Sehen sich Regierung und Landtag außerstande, diesen Forderungen Rechnung zu tragen, so fordern wir von den Industriegewerkschaften sofortige Lohnverhandlungen. Bei diesen Verhandlungen wird erwartet, daß die Regierung den Industriegewerkschaften ihre ganze Unterstützung leiht. Die Arbeitnehmerschaft hat auf diese Unterstützung um so mehr ein Anrecht, als sie bis jetzt durch ihr diszipliniertes Verhalten erwiesen hat, daß sie sich ihrer Verantwortung in der Wirtschaft völlig bewußt war. Wir rechnen dabei auf die Unterstützung der Trizonalen Gewerkschaften sowie auf die Mithilfe des Deutschen Gewerkschaftsbundes. Wir fordern alle Arbeitnehmer auf, sich restlos hinter die Gewerkschaften zu stellen und durch höchste Aktivität und strengste Disziplin diesen Forderungen zum Durchbruch zu verhelfen. Sollte unserer Forderung nicht Rechnung getragen werden, so liegt die Verantwortung der Folgen bei denen, die den Ernst der Lage noch nicht erkannt haben.

Die Badische Verfassung

a) Stellungnahme des Vorstands des Badischen Gewerkschaftsbundes zum geplanten Abschnitt III der Verfassung: »Arbeit und Wirtschaft«, Januar 1947

Staatsarchiv Freiburg, A 7, Nr. 713, Az 5504.

Vor der Beratung der Verfassung hat unsere Verfassungskommission den Fraktionsvorsitzenden der vier Parteien Abänderungsanträge zum gewerkschaftlichen und wirtschaftlichen Teil der Verfassung übergeben. Diese Anträge wurden im Teil III der Verfassung »Arbeit und Wirtschaft« nicht berücksichtigt. Wir hatten erwartet, daß die Mehrheit der Mitglieder der Beratenden Landesversammlung den berechtigten Forderungen der Gewerkschaften Rechnung getragen hätte.

Die Fassung des Artikels 38, Absatz 2, bietet die Möglichkeit, durch Gesetz die Gewerkschaften bei Lohnbewegungen lahmzulegen.

Betriebsräte bei Behörden: Die Vertretung der Interessen von Beamten, Angstellten und Arbeitern bei den Behörden ist in der Verfassung nicht verankert.

Die Forderungen der Gewerkschaften, dem Staat das Recht zur planvollen Lenkung der Wirtschaft einzuräumen, wurde nicht erfüllt.

Die Forderung, zwingende Vorschriften zu schaffen, daß Körperschaften geschaffen werden, an denen Unternehmer und Arbeitnehmer, Erzeuger und Verbraucher gleichmäßig beteiligt sind, wurde nur als »Kann«- Bestimmung festgehalten. Die Bestimmung »Arbeitnehmer« kann dazu dienen, die Gewerkschaften als solche auszuschalten.

Die Forderung, daß die Betriebe des Bergbaues, der Eisen- und Stahlerzeugung, der Energiewirtschaft und des an Schienen- und Oberleitungen gebundenen Verkehrswesens durch Gesetz in Gemeineigentum überführt werden müssen, wird durch die Fassung des Artikels 45 der jetzt vorliegenden Verfassung praktisch unmöglich gemacht!

Der Vorstand des Badischen Gewerkschaftsbundes weist auf die Nichtberücksichtigung seiner Forderungen zu den obigen Punkten ausdrücklich hin. Er fordert alle Arbeitnehmer und alle fortschrittlich Denkenden auf, sich restlos an der Abstimmung zu beteiligen und sich gründlich zu überlegen, ob sie in Anbetracht der mangelhaften Fassung des Abschnittes »Arbeit und Wirtschaft« der Verfassung ihre Zustimmung geben können.

b) Verfassung des Landes Baden (Auszug), April 1947

Amtsblatt der Landesverwaltung Baden: Französisches Besatzungsgebiet, 2. Jg., Nr. 17, 3. Mai 1947, S. 104f.

Abschnitt III: Arbeit und Wirtschaft

Art. 37 Jedermann hat ein Recht auf Arbeit. Die Arbeit ist sittliche Pflicht. Volkswirtschaftliches und soziales Ziel ist, allen Schaffensfähigen und Schaffenswilligen eine für sie geeignete und auskömmliche Arbeit zu sichern.

Die Arbeit steht unter dem Schutz des Staates. Sie wird durch den Staat gegen Mißbräuche, Ausbeutung, Betriebsgefahren und gesundheitliche Schädigungen geschützt.

Männer und Frauen stehen bei Wahl und Ausübung des Berufes gleich. Verrichten sie gleiche Arbeit, so haben sie Anspruch auf gleiche Entlohnung.

Niemand darf in seiner Arbeit wegen seiner Herkunft, seiner politischen Überzeugung oder seines Glaubens benachteiligt werden.

Art. 38 Die Vereinigungsfreiheit zur Wahrung und Förderung der Arbeits- und Wirtschaftsbedingungen ist für jedermann, für alle Berufe und für Arbeitnehmer und Arbeitgeber gewährleistet. Abreden und Maßnahmen, die diese Freiheit einzuschränken oder zu behindern suchen, sind rechtswidrig.

Das Streikrecht der Gewerkschaften im Rahmen der Gesetze wird anerkannt. Dieses Recht einschränkende und hemmende Abreden und Maßnahmen sind nichtig. Die aus der Stellung der öffentlichen Beamten sich ergebenden besonderen Pflichten bleiben unberührt.

Gesamtvereinbarungen über das Arbeitsverhältnis sind für alle Verbandsangehörigen verpflichtend und können von der Landesregierung oder der von dieser beauftragten Behörde für allgemein verbindlich erklärt werden.

Art. 39 Die Arbeitnehmer in wirtschaftlichen Unternehmungen haben ein Mitbestimmungsrecht an der Gestaltung und Verwaltung der Betriebe und an allen sie berührenden Angelegenheiten. Sie bilden zu diesem Zweck Betriebsräte nach Maßgabe des Gesetzes. Auf die besonderen Verhältnisse der Klein- und Mittelbetriebe und die Erhaltung der Initiative ihrer Unternehmer ist dabei Rücksicht zu nehmen.

Art. 40 Der 1. Mai ist staatlich anerkannter Feiertag, der dem Bekenntnis zu sozialer Gerechtigkeit, zu Fortschritt, Frieden, Freiheit und Völkerversöhnung gewidmet ist.

Art. 41 Es ist ein Arbeitsrecht zu schaffen, das dem Arbeitnehmer einen gerechten Lohn, ausreichende Freizeit und Urlaub gewährleistet.

Die Arbeitsbedingungen müssen so beschaffen sein, daß sie die Gesundheit, die Würde, das Familienleben und die kulturellen Ansprüche des Arbeitnehmers sichern; insbesondere dürfen sie die leibliche, geistige und sittliche Entwicklung der Jugendlichen nicht gefährden. Gewerbliche Kinderarbeit ist zu verbieten.

Das Arbeitsentgelt muß der Leistung entsprechen und zum Lebensbedarf für den Arbeitenden und seine Unterhaltsberechtigten ausreichen.

Das Gesetz schafft Einrichtungen zum Schutz der Mütter und Kinder und es schafft die Gewähr, daß die Frau ihre Aufgabe als Staatsbürgerin und Schaffende mit ihren Pflichten als Frau und Mutter vereinbaren kann.

Art. 42 Die Sozialversicherung ist zu erhalten, weiter auszubauen und in besonderen Fällen durch staatliche Mittel zu schützen. Vermögen, das für soziale Versicherungseinrichtungen angesammelt wird, darf nicht für andere Zwecke verwendet werden.

Die Sozialversicherung hat auch die Aufgabe, den Gesundheitszustand des Volkes durch vorbeugende Maßnahmen zu heben, Kranken, Schwangeren und Wöchnerinnen Hilfe zu leisten und eine ausreichende Versorgung für Erwerbsbeschränkte, Erwerbsunfähige und Hinterbliebene sowie im Alter und für den Fall der Arbeitslosigkeit zu sichern. Die Aufgaben des Staates zur Ordnung des Gesundheitswesens werden dadurch nicht beschränkt.

Art. 43 Die Ordnung des Wirtschaftslebens muß den Grundsätzen der Gerechtigkeit entsprechen. Das Ziel ist die Gewährleistung eines menschenwürdigen Daseins für alle. In diesen Grenzen ist die wirtschaftliche Freiheit des einzelnen zu sichern. Die grundsätzliche Freiheit von Landwirtschaft, Industrie, Handel, Handwerk und Gewerbe wird gewährleistet.

Im Wirtschaftsverkehr gilt Vertragsfreiheit nach Maßgabe der Gesetze.

Art. 44 Zur Sicherung einer nach Menge, Güte und Preis möglichst gleichmäßigen Befriedigung der wirtschaftlichen Bedürfnisse aller Schichten des Volkes können durch Gesetz Erzeugungs- und Bewirtschaftungsmaßnahmen angeordnet werden. Diese Maßnahmen sind als Übergangsregelung nach Behebung der zu überbrückenden Notstände wieder außer Kraft zu setzen.

Zur Ordnung der wirtschaftlichen Angelegenheiten können Körperschaften geschaffen werden, an denen Unternehmer und Arbeitnehmer, Erzeuger und Verbraucher gleichmäßig beteiligt sind. Die Schaffung solcher Körperschaften stellt keine Einengung der in Artikel 38, Absatz 1, festgestellten Grundsätze dar.

Der Genossenschaftsgedanke ist zu fördern. Gemeinnützige Genossenschaften sind steuerrechtlich zu begünstigen.

Art. 45 Kann der Wirtschaftszweck besser ohne Eigentum des Unternehmers an Produktionsmitteln erreicht werden oder widerstreitet die Ausübung des Eigentumsrechts dem Gemeinwohl, so sollen Betriebe des Bergbaues, der Eisen- und Stahlerzeugung, der Energiewirtschaft und des an Schienen und Oberleitungen gebundenen Verkehrswesens durch Gesetz in Gemeineigentum überführt werden; andere geeignete Unternehmungen und Wirtschaftszweige können unter Staatsaufsicht gestellt oder in obiger Weise behandelt werden. Art und Höhe der Entschädigung ist in solchen Fällen durch die ordentlichen Gerichte in Abwägung der berechtigten Interessen der Allgemeinheit und des Betroffenen nach billigem Ermessen festzusetzen.

Art. 46 Der Zusammenschluß von Unternehmungen zum Zwecke der Zusammenballung wirtschaftlicher Macht und der Monopolbildung ist unzulässig. Insbesondere sind Kartelle, Konzerne und Preisabreden verboten, welche die Ausbeutung der breiten Massen der Bevölkerung oder die Vernichtung selbständiger Betriebe des Mittelstandes bezwecken.

Art. 47 Die Landwirtschaft ist die Grundlage der Volksernährung; sie hat Anspruch auf besondere staatliche Förderung und Schutz.

Das bäuerliche Eigentum an Grund und Boden wird gewährleistet. Bauernland soll grundsätzlich seiner Zweckbestimmung nicht entfremdet werden. Der selbständige Bauernstand muß erhalten bleiben.

Die Verteilung und Nutzung des Bodens wird vom Staat überwacht und durch ein Gesetz zur Agrarreform geordnet.

Grundbesitz, der durch seinen derzeitigen Besitzer einer zweckbestimmten Bewirtschaftung entzogen, vernachlässigt oder zu Spekulationszwecken mißbraucht wird, kann einer geordneten Bewirtschaftung zugewiesen werden.

Art. 48 Selbständige Klein- und Mittelbetriebe in Gewerbe, Handwerk und Handel sind durch Gesetzgebung und Verwaltung zu fördern und besonders vor Überlastung und Aufsaugung zu schützen. Zu diesem Zweck ist die genossenschaftliche Selbsthilfe auszubauen.

Art. 49 Der Landesregierung obliegt die Gesamtplanung und Leitung des Wiederaufbaues der zerstörten Gebiete des Landes.

Durch einen Wiederaufbauplan trägt sie dafür Sorge, daß jeder Bewohner Badens eine angemessene Wohnung erhält. Die Beschlagnahme einer belegten Wohnung oder von Teilen davon bedarf einer gesetzlichen Grundlage. Der Bau gesunder Wohnungen ist insbesondere Aufgabe des Staates, der Selbstverwaltungskörperschaften und von gemeinnützigen Genossenschaften. Das Nähere bestimmen die Gesetze.

Aufruf des Vorstands des Badischen Gewerkschaftsbundes zum 1. Mai 1947

Der Badische Gewerkschaftler, Sonderausgabe zum 1. Mai 1947, April 1947.

Schaffende in Stadt und Land!

Zum zweiten Male nach dem Zusammenbruch des »Tausendjährigen dritten Reiches« begehen wir den 1. Mai als Feiertag der Arbeit, den Tag, an dem Millionen der ganzen Welt demonstrieren für die Einheit aller Schaffenden, für Freiheit und Menschlichkeit, für Sozialismus und Demokratie, für Völkerverständigung und Weltfrieden; den Tag, an dem Millionen der ganzen Welt kämpfen gegen Diktatur und Reaktion, gegen Ausbeutung und Unterdrückung, gegen Faschismus, Militarismus und Krieg. Freudig schlagen unsere Herzen, weil wir diesen Tag feiern können in unserem Sinne, mit unseren Losungen, frei von jeder Bevormundung.

Keine falschen Parolen von Blut und Boden, von der Vorherrschaft der Herrenrasse sollen die Gehirne vernebeln. Nicht mehr wollen wir schaffen für die Herstellung von Kriegswaffen und Kriegsmaterial. Deshalb fordern wir:

Volles Mitbestimmungsrecht der Betriebsräte und Gewerkschaften zur Erreichung einer planvollen Lenkung der Wirtschaft.

Sicherung der Ernährung durch rationelle Bewirtschaftung des Bodens.

Förderung der landwirtschaftlichen Produktion und gerechte Erfassung und Verteilung der erzeugten landwirtschaftlichen Produkte.

Gerechte Entnazifizierung und sofortige Durchführung der gefällten Urteile; Entfernung der Verurteilten aus allen Schlüsselstellungen der Betriebe, Verwaltungen und Behörden.

Entmachtung der Konzerne und der Kriegsverbrecher; Überführung ihrer Unternehmen in die Gemeinwirtschaft.

Vergesellschaftung der Schlüsselindustrien (Bergbau, Stahl und Eisen, Energie und Grundchemie).

Unser Ziel: Ein friedliches Deutschland, in dem jeder sein gerechtes Auskommen hat; Schutz der Arbeitskraft; gleiches Recht für jeden, ohne Ansehung der Person; Freiheit der Persönlichkeit. Dafür kämpfen wir und sind entschlossen, jedes Opfer dafür zu bringen.

Wir grüßen am 1. Mai die Schaffenden der anderen Zonen. Wir grüßen am 1. Mai die Schaffenden der ganzen Welt, mit denen wir gemeinsam kämpfen für eine bessere Zukunft auf dem Boden der Völkerverständigung und des Friedens. Wir grüßen unsere Kriegsgefangenen fern der Heimat und geloben, alles zu versuchen, damit auch sie der Freiheit und ihren Familien zurückgegeben werden.

Wir fordern alle Werktätigen und fortschrittlichen Kräfte auf, den 1. Mai zu einer machtvollen Kundgebung der Gewerkschaften zu gestalten. Es lebe die Demokratie, der Sozialismus, die Freiheit und der Friede!

Der Vorstand des Badischen Gewerkschaftsbundes

119 **Januar/August 1948**

Die Haltung der französischen Militärregierung zum Streikrecht

a) Bericht des Vorsitzenden der Gewerkschaften des Kreises Wolfach über die Besprechung beim französischen Gouvernement des Kreises Wolfach, 23. Januar 1948

DGB Offenburg, Die ersten Schritte der Gewerkschaftsbewegung im Kreise Wolfach nach 1945.

1. Wie stellen sich die Gewerkschaften zur Vereinheitlichung Deutschlands? Antwort: Die Gewerkschaften wünschen sich ein einheitliches deutsches Reich, nicht aus nationalistischen Gründen heraus, sondern aus rein wirtschaftlichen, da das Niveau der Arbeiterklasse nur gehoben werden kann, wenn die Vereinheitlichung der Ostzone mit der Westzone vollzogen ist.

2. Die Gefahr der Bolschewisierung Deutschlands sei dann größer. Wie wir darüber denken? (Die Gewerkschaften:) Wenn im geeinten Deutschland demokratische Wahlen durchgeführt werden, kommt ja der Wille des Volkes zum Ausdruck. Natürlich muß auch in der Ostzone die SPD zugelassen werden.

3. Wie denkt die Arbeiterschaft über die Schaffung eines Weststaates? Wir sind gegen die Aufteilung der Welt in einen Ost- und Westblock. Dadurch werden die Gegensätze noch größer. Ein geeintes Deutschland würde diese Gefahr beseitigen.

Ich wies erneut darauf hin, daß die Ernährungslage eine sehr kritische und die Stimmung der Arbeiterschaft sehr schlecht ist. Es wurde erwidert, daß auch in Frankreich die Ernährungslage nicht besser sei und daß dies die Folgen des Krieges noch seien.

Abschließend verwarnte Bertu im Auftrage des Kommissars die Gewerkschaften, einen Streik auszulösen. Man würde gegen die Funktionäre mit der selben Strenge vorgehen wie gegen die Nationalsozialisten und sie in KZ schicken. – Ich wies darauf hin, daß dies mit einer Demokratie aber nichts zu tun hätte.

Vorsprache beim Gouverneur: Auf Anregung des Bürgermeisters legte ich Protest ein über weitere Wohnungsbeschlagnahmen in Hornberg und ersuchte Herrn Gouverneur, bei irgendwelchen Maßnahmen doch zuerst das Bürgermeisteramt zu verständigen. Herr Gouverneur erklärte, daß keine weiteren Wohnungsbeschlagnahmen in Aussicht stehen. Die Besuche der verschiedenen Franzosen hier haben nur kontrollmäßigen Charakter, um festzustellen, ob die bezahlten Wohnungen auch wirklich besetzt sind von der Besatzungsmacht.

Auf den Hinweis der schlechten Ernährungslage erwiderte der Gouverneur, daß dies zum größten Teil an deutschen Behörden liege, und ohne Hilfe der Besatzungsmacht sei es überhaupt nicht möglich gewesen, die Bevölkerung mit Winterkartoffeln zu versorgen.

b) Stellungnahme des Kommissars der französischen Militärregierung zum Streikrecht, 16. August 1948

Staatsarchiv Freiburg, A 2, Nr. 116.

Da die Badische Verfassung in ihrem Artikel 38 das Streikrecht ausdrücklich anerkennt, erscheint es mir angebracht, am Vorabend der Diskussion der Gesetze über die Betriebsräte, die Schlichtungs- und Schiedsgerichtbarkeit, die Arbeitsgerichte durch den Landtag, die Stellungnahme der Militärregierung zu diesem Problem festzulegen.

Die von der Militärregierung anerkannten Gewerkschaften haben ganz offensichtlich das Recht, von allen in ihrem Besitz befindlichen Aktionsmitteln Gebrauch zu machen, und der Streik kann eines von ihnen sein. Indessen ist es nicht weniger richtig, daß gewisse soziale Konflikte eine Gefahr für die Sicherheit der Besatzungsstreitkräfte darstellen oder deren Aktionstätigkeit behindern können, und diese Erkenntnis führt dazu, eine Beschränkung des Streikrechts für eine gewisse Zahl von besonderen Fällen ins Auge zu fassen.

In jedem Falle werden die Arbeitskonflikte von den fachlich zuständigen badischen Behörden beigelegt werden. Zwei Fälle sind ins Auge zu fassen:

a. Der Streik ist entgegen der Auffassung der verantwortlichen gewerkschaftlichen Organisationen ausgebrochen. – Die badischen Behörden können die sofortige Wiederaufnahme der Arbeit nach Maßgabe der gesetzlich vorgesehenen Bestimmungen anordnen; in jedem Zweifelsfalle wird der Konflikt gemäß der im weiter unten erwähnten § b vorgesehenen Form beigelegt werden.

b. Der Streik ist mit Zustimmung der verantwortlichen gewerkschaftlichen Organisationen ausgebrochen. – Der Konflikt wird beigelegt durch ein vertragsmäßiges Schiedsverfahren, entweder in Anlehnung an das Kontrollratsgesetz 35 oder an ein badisches Gesetz, das sich aus diesem herleitet.

Jedenfalls kann aus Gründen des dringenden Bedarfs der Besatzungsmacht die Arbeitsniederlegung in folgenden Betrieben oder öffentlichen Dienststellen, da sie von unmittelbarem Interesse für die Besatzungsstreitkräfte sind, nicht zugelassen werden:
a. den großen öffentlichen Dienststellen (Wasser, Gas, städtische Transporte, Krankenhäuser);
b. den Betrieben, die beschlagnahmt sind oder unter direkter Kontrolle oder auf Rechnung der Besatzungsbehörden arbeiten.

Für die 1. Kategorie dieser Betriebe werden Konflikte unter eigener Verantwortung in enger Verbindung mit der Militärregierung durch die badischen Behörden beigelegt. Dazu ist zu bemerken, daß, falls irgendein anderer Text fehlen sollte, die Träger der öffentlichen Gewalt sich auf diesem Gebiet stützen können auf:
- Die Verordnung vom 20. Januar 1920, die jede mündliche, schriftliche oder andersartige Handlung untersagt, die auf Einstellung der Arbeit bei den für das Land lebenswichtigen Betrieben hinzielt.
- Die Verordnung vom 10. November 1920, welche die Regelung aller Konflikte, die in den die Bevölkerung mit Wasser, Gas oder Elektrizität versorgenden Betrieben entstehen, einem Schlichtungsverfahren und der rechtsverbindlichen Annahme des Schiedsspruches innerhalb von 3 Tagen nach seiner Veröffentlichung unterwirft.
- Die Verordnung vom 1. Februar 1922, die den Beamten der Reichsbahn, wie allen übrigen Beamten, untersagt, die Ausführung ihrer gewohnten Arbeit zu unterbrechen oder zu verweigern.

Soweit es sich um beschlagnahmte Betriebe handelt oder solche, die direkt unter der Kontrolle oder auf Rechnung der Besatzungsbehörde arbeiten, so werden diese mit den ihnen zur Verfügung stehenden Mitteln direkt eingreifen.

Es versteht sich, daß die Militärregierung sich immer das Recht vorbehält, in jedem Augenblick – gleichgültig, welcher Art der Konflikt auch sei – einzuschreiten, sobald sie glaubt, daß der Streik die lebenswichtigen Interessen der Besatzungsmacht gefährdet.

Ich beehre mich daher, Sie zu bitten, sich mit diesen Anregungen, die ich mit der gleichen Post den interessierten Kreisen bekanntgebe, zu befassen.

Die Haltung der Gewerkschaften zum Marshall-Plan

a) Entschließung des Bundesausschusses des Badischen Gewerkschaftsbundes, 13. März 1948

Unser Tag (Offenburg) vom 17. März 1948.

Der Bundesausschuß ist der Auffassung,
1. daß durch den Marshall-Plan eine Aufteilung Deutschlands in zwei Teile erfolgt,
2. die Gefahr kriegerischer Entwicklungen dadurch erhöht wird,
3. die Einheitsgewerkschaftsbewegung Deutschlands und der Welt zersplittert und dadurch ihre Kraft geschwächt wird,
4. durch die Schwächung der Einheitsgewerkschaftsbewegung der imperialistische und reaktionäre Kapitalismus gestärkt und eine gesunde Wirtschafts- und Sozialpolitik verhindert wird,
5. die Einberufung einer Weltgewerkschaftskonferenz, die zum Marshall-Plan Stellung nimmt, wird begrüßt in der Hoffnung, daß neue Wege aufgezeigt werden und ein Plan entwickelt wird, der frei von politischen Bedingungen der Arbeitnehmer Deutschlands und der ganzen Welt wirkliche Hilfe bringt.

b) Entschließung des Gewerkschaftsrates der vereinigten Westzonen, 15. März 1948

Arbeiterbewegung und Wiederaufbau, hrsg. vom DGB Stuttgart, Stuttgart 1982, S. 234.

Der Gewerkschaftsrat sieht in der politischen und wirtschaftlichen Einheit Deutschlands und der friedlichen wirtschaftlichen Zusammenarbeit aller europäischen Völker die sichersten Garantien für den Wiederaufbau Europas und Deutschlands sowie für die Demokratisierung der Völker und die Schaffung eines dauernden Friedens.

Er hält den Marshall-Plan für eine Grundlage, diesen Zielen näherzukommen. Der Plan verbindet mit der Aufforderung an alle Staaten Europas, zum gemeinsamen Nutzen ihre produktiven Kräfte und Mittel miteinander zu koordinieren, das Angebot einer großzügigen materiellen Hilfe bei seiner Durchführung. Der Gewerkschaftsrat bedauert aufs tiefste, daß nicht alle europäischen Regierungen dem Plane zugestimmt haben. Die geltend gemachte Gefahr, daß die europäischen Völker mit der Annahme des Planes in wirtschaftliche und politische Abhängigkeit zu den USA geraten könnten, würde um so bedeutungsloser sein, je umfassender sich diese Völker durch gemeinsame Interessen solidarisch miteinander verbinden.

Mit wachsender Besorgnis beobachtet der Gewerkschaftsrat, wie seit Kriegsende planmäßig und mit allen Mitteln an der Bildung eines politisch und wirtschaftlich zusammengeschweißten Blockes der Oststaaten Europas gearbeitet wird und wie Tendenzen mit dieser Zielrichtung auch der deutschen Ostzone aufgezwungen werden. Die Gefahr einer endgültigen Aufspaltung Europas und Deutschlands kann aber nicht beseitigt, sondern nur noch verstärkt werden, wenn die anderen Nationen noch länger darauf verzichten wollten, durch gemeinsame Anstrengungen und mit gegenseitiger Unterstützung dem wirtschaftlichen und sozialen Chaos entgegenzutreten, in das sie durch den Krieg gestürzt wurden. Der Gewerkschaftsrat gibt deswegen der Hoffnung Ausdruck, daß die vom Marshall-Plan angekündigten wirtschaftlichen Sanierungsmaßnahmen baldigst ins Werk gesetzt und durch einen sichtbaren Erfolg auch die noch abseits stehenden Staaten davon überzeugt werden, daß eine vernünftige und planmäßige Zusammenarbeit zum Wohle aller Völker möglich ist.

Die Gestaltung einer solchen Zusammenarbeit darf aber nicht allein den Regierungen und Repräsentanten des Unternehmertums überlassen werden. Der Arbeitnehmerschaft, vertreten durch ihre Gewerkschaften, muß ein entscheidendes Mitwirkungsrecht eingräumt werden, damit ihre berechtigten Interessen bei der Durchführung des Planes wirksam vertreten werden können. Deswegen begrüßt der Gewerkschaftsrat die Einberufung einer gewerkschaftlichen Konferenz der Länder, die den Marshall-Plan unterstützen und nimmt die Einladung zu einer Vertretung auch der deutschen Gewerkschaften an.

c) Resolution der außerordentlichen Sitzung des Bundesausschusses des Badischen Gewerkschaftsbundes, der Vorsitzenden und Sekretäre der Ortsausschüsse und des Bundesvorstandes, 5. April 1948

Unser Tag (Offenburg) vom 14. April 1948. – Auslassung in der Vorlage.

Die außerordentliche Bundesausschußsitzung der Gewerkschaften am 5. April, zusammen mit den Vorsitzenden und Sekretären der Ortsausschüsse, erklärt, daß die vom Bundesausschuß am 13. März gefaßte Stellungnahme überholt ist, weil dieselbe unter falschen Voraussetzungen gefaßt wurde.

Die Konferenz stellt mit Befriedigung fest, daß auch deutsche Gewerkschaftsvertreter nach London eingeladen wurden und dadurch internationale gewerkschaftliche Zusammenarbeit wiederhergestellt ist. Sie stellt weiter mit Genugtuung fest, daß der Marshall-Plan für die beteiligten Länder keine politischen und wirtschaftlichen Bindungen enthält und nicht in die inneren Verhältnisse der Länder eingreift. ... Die Konferenz erwartet, daß durch die dauernde Zusammenarbeit der Gewerkschaften aller Länder und die Einsetzung des gewerkschaftlichen Beratungsausschusses für den europäischen Hilfsplan,dem auch ein deutscher Gewerkschaftsvertreter angehört, jede Blockbildung verhindert, die Einheit der Gewerkschaftsbewegung gewahrt und die sozialen und wirtschaftlichen Existenzgrundlagen der Arbeitnehmer gesichert werden. Der Bundesvorstand wird aufgefordert, mit der badischen Regierung in Verbindung zu treten, um maßgebend bei der Durchführung des Planes für Baden mitzuwirken und dabei die Rechte der Arbeitnehmer zu sichern.

Der Resolution ging ein Bericht des Gewerkschaftsvorsitzenden Ludwig (Mainz) über die Gewerkschaftstagung der Marshall-Plan-Länder in London voraus.

Anhang

Verzeichnis der Dokumente

Kapitel IV

Die faschistische Diktatur, 30. Januar 1933–April 1945

c) Gesetz zur Behebung der Not von Volk und Reich (Ermächtigungsgesetz)

94	1933	März - Juni	Die Verfolgung und Zerschlagung der organisierten Arbeiterbewegung a) Funkspruch des Staatssicherheitsdienstes an die badischen Landeskommissäre, Bezirksämter, Polizeipräsidien und die Polizeidirektion Baden-Baden, 1. März 1933 b) Bericht der »Volkswacht« über die polizeiliche Schließung des Freiburger Gewerkschaftshauses, 9. März 1933 c) Anordnung des Reichskommissars und badischen Innenministers an die badischen Bezirksämter, Polizeipräsidien und die Polizeidirektion Baden-Baden, 17. März 1933 d) Anordnung des Reichskommissars und badischen Innenministers, die politische Betätigung der freien Gewerkschaften zu unterbinden, 28. März 1933 e) Anordnung des Reichskommissars und badischen Innenministers an die Bezirksämter, Polizeipräsidien und die Polizeidirektion Baden-Baden zur Auflösung der Arbeitersport- und Kulturvereine, 30. März 1933 f) Rundschreiben von Robert Ley (NSDAP) betreffend die »Gleichschaltungsaktion« gegen die freien Gewerkschaften (Auszug), 21. April 1933 g) Bericht der Gendarmerie Säckingen an das Bezirksamt Säckingen über die Beschlagnahme des Vermögens der freien Gewerkschaften in Säckingen, 13. Mai 1933 h) Anordnung des badischen Innenministeriums an alle Bezirksämter zur Überstellung badischer »Schutzhäftlinge« in das »Schutzhaftlager« Heuberg, 24. Mai 1933 i) Rundschreiben des badischen Innenministers an die Bezirksämter, Polizeipräsidien und die Polizeidirektion Baden-Baden betreffend die Auflösung von KPD und SPD sowie ihrer Nebenorganisationen, 23. Juni 1933	53

Kapitel V

Von der Befreiung vom Faschismus bis zur Verabschiedung des Betriebsverfassungsgesetzes, April 1945 - 19. Juli 1952

b) Schreiben des Ortsausschusses der Freiburger Gewerkschaften an das Badische Wirtschaftsministerium betreffend die Entsendung von Gewerkschaftsvertretern in die dem Wirtschaftsministerium unterstellten Ausschüsse, 18. Juli 1946
c) Entschließung der Mitgliederversammlung des Chemie- und Fabrikarbeiterverbands Freiburg, 22. August 1946
d) Entschließung der Betriebsrätekonferenz des Landkreises Lörrach, 13. Dezember 1946
e) Entschließung einer öffentlichen Kundgebung des Ortsausschusses der Schopfheimer Gewerkschaften, 19. Januar 1947
f) Schreiben des Badischen Gewerkschaftsbundes an den Ortsausschuß Lahr betreffend den Abschluß von Betriebsvereinbarungen, 29. Juli 1947
g) Schreiben der Landesvereinigung der Gewerkschaften, Industriegruppe Metall Südbaden, an das Badische Wirtschafts- und Arbeitsministerium betreffend den Abschluß von Betriebsvereinbarungen, 13. August 1947
h) Schreiben der Landesgemeinschaft der industriellen Fachvereinigung Südbadens an das Badische Ministerium für Wirtschaft und Arbeit betreffend den Entwurf zum Badischen Betriebsrätegesetz, 4. November 1947
i) Offener Brief des Badischen Gewerkschaftsbundes an die industriellen Fachvereinigungen Südbadens betreffend den Entwurf zum Badischen Betriebsrätegesetz, 26. November 1947
j) Aufruf des Badischen Gewerkschaftsbundes zum Kampf für die Verwirklichung des Mitbestimmungsrechts, November 1947
k) Monatsbericht des Badischen Arbeitsministeriums über die Tätigkeit der Betriebsräte und Gewerkschaften in Südbaden, 11. Dezember 1947
l) Aufruf des badischen Gewerkschaftskartells des Kreises Wolfach zur Protestversammlung gegen den von Arbeit-

Zeittafel

Kapitel IV
Die faschistische Diktatur

30. Januar 1933	Reichspräsident Hindenburg ernennt Hitler zum Reichskanzler und löst den Reichstag auf.
5. Februar 1933	Große Kundgebung der Eisernen Front in Freiburg gegen die Ernennung Hitlers zum Reichskanzler.
27. Februar 1933	Reichstagsbrand. Beginn des offenen Terrors gegen die Arbeiterbewegung.
28. Februar 1933	Die Nazis verbieten den »Volksfreund«, die Zeitung der SPD für Mittelbaden, zunächst für drei Tage. Am 17. März erscheint endgültig die letzte Ausgabe der traditionsreichen Arbeiterzeitung.
1.–4. März 1933	In zahlreichen Gemeinden Südbadens führen die Nazis Haussuchungen durch. Auch in Offenburg, Freiburg und Lörrach werden führende Funktionäre von SPD und KPD verhaftet.
5. März 1933	Reichstagswahlen. Trotz Terror stimmen 7,2 Millionen Menschen für die SPD und 4,8 Millionen für die KPD. Die NSDAP verfehlt mit 17,3 Millionen Stimmen die absolute Mehrheit.
6. März 1933	In fast allen größeren und kleineren Städten Südbadens werden auf den Rathäusern Hakenkreuzfahnen gehißt und weitere Verhaftungen von SPD- und KPD-Funktionären vorgenommen.
9. März 1933	Unter dem Vorwand von angeblichen Waffenfunden lassen die Nazis das Freiburger Gewerkschaftshaus polizeilich schließen.
10. März 1933	Die Nazis setzen die rechtmäßige Regierung Badens endgültig ab. Beginn der antijüdischen Hetze der Nazis in Baden-Baden. Am 30. März ruft die NSDAP zum Boykott jüdischer Geschäfte auf.
17. März 1933	Der badische Innenminister Robert Wagner ordnet die Verhaftung der Landtags- und Reichstagsabgeordneten von SPD und KPD an. Gleichzeitig erläßt er ein Verbot der sozialdemokratischen Presse sowie sämtlicher Wehr- und Jugendorganisationen von SPD und KPD. – In Freiburg werden SPD und KPD sowie ihre Nebenorganisationen auf Anordnung der badischen Regierung verboten.
24. März 1933	Mit den Stimmen der bürgerlichen Parteien und gegen die Stimmen der SPD verabschiedet der Reichstag das Ermächtigungsgesetz. Die Mandate der KPD waren zuvor unter Bruch der Verfassung aufgehoben worden.

7. April 1933	Einsetzung von Reichsstatthaltern in den Ländern, für Baden Robert Wagner.
1. Mai 1933	Propaganda-Aufmarsch zum »Tag der nationalen Arbeit« auch in Offenburg, Freiburg und Lörrach.
2. Mai 1933	Besetzung der Gewerkschaftshäuser in ganz Deutschland durch SA.
10. Mai 1933	Gründung der Deutschen Arbeitsfront (DAF), in der alle Beschäftigten zwangsweise Mitglied sein mußten.
23. Juni 1933	Verbot der SPD in Baden und »Schutzhaft« für alle führenden Funktionäre.
20. Januar 1934	»Gesetz zur Ordnung der nationalen Arbeit«.
30. Juni 1934	Unter dem Vorwand angeblicher Putsch-Pläne entledigt sich Hitler der auf Verwirklichung sozialer Versprechen drängenden Teile der SA (Röhm-Putsch).
März 1935	SPD und KPD veröffentlichen ein gemeinsames Programm für Ober- und Mittelbaden, das Maßnahmen für den Kampf gegen das faschistische Regime, aber auch weitergehende Ziele enthält.
1. März 1935	Die Bevölkerung des Saargebietes entscheidet sich mehrheitlich für den Anschluß an das Deutsche Reich.
16. März 1935	Einführung der allgemeinen Wehrpflicht.
15. September 1935	Beginn der systematischen Judenverfolgung (Nürnberger Rassegesetze).
Anfang 1936	Die meisten Mitglieder der in Südbaden bestehenden Arbeiterwiderstandsgruppen fallen einer großen Verhaftungswelle zum Opfer.
4. Juni 1936	Bildung der Volksfrontregierung in Frankreich. Sie regiert bis Oktober 1938.
18. Juni 1936	Putsch der Franco-Faschisten gegen die spanische Republik. Beginn des bis 1939 dauernden spanischen Bürgerkriegs.
12. März 1938	Anschluß Österreichs an das Deutsche Reich.
9./10. November 1938	Zentral gesteuertes Judenpogrom (»Reichskristallnacht«). Alle in Südbaden bestehenden Synagogen werden zerstört. Die Juden werden an zentralen Plätzen zusammengetrieben und größtenteils in KZs deportiert.
23. August 1939	Deutsch-sowjetischer Nichtangriffspakt.
1. September 1939	Beginn des Zweiten Weltkriegs mit dem Überfall der deutschen Wehrmacht auf Polen.
9. April 1940	Überfall der deutschen Wehrmacht auf Dänemark und Norwegen.
10. Mai 1940	Überfall der deutschen Wehrmacht auf Frankreich, Belgien, die Niederlande und Luxemburg.
2. Juni 1941	Überfall der deutschen Wehrmacht auf die Sowjetunion.
31. Juli 1941	Beschluß über die physische Vernichtung der Juden (»Endlösung«) auf der Wannsee-Konferenz.
März 1942	Verlegung des Kriegsgefangenenstammlagers VC nach Offenburg.
19. November 1942	Beginn der Schlacht um Stalingrad. Sie endet am 2. Februar 1943 mit der Kapitulation der deutschen 6. Armee und leitet die Wende des Zweiten Weltkriegs ein.

18. Februar 1943	Mitglieder der Widerstandsgruppe »Weiße Rose« in München, die Flugblätter gegen den Hitlerkrieg verbreitet haben, werden verhaftet und nach Schnellverfahren am 22. Februar hingerichtet.
6. Juni 1944	Landung amerikanischer und britischer Truppen in der Normandie.
20. Juli 1944	Scheitern eines von Oberst Graf von Stauffenberg unternommenen Attentats auf Hitler, dem Massenverhaftungen und zahlreiche Morde an Hitler-Gegnern folgen.
4.–11. Februar 1945	Konferenz von Jalta. Regierungschefs von Großbritannien, USA und der UdSSR beraten über die Nachkriegsordnung für Deutschland.
8. April 1945	Beginn der Befreiung Südbadens durch französische Truppen. In fast allen südbadischen Städten bilden sich Antifaschistische Ausschüsse (Antifa), deren Ziel es ist, allen faschistischen Tendenzen die Grundlage zu entziehen.

Kapitel V
Von der Befreiung vom Faschismus bis zur Verabschiedung des Betriebsverfassungsgesetzes

8. Mai 1945	Bedingungslose Kapitulation der Wehrmacht in Berlin-Karlshorst. Befreiung Deutschlands vom Faschismus.
17. Juli – 2. August 1945	Potsdamer Konferenz der Regierungschefs der UdSSR, der USA und Großbritanniens. Am 2. August wird das Potsdamer Abkommen unterzeichnet.
6./9. August 1945	Die US-Luftwaffe wirft Atombomben auf Hiroschima und Nagasaki.
10. September 1945	Die französische Militärregierung erläßt Richtlinien für die Gründung von Gewerkschaften. Sie sehen lediglich die Gründung von nach Berufen getrennten Einzelgewerkschaften vor.
11. September 1945	In Südbaden beginnt eine Welle von Gründungen örtlicher Gewerkschaften.
20. November 1945	Eröffnung des Verfahrens gegen die Hauptkriegsverbrecher in Nürnberg.
2. Dezember 1945	Illegales Treffen von südbadischen Sozialdemokraten in Freiburg. Aus dem Treffen geht der Beschluß hervor, eine sozialistische Partei zu gründen, die wie vor dem Ersten Weltkrieg alle Sozialisten umfassen soll.
13. Dezember 1945	Verordnung über die Zulassung von politischen Parteien. Die französische Militärregierung erteilt nur der Sozialistischen Partei Badens (SP) und der Kommunistischen Partei Land Baden (KP) die Lizenz, nicht jedoch der Sozialistischen Einheitspartei.
13. Januar 1946	Tagung der Landesleitung der KP in Offenburg. Beschluß, die Vorbereitung der Einheit mit der Bildung einer Aktionsgemeinschaft voranzutreiben.

16./17. Februar 1946	Gründungsparteitag der badischen SP in Villingen/ Schwarzwald. Der Gründungsparteitag spricht sich für die Vereinigung mit der KP aus.
7. März 1946	Die badischen Landesleitungen von KP und SP fassen den Beschluß zur Vereinigung der beiden Parteien.
12. April 1946	Die französische Militärregierung erlaubt den Zusammenschluß der örtlichen Gewerkschaften zu Ortsausschüssen.
2. Juni 1946	Erste »Landeskonferenz der badischen Gewerkschaften« in Offenburg.
Juli / August 1946	Offizielle Gründung von Ortsausschüssen der Gewerkschaften in allen südbadischen Städten.
18. August 1946	Die 20 lokalen Metallgewerkschaften Südbadens gründen zunächst provisorisch die »Landesvereinigung der Gewerkschaften Industriegruppe Metall«. In den folgenden Monaten bilden auch die anderen südbadischen Einzelgewerkschaften »Landesvereinigungen«.
September 1946	Erste offizielle Betriebsratswahlen in Südbaden.
November 1946	Landesparteitag der badischen SP. Der Antrag auf An--schluß an die SPD wird ohne Aussprache angenommen und damit dem Zusammenschluß mit der KP eine endgültige Absage erteilt.
1. Januar 1947	Schaffung des Vereinten Wirtschaftsgebietes der amerikanischen und britischen Zone (Bizone).
27./28. Februar 1947	Interzonenkonferenz der Metallgewerkschaften aller drei Westzonen in Mannheim.
1./2. März 1947	In Freiburg wird der Badische Gewerkschaftsbund als Vereinigung der Landesgewerkschaften offiziell ins Leben gerufen.
15. April 1947	Die badische Landesverordnung zur Befreiung von Nationalsozialismus und Militarismus löst die alliierten Entnazifizierungsbestimmungen ab.
18. Mai 1947	Landtagswahl in Baden (Südbaden). Stimmanteile in Prozent: CDU 55,9; SPD 22,4; FDP 14,3; KPD 7,4.
5. Juni 1947	Der US-Außenminister George Marshall schlägt ein Aufbauprogramm für Europa vor (Marshall-Plan), das am 3. April 1948 in den drei westlichen Zonen in Kraft tritt und politisch dazu dienen soll, den »Kapitalismus hieb- und stichfest« zu machen.
1.–20. Juli 1947	Erster ordentlicher Bundestag des Badischen Gewerkschaftsbundes in Freiburg.
Januar / Februar 1948	Großkundgebungen des Badischen Gewerkschaftsbundes gegen die katastrophale Lebensmittelversorgung in allen Kreisen Südbadens.
7. März 1948	Eröffnung der Bundesschule des Badischen Gewerkschaftsbundes in Rheinfelden.
20. Juni 1948	Währungsreform in den Westzonen.
Juli / August 1948	In ganz Südbaden finden Mitgliederversammlungen, Be--triebsversammlungen und Funktionärskonferenzen statt, in welchen die unsozialen Folgen der Währungsreform angeprangert werden.

2. September 1948	Überall in Südbaden finden öffentliche Kundgebungen des Badischen Gewerkschaftsbundes, verbunden mit zweistündiger Arbeitsniederlegung von insgesamt 30 000 Beschäftigten, statt. Sie richten sich gegen Preiswucher und fordern höhere Löhne sowie die schleunigste Verabschiedung eines Betriebsrätegesetzes.
24. September 1948	Verabschiedung des badischen Betriebsrätegesetzes.
16. Oktober 1948	Zweiter ordentlicher Bundestag des Badischen Gewerkschaftsbundes.
19./21. Oktober 1948	Gründungsverbandstag der IG Metall für die britische und amerikanische Zone in Lüdenscheid.
4. April 1949	Gründung des Nordatlantik-Pakts (Nato).
23. Mai 1949	Die südbadische Metallgewerkschaft schließt sich der IG Metall der britischen und amerikanischen Zone an.
25./26. Juni 1949	Das Grundgesetz der Bundesrepublik Deutschland tritt in Kraft.
1. September 1949	Gründung der IG Metall für die Bundesrepublik Deutschland.
30. September–2. Oktober 1949	Dritter ordentlicher Bundestag des Badischen Gewerkschaftsbundes. Hier beschließt der Badische Gewerkschaftsbund, sich aufzulösen, um in dem zu gründenden Deutschen Gewerkschaftsbund aufzugehen.
12.–14. Oktober 1949	Gründungskongreß des DGB in München.
19. Oktober 1949	Unternehmerverbände gründen in Köln den »Ausschuß für Wirtschaftsfragen Industrieller Verbände«, ab 1950 »Bundesverband der deutschen Industrie«
Februar 1950	Die Zahl der Arbeitslosen ist auf über 2 Millionen angewachsen.
15. Juni 1950	Beginn des Korea-Krieges.
8. Juli 1950	Die Bundesrepublik Deutschland tritt dem Europa-Rat bei.
29./30. November 1950	Urabstimmung in der Eisen- und Stahlindustrie. 95,9 Prozent stimmen für Streik zur Erhaltung und zum Ausbau der paritätischen Mitbestimmung.
14. Juli 1951	In Essen konstituiert sich der Hauptausschuß für die Durchführung der Volksbefragung gegen die Remilitarisierung.
21. Mai 1951	Gesetz über die Mitbestimmung der Arbeitnehmer in den Aufsichtsräten und Vorständen der Unternehmen des Bergbaus und der stahlerzeugenden Industrie (paritätische Mitbestimmung).
Mai 1952	1,4 Millionen Arbeiterinnen und Arbeiter beteiligen sich an Warnstreiks gegen den Entwurf des Betriebsverfassungsgesetzes.
27./28. Mai 1952	Streik der Drucker gegen das Betriebsverfassungsgesetz.
19. Juli 1952	Das zu den Forderungen der Gewerkschaften in Widerspruch stehende Betriebsverfassungsgesetz wird vom Bundestag gegen die Stimmen von SPD und KPD verabschiedet.

Abkürzungsverzeichnis

ADGB	Allgemeiner Deutscher Gewerkschaftsbund
AfA	Arbeitsgemeinschaft freier Angestelltenverbände
Antifa	Antifaschistische Aktion
AOG	Arbeitsordnungsgesetz; Gesetz zur Ordnung der nationalen Arbeit
BDM	Bund Deutscher Mädel
BGVBl.	Badisches Gesetz- und Verordnungsblatt
DAF	Deutsche Arbeitsfront
Gestapo	Geheime Staatspolizei
HJ	Hitlerjugend
KJVD	Kommunistischer Jugendverband Deutschlands
KP	Kommunistische Partei
KPD	Kommunistische Partei Deutschlands
KZ	Konzentrationslager
LVO	Landesverordnung
NSBO	Nationalsozialistische Betriebszellen Organisation
NSDAP	Nationalsozialistische Deutsche Arbeiterpartei
OKW	Oberkommando der Wehrmacht
RAB	Reichsautobahnbau
RAD	Reichsarbeitsdienst
RGBl.	Reichsgesetzblatt
RGO	Revolutionäre Gewerkschaftsopposition
RM	Reichsmark
RSTGB	Reichsstrafgesetzbuch
RüIn	Rüstungsinspektion
Rükdo	Rüstungskommando
RVO	Rechtsverordnung
RW	Reichswehr
SA	Sturm-Abteilung (NSDAP)
SAJ	Sozialistische Arbeiterjugend
SOPADE	Sozialdemokratische Partei Deutschlands im Exil
SP	Sozialistische Partei
SPD	Sozialdemokratische Partei Deutschlands
SS	Schutz-Staffel (NSDAP)
Stalag	Stammlager
TB	Tuberkulose
VO	Verordnung

Personen- und Firmenregister

Ortsregister

Sachregister

Literatur

Abendroth, Wolfgang: Aufstieg und Krise der deutschen Sozialdemokratie, Köln (4. Auflage) 1978

Abendroth, Wolfgang: Einführung in die Geschichte der Arbeiterbewegung. Von den Anfängen bis 1933, Heilbronn (2. Auflage) 1988

Achten, Udo/Siegfried Kupke (Hrsg.): An alle! Lesen! Weitergeben - Flugblätter der Arbeiterbewegung von 1848-1933. Berlin/Bonn 1982

Albrecht, U./Frank Deppe, Jörg Huffschmidt u. a.: Geschichte der Bundesrepublik. Beiträge, Köln 1980

Allgeier, Rudi: Grenzland in der Krise. Die badische Wirtschaft 1928-1933, in: Thomas Schnabel (Hrsg.): Die Machtergreifung in Südwestdeutschland. Das Ende des Weltkrieges in Baden und Württemberg, Stuttgart 1982

Arbeitskreis Regionalgeschichte Freiburg (Hrsg.): Alltagsnot und politischer Wiederaufbau. Zur Geschichte Freiburgs und Südbadens in den ersten Jahren nach dem 2. Weltkrieg, Freiburg 1986

Bebel, August: Aus meinem Leben, Frankfurt a.M. 1969 (Neuauflage)

Bednarek, Horst: Die Gewerkschaftspolitik der Kommunistischen Partei Deutschlands - fester Bestandteil ihres Kampfes und die antifaschistische Einheits- und Volksfront zum Sturz der Hitlerdiktatur und zur Verhinderung des Krieges (1935 bis August 1939), Berlin 1969

Birker, K.: Die badischen Arbeiterbildungsvereine vor dem Ersten Weltkrieg, in: Internationale Wissenschaftliche Korrespondenz zur Geschichte der Arbeiterbewegung 18 (1973), S. 1ff.

Bittmann, Karl: Die badische Fabrikinspektion im 1. Vierteljahrhundert ihrer Tätigkeit 1879-1903, Karlsruhe 1905

Blos, Wilhelm: Badische Revolutionsgeschichte aus den Jahren 1848 und 1849, Mannheim 1910

Bocks, Wolfgang: Die Badische Fabrikinspektion. Arbeiterschutz und Arbeiterbewegung in Baden. 1879-1914, Freiburg 1978

Boelcke, Willi: Handbuch Baden-Württemberg, Stuttgart 1982

Boll, Bernd: Fremdarbeiter in Offenburg 1940-1949, Offenburg 1988

Boll, Bernd: Zur Quellenlage für regionalgeschichtliche Untersuchungen über die Jahre 1930-1950, Offenburg 1986

Bosch, Manfred: Als die Freiheit unterging. Eine Dokumentation über Verweigerung, Widerstand und Verfolgung im Dritten Reich in Südbaden, Konstanz 1985

Bosch, Michael u. a. (Hrsg.): Widerstand im deutschen Südwesten, Stuttgart 1984

Bräunche, Ernst Otto: Die Entwicklung der NSDAP in Baden bis 1932/33, in: Zeitschrift für die Geschichte des Oberrheins, Band 125, Stuttgart 1977

Brodski, J. A.: Im Kampf gegen den Faschismus. Sowjetische Widerstandskämpfer in Hitlerdeutschland 1941-1945, Berlin 1975

Deppe, Frank/Georg Fülberth/Jürgen Harrer (Hrsg.): Geschichte der deutschen Gewerkschaftsbewegung, Köln 1977

Die Badische Revolution 1848/49. Veröffentlichungen des Karlsruher Stadtarchivs, Band 2, 1973
Dietsche, Richard: Die industrielle Entwicklung des Wiesentals bis zum Jahre 1870, Dissertation Basel 1937
Dimitroff, Georg: Die Offensive des Faschismus und die Aufgaben der Kommunistischen Internationale im Kampf für die Einheit der Arbeiterklasse, in: Kongreß der Kommunistischen Internationale. Referate und Resolutionen, Frankfurt 1975
Dokumente der Kommunistischen Partei Deutschlands 1945–1956, Berlin 1956
Dreeßen, Wolfgang (Hrsg.): Revolution in Baden 1848–1849, Berlin 1975

Eisenmann, Wolfgang: Aspekte zur Geschichte des politischen Lebens in Offenburg in den ersten Jahren der Weimarer Republik, unveröff. Zulassungsarbeit, Freiburg 1975/76
Engelberg, Ernst: Revolutionäre Politik und Rote Feldpost 1878–1890, Berlin 1959
Engels, Friedrich: Die deutsche Reichsverfassungskampagne, in: MEW, Bd. 7, Berlin 1960
Esters, Helmut/Hans Pelger: Gewerkschafter im Widerstand, Hannover 1967

Fäßler, Peter u. a.: BCSV/CDU, SP und KP in den ersten Nachkriegsjahren, unveröff. Examensarbeit, Freiburg 1986
Frank, Ludwig: Aufsätze, Reden, Briefe, ausgewählt und eingeleitet von H. Wachenheim, Berlin 1934
Fricke, Dieter: Handbuch zur Geschichte der deutschen Arbeiterbewegung 1869-1917 in zwei Bänden, Berlin 1987
Frisch, Walter: Die Organisationsbestrebungen der Arbeiter in der deutschen Tabakindustrie, Leipzig 1905

Gall, Lothar: Der Liberalismus als regierende Partei. Das Großherzogtum Baden zwischen Restauration und Reichsgründung, Wiesbaden 1968
Goegg, Amand: Nachträgliche authentische Aufschlüsse über die badische Revolution von 1849, deren Entstehung, politischen und militärischen Verlauf, nebst einem Nachtrag, Zürich 1876
Gothein, Eberhard: Wirtschaftsgeschichte des Schwarzwalds und der angrenzenden Landschaften, Straßburg 1892
Grebing, Helga: Geschichte der deutschen Arbeiterbewegung, München 1970
Groese, Karl: Der Kampf um die Entnazifizierung in Südbaden Mitte 1945 - Ende 1946, Dissertation Berlin 1961
Gutheim, Ferdinand: Geschichte des Arbeiterbildungsvereins Freiburg i. B., Freiburg 1911

Haeberli, Wilfried: Der erste Klassenkampf in Basel 1868/69 und die Tätigkeit der Internationalen Arbeiter-Association (1866–1876), in: Basler Zeitschrift für Geschichte und Altertumskunde 64, 1964
Häusser, Ludwig: Die Denkwürdigkeiten zur Geschichte der Badischen Revolution, Heidelberg 1851
Hartwig, Hans-Hermann: War im Mai 1945 auch das kapitalistische Wirtschaftssystem zusammengebrochen? – Eine Studie über den Wandel von Wirtschaftssystemen, in: Gegenwartskunde, Zeitschrift für Gesellschaft, Wirtschaft, Politik und Bildung, Heft 1/1985

Haumann, Heiko (Hrsg.): Vom Hotzenwald bis Wyhl. Demokratische Traditionen in Baden, Köln 1975

Haumann, Heiko: Der Fall Max Faulhaber. Gewerkschaften und Kommunisten - ein Beispiel aus Südbaden 1949-1952, Marburg 1987

Heinrich, C.: Die Geschichte der Arbeiterbewegung in Lörrach 1919-1932 unter besonderer Berücksichtigung von Unruhen Streiks, Demonstrationen, Protestversammlungen, Examensarbeit PH Lörrach 1970, masch.

Heinz, August: Die Revolution in Lahr, Lahr [1919]

Herzberg, Wilhelm: Das Hambacher Fest, Köln 1982 (Neuauflage)

Huster, Ernst-Ulrich u.a.: Determinanten der westdeutschen Restauration 1945-1949, Frankfurt 1972

Jahresberichte der Großherzoglich Badischen Fabrikinspektion 1879-1900

Kaiser, Wilhelm: Die Anfänge der fabrikmäßig organisierten Industrie in Baden, in: Zeitschrift für die Geschichte des Oberrheins, Nr. 46, 1933

Kaiser, Wilhelm: Die Industrialisierung und Proletarisierung der badischen Agrarbevölkerung, Dissertation Heidelberg 1926

Kappes, Theodor: Die Arbeitsverhältnisse in der Zigarrenindustrie in Baden, Dissertation Freiburg 1922

Kistler, Franz: Die wirtschaftlichen und sozialen Verhältnisse in Baden 1849-1870, Freiburg 1954

Klein, Timm: 1848. Der Vorkampf deutscher Einheit und Freiheit. Erinnerungen, Urkunden, Berichte, Briefe, München, Leipzig 1914

Kleßmann, Christoph: Betriebsparteigruppen und Einheitsgewerkschaft. Zur betrieblichen Arbeit der politischen Parteien in der Frühphase der westdeutschen Arbeiterbewegung 1945-1952, in: Vierteljahreschrift für Zeitgeschichte, Nr. 31, 1983

Klönne, Arno: Die deutsche Arbeiterbewegung. Geschichte - Ziele - Wirkungen, Frankfurt a.M. 1980

Kluge, Ulrich: Südwestdeutschland in der Nachkriegszeit 1945-1949. Quellen zu den politischen, sozialen und wirtschaftlichen Voraussetzungen für die Neubegründung demokratischer Strukturen im späteren Land Baden-Württemberg, in: Hansmartin Schwarzmaier: Kriegsende 1945 und demokratischer Neubeginn am Oberrhein, Karlsruhe 1980

Kneile, Heinz: Stadterweiterung und Stadtplanung im 19. Jahrhundert. Auswirkungen des ökonomischen und sozialen Strukturwandels auf die Stadtphysiognomie im Großherzogtum Baden, Freiburg 1978

Köhler, Werner: Freiburg i. Br. 1945-1949. Politisches Leben und Erfahrungen in der Nachkriegszeit, Dissertation Freiburg 1985

Köhler, Werner: Politische und gesellschaftliche Strukturen der ersten Jahre nach dem Zweiten Weltkrieg in Offenburg, Examensarbeit Freiburg 1980

Kopelew, Lew: Worte werden Brücken. Aufsätze/Vorträge/Gespräche 1980-1985. Hamburg 1985

Kreuzberger, Wolfgang: Studenten und Politik 1918-1933. Der Fall Freiburg im Breisgau, Göttingen 1972

Kuczynski, Jürgen: Die Geschichte der Lage der Arbeiter in Deutschland von 1800 bis in die Gegenwart, Band 1: 1800-1832, Berlin 1947

Lahnstein, Peter: Die unvollendete Revolution, Stuttgart 1982
Landeszentrale für politische Bildung Baden-Württemberg (Hrsg.): Badische Geschichte. Vom Großherzogtum bis zur Gegenwart, Stuttgart 1979
Lautenschlager, Friedrich: Volksstaat und Einherrschaft, Konstanz 1920
Liessen-Breinlinger, Renate: Die Lahrer Hungerunruhen. Die Vorgänge im Herbst 1923 nach Prozeßakten und Zeitungsberichten. Die Rolle der Abgeordneten Frieda Unger, in: Der Ortenaukreis (Hrsg.): Geroldsecker Land, Jahrbuch einer Landschaft, Heft 17, 1975

Marum, Ludwig: Briefe aus dem KZ Kieslau, bearbeitet von E. Marum-Lunau und Jörg Schadt, Karlsruhe 1984
Marx, Karl/Friedrich Engels: Die Frankfurter Versammlung, in: MEW, Bd. 5, Berlin 1959
Marx, Karl: Revolution und Konter-Revolution, Kap. »Der Maiaufstand 1849«, in: MEW, Bd. 8, Berlin 1960
Matthias, Erich/Klaus Schönhoven (Hrsg.): Solidarität und Menschenwürde. Etappen der deutschen Gewerkschaftsgeschichte von den Anfängen bis zur Gegenwart, Bonn 1984
Mommsen, Hans (Hrsg.): Arbeiterbewegung und industrieller Wandel. Studien zu gewerkschaftlichen Organisationsproblemen im Reich und an der Ruhr, Wuppertal 1980
Mommsen, Hans u. a. (Hrsg.): Industrielles System und politische Entwicklung in der Weimarer Republik, Düsseldorf 1974
Mussler, Franz: Die Entwicklung der Zigarrenindustrie in Baden mit besonderer Berücksichtigung der 4 letzten Jahrzehnte vor dem Krieg, Dissertation Freiburg [1922]

Negt, Oskar: Ein Programm des guten Willens, aber ohne Gesellschaftsanalyse (Bremer Programm der SPD), in: Die Neue Gesellschaft/Frankfurter Hefte 36, 1989
Notizbuch für Reichstagswähler. Statistik der Wahlen zum Deutschen Reichstag in den Jahren 1871–98, Dresden 1898

Obermann, Karl: Die Deutsche Revolution 1848/49 in Augenzeugenberichten, Berlin 1968
Oefterin, W. E.: Der Umsturz 1918 in Baden, Konstanz 1920

Protokoll über die Verhandlungen der SPD Badens am 20./21. Juni 1914 in Freiburg, Offenburg 1914

Quarck, Max: Arbeiter und Fabrikinspektion in Baden. Eine kritische Studie für die Arbeiter, Mannheim 1895
Quellen zur Geschichte der Rätebewegung in Deutschland 1918/19, Band 3: Arbeiter-, Soldaten- und Volksräte in Baden 1918/19, bearbeitet von Peter Brand und Reinhard Rürup, Düsseldorf 1980

Rebmann u. a. (Hrsg.): Das Großherzogtum Baden in allgemeiner, wirtschaftlicher und staatlicher Hinsicht dargestellt, Karlsruhe 1912
Remmele, Adam: Staatsumwälzung und Neuaufbau in Baden. Ein Beitrag zur politischen Geschichte Badens 1914/24, Karlsruhe 1925

Ruch, Martin: Arbeitersiedlungen - bisher unbeachtete Kulturdenkmäler, in: Badischer Volkskalender 1980
Rupp, Reinhold: Quellen zur Geschichte der Arbeiterbewegung im GLA Karlsruhe, in: Internationale Wissenschaftliche Korrespondenz zur Geschichte der deutschen Arbeiterbewegung, Heft 4/1976 und Heft 1/1977

Schadt, Jörg: Die sozialdemokratische Partei in Baden. Von den Anfängen bis zur Jahrhundertwende (1868–1900), Hannover 1971
Schadt, Jörg (Hrsg.): Im Dienst an der Republik. Die Tätigkeitsberichte des Landesvorstands der Sozialdemokratischen Partei Badens 1914–1932, Stuttgart 1977
Schadt, Jörg: Neuere Untersuchungen zu badischen SPD-Parteitagen, 1986
Schadt, Jörg: Verfolgung und Widerstand unter dem Nationalsozialismus in Baden. Die Lageberichte der Gestapo und des Generalstaatsanwaltes Karlsruhe 1933–1940, Stuttgart 1976
Schadt, Jörg/Wolfgang Schmierer (Hrsg.): Die SPD in Baden Württemberg und ihre Geschichte, Stuttgart 1979
Schäfer, Hermann P.: Industrie- und Wirtschaftspolitik während des 1. Weltkrieges in Baden, Dissertation Freiburg 1977
Schätzle, Julius: Stationen zur Hölle - Konzentrationslager in Baden und Württemberg 1933–1945, Frankfurt a.M. 1975
Scheel J. (Hrsg.): Jakobinische Flugschriften aus dem deutschen Süden, Ende des 18. Jahrhunderts, Berlin 1965
Schlemmer, Hannelore: Die Rolle der Sozialdemokratie in den Landtagen Badens und Württembergs und ihr Einfluß auf die Gesamtpartei zwischen 1890 und 1914, Dissertation Freiburg 1953
Schmidt, Eberhard: Die verhinderte Neuordnung 1945–1952. Zur Auseinandersetzung um die Demokratisierung der Wirtschaft in den westlichen Besatzungszonen und in der Bundesrepublik Deutschland, Frankfurt a.M. 1970
Schmidt, Walter (Bearb.): Illustrierte Geschichte der deutschen Revolution. 1848/49, Berlin 1973
Schmierer, Wolfgang: Der Bestand »Arbeiterbildungsverein Stuttart« im Staatsarchiv Ludwigsburg, in: Internationale Wissenschaftliche Korrespondenz, Heft 11/12, April 1971
Schmierer, Wolfgang: Von der Arbeiterbildung zur Arbeiterpolitik, Hannover 1970
Schnabel, Thomas (Hrsg.): Die Machtergreifung in Südwestdeutschland. Das Ende der Weimarer Republik in Baden und Württemberg, Stuttgart 1982
Schnath, Georg u.a. (Bearb.): Inventar von Quellen zur Deutschen Geschichte in Pariser Archiven und Bibliotheken, Koblenz 1986
Schuster, Dieter: Die deutsche Gewerkschaftsbewegung, Düsseldorf 1976
Specht, Fritz/Paul Schwabe: Die Reichstagswahlen von 1867–1903, Berlin (2. Auflage) 1904
Statistische Mitteilungen über das Großherzogtum Baden. Band 20, 1903, Sondernummer: Die Ergebnisse der Reichstagswahlen im Großherzogtum Baden im Jahre 1903
Statistische Mitteilungen über das Großherzogtum Baden, Neue Folge; ab 1922: Statistische Mitteilungen über das Land Baden, Karlsruhe
Statistisches Jahrbuch für das Großherzogtum Baden, 1883ff.; ab 1925: Statistisches Jahrbuch für das Land Baden
Steglich, Walter: Eine Streiktabelle für Deutschland 1864–1880, in: Jahrbuch für Wirtschaftsgeschichte 1960, Teil II, Berlin 1961

Stehling, Jutta: Weimarer Koalition und SPD in Baden. Ein Beitrag zur Geschichte der Partei- und Kulturpolitik in der Weimarer Republik, Frankfurt a. M. 1976
Struve, Gustav: Grundzüge der Staatswissenschaft, Band 1, Mannheim o. J.

Tribüne. Organ der Unabhängigen Sozialdemokratischen Partei Badens, Mannheim 1919

Unser, Margit: Der Badische Gewerkschaftsbund. Zur Geschichte des Wiederaufbaus der Gewerkschaftsbewegung im französisch besetzten Südbaden, Marburg 1989

Vollmer, Franz X.: Der Traum von Freiheit. Vormärz und 48er Revolution in Süddeutschland in zeitgenössischen Bildern, Stuttgart 1983
Vollmer, Franz X.: Vormärz und Revolution 1848/49 in Baden. Strukturen, Dokumente, Fragestellungen, Modelle zur Landesgeschichte, Frankfurt a. M. 1986

Wassener, Dorothee: Die christlichen Gewerkschaften in Baden vor dem ersten Weltkrieg unter Berücksichtigung ihrer Einstellung zum Arbeitskampf, Zulassungsarbeit Freiburg 1973, masch.
Weber, Herrmann/Siegfried Mielke (Hrsg.): Organisatorischer Aufbau der Gewerkschaften 1945-1949, Köln 1987
Werner, Willi: Wirtschaftsgeschichtliche Studien zur industriellen Entwicklung des Wiesentals 1870-1933, Basel Diss. 1938
Woerishofer, Friedrich: Die soziale Lage der Zigarrenarbeiter im Großherzogtum Baden. Beilage zum Jahresbericht des Großherzogl. Bad. Fabrikinspektors für das Jahr 1889, Karlsruhe 1890

Zeitschrift des badischen Arbeitersängerbundes (um 1923)

Bildnachweis

Archiv der sozialen Demokratie der Friedrich-Ebert-Stiftung: 3
Betriebsrat der Firma Thyssen: 18
DGB Freiburg, Dokumente zur Geschichte der Gewerkschaften im DGB-Kreis Freiburg, 1945–1949, II: 33
Dokumentationsarchiv des deutschen Widerstands, Frankfurt a. M.: 25
GLA Karlsruhe: 5, 7, 10, 14, 19, 20
Stadtarchiv Basel: 4
Stadtarchiv Freiburg: 6, 11, 12, 13, 21, 22, 26, 30, 31, 32, 34
Stadtarchiv Lörrach: 8, 9, 15
Stadtarchiv Neustadt: 1, 2
Stadtarchiv Offenburg: 16, 17, 23, 24, 27, 28
VVN-BdA Kreis Freiburg: Verfolgung, Widerstand, Neubeginn in Freiburg, Freiburg 1981, S. 205: 29